Obra Completa de C.G. Jung
Volume 9/1

Os arquétipos e o inconsciente coletivo

Comissão responsável pela organização do lançamento da Obra Completa de C.G. Jung em português:
Dr. Léon Bonaventure
Dr. Leonardo Boff
Dora Mariana Ribeiro Ferreira da Silva
Dra. Jette Bonaventure

A comissão responsável pela tradução da Obra Completa de C.G. Jung sente-se honrada em expressar seu agradecimento à Fundação Pro Helvetia, de Zurique, pelo apoio recebido.

**Dados Internacionais de Catalogação na Publicação (CIP)
(Câmara Brasileira do Livro, SP, Brasil)**

Jung, Carl Gustav, 1875-1961.
  Os arquétipos e o inconsciente coletivo / C.G. Jung. Tradução de Maria Luiza Appy, Dora Mariana R. Ferreira da Silva. – 11. ed. – Petrópolis, RJ : Vozes, 2014.

Titulo original: Die Archetypen und das Kolektive Unbewusste.

18ª reimpressão, 2024.

ISBN 978-85-326-2354-6

1. Arquétipo (Psicologia) 2. Inconsciente 3. Psicanálise I. Título.

00-1745 CDD-150.1954

Índices para catálogo sistemático:
1. Arquétipos: Psicologia junguiana 150.1954
2. Inconsciente: Psicologia junguiana 150.1954

C.G. Jung

Os arquétipos e o inconsciente coletivo

9/1

Petrópolis

© 1976, Walter-Verlag AG Olten

Tradução do original
em alemão intitulado
*Die Archetypen und das kollektive
Unbewusste*

Editores da edição suíça:
Marianne Niehus-Jung
Dra. Lena Hurwitz-Eisner
Dr. Med. Franz Riklin
Lilly Jung-Merker
Dra. Fil. Elisabeth Rüf

Direitos exclusivos de publicação em
língua portuguesa:
2000, Editora Vozes Ltda.
Rua Frei Luís, 100
25689-900 Petrópolis, RJ
www.vozes.com.br
Brasil

Todos os direitos reservados. Nenhuma parte desta obra poderá ser reproduzida ou transmitida por qualquer forma e/ou quaisquer meios (eletrônico ou mecânico, incluindo fotocópia e gravação) ou arquivada em qualquer sistema ou banco de dados sem permissão escrita da editora.

CONSELHO EDITORIAL

Diretor
Volney J. Berkenbrock

Editores
Aline dos Santos Carneiro
Edrian Josué Pasini
Marilac Loraine Oleniki
Welder Lancieri Marchini

Conselheiros
Elói Dionísio Piva
Francisco Morás
Gilberto Gonçalves Garcia
Ludovico Garmus
Teobaldo Heidemann

Secretário executivo
Leonardo A.R.T. dos Santos

PRODUÇÃO EDITORIAL

Aline L.R. de Barros
Jailson Scota
Marcelo Telles
Mirela de Oliveira
Natália França
Otaviano M. Cunha
Priscilla A.F. Alves
Rafael de Oliveira
Samuel Rezende
Vanessa Luz
Verônica M. Guedes

Tradução: Dora Mariana R. Ferreira da Silva e Maria Luiza Appy
Revisão literária: Lúcia Mathilde Endlich Orth
Revisão técnica: Dra. Jette Bonaventure
Diagramação: AG.SR Desenv. Gráfico
Capa: 2 estúdio gráfico

ISBN 978-85-326-2424-6 (Obra Completa de C.G. Jung)

ISBN 978-85-326-2354-6 (Brasil)
ISBN 3-530-40084-X (Suíça)

Este livro foi composto e impresso pela Editora Vozes Ltda.

Sumário

Prefácio dos editores, 9

I. Sobre os arquétipos do inconsciente coletivo, 11

II. O conceito de inconsciente coletivo, 51
   a. Definição, 51
   b. Significado psicológico do inconsciente coletivo, 52
   c. O método de comprovação, 57
   d. Um exemplo, 59

III. O arquétipo com referência especial ao conceito de anima, 63

IV. Aspectos psicológicos do arquétipo materno, 82
   1. O conceito de arquétipo, 82
   2. O arquétipo materno, 87
   3. O complexo materno, 90
      A. O complexo materno do filho, 91
      B. O complexo materno da filha, 93
         a. A hipertrofia do aspecto maternal, 93
         b. Exacerbação do eros, 94
         c. Identificação com a mãe, 95
         d. Defesa contra a mãe, 96
      C. Os aspectos positivos do complexo materno, 98
         a. A mãe, 98
         b. O eros exacerbado, 100
         c. A apenas-filha, 103

D. O complexo materno negativo, 104
   4. Resumo, 106

V. Sobre o renascimento, 116
   Observações preliminares, 116
   1. Formas do renascimento, 117
      α. Metempsicose, 117
      β. Reencarnação, 117
      γ. Ressurreição (*resurrectio*), 117
      δ. Renascimento (*renovatio*), 118
      ε. Participação no processo da transformação, 118
   2. Psicologia do renascimento, 119
      A. A experiência da transcendência da vida, 120
         α. Vivências mediadas pelo rito sagrado, 120
         β. Experiências diretas, 121
      B. Transformação subjetiva, 122
         α. Diminuição da personalidade, 122
         β. Transformação no sentido da ampliação, 123
         γ. Modificação da estrutura interior, 126
         δ. Identificação com um grupo, 128
         ε. Identificação com o herói do culto, 131
         ζ. Procedimentos mágicos, 132
         η. Transformação técnica, 132
         θ. Transformação natural, 133
   3. Exemplo de uma sequência de símbolos ilustrativos do processo de transformação, 138

VI. A psicologia do arquétipo da criança, 152
   1. Introdução, 152
   2. A psicologia do arquétipo da criança, 161
      A. O arquétipo como estado pretérito, 161
      B. A função do arquétipo, 164

C. O caráter futuro do arquétipo, 166
  D. Unidade e pluralidade do motivo da criança, 167
  E. A criança-deus e a criança-herói, 167
 3. A fenomenologia especial do arquétipo da criança, 169
  A. O abandono da criança, 169
  B. A invencibilidade da criança, 172
  C. O hermafroditismo da criança, 175
  D. A criança como começo e fim, 180
 4. Conclusão, 181

VII. Aspectos psicológicos da Core, 184
  A. Caso X, 193
  B. Caso Y, 197
  C. Caso Z, 203

VIII. A fenomenologia do espírito no conto de fadas, 207
 Prefácio, 207
  A. Sobre a palavra "espírito", 208
  B. A autorrepresentação do espírito nos sonhos, 214
  C. O espírito no conto de fadas, 217
  D. O simbolismo teriomórfico do espírito no conto de fadas, 231
  E. Adendo, 243
  F. Anexo, 244
  G. Conclusão, 253

IX. A psicologia da figura do "trickster", 256

X. Consciência, inconsciente e individuação, 274

XI. Estudo empírico do processo de individuação, 290
 Quadros 1-24 e interpretação, 292
 Resumo, 353

XII. Simbolismo do mandala, 359

Imagens 1-54 e interpretação, 360
   Conclusão, 391

Anexo: Mandalas, 393

Referências, 397

Índice onomástico, 419

Índice analítico, 425

Prefácio dos editores

A noção de arquétipo e seu correlato, o conceito de inconsciente coletivo, fazem parte das teorias mais conhecidas de C.G. Jung. É possível retraçar suas origens até as publicações mais antigas, como a dissertação médica "Sobre a psicologia e psicopatologia dos fenômenos chamados ocultos" (1902), em que descreve as fantasias de um jovem médium histérico e procura analisar suas possíveis causas subjetivas. Indicações dos conceitos encontram-se em vários de seus escritos subsequentes; aos poucos cristalizam-se, a título experimental, as primeiras definições que são formuladas de modo sempre novo, até surgir um cerne teórico mais estável (no sentido original da palavra "concepção").

A primeira parte do volume 9 – dividido em dois tomos – consiste de trabalhos, publicados entre 1933 e 1955, que esboçam e aperfeiçoam – os dois conceitos. O volume é introduzido por três ensaios que poderíamos considerar como lançamento teórico da pedra fundamental: "Sobre os arquétipos do inconsciente coletivo", fruto de uma conferência na reunião *Eranos* de 1933; "O conceito de inconsciente coletivo", também um texto de conferência (1936), que teve de ser traduzido do inglês; e "Sobre o arquétipo com referência especial ao conceito de anima", publicado pela primeira vez em 1936. Seguem publicações que descrevem arquétipos específicos como o da mãe, do renascimento, da criança divina, de Core (a donzela), depois o motivo do espírito como aparece em incontáveis variantes dos contos populares e a figura do chamado *Trickster*. Finalmente estuda a relação dos arquétipos com o processo de individuação, uma vez de modo teórico no ensaio "Consciência, inconsciente e individuação" (1939), outra vez de modo prático, isto é, aplicado a um processo particular de individuação, como se vê num trabalho analítico de Jung, baseado numa série impressionante de quadros. Do simbolismo dos mandalas tratam o último ensaio e um apêndice de 1955. Neles, além de rico material da história das religiões e do pensamento humano, há figuras da prática psicoterapêutica do autor, portanto produtos espontâneos do inconsciente de contemporâneos para descrição e interpretação.

As ilustrações, que foram publicadas pela primeira vez na edição de *"Gestaltungen des Unbewussten"* (1954), foram refotografadas com melhor técnica para mais perfeita reprodução no volume da Obra Completa. Além disso foi possível reproduzir parcialmente em cores toda a série de figuras que ilustra o ensaio "A empiria do processo de individuação" e acrescentar mais sete figuras que o próprio autor escolheu dentre o material que teve em mãos para a edição anglo-americana do tomo IX/I (1959).

Os editores agradecem à senhora Magda Kerényi pelo excelente trabalho de confecção dos índices de pessoas e analítico. Elisabeth Rüf traduziu do inglês o ensaio do capítulo II, até agora inédito em língua alemã.

Outono de 1974

I

Sobre os arquétipos do inconsciente coletivo

A hipótese de um inconsciente coletivo pertence àquele tipo de conceito que a princípio o público estranha, mas logo dele se apropria, passando a usá-lo como uma representação corrente, tal como aconteceu com o conceito do inconsciente em geral. A ideia filosófica do inconsciente, tal como é encontrada principalmente em C.G. Carus e E.v. Hartmann, depois de ter desaparecido sem deixar vestígios significativos na onda avassaladora do materialismo e do empirismo, reapareceu pouco a pouco no âmbito da psicologia médica, orientada para as ciências naturais.

A princípio o conceito do inconsciente limitava-se a designar o estado dos conteúdos reprimidos ou esquecidos. O inconsciente, em Freud, apesar de já aparecer – pelo menos metaforicamente – como sujeito atuante, nada mais é do que o espaço de concentração desses conteúdos esquecidos e recalcados, adquirindo um significado prático graças a eles. Assim sendo, segundo Freud, o inconsciente é de natureza exclusivamente pessoal[1], muito embora ele tenha chegado a discernir as formas de pensamento arcaico-mitológicas do inconsciente.

1

2

Publicado pela primeira vez em: *Eranos Jahrbulch*, 1934 (Rhein-Verlag, Zurique, 1935). Elaborado sob a forma de um primeiro ensaio em *Von den Wurzeln des Bewusstseins. Studien über den Archetypus.* (Psychologische Abhandlungen IX) Rascher, Zurique, 1954.

1. Freud modificou seu ponto de vista fundamental aqui indicado em trabalhos posteriores: a psique instintiva foi por ele designada como "id" e o "superego" corresponde ao consciente coletivo, em parte consciente e em parte inconsciente (reprimido) pelo indivíduo.

3   Uma camada mais ou menos superficial do inconsciente é indubitavelmente pessoal. Nós a denominamos *inconsciente pessoal*. Este, porém, repousa sobre uma camada mais profunda, que já não tem sua origem em experiências ou aquisições pessoais, sendo inata. Esta camada mais profunda é o que chamamos *inconsciente coletivo*. Eu optei pelo termo "coletivo" pelo fato de o inconsciente não ser de natureza individual, mas universal; isto é, contrariamente à psique pessoal ele possui conteúdos e modos de comportamento, os quais são *cum grano salis* os mesmos em toda parte e em todos os indivíduos. Em outras palavras, são idênticos em todos os seres humanos, constituindo, portanto, um substrato psíquico comum de natureza psíquica suprapessoal que existe em cada indivíduo.

4   Uma existência psíquica só pode ser reconhecida pela presença *de conteúdos capazes de serem conscientizados*. Só podemos falar, portanto, de um inconsciente na medida em que comprovarmos os seus conteúdos. Os conteúdos do inconsciente pessoal são principalmente os *complexos de tonalidade emocional*, que constituem a intimidade pessoal da vida anímica. Os conteúdos do inconsciente coletivo, por outro lado, são chamados *arquétipos*.

5   O termo *archetypus* já se encontra em Filo Judeu[2] como referência à *imago dei* no homem. Em Irineu[3] também, onde se lê: "*Mundi fabricator non a semetipso fecit haec, sed de alienis archetypis transtulit*" (O criador do mundo não fez essas coisas diretamente a partir de si mesmo, mas copiou-as de outros arquétipos). No *Corpus Hermeticum*[4], Deus é denominado τὸ ἀρχέτυπον φῶς (a luz arquetípica). Em Dionísio Areopagita encontramos esse termo diversas vezes como "*De coelesti hierarchia*"[5] αἱ ἀΰλαι ἀρχετυπίαι (os arquétipos imateriais), bem como "*De divinis nominibus*[6]". O termo arquétipo não é usado por Agostinho, mas sua ideia no entanto está presente; por exemplo em "*De diversis quaestionibus*", "*ideae [...] quae ipsae formatae*

---

2. *De opificio mundi*, Index, ver verbete.
3. *Adversus omnes haereses*, 2, 6 [p. 126].
4. [SCOTT, *Hermetica* I, p. 140; a luz arquetípica.]
5. II, IV [MIGNE, P.G. - L. III col. 144; os arquétipos imateriais].
6. II, IV (MIGNE. Op. cit., col. 595).

non sunt... quae in divina intelligentia continentur[7]" (ideias... que não são formadas, mas estão contidas na inteligência divina). *Archetypus* é uma perífrase explicativa do εἶδος platônico. Para aquilo que nos ocupa, a denominação é precisa e de grande ajuda, pois nos diz que, no concernente aos conteúdos do inconsciente coletivo, estamos tratando de tipos arcaicos – ou melhor – primordiais, isto é, de imagens universais que existiram desde os tempos mais remotos. O termo *représentations collectives*, usado por Lévy-Bruhl para designar as figuras simbólicas da cosmovisão primitiva, poderia também ser aplicado aos conteúdos inconscientes, uma vez que ambos têm praticamente o mesmo significado. Os ensinamentos tribais primitivos tratam de arquétipos de um modo peculiar. Na realidade, eles não são mais conteúdos do inconsciente, pois já se transformaram em fórmulas conscientes, transmitidas segundo a tradição, geralmente sob forma de ensinamentos esotéricos. Estes são uma expressão típica para a transmissão de conteúdos coletivos, originariamente provindos do inconsciente.

Outra forma bem conhecida de expressão dos arquétipos é encontrada no mito e no conto de fada. Aqui também, no entanto, se trata de formas cunhadas de um modo específico e transmitidas através de longos períodos de tempo. O conceito de *archetypus* só se aplica indiretamente às *représentations collectives*, na medida em que designar apenas aqueles conteúdos psíquicos que ainda não foram submetidos a qualquer elaboração consciente. Neste sentido, representam, portanto, um dado anímico imediato. Como tal, o arquétipo difere sensivelmente da fórmula historicamente elaborada. Especialmente em níveis mais altos dos ensinamentos secretos, os arquétipos aparecem sob uma

---

7. *De diversis quaestionibus*, LXXXIII, XLVI col. 49 [Ideias... elas mesmas não são formadas... contidas no saber divino.] Arquétipo é utilizado pelos alquimistas de modo semelhante. No *Tractatus aureus* de Hermes Trismegisto (*Theatrum chemicum*, 1613, IV, p. 718): "... *ut Deus omnem divinitatis suae thesaurum... in se tanquam archetypo absconditum... eodem modo Saturnus occulte corporum metallicorum simulachra in se circumferens...*" [como Deus oculta em si todos os tesouros de sua divindade... tal como um arquétipo... assim do mesmo modo Saturno traz envolvido em si secretamente o simulacro de corpos metálicos]. Em Vigenerus (*Tractatus de igne et sale*. In: *Theatrum chemicum*, 1661, VI, cap. 4, p. 3) o mundo é "*ad archetypi sui similitudinem factus*" [criado segundo a imagem de seu arquétipo], sendo por isso chamado de "*magnus homo*" [grande homem] ("*homo maximus*" em SWEDENBORG).

forma que revela seguramente a influência da elaboração consciente, a qual julga e avalia. Sua manifestação imediata, como a encontramos em sonhos e visões, é muito mais individual, incompreensível e ingênua do que nos mitos, por exemplo. O arquétipo representa essencialmente um conteúdo inconsciente, o qual se modifica através de sua conscientização e percepção, assumindo matizes que variam de acordo com a consciência individual na qual se manifesta[8].

O significado do termo *archetypus* fica sem dúvida mais claro quando se relaciona com o mito, o ensinamento esotérico e o conto de fada. O assunto se complica, porém, se tentarmos fundamentá-lo *psicologicamente*. Até hoje os estudiosos da mitologia contentavam-se em recorrer a ideias solares, lunares, meteorológicas, vegetais etc. O fato de que os mitos são antes de mais nada manifestações da essência da alma foi negado de modo absoluto até nossos dias. O homem primitivo não se interessa pelas explicações objetivas do óbvio, mas, por outro lado, tem uma necessidade imperativa, ou melhor, a sua alma inconsciente é impelida irresistivelmente a assimilar toda experiência externa sensorial a acontecimentos anímicos. Para o primitivo não basta ver o Sol nascer e declinar; esta observação exterior deve corresponder – para ele – a um acontecimento anímico, isto é, o Sol deve representar em sua trajetória o destino de um deus ou herói que, no fundo, habita unicamente a alma do homem. Todos os acontecimentos mitologizados da natureza, tais como o verão e o inverno, as fases da lua, as estações chuvosas etc., não são de modo algum alegorias[9] destas experiências objetivas, mas sim, expressões simbólicas do drama interno e inconsciente da alma, que a consciência humana consegue apreender através de projeção – isto é, espelhadas nos fenômenos da natureza. A projeção é tão radical que foram necessários vários milênios de civilização para desligá-la de algum modo de seu

---

8. Para sermos exatos devemos distinguir entre "arquétipo" e "ideias arquetípicas". O arquétipo representa um modelo hipotético abstrato, como o *pattern of behavior* conhecido na biologia. Cf. a respeito [JUNG], *Theoretische Überlegungen zum Wesen des Psychischen*.

9. Alegoria é uma paráfrase de um conteúdo consciente, ao passo que símbolo é a melhor expressão possível para um conteúdo inconsciente apenas pressentido, mas ainda desconhecido.

objeto exterior. No caso da astrologia, por exemplo, chegou-se a considerar esta antiquíssima *scientia intuitiva* como absolutamente herética, por não conseguir separar das estrelas a caracterologia psicológica. Mesmo hoje, quem acredita ainda na astrologia, sucumbe quase invariavelmente à antiga superstição da influência dos astros. E todo aquele que é capaz de calcular um horóscopo deveria saber que desde os dias de Hiparco de Alexandria o ponto vernal é fixado em 0° de Áries e assim todo horóscopo se baseia num zodíaco arbitrário, porque desde essa época o ponto vernal avançou gradativamente para os graus iniciais de Peixes devido à precessão dos equinócios.

O homem primitivo é de uma tal subjetividade que é de admirar-se o fato de não termos relacionado antes os mitos com os acontecimentos anímicos. Seu conhecimento da natureza é essencialmente a linguagem e as vestes externas do processo anímico inconsciente. Mais precisamente pelo fato de este processo ser inconsciente é que o homem pensou em tudo, menos na alma, para explicar o mito. Ele simplesmente ignorava que a alma contém todas as imagens das quais surgiram os mitos, e que nosso inconsciente é um sujeito atuante e padecente, cujo drama o homem primitivo encontra analogicamente em todos os fenômenos grandes e pequenos da natureza[10].

"As estrelas do teu próprio destino jazem em teu peito", diz Seni a Wallenstein[11], dito que resgataria a astrologia, por pouco que soubéssemos deste segredo do coração. Mas até então o homem pouco se interessara por isso. Nem mesmo ouso afirmar que as coisas tenham melhorado atualmente.

O ensinamento tribal é sagrado e perigoso. Todos os ensinamentos secretos procuram captar os acontecimentos invisíveis da alma, e todos se arrogam a autoridade suprema. O que é verdadeiro em relação ao ensinamento primitivo o é, em maior grau, no tocante às religiões dominantes do mundo. Elas contêm uma sabedoria revelada, originalmente oculta, e exprimem os segredos da alma em imagens magníficas. Seus templos e suas escrituras sagradas anunciam em

---

10. Compare-se com JUNG & KÉRENYI, *Einführung in das Wesen der Mythologie* [e os capítulos VI e VII deste volume].
11. SCHILLER. *Die Piccolomini*, II, 6, p. 118.

imagens e palavras a doutrina santificada desde eras remotas, acessível a todo coração devoto, toda visão sensível, todo pensamento que atinge a profundeza. Sim, somos obrigados mesmo a dizer que quanto mais bela, mais sublime e abrangente se tornou a imagem transmitida pela tradição, tanto mais afastada está da experiência individual. Só nos resta intuí-la e senti-la, mas a experiência originária se perdeu.

11 Por que é a psicologia a mais nova das ciências empíricas? Por que não se descobriu há muito o inconsciente e não se resgatou o seu tesouro de imagens eternas? Simplesmente porque tínhamos uma fórmula religiosa para todas as coisas da alma – muito mais bela e abrangente do que a experiência direta. Se a visão cristã do mundo esmaeceu para muitos, as câmaras dos tesouros simbólicos do Oriente, ainda repletos de maravilhas, podem nutrir por muito tempo o desejo de contemplar, usando novas vestes. Além do mais, estas imagens – sejam elas cristãs, budistas ou o que for – são lindas, misteriosas e plenas de intuição. Na verdade, quanto mais nos aproximarmos delas e com elas nos habituarmos, mais se desgastarão, de tal modo que só restará a sua exterioridade banal, em seu paradoxo quase isento de sentido. O mistério do nascimento virginal ou a *homoousia* do Filho com o Pai, ou a Trindade, que não é uma tríade, não propiciam mais o voo da fantasia filosófica. Tornaram-se meros objetos de fé. Não surpreende, portanto, que a necessidade religiosa, o sentido da fé e a especulação filosófica do europeu culto se sintam atraídos pelos símbolos do Oriente – pelas grandiosas concepções da divindade na Índia e pelos abismos da filosofia taoísta na China – tal como outrora o coração e o espírito do homem da Antiguidade foram seduzidos pelas ideias cristãs. Há muitos que se entregaram inicialmente aos símbolos cristãos a ponto de se emaranharem numa neurose kierkegaardiana, ou cuja relação com Deus – devido ao crescente depauperamento da simbólica, evoluiu para uma insuportável e sofisticada relação Eu-Tu – para caírem depois vítimas da novidade mágica e exótica da simbólica oriental. O sucumbir à nova simbólica não significa necessariamente sempre uma derrota; apenas prova a abertura e vitalidade do sentimento religioso. Observamos a mesma coisa nos orientais cultos, que não raro se sentem atraídos pelo símbolo cristão e pela ciência tão inadequada à mente oriental, desenvolvendo mesmo uma invejável compreensão dos mesmos. Render-se ou sucumbir a

estas imagens eternas é até mesmo normal. É por isso que existem tais imagens. Sua função é atrair, convencer, fascinar e subjugar. Elas são criadas a partir da matéria originária da revelação e representam a sempre primeira experiência da divindade. Por isso proporcionam ao homem o pressentimento do divino, protegendo-o ao mesmo tempo da experiência direta do divino. Graças ao labor do espírito humano através dos séculos, tais imagens foram depositadas num sistema abrangente de pensamentos ordenadores do mundo, e ao mesmo tempo são representadas por uma instituição poderosa e venerável que se expandiu, chamada Igreja.

O melhor exemplo que ilustra o que penso é o místico e eremita suíço Nicolau de Flüe[12], canonizado recentemente. Talvez sua experiência mais importante foi a chamada visão da Trindade que obcecou seu espírito a ponto de tê-la mandado pintar na parede de sua cela. A visão foi representada numa pintura da época e está preservada na igreja paroquial de Sachseln: é um mandala dividido em seis partes, cujo centro é o semblante coroado de Deus. Sabe-se que o Bruder Klaus investigou a natureza de sua visão com a ajuda de um livrinho ilustrado de um místico alemão, numa tentativa de compreender sua experiência primordial. Durante anos ocupou-se com esse trabalho. É o que designo por "elaboração" do símbolo. Sua reflexão sobre a natureza da visão, influenciada pelos diagramas místicos que usou como fio condutor, levou-o necessariamente à conclusão de que deveria ter visto a própria Santíssima Trindade e, portanto, o *Summum bonum*, o amor eterno. A representação expurgada de Sachseln corresponde a esta visão.

A experiência original, no entanto, fora bem diversa. Em seu êxtase, a visão que aparecera a Bruder Klaus era tão terrível que seu próprio rosto se desfigurou de tal modo que as pessoas se assustavam, temendo-o. É que ele se defrontara com uma visão de máxima intensidade. Woelflin escreve a respeito: "Todos os que se aproximavam dele ficavam assustados. Sobre a causa deste terror, ele mesmo costumava dizer que havia visto uma luz penetrante, representando um semblante humano. Ao visualizá-lo temera que seu coração explodisse em esti-

---

12. Cf. JUNG. *Bruder Klaus*.

lhaços. Por isso, tomado de pavor, desviara o rosto, caindo por terra. Eis a razão pela qual o seu rosto inspirava terror aos outros[13]".

14   Essa visão tem sido relacionada com a de *Apocalipse* 1,13s.[14], isto é, com aquela estranha imagem apocalíptica de Cristo, só ultrapassada em estranheza e monstruosidade pelo cordeiro terrífico de sete olhos e sete chifres (Ap 5,6s.). É difícil relacionar esta figura com o Cristo dos Evangelhos. Logo de início esta visão foi interpretada pela tradição de uma determinada maneira. O humanista Karl Bovillus escreve em 1508 a um amigo: "Quero falar-te acerca de um semblante que certa vez lhe aparecera no céu, numa noite estrelada, quando ele se encontrava absorto em oração e contemplação. Viu a forma de um rosto humano, de expressão terrível, cheia de ira, ameaçadora" etc.[15]

15   Esta interpretação coincide perfeitamente com a amplificação moderna do *Apocalipse* 1,13[16]. Além disso, não devemos esquecer as demais visões de Bruder Klaus; por exemplo, a de Cristo vestindo pele de urso, do Deus homem e mulher, e dele próprio, Bruder Klaus, como Filho etc. Tais visões apresentam características muito pouco dogmáticas.

16   A imagem da Trindade na igreja de Sachseln, bem como a simbólica da roda no chamado *Tratado do peregrino*[17], foram relacionadas tradicionalmente com essa grande visão. Bruder Klaus mostrou a imagem da roda ao peregrino que o visitava. É evidente que essa ima-

---

13. BLANKE. *Bruder Klaus von Flüe*, p. 92s.: "*Quotquot autem ad hunc advenissent, primo conspectu nimio stupore sunt perculsi. Eius ille terroris hanc esse causam dicebat, quod splendorem vidisset intensissimum, humanam faciem ostentantem cuius intuitu cor sibi in minuta dissiliturum frustula pertimesceret: unde et ipse stupefactus, averso statim vultu, interram corruisset arque ob eam rem suum aspectum caeteris videri horribilem*". [STÖCKLI. *Die Visionen des seligen Bruder Klaus*, p. 34.]

14. BLANKE. Op. cit., p. 94.

15. STÖCKLI. Op. cit.

16. LAVAUD (*Vie profonde de Nicolas de Flüe*). Trata-se de um paralelo igualmente notável com o texto do *Horologium sapientiae* de Heinrich Seuse, no qual o Cristo apocalíptico aparece como vingador irado e colérico, de modo oposto ao do Jesus do Sermão da Montanha.

17. [*Ein nutzlicher und loblicher Tractat von Bruder Claus und einem Bilger*. Cf. STÖCKLI, p. 95.]

gem o preocupara. Blanke, contrariamente à tradição, nega que haja qualquer relação entre a visão e a representação da Trindade[18]. Acho exagerado tal ceticismo. Deve ter havido algum motivo para que Bruder Klaus se interessasse pela imagem da roda. Visões semelhantes provocam muitas vezes confusão mental e desintegração (o coração que "explode em estilhaços"). A experiência nos ensina que o "círculo protetor", o mandala, é o antídoto tradicional para os estados mentais caóticos. É, portanto, bastante compreensível que Bruder Klaus ficasse fascinado pelo símbolo da roda. A interpretação da visão terrível como uma experiência de Deus não me parece fora de propósito. Relacionar a grande visão com o quadro da Trindade de Sachseln, ou seja, com o símbolo da roda, parece-me, portanto, provável, inclusive por motivos internos e psicológicos.

Esta visão, sem dúvida alguma, apavorante, irrompendo como um vulcão na visão de mundo religiosa de Bruder Klaus sem qualquer prelúdio dogmático ou comentário exegético, exigiu um longo trabalho de assimilação a fim de ordenar a estrutura total da alma, restaurando seu equilíbrio alterado. A elaboração dessa vivência ocorreu sobre a base outrora inabalável do dogma, o qual provou a sua força de assimilação, transformando algo de terrivelmente vivo na beleza salvífica da ideia da Trindade. Mas a elaboração também poderia ter ocorrido no terreno totalmente diverso da visão e sua realidade numinosa – provavelmente em prejuízo do conceito cristão de Deus e em prejuízo ainda maior do próprio Bruder Klaus que, neste caso, não se teria tornado um santo, mas sim um herético (ou um lunático), cuja vida terminaria numa fogueira.

Este exemplo demonstra a utilidade do símbolo dogmático: ele formula uma vivência anímica tão tremenda quanto perigosamente decisiva, que se chama "experiência de Deus"; devido à sua suprema intensidade reveste-se de uma forma suportável para a capacidade de compreensão humana, sem comprometer o alcance dessa experiência ou prejudicar a transcendência de seu significado. A visão da ira divina que também encontramos – em certo sentido – em Jacob Böhme não condiz com a imagem de Deus no Novo Testamento, do Pai

---

18. Op. cit., p. 95s.

amoroso e celeste. Este fato poderia ter gerado um conflito interno. O espírito da época até mesmo ter-se-ia prestado a isso – fins do século XV, época de um Nicolau de Cusa que com sua fórmula do *complexio oppositorum* antecipava o cisma iminente! Pouco tempo depois, o conceito javístico de Deus foi alvo de uma série de renascimentos no Protestantismo. Javé é um conceito de Deus que ainda contém opostos inseparáveis.

Bruder Klaus rompeu com o convencional e com a tradição, ao abandonar sua casa e família, indo morar sozinho por muito tempo, mergulhando seu olhar tão profundamente no espelho escuro, que a experiência primordial miraculosa e terrífica o colheu. Nesta situação, a imagem dogmática da divindade, desenvolvida através dos séculos, teve nele o efeito de uma poção salutar de cura. Ajudou-o a assimilar a irrupção fatal de uma imagem arquetípica, a fim de evitar seu próprio estraçalhamento. Ângelo Silésio não foi tão feliz; as contradições internas o desintegraram, pois em sua época a firmeza da Igreja que garante o dogma já estava abalada.

Jacob Böhme também conhece um Deus do "fogo da ira", um verdadeiro *absconditus*. Por um lado, ele foi capaz de transpor a profunda e dilacerante contradição interior através da fórmula cristã de Pai-Filho, incorporando especulativamente sua visão de mundo, a qual, apesar de gnóstica, era cristã em todos os pontos essenciais. De outro modo ter-se-ia tornado um dualista. Por outro lado, não há dúvida de que a alquimia veio em seu auxílio, pois há muito tempo ele vinha abrindo o caminho da união dos opostos. Em todo caso, os vestígios do conflito ainda são visíveis em seu mandala acrescentado às "Quarenta questões acerca da alma"[19], mostrando a natureza da divindade. O mandala é dividido em duas metades, uma escura e outra luminosa, e os semicírculos que lhes correspondem, em lugar de se completarem fechando o círculo, dão-se as costas um ao outro[20].

O dogma substitui o inconsciente coletivo, na medida em que o formula de modo abrangente. O estilo de vida católico neste sentido

---

19. [*Viertzig Fragen von der Seelen Vrstand, Essentz, Wesen, Natur und Eigenschaft* usw.]

20. Cf. Estudo empírico do processo de individuação [Cap. XI deste volume].

desconhece completamente tais problemas psicológicos. Quase toda a vida do inconsciente coletivo foi canalizada para as ideias dogmáticas de natureza arquetípica, fluindo como uma torrente controlada no simbolismo do credo e do ritual. Ela manifesta-se na interioridade da alma do católico. O inconsciente coletivo, tal como hoje o conhecemos, nunca foi assunto de psicologia, pois antes da Igreja cristã existiam os antigos mistérios, cuja origem remonta às brumas do neolítico. A humanidade sempre teve em abundância imagens poderosas que a protegiam magicamente contra as coisas abissais da alma, assustadoramente vivas. As figuras do inconsciente sempre foram expressas através de imagens protetoras e curativas, e assim expelidas da psique para o espaço cósmico.

A iconoclastia da Reforma abriu literalmente uma fenda na muralha protetora das imagens sagradas e desde então elas vêm desmoronando umas após as outras. Tornaram-se precárias por colidirem com a razão desperta. Além do mais, muito antes seu significado já fora esquecido. Terá sido realmente um esquecimento? Ou, no fundo, o homem jamais soube o que significavam, e só recentemente a humanidade protestante percebeu que não temos a menor ideia do que quer dizer o nascimento virginal, a divindade de Cristo, e as complexidades da Trindade? Até parece que essas imagens simplesmente surgiam e eram aceitas sem questionamento, sem reflexão, tal como as pessoas enfeitam as árvores de Natal e escondem ovos de Páscoa, sem saberem o que tais costumes significam. O fato é que as imagens arquetípicas têm um sentido *a priori* tão profundo que nunca questionamos seu sentido real. Por isso os deuses morrem, porque de repente descobrimos que eles nada significam, que foram feitos pela mão do homem, de madeira ou pedra, puras inutilidades. Na verdade o homem apenas descobriu que até então jamais havia pensado acerca de suas imagens. E, quando começa a pensar sobre elas, recorre ao que se chama "razão"; no fundo, porém, esta razão nada mais é do que seus preconceitos e miopias.

A história da evolução do protestantismo é uma iconoclastia crônica. Um muro após o outro desabava. E nem foi tão difícil esta destruição, uma vez que a autoridade da Igreja já estava abalada. Sabemos como as coisas entraram em colapso, uma a uma, tanto as grandes como as pequenas, no coletivo e no individual, e como surgiu a alarmante pobreza dos símbolos atualmente reinantes. Com isso, a Igreja também perdeu sua força; uma fortaleza, despojada de seus bastiões e casamatas; uma casa, cujas paredes foram demolidas e que fica exposta a todos os ventos e perigos do mundo. Um colapso deveras lamentável, que fere o senso histórico, pois a desintegração do protestantismo em centenas de denominações diferentes é o sinal inconfundível de que a inquietação perdura.

O homem protestante foi relegado a uma falta de proteção de tal ordem que faria tremer o homem natural. A consciência esclarecida nega-se a reconhecer tal fato, mas procura em silêncio em outro lugar o que foi perdido na Europa. Buscam-se imagens efetivas, formas de pensamento que tranquilizem inquietações do coração e da mente e os tesouros do Oriente são encontrados.

A rigor, podemos duvidar disto. Ninguém obrigou os romanos a importarem cultos asiáticos, como se fossem bens de consumo. Se o cristianismo tivesse sido de fato tão estranho e inadequado aos povos germânicos, eles o teriam rejeitado facilmente, depois do declínio do prestígio das legiões romanas. Mas o cristianismo permaneceu, porque corresponde ao modelo arquetípico vigente. No entanto, com o correr dos séculos, ele transformou-se em algo que teria causado espanto ao seu fundador, caso ainda estivesse vivo; e o cristianismo de negros e indianos também daria motivo a considerações históricas. Por que, então, o Ocidente não deveria assimilar formas orientais? Os romanos viajavam a Elêusis, à Samotrácia e ao Egito, a fim de serem iniciados. Parece até mesmo que havia no Egito um verdadeiro turismo desse tipo.

Os deuses helênicos e romanos morriam da mesma doença que os nossos símbolos cristãos: naquele tempo, como hoje, os homens perceberam que nada pensavam a respeito. Contrariamente, os deuses estrangeiros ainda tinham mana inexaurido. Seus nomes eram estranhos e incompreensíveis e seus atos portentosamente obscuros, bem diversos da desgastada *chronique scandaleuse* do Olimpo. Os símbolos asiáticos pelo menos não eram compreensíveis, não sendo, portanto vulgares como os deuses convencionais. O fato de que o povo aceitasse o novo tão impensadamente quanto havia rejeitado o velho não constituía problema nessa época.

Hoje seria isto um problema? Será que podemos vestir como uma roupa nova símbolos já feitos, crescidos em solo exótico, embebidos de sangue estrangeiro, falados em línguas estranhas, nutridos por uma cultura estranha, evoluídos no contexto de uma história estranha? Um mendigo que se envolve numa veste real; um rei que se disfarça em mendigo? Sem dúvida, isto é possível. Ou há dentro de nós uma ordem de não participar de mascaradas, mas talvez até de costurarmos nossa própria vestimenta?

Estou convencido de que o depauperamento crescente dos símbolos tem um sentido. O desenvolvimento dos símbolos tem uma consequência interior. Tudo aquilo sobre o que nada pensávamos e a que, portanto, faltava uma conexão adequada com a consciência em desenvolvimento, foi perdido. Tentar cobrir a nudez com suntuosas vestes orientais, tal como fazem os teósofos, seria cometer uma infidelidade para com a nossa história. Não caímos no estado de mendicância para depois posar como um rei indiano de teatro. Mais vale, na minha opinião, reconhecer abertamente nossa pobreza espiritual pela falta de símbolos, do que fingir possuir algo, de que decididamente não somos os herdeiros legítimos. Certamente somos os herdeiros de direito da simbólica cristã, mas de algum modo desperdiçamos essa herança. Deixamos cair em ruínas a casa construída por nosso pai, e agora tentamos invadir palácios orientais que nossos pais jamais conheceram. Aquele que perdeu os símbolos históricos e não pode contentar-se com um substitutivo encontra-se hoje em situação difícil: diante dele o nada bocejante, do qual ele se aparta atemorizado. Pior ainda: o vácuo é preenchido com absurdas ideias político-sociais e todas elas se caracterizam por sua desolação espiritual. Mas quem não consegue conviver com esses pedantismos doutrinários vê-se forçado a recorrer seriamente à sua confiança em Deus, embora em geral se constate que o medo é ainda mais convincente. Tal medo decerto não é injustificado, pois onde o perigo é maior, Deus parece aproximar-se. É perigoso confessar a própria pobreza espiritual, pois o pobre cobiça e quem cobiça atrai fatalidade. Um drástico provérbio suíço diz: "Por detrás de cada rico há um demônio e atrás de cada pobre, dois".

Da mesma forma que os votos de pobreza material, no cristianismo, afastavam a mente dos bens do mundo, a pobreza espiritual renuncia às falsas riquezas do espírito, a fim de fugir não só dos míseros resquícios de um grande passado, a "Igreja" protestante, mas também de todas as seduções do perfume exótico, a fim de voltar a si mesma, onde à fria luz da consciência a desolação do mundo se expande até as estrelas.

30 Já herdamos essa pobreza de nossos pais. Lembro-me das aulas que meu pai me ministrava, preparando-me para a confirmação. O catecismo me entediava indizivelmente. Certa vez, ao folhear o meu livrinho, à espera de encontrar algo de interessante, meus olhos se detiveram no parágrafo sobre a Trindade. Isso me interessava e esperava impaciente que chegássemos a essa passagem nas aulas. Ao chegar a hora esperada, meu pai disse: "Vamos saltar esse capítulo, pois eu mesmo nada entendo do seu conteúdo". Assim ficou sepultada minha última esperança. Admirei a honestidade do meu pai, mas isso não me ajudou a superar o tédio mortal que a partir de então me causava toda conversa religiosa.

31 Nosso intelecto realizou tremendas proezas enquanto desmoronava nossa morada espiritual. Estamos profundamente convencidos de que, apesar dos mais modernos e potentes telescópios refletores construídos nos Estados Unidos, não descobriremos nenhum empíreo nas mais longínquas nebulosas; sabemos também que o nosso olhar errará desesperadamente através do vazio mortal dos espaços incomensuráveis. As coisas não melhoram quando a física matemática nos revela o mundo do infinitamente pequeno. Finalmente, desenterramos a sabedoria de todos os tempos e povos, descobrindo que tudo o que há de mais caro e precioso já foi dito na mais bela linguagem. Estendemos as mãos como crianças ávidas e, ao apanhá-lo, pensamos possuí-lo. No entanto, o que possuímos não tem mais validade e as mãos se cansam de reter, pois a riqueza está em toda a parte, até onde o olhar alcança. O que julgávamos possuir se transforma em água e mais de um aprendiz de feiticeiro acabou se afogando nessas águas por ele mesmo invocadas – caso não tenha sucumbido antes ao delírio de que esta sabedoria é boa e aquela outra, má. É destes adeptos que provêm os doentes preocupantes, os que julgam ter uma missão profética. Isto porque a cisão artificial entre a sabedoria verdadeira e a falsa cria uma tamanha tensão na alma, que dela surge uma solidão e uma dependência como a do morfinômano, o qual sempre espera encontrar companheiros de vício.

Uma vez que nossa herança natural se evola, dizemos com Heráclito que todo espírito também desce de sua altura ígnea. Quando o espírito se torna pesado, transforma-se em água e o intelecto tomado de presunção luciferina usurpa o trono onde reinava o espírito. O espírito pode reivindicar legitimamente o *patrias potestas* (pátrio poder) sobre a alma; não, porém, o intelecto nascido da terra, por ser espada ou martelo do homem e não um criador de mundos espirituais, um pai da alma. No tocante a isso, Klages acertou no alvo e Scheler, com seu restabelecimento do espírito, foi suficientemente modesto, pois ambos são filhos de uma época na qual o espírito não paira mais no alto, mas está embaixo, não é mais fogo, mas se tomou água.

Portanto, o caminho da alma que procura o pai perdido – tal como Sofia procurando Bythos – leva à água, ao espelho escuro que repousa em seu fundo. Aquele que escolher o estado de pobreza espiritual, a verdadeira herança de um protestantismo vivido até as últimas consequências, chega ao caminho da alma que conduz à água. Esta, no entanto, não é uma expressão metafórica, mas um símbolo vivo da psique escura. A melhor ilustração do que acabo de dizer é um caso concreto escolhido entre muitos:

Um teólogo protestante tem frequentemente um mesmo sonho: *Ele se encontra numa encosta ao pé da qual há um vale profundo e, neste, um lago escuro. No sonho ele sabe que algo sempre o impede de aproximar-se do lago. Mas agora decide ir até a água. Ao aproximar-se da margem tudo fica mais escuro e lúgubre e uma rajada de vento passa subitamente sobre a água. Entra em pânico* e acorda.

Este sonho nos mostra o simbolismo natural. O sonhador desce à sua própria profundeza, e o caminho o leva à água misteriosa. Ocorre então o milagre da piscina de Betesda. Um anjo desce e toca a água que adquire então um poder curativo. No sonho, é o vento, o pneuma, que sopra onde quer. É necessário que um homem desça até a água, a fim de que se produza o milagre da vivificação (da água). O sopro do espírito que passa sobre a superfície escura é sinistro, como tudo aquilo cuja causa não somos ou então desconhecemos. É o indício de uma presença invisível de um *nume* cuja vida não se deve nem à expectativa humana nem à maquinação da vontade. Vive por si só e um calafrio perpassa o corpo da pessoa que acreditava ser o "espírito" apenas algo em que se crê, se faz, se lê nos livros ou é assunto de conversa. Mas quando ocorre espontaneamente, uma assombração e um terror primitivo se apoderam da mente ingênua. Os anciãos da tribo dos *elgonyi*, no Quênia, descreveram-me o deus noturno como aquele que "provoca o medo". "Ele chega a nós", diziam, "como uma rajada fria de vento que nos faz tiritar, ou então passa assobiando em redemoinho pelo capim alto"; um Pan africano que na hora fantasmagórica do meio-dia toca sua flauta, assustando os pastores.

No sonho, o sopro do pneuma amedrontou outro pastor, um pastor do rebanho, que na escuridão da noite pisou na margem coberta de juncos perto da água no vale profundo da alma. Sim, aquele espírito ígneo descera outrora ao reino da natureza, às árvores e rochas e às águas da alma tal como o ancião que no *Zaratustra* de Nietzsche[21], cansado da humanidade, retirou-se para a floresta, a fim de resmungar com os ursos em louvor ao Criador.

Temos, seguramente, de percorrer o caminho da água, que sempre tende a descer, se quisermos resgatar o tesouro, a preciosa herança do Pai. No hino gnóstico à alma[22], o Filho é enviado pelos pais à procura da pérola perdida que caíra da coroa real do Pai. Ela jaz no fundo de um poço profundo, guardada por um dragão, na terra dos egípcios – mundo de concupiscência e embriaguez com todas as suas riquezas físicas e espirituais. O filho e herdeiro parte à procura da joia, e se esquece de si mesmo e de sua tarefa na orgia dos prazeres mundanos dos egípcios, até que uma carta do pai o lembra do seu dever. Ele põe-se então a caminho em direção à água e mergulha na profundeza sombria do poço, em cujo fundo encontra a pérola, para oferecê-la então à suprema divindade.

Este hino, atribuído a Bardesanes, data de uma época que em muitos aspectos se assemelha à nossa. A humanidade estava à procura e à espera, e foi o peixe – *levatus de profundo*[23] (tirado do profundo) – da fonte que se tomou o símbolo do Salvador, portador da cura.

---

21. [P. 12.]
22. [Cf. *Thomasakten*, in: *Neutestamentliche Apokryphen* (org. Hennecke), p. 277-281.]
23. AGOSTINHO. *Confessionum Libri*, XIII, XXI, col. 395, 29.

Ao escrever essas linhas, recebi uma carta de Vancouver, de alguém que eu não conhecia. O remetente, intrigado com seus sonhos que giravam sempre em torno do tema da água, escreve: *"Almost every time I dream it is about water: either I am having a bath, or water-closet is overflowing, or a pipe is bursting, or my home has drifted down to the water edge, or I see an acquaintance about to sink into water; or I am trying to get out of water; or I am having a bath and the tub is about to overflow etc.*[24]*"*

A água é o símbolo mais comum do inconsciente. O lago no vale é o inconsciente que, de certo modo, fica abaixo da consciência, razão pela qual muitas vezes é chamado de "subconsciente", não raro com uma conotação pejorativa de uma consciência inferior. A água é o "espírito do vale", o dragão aquático do Tao, cuja natureza se assemelha à água – um yang incluído no yin. Psicologicamente a água significa o espírito que se tornou inconsciente. Por isso, o sonho do teólogo diz corretamente que ele pode experimentar na água o efeito do espírito vivo como um milagre de cura na piscina de Betesda. A descida às profundezas sempre parece preceder a subida. Outro teólogo sonhou[25] que *avistara uma espécie de Castelo do Graal sobre uma montanha. Ele caminhava por uma estrada que parecia conduzir diretamente ao pé da montanha e à subida. Ao aproximar-se da montanha, porém, descobriu, para seu grande desaponto, que um abismo o separava da montanha, uma garganta profunda e escura onde corria, rumorejando, uma água do submundo. Havia um atalho íngreme que levava ao fundo e subia penosamente do outro lado. A perspectiva não era das melhores.* O sonhador então acorda. Aqui também ele almeja alcançar alturas luminosas, mas depara primeiro com a necessidade de mergulhar numa profundeza escura, que se revela como condição indispensável para uma ascensão maior. O homem prudente

---

24. [Praticamente sempre que sonho é com água: estou tomando banho, ou a privada transborda, ou um cano se rompe, ou ainda minha casa é arrastada pelas águas, ou vejo como um conhecido está prestes a se afogar, ou tento sair da água, ou vou tomar banho e a banheira transborda.]

25. Não é de se espantar que se trate novamente do sonho de um teólogo, pois um sacerdote obviamente já se preocupa com o tema da Ascensão. Tantas vezes deve falar acerca disto que é natural surgir a pergunta de como sua própria ascensão espiritual ocorre.

percebe o perigo nas profundezas e o evita, mas também desperdiça o bem que conquistaria numa façanha corajosa, embora imprudente.

41   O testemunho do sonho encontra uma violenta resistência por parte da mente consciente, que só conhece o "espírito" como algo que se encontra no alto. O "espírito" parece sempre vir de cima, enquanto tudo o que é turvo e reprovável vem de baixo. Segundo esse modo de ver o espírito significa a máxima liberdade, um flutuar sobre os abismos, uma evasão do cárcere do mundo ctônico, por isso um refúgio para todos os pusilânimes que não querem "tornar-se" algo diverso. Mas a água é tangível e terrestre, também é o fluido do corpo dominado pelo instinto, sangue e fluxo de sangue, o odor do animal e a corporalidade cheia de paixão. O inconsciente é a psique que alcança, a partir da luz diurna de uma consciência espiritual, e moralmente lúcida, o sistema nervoso designado há muito tempo por "simpático". Este não controla como o sistema cerebroespinal a percepção e a atividade muscular e através delas o meio ambiente; mantém, no entanto, o equilíbrio da vida sem os órgãos dos sentidos, através das vias misteriosas de excitação, que não só anunciam a natureza mais profunda de outra vida, mas também irradia sobre ela um efeito interno. Neste sentido, trata-se de um sistema extremamente coletivo: a base operativa de toda *participation mystique*, ao passo que a função cerebroespinal culmina na distinção diferenciada do eu, e só apreende o superficial e exterior sempre por meio do espaço. Esta função capta tudo como "fora", ao passo que o sistema simpático tudo vivencia como "dentro".

42   O inconsciente é considerado geralmente como uma espécie de intimidade pessoal encapsulada, mais ou menos o que a Bíblia chama de "coração", considerando-o como a fonte de todos os maus pensamentos. Nas câmaras do coração moram os terríveis espíritos sanguinários, a ira súbita e a fraqueza dos sentidos. Este é o modo como o inconsciente é visto pelo lado consciente. A consciência, porém, parece ser essencialmente uma questão de cérebro, o qual vê tudo, separa e vê isoladamente, inclusive o inconsciente, encarado sempre como *meu* inconsciente. Pensa-se por isso de um modo geral que quem desce ao inconsciente chega a uma atmosfera sufocante de subjetividade egocêntrica, ficando neste beco sem saída à mercê do ataque de todos os animais ferozes abrigados na caverna do submundo anímico.

Verdadeiramente, aquele que olha o espelho da água vê em primeiro lugar sua própria imagem. Quem caminha em direção a si mesmo corre o risco do encontro consigo mesmo. O espelho não lisonjeia, mostrando fielmente o que quer que nele se olhe; ou seja, aquela face que nunca mostramos ao mundo, porque a encobrimos com a *persona*, a máscara do ator. Mas o espelho está por detrás da máscara e mostra a face verdadeira.

Esta é a primeira prova de coragem no caminho interior, uma prova que basta para afugentar a maioria, pois o encontro consigo mesmo pertence às coisas desagradáveis que evitamos, enquanto pudermos projetar o negativo à nossa volta. Se formos capazes de ver nossa própria sombra, e suportá-la, sabendo que existe, só teríamos resolvido uma pequena parte do problema. Teríamos, pelo menos, trazido à tona o inconsciente pessoal. A sombra, porém, é uma parte viva da personalidade e por isso quer comparecer de alguma forma. Não é possível anulá-la argumentando, ou torná-la inofensiva através da racionalização. Este problema é extremamente difícil, pois não desafia apenas o homem total, mas também o adverte acerca do seu desamparo e impotência. Às naturezas fortes – ou deveríamos chamá-las fracas? – tal alusão não é agradável. Preferem inventar o mundo heroico, além do bem e do mal, e cortam o nó górdio em vez de desatá-lo. No entanto, mais cedo ou mais tarde, as contas terão que ser acertadas. Temos, porém que reconhecer: há problemas simplesmente insolúveis por nossos próprios meios. Admiti-lo tem a vantagem de tornar-nos verdadeiramente honestos e autênticos. Assim se coloca a base para uma reação compensatória do inconsciente coletivo; em outras palavras, tendemos a dar ouvidos a uma ideia auxiliadora, ou a perceber pensamentos cuja manifestação não permitíamos antes. Talvez prestemos atenção a sonhos que ocorrem em tais momentos, ou pensemos acerca de acontecimentos ocorridos no mesmo período. Se tivermos tal atitude, forças auxiliadoras adormecidas na nossa natureza mais profunda poderão despertar e vir em nosso auxílio, pois o desamparo e a fraqueza são vivência eterna e eterna questão da humanidade. Há também uma eterna resposta a tal questão, senão o homem teria sucumbido há muito tempo. Depois de fazermos todo o possível resta somente o recurso de fazer aquilo que se faria se soubéssemos o quê. Mas em que medida o homem se conhece a si mesmo? Bem pouco, como a experiência revela. Assim sendo, resta muito espaço para o inconsciente. Como se sabe, a oração exige uma atitude semelhante. Por isso tem um efeito correspondente.

45   A reação necessária e da qual o inconsciente coletivo precisa se expressa através de representações formadas arquetipicamente. O encontro consigo mesmo significa, antes de mais nada, o encontro com a própria sombra. A sombra é, no entanto, um desfiladeiro, um portal estreito cuja dolorosa exiguidade não poupa quem quer que desça ao poço profundo. Mas, para sabermos quem somos, temos de nos conhecer a nós mesmos, porque o que se segue à morte é de uma amplitude ilimitada, cheia de incertezas inauditas, aparentemente sem dentro nem fora, sem em cima, nem embaixo, sem um aqui ou um lá, sem meu nem teu, sem bem, nem mal. É o mundo da água, onde todo vivente flutua em suspenso, onde começa o reino do "simpático" da alma de todo ser vivo, onde sou inseparavelmente isto e aquilo, onde vivencio o outro em mim, e o outro que não sou, me vivencia.

46   O inconsciente coletivo é tudo, menos um sistema pessoal encapsulado, é objetividade ampla como o mundo e aberta ao mundo. Eu sou o objeto de todos os sujeitos, numa total inversão de minha consciência habitual, em que sempre sou sujeito que *tem* objetos. Lá eu estou na mais direta ligação com o mundo, de forma que facilmente esqueço quem sou na realidade. "Perdido em si mesmo" é uma boa expressão para caracterizar este estado. Este si-mesmo, porém, é o mundo, ou melhor, um mundo, se uma consciência pudesse vê-lo. Por isso, devemos saber quem somos.

47   Mal o inconsciente nos toca e já o somos, na medida em que nos tornamos inconscientes de nós mesmos. Este é o perigo originário que o homem primitivo conhece instintivamente, por estar ainda tão próximo deste pleroma, e que é objeto de seu pavor. Sua consciência ainda é insegura e se sustenta sobre pés vacilantes. Ele é ainda infantil, recém-saído das águas primordiais. Uma onda do inconsciente pode facilmente arrebatá-lo e ele se esquecer de quem era, fazendo coisas nas quais não se reconhece. Por isso, os primitivos temem os afetos (emoções) descontrolados, pois neles a consciência submerge com facilidade, dando espaço à possessão. Todo o esforço da humanidade concentrou-se por isso na consolidação da consciência. Os ritos serviam para esse fim, assim como as *représentations collectives*, os dog-

mas; eles eram os muros construídos contra os perigos do inconsciente, os *perils of the soul*. O rito primitivo consiste, pois, em exorcizar os espíritos, quebrar feitiços, desviando dos maus agouros; consiste também em propiciação, purificação e coisas análogas, isto é, na produção mágica do acontecimento auxiliador.

São esses muros erigidos desde os primórdios que se tornaram mais tarde os fundamentos da Igreja. Portanto, são estes os muros que desabam quando os símbolos perdem a sua vitalidade. Então o nível das águas sobe, e catástrofes incomensuráveis se precipitam sobre a humanidade. O chefe religioso dos *pueblos* de Taos, denominado *Loco Tenente Gobernador*, disse certa vez: "Os americanos deveriam parar de perseguir nossa religião, pois se esta desaparecer e não pudermos mais ajudar nosso pai, o Sol, a atravessar o céu, os americanos e o mundo inteiro sofrerão com isso: dentro de dez anos o sol não vai mais nascer". Isto significa que a noite virá e a luz da consciência vai extinguir-se, irrompendo o mar escuro do inconsciente.

Seja ela primitiva ou não, a humanidade se encontra sempre no limiar das ações que ela mesma faz, mas não controla. Para citar um exemplo: todos querem a paz e o mundo inteiro se prepara para a guerra, segundo o axioma *Si vis pacem, para bellum*. A humanidade nada pode contra a humanidade, e os deuses, como sempre, lhe indicam os caminhos do destino. Chamamos hoje os deuses de "fatores", palavra que provém de *facere*, fazer. Os que fazem ficam por detrás dos cenários do teatro do mundo. Tanto no grande como no pequeno. Na consciência, somos nossos próprios senhores; aparentemente somos nossos próprios "fatores". Mas se ultrapassarmos o pórtico da sombra, percebemos aterrorizados que somos objetos de fatores. Saber isso é decididamente desagradável, pois nada decepciona mais do que a descoberta de nossa insuficiência. É até mesmo um motivo de pânico primitivo porque significa questionar a supremacia da consciência em que acreditamos e a qual protegemos medrosamente, pois na realidade ela é o segredo do sucesso humano. Mas uma vez que a ignorância não é motivo de segurança, sendo pelo contrário uma agravante da insegurança, é melhor, apesar do medo, saber o que nos ameaça. A formulação correta da questão já é meio caminho andado na solução de qualquer problema. Em todo caso é certo que o maior perigo reside na imprevisibilidade da reação psíquica. As pessoas de maior discernimento já compreenderam há muito que as condições históricas externas de qualquer tipo constituem meras ocasiões para os verdadeiros perigos que ameaçam a existência, ou seja, os sistemas político-sociais delirantes, os quais não devem ser considerados como consequências necessárias de condições externas, mas sim como decisões precipitadas pelo inconsciente coletivo.

50   Esta problemática é nova, pois em todas as épocas precedentes acreditava-se em deuses de um modo ou de outro. Foi necessário um depauperamento dos símbolos para que se descobrissem de novo os deuses como fatores psíquicos, ou seja, como arquétipos do inconsciente. Essa descoberta, sem dúvida alguma, parece inverossímil até os dias atuais. Para ser convincente é necessária aquela experiência esboçada no sonho do teólogo, pois só assim pode ser experimentada a ação espontânea do espírito movendo-se sobre as águas. Desde que as estrelas caíram do céu e nossos símbolos mais altos empalideceram, uma vida secreta governa o inconsciente. É por isso que temos hoje uma psicologia, e falamos do inconsciente. Tudo isto seria supérfluo, e o é de fato, numa época e numa forma de cultura que possui símbolos. Estes são espíritos do alto e assim, pois, o espírito também está no alto. Por isso seria tolice e insensatez para tais pessoas desejar a vivência do inconsciente e investigá-lo, pois ele nada contém além do silencioso e imperturbável domínio da natureza. Nosso inconsciente, porém, contém a água viva, espírito que se tomou natureza, e por isso está perturbado. O céu tomou-se para nós espaço cósmico físico, o empíreo divino, uma encantadora lembrança de como as coisas eram outrora. Mas "nosso coração arde" e uma secreta intranquilidade corrói as raízes do nosso ser. Podemos indagar com a *Völuspâ*:

    O que murmura Wotan sobre a cabeça de Mimir?
    A fonte já está fervendo[26].

51   Para nós, tratar com o inconsciente é uma questão vital – uma questão de ser ou não ser espiritual. Todos aqueles que já tiveram experiências semelhantes àquelas mencionadas no sonho sabem que o tesouro jaz no fundo da água e tentam retirá-lo de lá. Como nunca conseguem esquecer quem são, não podem em hipótese alguma per-

---

26. [*Die Edda*, p. 149.] Esta mesma passagem foi escrita – nota bene – no ano de 1934.

der sua consciência. Pretendem manter-se firmemente ancorados na terra, e assim, para não abandonar a analogia – tornam-se pescadores que agarram tudo o que flutua na água com anzol e rede. Há tolos contumazes que não compreendem a atividade dos pescadores, mas estes últimos não se perturbam quanto ao significado secular de sua ação, pois o símbolo de seu ofício é muitos séculos mais antigo do que a história imperecível do Santo Graal. Mas nem todo homem é um pescador. Às vezes esta figura se detém no estágio preliminar instintivo, e neste caso se torna uma lontra, como a conhecemos, por exemplo, nos contos de Oscar A.H. Schmitz[27].

Quem olha dentro da água vê sua própria imagem, mas atrás dele surgem seres vivos; possivelmente peixes, habitantes inofensivos da profundeza – inofensivos se o ego não fosse mal-assombrado para muita gente. Trata-se de seres aquáticos de um tipo especial. Às vezes, o pescador apanha uma ninfa em sua rede, um peixe feminino, semi-humano[28]. Ninfas são criaturas fascinantes:

> A meias ela o atraía
> A meias ele se dava
> E nunca mais o encontraram[29].

A sereia é um estágio ainda mais instintivo de um ser mágico feminino, que designamos pelo nome de *anima*. Também podem ser ondinas, melusinas[30], ninfas do bosque, graças ou filhas do rei dos Elfos, lâmias e súcubus que atordoam os jovens, sugando-lhes a vida. Essas figuras seriam projeções de estados emocionais nostálgicos e de fantasias condenáveis, dirá o crítico moralista. Impossível não admitir que esta constatação é de certa forma verdadeira. Mas será esta

---

27. [*Märchen aus dem Unbewussten*, p. 14 s.]
28. Cf. PARACELSO. *De vita longa*, ed. por Adam Von Bodenstein (1562), e meu comentário a respeito. In: *Paracelso como fenômeno espiritual*.
29. [GÖTHE. *Der Fischer*, Ballade.]
30. Cf. com a imagem do Adepto no *Liber mutus* 1677 [fig. 13, in: Prática da psicoterapia]. Ao pescar, apanha uma ninfa. Sua *soror mystica*, porém, prende pássaros em sua linha, os quais representam o animus. A ideia da anima encontra-se frequentemente na literatura dos séculos XVI e XVII, como em Richardus Vitus, Aldrovando e no comentário ao *Tractatus aureus*. Cf. minha dissertação sobre *Das Rätsel von Bologna* (O enigma de Bolonha).

toda a verdade? Será a sereia apenas um produto de um afrouxamento moral? Não existiram tais seres em épocas remotas, em que a consciência humana nascente ainda se encontrava por inteiro ligada à natureza? Seguramente devem ter existido primeiro os espíritos na floresta, no campo, nos cursos de água, muito antes dos questionamentos da consciência moral. Além disso, esses seres eram tão temidos como sedutores, de modo que seus estranhos encantos eróticos não passavam de características parciais. A consciência era, então, bem mais simples e o domínio sobre ela absurdamente pequeno. Uma quantidade infinita do que agora sentimos como parte integrante de nossa própria natureza psíquica ainda volteia alegremente em torno do homem primitivo em amplas projeções.

54 O termo "projeção" não é muito apropriado, pois nada foi arrojado fora da alma; o que ocorre é que a psique atingiu sua complexidade atual através de uma série de atos de introjeção. Essa complexidade tem aumentado proporcionalmente à desespiritualização da natureza. Uma entidade inquietante da floresta de outrora chama-se agora "fantasia erótica", o que vem complicar penosamente nossa vida anímica. Ela vem ao nosso encontro sob a forma de uma ninfa, mas se comporta como um súcubo; ela assume as mais diversas formas, como uma bruxa, e é de uma autonomia insuportável que, a bem dizer, não seria própria de um conteúdo psíquico. Eventualmente, provoca fascinações, que poderiam ser tomadas como a melhor bruxaria, ou desencadeia estados de terror que nem a aparição do próprio diabo poderia suplantar. Ela é um ser provocante que cruza nosso caminho nas mais diversas modalidades e disfarces, pregando-nos peças de todo tipo, provocando ilusões felizes e infelizes, depressões e êxtases, emoções descontroladas etc. Nem mesmo no estado de introjeção mais sensato a ninfa se despoja de sua natureza travessa. A bruxa não parou de misturar suas poções imundas de amor e morte, mas o seu veneno mágico é refinado, produz intriga e autoengano. Invisível, sem dúvida, mas nem por isso menos perigosa.

55 Mas de onde nos vem a coragem de chamar este ser élfico de anima? *Anima* significa alma e designa algo de extremamente maravilhoso e notável. Mas nem sempre foi assim. Não podemos esquecer que este tipo de alma é uma representação dogmática, cujo objetivo é

exorcizar e capturar algo de inquietantemente autônomo e vivo. A palavra alemã *Seele* (alma) é muito próxima da palavra grega αἰόλος (através de sua forma gótica *saiwalô*) que significa "movente", "iridescente", portanto, algo semelhante a uma borboleta – em grego ψυχή – que, inebriada, passa de flor em flor e vive de mel e amor. Na tipologia gnóstica o ἄνθρωπος ψυχικός (o homem psíquico) fica hierarquicamente abaixo do πνευματικός (espiritual), e finalmente também existem as almas más, que têm de queimar no inferno por toda a eternidade. Até a alma totalmente inocente de um recém-nascido não batizado é privada pelo menos da contemplação de Deus. Entre os primitivos ela é um sopro mágico de vida (daí o termo "anima") ou chama. Uma palavra não canônica do Senhor diz acertadamente: "Quem está perto de mim está perto do fogo."[31] Em Heráclito, em seu estágio mais elevado, a alma é ígnea e seca, pois ψυχή é parente próxima do "aleito fresco" – ψύχειν significa bafejar, ψυχρός é frio, e ψῦχος, fresco...

Um ser que tem alma é um ser vivo. Alma é o que vive no homem, aquilo que vive por si só gera vida; por isso Deus insuflou em Adão um sopro vivo a fim de que ele tivesse vida. Com sua astúcia e seu jogo de ilusões a alma seduz para a vida a inércia da matéria que não quer viver. Ela (a alma) convence-nos de coisas inacreditáveis para que a vida seja vivida. A alma é cheia de ciladas e armadilhas para que o homem tombe, caia por terra, nela se emaranhe e fique preso, para que a vida seja vivida. Assim como Eva, no paraíso, não sossegou até convencer Adão da excelência da maçã proibida. Se não fosse a mobilidade e iridescência da alma, o homem estagnaria em sua maior paixão, a inércia[32]. Um certo tipo de razoabilidade é seu advogado, e um certo tipo de moralidade acrescenta sua bênção. Porém, ter alma é a ousadia da vida, pois a alma é um *daimon* doador de vida, que conduz seu jogo élfico sobre e sob a existência humana, motivo pelo qual no interior do dogma ele é ameaçado e propiciado com castigos e bênçãos unilaterais que de longe ultrapassam os mere-

---

31. [HENNECKE (org.). *Neutestamentliche Apokryphen*, p. 35.]
32. LA ROCHEFOUCAULD. *Maxime [supprimée]* DCXXX, p. 264. [Cf. Símbolos da transformação, § 253.]

cimentos humanamente possíveis. Céu e inferno são destinos da alma e não do cidadão, que em sua nudez e estupidez não saberia o que fazer consigo numa Jerusalém celeste.

57   A anima não é alma no sentido dogmático, nem uma *anima rationalis*, que é um conceito filosófico, mas um arquétipo natural que soma satisfatoriamente todas as afirmações do inconsciente, da mente primitiva, da história da linguagem e da religião. Ela é um "*factor*" no sentido próprio da palavra. Não podemos fazê-la, mas ela é sempre o *a priori* de humores, reações, impulsos e de todas as espontaneidades psíquicas. Ela é algo que vive por si mesma e que nos faz viver; é uma vida por detrás da consciência, que nela não pode ser completamente integrada, mas da qual pelo contrário esta última emerge. Afinal de contas, a vida psíquica é em sua maior parte uma vida inconsciente e cerca a consciência de todos os lados: pensamento este suficientemente óbvio quando registramos a quantidade de preparação inconsciente necessária, por exemplo, para o reconhecimento de uma percepção dos sentidos.

58   Embora pareça que a totalidade da vida anímica inconsciente pertence à anima, esta é apenas um arquétipo entre muitos. Por isso, ela não é a única característica do inconsciente, mas um de seus aspectos. Isto é mostrado por sua feminilidade. O que não é eu, isto é, masculino, é provavelmente feminino; como o não eu é sentido como não pertencente ao eu, e por isso está fora do eu, a imagem da anima é geralmente projetada em mulheres. O sexo oposto, até certo ponto, é inerente a cada sexo, pois biologicamente falando é só o maior número de genes masculinos que determina a masculinidade. O número menor de genes femininos parece determinar o caráter feminino, que devido à sua posição subordinada permanece habitualmente inconsciente.

59   Com o arquétipo da anima entramos no reino dos deuses, ou seja, na área que a metafísica reservou para si. Tudo o que é tocado pela anima torna-se numinoso, isto é, incondicional, perigoso, tabu, mágico. Ela é a serpente no paraíso do ser humano inofensivo, cheio de bons propósitos e intenções. Ela convence com suas razões a não se lidar com o inconsciente, pois isso destruiria inibições morais e desencadearia forças que seria melhor permanecerem inconscientes. Como quase sempre, ela não está totalmente errada; pois a vida não é

somente o lado bom, é também o lado mau. Porque a anima quer vida, ela quer o bom e o mau. No reino da vida dos elfos, tais categorias não existem. Tanto a vida do corpo como a vida psíquica têm a indiscrição de se portarem muito melhor e serem mais saudáveis sem a moral convencional.

A anima acredita no καλὸν κἀγαθόν, conceito primitivo anterior à descoberta do conflito entre estética e moral. Foi necessário um longo processo de diferenciação cristã para que se tornasse claro que o bom nem sempre é belo e o belo não é necessariamente bom. O paradoxo desse casamento de ideias não era um problema para os antigos, nem para o homem primitivo. A anima é conservadora e se prende à humanidade mais antiga de um modo exasperante. Ela prefere aparecer em roupagem histórica, com predileção pela Grécia e pelo Egito. Em relação a isto lembremos os clássicos Rider Haggard e Pierre Benoit. O sonho do renascimento conhecido como a *Hypnerotomachia* de Polifilo[33] e o *Fausto* de Goethe também foram ao fundo da Antiguidade para apreender *le vrai mot de la situation*. Polifilo conjurou a Rainha Vênus. Goethe, a Helena de Troia. Aniela Jaffé esboçou uma imagem viva da anima na época do *Biedermeier* e dos românticos[34]. Não vamos multiplicar o número das testemunhas insuspeitas, pois elas nos fornecem material e simbolismo autêntico para enriquecer a nossa meditação. Se quisermos saber como a anima aparece na sociedade moderna, recomendo a leitura do *Private life of Helen of Troy* de Erskine. Ela não é uma criação superficial, pois o sopro da eternidade paira sobre tudo o que é verdadeiramente vivo. A anima é vida além de todas as categorias e por isso pode dispensar qualquer louvor ou ultraje. A Rainha do Céu, que por acaso irrompeu na vida – será que alguém já considerou o pobre destino na lenda de Maria transposta para as estrelas divinas? A vida desregrada e sem sentido, que não se satisfaz com a própria abundância, é objeto de pavor e repulsa para um homem ajustado à sua civilização; não podemos censurá-lo por isso, pois ela também é a mãe de todos os disparates e tragédias. Assim, desde os primórdios, o homem nascido na ter-

---

33. Cf. LINDA FIERZ-DAVID. *Der Liebestraum des Poliphilo*. [Cf. Bibliografia acerca de Rider Haggard e Benoit.]

34. *Bilder und Symbole aus E.T. Hoffmanns Märchen "Der Goldne Topf"*.

ra com seu sadio instinto animal está em luta com sua alma e seus demônios. Se essa alma fosse univocamente escura, seria simples. Infelizmente não é assim, pois essa mesma anima pode aparecer como um anjo de luz, como psicopompos, e conduzi-lo até o significado mais alto, como sabemos pelo *Fausto*.

Se o confronto com a sombra é obra do aprendiz, o confronto com a anima é a obra-prima. A relação com a anima é outro teste de coragem, uma prova de fogo para as forças espirituais e morais do homem. Jamais devemos esquecer que, em se tratando da anima, estamos lidando com realidades psíquicas, as quais até então nunca foram apropriadas pelo homem, uma vez que se mantinham fora de seu âmbito psíquico, sob a forma de projeções. Para o filho, a anima oculta-se no poder dominador da mãe e a ligação sentimental com ela dura às vezes a vida inteira, prejudicando gravemente o destino do homem ou, inversamente, animando a sua coragem para os atos mais arrojados. Para o homem da Antiguidade a anima aparece sob a forma de deusa ou bruxa; por outro lado, o homem medieval substituiu a deusa pela Rainha do Céu e pela Mãe Igreja. O mundo despido de símbolos do protestante produziu, antes de mais nada, um sentimentalismo mórbido, agravando o conflito moral que, por ser insuportável, conduziu logicamente ao "além do bem e do mal" de Nietzsche. Nos centros civilizados este estado de coisas manifesta-se na crescente instabilidade dos casamentos. O índice de divórcios nos Estados Unidos já foi ultrapassado em muitos países europeus, o que prova que a anima se encontra preferivelmente na projeção no sexo oposto, o que ocasiona relacionamentos magicamente complicados. Devido às suas consequências patológicas este fato contribuiu para o surgimento da psicologia moderna que, em sua forma freudiana, acha que a causa essencial de todos os distúrbios é a sexualidade, opinião que apenas exacerba os conflitos já existentes[35]. Há uma confusão aqui entre causa e efeito. O distúrbio sexual não é a causa das dificuldades neuróticas, mas, como estas, é um dos efeitos patológicos criados pela adaptação deficiente da consciência, isto é, a consciência confronta-se com situações e tarefas que não estão ao seu alcance. Ela

---

35. Expus pormenorizadamente meu ponto de vista em meu livro *A psicologia da transferência*.

(a consciência) não compreende como seu mundo se alterou, e que atitude deveria tomar para adaptar-se novamente. "*Le peuple porte le sceaux d'un hiver qu'on n'explique pas*[36]", como diz uma inscrição em uma estela coreana.

Tanto no que concerne à sombra como à anima não basta conhecer-lhes os conceitos e refletir sobre eles. Nem podemos vivenciar seus conteúdos pela intuição ou pela empatia. É inútil decorar uma lista de arquétipos. Estes são complexos de vivência que sobrevêm aos indivíduos como destino e seus efeitos são sentidos em nossa vida mais pessoal. A anima não vem ao nosso encontro como deusa, mas sim como equívoco talvez sumamente pessoal, ou como a maior ousadia. Quando, por exemplo, um velho e conceituado professor de setenta anos resolve abandonar sua família para casar-se com uma atriz ruiva de 20 anos – já sabemos – os deuses vieram buscar outra vítima. Assim se revela em nós a poderosíssima força demoníaca. Até há pouco tempo essa jovem teria sido eliminada por ser considerada bruxa.

Segundo minha experiência há muitas pessoas inteligentes e cultas que compreendem a ideia da anima e sua relativa autonomia facilmente, bem como a fenomenologia do animus nas mulheres. Os psicólogos enfrentam uma dificuldade maior neste sentido, provavelmente porque não são obrigados a confrontar-se com os fatos concretos que caracterizam a psicologia do inconsciente. E se além de tudo são médicos, seu ponto de vista sômato-psicológico os perturba, por acharem que os processos psicológicos podem ser expressos através de conceitos intelectuais, biológicos ou fisiológicos. Mas a psicologia não é biologia nem fisiologia, nem outra ciência, mas unicamente o que diz respeito ao conhecimento da alma.

A imagem que até então tracei da anima não é completa. Ela não deixa de ser um impulso caótico da vida, mas ao lado disso é também algo extremamente significativo; um saber secreto ou uma sabedoria oculta, algo que curiosamente contrasta com a sua natureza élfica irracional. Remeto aqui novamente aos autores acima citados. Rider Haggard a chama *She Wisdom's Daughter* (Filha da Sabedoria); a Rainha da Atlântida de Benoit tem pelo menos uma excelente bibliote-

---

36. (O povo traz o selo de um inverno que não se explica.)

ca, constando de seu acervo um livro de Platão, o qual havia desaparecido. Helena de Troia em sua reencarnação é liberta do prostíbulo em Tiro pelo sábio Simão, o Mago, e o acompanha em suas viagens. Deixei de mencionar no início, propositalmente, este aspecto característico da anima, porque o primeiro encontro com ela, em geral, leva-nos a inferir algo que nada tem a ver com a sabedoria[37]. Este aspecto só se apresenta a quem se confronta com a anima. Somente através de um árduo trabalho é possível reconhecer progressivamente[38] que por detrás do jogo cruel do destino humano se esconde algo semelhante a um propósito secreto, o qual parece corresponder a um conhecimento superior das leis da vida. É justamente o mais inesperado, as coisas mais angustiosas e caóticas que revelam um significado profundo. E quanto mais este sentido é conscientizado, tanto mais a anima perde seu caráter impetuoso e compulsivo. Pouco a pouco vão se criando diques contra a inundação do caos, pois o que tem sentido se separa do que não o tem. Quando o sentido e o não sentido não são mais idênticos, a força do caos enfraquece, por subtração; o sentido arma-se com a força do sentido, e o não sentido, com a força do não sentido. Assim surge um novo cosmos. Não se trata de uma nova descoberta da psicologia médica, mas de uma verdade milenar – da riqueza da experiência da vida vem o ensinamento que o pai transmite ao filho[39].

Sabedoria e loucura aparecem na natureza élfica como uma só e mesma coisa; e o são realmente quando a anima as representa. A vida é ao mesmo tempo significativa e louca. Se não rirmos de um dos aspectos e não especularmos acerca do outro, a vida se torna banal; e sua escala se reduz ao mínimo. Então só existe um sentido pequeno e um não sentido igualmente pequeno. No fundo, nada significa algo, pois antes de existirem seres humanos pensantes não havia quem interpretasse os fenômenos. As interpretações só são necessárias aos

---

37. Refiro-me aqui a exemplos literários acessíveis a todos e não ao material clínico. Para nossos propósitos o exemplo literário é suficiente.

38. Isto supõe de um modo geral a discussão com os conteúdos do inconsciente, representando a grande tarefa do processo de integração.

39. O opúsculo de Schmaltz, *Östliche Weisheit und Westliche Psychotherapie* constitui um bom exemplo disto.

que não entendem. Só o incompreensível tem que ser significado. O homem despertou num mundo que não compreendeu; por isso quer interpretá-lo.

Assim sendo, a anima e com ela a vida não têm sentido na medida em que não oferecem interpretação. No entanto, elas têm uma natureza passível de interpretação, pois em todo caos há um cosmos, em toda desordem uma ordem secreta, em todo capricho uma lei permanente, uma vez que o que atua repousa no seu oposto. Para reconhecê-lo é necessário uma compreensão humana discernente, que tudo decompõe em seus julgamentos antinômicos. No momento em que essa compreensão humana se confronta com a anima, o capricho caótico desta última faz com que se pressinta uma ordem secreta, e, então, postulamos uma disposição, um sentido e um propósito além de sua essência, mas isso não corresponderia à verdade. Na realidade, de início não somos capazes de refletir friamente e nenhuma ciência e filosofia pode ajudar-nos e o ensinamento religioso tradicional só nos auxilia ocasionalmente. Encontramo-nos presos e emaranhados numa vivência sem meta e o julgamento com todas as suas categorias revela-se impotente. A interpretação humana é falha porque se criou uma situação de vida turbulenta que não se adequa a nenhuma das categorias tradicionais. É um momento de colapso. Mergulhamos numa profundidade última – como diz acertadamente Apuleio, "ad instar voluntariae mortis[40]". Trata-se da renúncia a nossos próprios poderes, não artificialmente desejada, mas naturalmente imposta; não de uma submissão e humilhação voluntárias acionadas pela moral, mas uma derrota completa e inequívoca, coroada pelo pavor pânico da desmoralização. Só quando todas as muletas e arrimos forem quebrados e não se puder mais contar com qualquer proteção pela retaguarda, só então nos será dada a possibilidade de vivenciar um arquétipo, que até então se oculta na significativa falta de sentido da anima. É o *arquétipo do significado ou do sentido*, tal como a anima é o *arquétipo da vida*.

---

40. *Metamorphoseos*, XI, 23, p. 240 (tradução p. 425: "semelhante a uma morte voluntária").

O significado sempre nos parece ser o acontecimento mais recente, porque – por alguma razão – supomos que somos nós mesmos que o outorgamos e porque acreditamos também que o mundo maior pode existir sem ser interpretado. Mas como outorgamos sentido? De que fonte, em última análise, extraímos o significado? As formas que usamos para outorgar sentido são categorias históricas que remontam às brumas da Antiguidade, fato que não levamos suficientemente em conta. Para dar sentido servimo-nos de certas matrizes linguísticas que, por sua vez, derivam de imagens primordiais. Podemos abordar essa questão como quer que seja e sempre nos confrontaremos com a história da linguagem e dos motivos que nos reconduzem direto ao mundo maravilhoso dos primitivos.

68   Tomemos, por exemplo, a palavra ideia. Ela remonta ao conceito do εἶδως de Platão, e as ideias eternas são imagens primordiais, ἐν ὑπερουρανίῳ τόπῳ (em lugar supracelestial) guardadas como formas eternamente transcendentes. O olho do vidente as percebe como *imagines et lares*, ou como imagens do sonho ou da visão reveladora. Ou tomemos o conceito da energia, que designa um acontecimento físico. Antigamente, era o fogo misterioso dos alquimistas, o *phlogiston*, ou a força do calor inerente à matéria, tal como o calor primordial dos estoicos, ou o πῦρ ἀεὶ ζῶον (o fogo eternamente vivo) de Heráclito, que já se aproxima muito da noção primitiva de uma onipresente força viva de crescimento e mágico poder de cura, habitualmente designado por *mana*.

69   Não quero acumular exemplos desnecessários. Basta saber que não existe *uma só* ideia ou concepção essencial que não possua antecedentes históricos. Em última análise, estes se fundamentam em formas arquetípicas primordiais, cuja concretude data de uma época em que a consciência ainda não *pensava*, mas *percebia*. O pensamento era objeto da percepção interior, não era pensado, mas sentido como fenômeno, por assim dizer, visto ou ouvido. O pensamento era essencialmente revelação; não era algo inventado, mas imposto ou algo que nos convencia por sua realidade imediata. O pensar precede a consciência do eu primitivo e esta é mais seu objeto do que sujeito. Mas nem mesmo nós escalamos ainda o último pico da consciência e temos, portanto, um pensar preexistente, de que não temos consciência enquanto nos apoiarmos em símbolos tradicionais: na linguagem do sonho, enquanto o pai ou rei não tiverem morrido.

Eu gostaria de dar um exemplo acerca do modo pelo qual o inconsciente "pensa" e "prepara" soluções. Trata-se do caso de um jovem estudante de teologia que não conheço pessoalmente. Ele tinha dificuldades no tocante à sua convicção religiosa. Nessa época teve o seguinte sonho[41]:

Ele estava na presença de um velho bonito, todo vestido de preto. Sabia que era um mago branco. Este acabara de falar longamente com ele, mas o sonhador não se lembrava do que ouvira. Somente se lembrava das seguintes palavras: "E para isto precisamos da ajuda de um mago negro". Neste momento abriu-se uma porta e um velho semelhante ao primeiro entrou, mas estava vestido de branco. Ele disse ao mago branco: "Preciso de teu conselho", lançando um olhar interrogativo e de soslaio ao sonhador. O mago branco então falou: "Podes falar sem receio, ele é inocente". O mago negro começou então a contar sua história. Ele viera de um país distante, onde ocorrera algo estranho. O país era governado por um velho rei que estava prestes a morrer. Ele – o rei – escolhera para si um túmulo. Pois naquele país havia um grande número de túmulos dos velhos tempos, e o rei escolhera para si o mais belo. Segundo a lenda, uma virgem nele estava sepultada. O rei ordenou que o túmulo fosse aberto a fim de prepará-lo para si. Mas quando os ossos foram expostos ao ar reanimaram-se subitamente, transformando-se num cavalo negro, que fugiu imediatamente para o deserto e nele desapareceu. O mago negro ouvira falar dessa história e logo pôs-se a caminho para seguir o cavalo. Depois de muitos dias seguindo os seus rastros, chegou ao deserto, atravessou-o até encontrar de novo campos verdes. Lá encontrou o cavalo pastando e descobriu alguma coisa, precisando por isso do conselho do mago branco. Encontrara as chaves do paraíso e não sabia o que fazer com elas. Neste momento emocionante o sonhador acordou.

À luz do que expusemos, não é difícil atinar com o significado do sonho: o velho rei é o símbolo predominante que deseja o descanso eterno, e isso no mesmo lugar em que outras "dominantes" análogas jazem enterradas. Sua escolha recai sobre o túmulo da anima, que dor-

---

41. Eu já citei este sonho em: A fenomenologia do espírito no conto de fadas [§ 398 deste volume] e em: Psicologia e educação [§ 208] como exemplo de um "grande" sonho, sem comentário mais pormenorizado.

me o sono da morte qual uma Bela Adormecida, enquanto um princípio válido (príncipe ou *princeps*) regula e exprime a vida. Mas quando o rei chega a seu fim[42], ela recobra a vida e se transforma no cavalo negro que, segundo a parábola de Platão exprime o caráter indomável da natureza passional. Quem quer que o siga chega ao deserto, isto é, a um país selvagem, distante dos homens – imagem do isolamento espiritual e moral. Mas é lá que estão as chaves do paraíso.

73   Mas o que é paraíso? Obviamente o Jardim do Éden com a árvore da vida e do conhecimento bifronte e seus quatro rios. Na versão cristã também é a cidade celeste do *Apocalipse*, a qual, como o Jardim do Éden, é concebida como mandala. Mas o mandala é um símbolo de individuação. É portanto o mago negro que encontra a chave para a solução das dificuldades de fé que oprimem o sonhador, as chaves que abrem o caminho da individuação. O par de opostos deserto-paraíso significa, portanto, o outro par de opostos isolamento-individuação ou o tornar-se si-mesmo.

74   Esta parte do sonho é ao mesmo tempo uma notável paráfrase da palavra do Senhor editada e completada por Hunt e Grenfell, onde o caminho para o reino dos céus é mostrado pelos animais e onde se lê na admonição: "Por isso conhecei-vos a vós mesmos, pois sois a Cidade e a Cidade é o Reino[43]". Além disso também é uma paráfrase da serpente do paraíso que persuadiu nossos primeiros pais a cometer o pecado, e conduziu posteriormente à redenção da humanidade pelo Filho de Deus. Este nexo causal, como se sabe, propiciou a identificação ofídica de serpente com o Soter (Salvador). O cavalo negro e o mago negro são elementos meio maléficos, cuja relação com o bem é indicada pela troca do vestuário. Ambos os magos são os dois aspectos do velho sábio, o mestre superior e protetor, do arquétipo do espírito, representando o significado preexistente, oculto na vida caótica. Ele é o pai da alma, a qual, miraculosamente, também é sua virgem mãe, razão pela qual os alquimistas o denominaram "filho antiquíssimo da mãe". O mago negro e o cavalo negro correspondem à descida ao obscuro nos sonhos anteriormente mencionados.

---

42. Cf. isto com o motivo do "velho Rei" na alquimia [*Psicologia e alquimia*, § 491s.].
43. [Cf. tb. JAMES. *Apocryphal Testament*, p. 25s.]

Que lição insuportável e difícil para um jovem estudante de teologia! Felizmente ele não percebeu que o pai de todos os profetas lhe falara nos sonhos, colocando-lhe ao alcance da mão um grande segredo. Espantamo-nos decerto com a inoportunidade de tais ocorrências. Por que este desperdício? Devemos admitir que não sabemos a influência que tal sonho exerceu sobre o sonhador a longo prazo, mas devemos ressaltar que *para mim*, pelo menos, este sonho teve um grande significado. Não se perdeu, mesmo que o sonhador não o tivesse compreendido.

O mestre deste sonho tenta obviamente representar o bem e o mal, em sua função conjunta, provavelmente como uma resposta ao conflito moral ainda não resolvido na alma cristã. Com esta relativização peculiar dos opostos encontramo-nos perto das ideias do Oriente, do *nirdvandva* (nirvana) da filosofia hindu, de libertação dos opostos, indicada como uma solução possível para a conciliação do conflito. Quão perigosamente significativa é a relatividade oriental do bem e do mal evidencia-se na pergunta da sabedoria indiana: "Quem demora mais para alcançar a perfeição, o homem que ama Deus, ou aquele que o odeia?" A resposta é: "O homem que ama Deus precisa de sete reencarnações para alcançar a perfeição e aquele que odeia Deus precisa de apenas três, pois quem o odeia pensará mais nele do que quem o ama". A libertação dos opostos pressupõe uma equivalência funcional dos mesmos, o que é contraditório para o sentimento cristão. No entanto, como o exemplo do sonho mostra, a cooperação ordenada dos opostos morais é uma verdade natural reconhecida pelo Oriente. O mais claro exemplo disto nós o encontramos na filosofia taoísta. Mas na tradição cristã também há várias afirmações que se aproximam deste ponto de vista. Bastaria lembrar a parábola do administrador infiel.

Nosso sonho não é o único que diz respeito a isso, pois a tendência para relativizar os opostos é uma característica notável do inconsciente. Devemos, porém, acrescentar que isto só é verdade nos casos de sensibilidade moral exagerada; em outros casos o inconsciente pode apontar inexoravelmente para o caráter irreconciliável dos opostos. Como regra geral, o ponto de vista do inconsciente é compensatório em relação à atitude consciente. Por isso, podemos dizer que o sonho citado pressupõe as condições e dúvidas específicas de uma consciência teológica protestante. Isto significa uma limitação de sua asserção a uma área problemática determinada. Mas, mesmo com esta limitação quanto à validade, os sonhos demonstram a supremacia do seu ponto de vista. Por isso, o significado do sonho é expresso adequadamente pela voz e opinião de um mago sábio, o qual supera em todos os sentidos a consciência do sonhador. O mago é sinônimo do velho sábio, que remonta diretamente à figura do xamã na sociedade primitiva. Como a anima, ele é um daimon imortal que penetra com a luz do sentido a obscuridade caótica da vida. Ele é o iluminador, o professor e mestre, um psicopompo (guia das almas) de cuja personificação nem Nietzsche, o "destruidor das tábuas da Lei", pôde escapar. Nietzsche invocou, através de sua reencarnação no Zaratustra, o espírito superior de uma idade quase homérica, para tornar-se portador e porta-voz de sua própria iluminação e êxtase dionisíaco. Para ele, Deus tinha morrido, mas o daimon da sabedoria tornou-se, por assim dizer, seu desdobramento físico. Ele mesmo diz:

> Então, de repente, amiga! Um tornou-se Dois
> – E Zaratustra passou a meu lado...[44]

Para Nietzsche, Zaratustra é mais do que uma figura poética, é uma confissão involuntária. Ele também se perdera na obscuridade de uma vida descristianizada, distante de Deus. Por isso, veio a ele o revelador e iluminador como fonte expressiva de sua alma. Esta é a origem da linguagem hierática do *Zaratustra*, pois este é o estilo do arquétipo.

Na vivência deste arquétipo, o homem moderno experimenta a forma mais arcaica do pensar, como uma atividade autônoma cujo objeto somos nós mesmos. Hermes Trismegisto, ou o Thoth da literatura hermética, Orfeu, o Poimandres e seu parentesco com o Poimen de Hermes[45] são outras formulações da mesma experiência. Se o nome "Lúcifer" não fosse marcado pelo preconceito, seria provavelmente o nome mais adequado para este arquétipo. Bastou-me por isso designá-lo como o *arquétipo do velho sábio*, ou *do sentido*. Como todos os arqué-

---

44. ["Sils-Maria". In: *Lieder des Prinzen Vogelfrei*, p. 360.]
45. Reitzenstein considera o *Pastor de Hermas* como um texto cristão que compete com *Poimandres*.

tipos, este também tem um aspecto positivo e outro negativo, mas não entrarei aqui em maiores detalhes. O leitor encontrará uma exposição detalhada da dupla face do "velho sábio" em meu ensaio sobre a "Fenomenologia do espírito no conto de fadas[46]".

Os três arquétipos acerca dos quais já falamos – a sombra, a anima e o velho sábio – são algo que se apresenta de um modo personificado na experiência direta. No que foi dito acima, tentei indicar quais são as condições psicológicas e gerais que dão origem a tal experiência. Mas o que afirmei não passou de racionalizações abstratas. Na realidade, deveríamos dar uma descrição do processo tal como se apresenta na experiência imediata. No decorrer desse processo os arquétipos aparecem como personalidades atuantes em sonhos e fantasias. O processo mesmo constitui outra categoria de arquétipos que poderíamos chamar de arquétipos de *transformação*. Estes não são personalidades, mas sim situações típicas, lugares, meios, caminhos etc., simbolizando cada qual um tipo de transformação. Tal como as personalidades, estes arquétipos também são símbolos verdadeiros e genuínos que não podemos interpretar exaustivamente, nem como σημεῖα (sinais), nem como alegorias. São símbolos genuínos na medida em que eles são ambíguos, cheios de pressentimentos e, em última análise, inesgotáveis. Os princípios fundamentais, os ἀρχαί do inconsciente, são indescritíveis, dada a riqueza de referências, apesar de serem reconhecíveis. O intelecto discriminador sempre procura estabelecer o seu significado unívoco e perde o essencial, pois a única coisa que é possível constatar e que corresponde à sua natureza é a multiplicidade de sentido, a riqueza de referências quase ilimitadas que impossibilita toda e qualquer formulação unívoca. Além disso, esses arquétipos são por princípio paradoxais a exemplo do espírito que os alquimistas consideravam como *senex et iuvenis simul*[47].

Se quisermos ter uma ideia do processo simbólico podemos tomar como exemplo as séries de imagens alquímicas, embora tais símbolos sejam em sua maioria tradicionais, mesmo que de obscura pro-

---

46. Cf. cap. VIII deste volume.
47. (Ao mesmo tempo velho e jovem.)

cedência e significação. O sistema dos chacras tântricos[48], ou o sistema nervoso místico da ioga chinesa[49], são exemplos notáveis. A série de imagens do tarô também parece ser derivada dos arquétipos de transformação, opinião que foi reforçada para mim através de uma conferência esclarecedora do Professor Bernouilli[50].

82 O processo simbólico é uma *vivência na imagem e da imagem*. Seu desenvolvimento apresenta geralmente uma estrutura enantiodrômica, tal como o texto do *I Ching*, apresentando, portanto um ritmo de negativo e positivo, de perda e ganho, de escuro e claro. Seu início é quase sempre caracterizado por um beco sem saída ou qualquer outra situação impossível; sua meta, em amplo sentido, é a iluminação ou consciência superior, através da qual a situação inicial é superada num nível superior. Em relação ao fator tempo, o processo pode ser comprimido num único sonho ou num curto momento de vivência, ou então estender-se por meses ou anos, dependendo da situação inicial do indivíduo envolvido no processo e da meta a ser atingida. É óbvio que a riqueza dos símbolos oscila extraordinariamente. Tudo, no entanto, é vivenciado numa forma imagética, isto é, simbolicamente, não se tratando, porém, de perigos fictícios, mas de riscos muito reais, dos quais pode depender todo um destino. O perigo principal é sucumbir à influência fascinante dos arquétipos, o que pode acontecer mais facilmente quando as imagens arquetípicas *não são conscientizadas*. Caso exista uma predisposição psicótica pode acontecer que as figuras arquetípicas – as quais possuem uma certa autonomia graças à sua numinosidade natural – escapem ao controle da consciência, alcançando uma total independência, ou seja, gerando fenômenos de possessão. No caso de uma possessão pela anima, por exemplo, o paciente quer transformar-se por autocastração numa mulher chamada Maria, ou então receia que algo semelhante aconteça violentamente. O melhor exemplo disto é o livro de Schreber[51]. Os pacientes descobrem muitas vezes toda uma mitologia de

---

48. AVALON [org.]. *The Serpent Power*.
49. ROUSSELLE. *Seelische Führung im lebenden Taoismus*.
50. BERNOULLI. *Zur Symbolik geometrischer Figuren und Zahlen*.
51. *Denkwürdigkeiten eines Nervenkranken*.

anima, com numerosos temas arcaicos. Um caso deste tipo foi publicado há tempos por Nelken[52]. Outro paciente descreveu suas próprias experiências em um livro e comentou-as[53]. Menciono estes casos porque ainda há pessoas que pensam serem os arquétipos quimeras subjetivas do meu cérebro.

As coisas que vêm à tona brutalmente nas doenças mentais permanecem ainda veladas na neurose, mas não deixam de influenciar a consciência. Quando, no entanto, a análise penetra no pano de fundo dos fenômenos da consciência, ela descobre as mesmas figuras arquetípicas que avivam os delírios psicóticos. Finalmente, numerosos documentos histórico-literários comprovam que tais arquétipos existem praticamente por toda parte, tratando-se, portanto de fantasias normais e não de produtos monstruosos de insanidade. O elemento patológico não reside na existência destas ideias, mas na dissociação da consciência que não consegue mais controlar o inconsciente. Em todos os casos de dissociação é, portanto, necessário integrar o inconsciente na consciência. Trata-se de um processo sintético que denominei "processo de individuação".

Este processo corresponde ao decorrer natural de uma vida, em que o indivíduo se torna o que sempre foi. E porque o homem tem consciência, um desenvolvimento desta espécie não decorre sem dificuldades; muitas vezes ele é vário e perturbado, porque a consciência se desvia sempre de novo da base arquetípica instintual, pondo-se em oposição a ela. Disto resulta a necessidade de uma síntese das duas posições. Isto implica uma psicoterapia mesmo no nível primitivo, onde ele toma a forma de rituais de reparação. Como exemplos menciono a identificação regressiva dos aborígines australianos com os ancestrais no período alcheringa, a identificação com os filhos do Sol entre os *pueblos* de Taos, a apoteose de Hélio no mistério de Ísis, em Apuleio etc. O método terapêutico da psicologia complexa consiste, por um lado, numa tomada de consciência, o mais completa possível, dos conteúdos inconscientes constelados, e, por outro, numa síntese

---

52. *Analytische Beobachtungen über Phantasien eines Schizophrenen* (Observações analíticas sobre as fantasias de um esquizofrênico).
53. CUSTANCE. *Wisdom, Madness and Folly*.

dos mesmos com a consciência através do ato cognitivo. Dado que o homem civilizado possui um grau de dissociabilidade muito elevado e dele se utiliza continuamente a fim de evitar qualquer possibilidade de risco, não é garantido que o conhecimento seja acompanhado da ação correspondente. Pelo contrário, devemos contar com a extrema ineficácia do conhecimento e insistir por isso numa aplicação significativa do mesmo. O conhecimento por si mesmo não basta, nem implica alguma força moral. Nestes casos vemos claramente como a cura da neurose é um problema moral.

85 Uma vez que os arquétipos são relativamente autônomos como todos os conteúdos numinosos, não se pode integrá-los simplesmente por meios racionais, mas requerem um processo dialético, isto é, um confronto propriamente dito que muitas vezes é realizado pelo paciente em forma de diálogo. Assim ele concretiza, sem o saber, a definição alquímica da meditação, como *colloquium cum suo angelo bono*, como diálogo interior com seu anjo bom[54]. Este processo tem um decurso dramático, com muitas peripécias. Ele é expresso ou acompanhado por símbolos oníricos, relacionados com as *représentations collectives*, as quais sempre retrataram os processos anímicos da transformação sob a forma de temas mitológicos[55].

86 No breve espaço de uma conferência devo contentar-me com a apresentação de poucos exemplos de arquétipos. Escolhi os que na análise do inconsciente masculino desempenham o papel principal; também procurei esboçar rapidamente o processo psíquico da transformação em que eles se manifestam. A partir da primeira publicação desta conferência, as figuras aqui comentadas da sombra, da anima e do velho sábio, juntamente com as respectivas figuras do inconsciente feminino, foram elaboradas com maiores detalhes nas minhas contribuições ao simbolismo do si-mesmo[56], além de ter sido analisado mais profundamente o processo da individuação em sua relação com o simbolismo alquímico[57].

---

54. RULANDUS. *Lexicon alchemiae*, cf. o verbete *meditatio*.
55. Remeto o leitor às minhas explanações, in: *Símbolos da transformação*.
56. *Aion. Investigações para uma história do símbolo*.
57. *Psicologia e alquimia*.

II

O conceito de inconsciente coletivo*

Certamente nenhum de meus conceitos encontrou tanta incompreensão como a ideia de inconsciente coletivo. No que se segue, procurarei dar: a) uma definição do conceito; b) uma interpretação de seu significado na psicologia; c) uma explicação do método de comprovação e d) alguns exemplos.

a. Definição

O inconsciente coletivo é uma parte da psique que pode distinguir-se de um inconsciente pessoal pelo fato de que não deve sua existência à experiência pessoal, não sendo, portanto, uma aquisição pessoal. Enquanto o inconsciente pessoal é constituído essencialmente de conteúdos que já foram conscientes e, no entanto desapareceram da consciência por terem sido esquecidos ou reprimidos, os conteúdos do inconsciente coletivo nunca estiveram na consciência e, portanto não foram adquiridos individualmente, mas devem sua existência apenas à hereditariedade. Enquanto o inconsciente pessoal consiste em sua maior parte de *complexos*, o conteúdo do inconsciente coletivo é constituído essencialmente de *arquétipos**.

O *conceito de arquétipo*, que constitui um correlato indispensável da ideia do inconsciente coletivo, indica a existência de determi-

---

*Originalmente uma conferência pronunciada sob o título: *"The Concept of the Collective Unconscious"* na Sociedade Abernethiana, no Hospital S. Bartolomeu, Londres, em 19 de outubro de 1936. Publicada no *Journal* deste Hospital, XLIV (Londres, 1936-1937), p. 46-49 e 64-66. Aparece aqui pela primeira vez, traduzida para o alemão.

* Esta última frase só existe na versão inglesa.

nadas formas na psique, que estão presentes em todo tempo e em todo lugar. A pesquisa mitológica denomina-as "motivos" ou "temas"; na psicologia dos primitivos elas correspondem ao conceito das *représentations collectives* de Levy-Brühl e no campo das religiões comparadas foram definidas como "categorias da imaginação" por Hubert e Mauss. Adolf Bastian designou-as bem antes como "pensamentos elementares" ou "primordiais". A partir dessas referências torna-se claro que a minha representação do arquétipo – literalmente uma forma preexistente – não é exclusivamente um conceito meu, mas também é reconhecido em outros campos da ciência.

90 Minha tese é a seguinte: à diferença da natureza pessoal da psique consciente, existe um segundo sistema psíquico, de carácter coletivo, não pessoal, ao lado do nosso consciente, que por sua vez é de natureza inteiramente pessoal e que – mesmo quando lhe acrescentamos como apêndice o inconsciente pessoal – consideramos a única psique passível de experiência. O inconsciente coletivo não se desenvolve individualmente, mas é herdado. Ele consiste de formas preexistentes, arquétipos, que só secundariamente podem tornar-se conscientes, conferindo uma forma definida aos conteúdos da consciência.

b. Significado psicológico do inconsciente coletivo

91 Nossa *psicologia médica* que se desenvolveu através da prática profissional insiste na natureza *pessoal* da psique. Refiro-me principalmente às opiniões de Freud e Adler. Trata-se de uma *psicologia da pessoa*, e seus fatores etiológicos ou causais são considerados quase sempre como pessoais por sua natureza. No entanto, esta psicologia se baseia em certos fatores biológicos universais, por exemplo, o instinto sexual ou a exigência de autoafirmação e de modo algum apenas em qualidades pessoais. A psicologia da pessoa é forçada a isso, uma vez que pretende ser uma ciência explicativa. Nenhuma dessas concepções nega os instintos, que são comuns aos animais e aos homens, nem a influência que exercem sobre a psicologia pessoal. Os instintos são entretanto fatores impessoais, universalmente difundidos e hereditários, de caráter mobilizador, que muitas vezes se encontram tão afastados do limiar da consciência, que a moderna psicoterapia se vê diante da tarefa de ajudar o paciente a tomar cons-

ciência dos mesmos. Além disso, os instintos não são vagos e indeterminados por sua natureza, mas forças motrizes especificamente formadas, que perseguem suas metas inerentes antes de toda conscientização, independendo do grau de consciência. Por isso eles são analogias rigorosas dos arquétipos, tão rigorosas que há boas razões para supormos que os arquétipos sejam imagens inconscientes dos próprios instintos; em outras palavras, representam o *modelo básico do comportamento instintivo*.

A hipótese do inconsciente coletivo é algo tão ousado como a suposição de que existem instintos. Podemos admitir sem hesitação que a atividade humana é em grande escala influenciada por instintos – abstração feita das motivações racionais da mente consciente. Quando se afirma que nossa fantasia, percepção e pensamento são do mesmo modo influenciados por elementos formais inatos e universalmente presentes, parece-me que uma inteligência normal poderá descobrir nessa ideia tanto ou tão pouco misticismo como na teoria dos instintos. Apesar de me terem acusado frequentemente de misticismo, devo insistir mais uma vez em que o inconsciente coletivo não é uma questão especulativa nem filosófica, mas sim empírica. A pergunta seria simplesmente saber se tais formas universais existem ou não. No caso afirmativo existe uma área da psique que podemos chamar de inconsciente coletivo. O diagnóstico do inconsciente coletivo nem sempre é tarefa fácil. Não basta ressaltar a natureza arquetípica, muitas vezes óbvia, dos produtos inconscientes, pois estes também podem provir de aquisições mediante a linguagem da educação. A criptomnésia também deveria ser descartada, o que em muitos casos é praticamente impossível. Apesar de todas essas dificuldades, restam casos individuais em número suficiente, mostrando o ressurgimento autóctone de motivos mitológicos que desafiam toda dúvida racional. Se um tal inconsciente existe, a explicação psicológica deve considerá-lo e submeter certas etiologias supostamente pessoais a uma crítica mais acurada.

92

O que foi dito talvez possa ser esclarecido mediante um exemplo concreto. Provavelmente o leitor já leu a discussão de Freud acerca de um determinado quadro de Leonardo da Vinci[1]: Sant'Ana com a Virgem Maria e o menino Jesus. Freud explica este quadro notável a

93

---

1. *Eine Kindheitserinnerung des Leonardo da Vinci*, IV.

partir do fato de que o próprio Leonardo teve duas mães. Esta causalidade é pessoal. Não pretendemos alongar-nos no tocante ao fato de que esse quadro não é o único no gênero, nem no tocante à discussão se Sant'Ana era a *avó* de Cristo, mas sublinhar que se entretece a um motivo aparentemente pessoal um motivo impessoal bem conhecido em outros campos. É o motivo das duas mães, arquétipo encontrado no campo da mitologia e da religião em múltiplas variações, constituindo a base de numerosas *représentations collectives*. Poderia mencionar, por exemplo, o motivo da dupla descendência, a descendência de pais humanos e divinos, tal como no caso de Héracles, que foi inconscientemente adotado por Hera, alcançando a imortalidade. O que na Grécia é mito, no Egito é até mesmo um ritual. Neste último caso, o Faraó é por sua natureza um ser humano e divino. Nas paredes da câmara de nascimento dos templos egípcios vê-se representada a segunda concepção e nascimento divinos do Faraó – ele "nasceu duas vezes". Esta é uma ideia-base de todos os mistérios de renascimento, inclusive do cristianismo. O próprio Cristo nasceu duas vezes: através de seu batismo no Jordão ele renasceu pela água e pelo espírito. Consequentemente, na liturgia romana a pia batismal foi designada *uterus ecclesiae*; como podemos ler no *missal romano*, ainda hoje ela é assim designada na "bênção da água batismal" no Sábado de Aleluia. Seja como for, o espírito que apareceu sob a forma de pomba é representado na antiga gnose como *Sofia*, *Sapientia*, Sabedoria e Mãe de Cristo. Graças ao motivo dos pais duplos, as crianças, em lugar de fadas boas ou más que realizam uma "adoção mágica" com maldição ou bênção, recebem atualmente padrinho e madrinha – em suíço-alemão: *Götti* e *Gotte*; em inglês, *godfather* e *godmother*.

A ideia de um segundo nascimento é encontrada em todo tempo e lugar. Nos primórdios da medicina, ela aparece como um meio mágico de cura; em muitas religiões, é a experiência mística; constitui a ideia central da filosofia natural da Idade Média e, *last but not least*, a fantasia infantil de muitas crianças pequenas e crescidas de que seus pais não são os verdadeiros, mas apenas pais adotivos a quem foram confiadas. Benvenuto Cellini, por exemplo, tinha essa ideia, tal como relata em sua autobiografia[2].

---

2. [*Leben des Benvenuto Cellini*, trad. e organizado por Goethe.]

É fora de cogitação que todas as pessoas que acreditam numa dupla descendência tenham tido sempre duas mães na realidade ou, ao contrário, os poucos que compartilham o destino de Leonardo hajam contagiado o resto da humanidade com seu complexo. Não podemos efetivamente deixar de supor que a fantasia do duplo nascimento e das duas mães seja um fenômeno universal, correspondendo a uma necessidade humana refletida nesse tema. Se Leonardo da Vinci retratou suas duas mães em Sant'Ana e Maria – o que duvido – ele exprimiu algo em que muitos milhões de pessoas acreditavam antes e depois dele. O símbolo do abutre, tratado por Freud no mesmo ensaio, torna ainda mais plausível este ponto de vista. Ele cita com razão, como fonte do símbolo, a *Hieroglyphica* de Horapollo[3], livro muito divulgado naquela época. Lê-se aí que os abutres são exclusivamente femininos e significam simbolicamente a mãe; eles concebiam através do vento (πνεῦμα). Esta palavra *pneuma* recebeu o significado de "espírito", principalmente por influência do cristianismo. Até no relato do milagre de Pentecostes, o *pneuma* continua tendo o duplo significado de vento e espírito. Na minha opinião, não há dúvida de que este fato indica Maria, virgem por sua natureza, que concebeu do *Pneuma*, como um abutre. Segundo Horapollo, o abutre também é o símbolo de Atená, gerada diretamente da cabeça de Zeus, e que também era virgem e só conhecia a maternidade espiritual. Tudo isto é uma clara alusão a Maria e ao tema do renascimento. Mas não há prova alguma de que Leonardo tenha pensado em algo diverso ao pintar este quadro. Se for correto supor que ele mesmo se identificava com o menino Jesus, provavelmente representava a dupla maternidade mítica e de modo algum sua própria história pessoal. E o que dizer de todos os demais artistas que representaram o mesmo tema? Será que todos eles tinham duas mães?

Transferindo o caso de Leonardo para o campo das neuroses, suponhamos que se trate de um paciente com complexo materno, cujo delírio neurótico é resultado de ter tido de fato duas mães. A interpretação pessoal teria admitido que ele tem razão, mas esta na realidade seria totalmente errada. No fundo, a causa dessa neurose seria a

---

3. [I, 11, p. 32 – FREUD. Op. cit., II, p. 24s.]

reativação do arquétipo da dupla mãe, independentemente do fato de ter tido ele uma ou duas mães, pois, como vimos, esse arquétipo funciona individual e historicamente sem qualquer relação com o fenômeno raro da dupla maternidade.

97   Em tal caso, é tentadora a suposição de uma causa tão simples e pessoal, mas tal hipótese não só é inexata, como totalmente falsa. É de fato difícil compreender como um motivo de dupla mãe – desconhecido para um médico formado apenas em medicina – possa ter uma força tão determinante a ponto de produzir um efeito traumático. No entanto, levando em consideração as tremendas forças que jazem ocultas na esfera mítico-religiosa do homem, o significado causal dos arquétipos parece menos fantástico. De fato, há numerosas neuroses cujas perturbações resultam da falta de cooperação dessas forças motrizes na vida psíquica do paciente. Não obstante, a psicologia puramente personalista procura negar a existência dos motivos arquetípicos e até busca destruí-los pela análise pessoal, reduzindo tudo a causas pessoais. Considero isto um atrevimento perigoso. Atualmente a natureza das forças em questão pode ser melhor avaliada do que há vinte anos. Acaso não vemos como uma nação inteira ressuscita um símbolo arcaico e até formas arcaicas de religião – e como essa nova emoção transforma o indivíduo de um modo catastrófico? O homem do passado está vivo dentro de nós de um modo que antes da guerra nem poderíamos imaginar, e em última análise o destino das grandes nações não é senão a soma das mudanças psíquicas dos indivíduos?

98   Na medida em que uma neurose é um assunto particular e suas raízes estão fincadas exclusivamente em causas pessoais, os arquétipos não desempenham papel algum. Mas se a neurose é uma questão de incompatibilidade geral, ou causa um estado de certo modo prejudicial num número relativamente grande de indivíduos, somos obrigados a constatar a presença de arquétipos. Uma vez que na maioria dos casos as neuroses não são apenas fenômenos particulares, mas sim *sociais*, devemos admitir geralmente a presença de arquétipos: o tipo de arquétipo que corresponde à situação é reativado, e disso resultam as referidas forças motrizes ocultas nos arquétipos que, por serem explosivas, são tão perigosas e de consequências imprevisíveis. A pessoa sob o domínio de um arquétipo pode ser acometida de qualquer mal. Se trinta anos atrás alguém tivesse ousado predizer que o

desenvolvimento psicológico tendia para uma nova perseguição dos judeus como na Idade Média, que a Europa estremeceria de novo diante do *fascio* romano e do avanço das legiões, que o povo conheceria de novo a saudação romana como há dois mil anos atrás e que, em lugar da cruz cristã, uma suástica arcaica atrairia milhões de guerreiros prontos para morrer – tal pessoa seria acusada de ser um místico louco. E hoje? Por mais consternador que possa parecer, todo este absurdo é uma realidade terrível. A vida privada, motivos e causas particulares e neuroses pessoais quase se tornaram uma ficção no mundo hodierno. O homem do passado, que vivia num mundo de *représentations collectives* arcaicas, ressurgiu para uma vida visível e dolorosamente real, e isto não só em alguns indivíduos desequilibrados, mas em muitos milhões de seres humanos.

Há tantos arquétipos quantas situações típicas na vida. Intermináveis repetições imprimiram essas experiências na constituição psíquica, não sob a forma de imagens preenchidas de um conteúdo, mas precipuamente apenas *formas sem conteúdo*, representando a mera possibilidade de um determinado tipo de percepção e ação. Quando algo ocorre na vida que corresponde a um arquétipo, este é ativado e surge uma compulsão que se impõe a modo de uma reação instintiva contra toda a razão e vontade, ou produz um conflito de dimensões eventualmente patológicas, isto é, uma neurose.

99

c. O método de comprovação

Voltemo-nos agora para a questão do modo pelo qual pode ser provada a existência dos arquétipos. Visto que estes produzem certas formas anímicas, temos que explicar onde e como podemos apreender o material que torna tais formas visíveis. A fonte principal está nos sonhos, que têm a vantagem de serem produtos espontâneos da psique inconsciente, independentemente da vontade, sendo, por conseguinte, produtos da natureza, puros e não influenciados por qualquer intenção consciente. Quando interrogamos o indivíduo podemos averiguar quais os motivos de seus sonhos que lhe são conhecidos. Entre os que lhe são desconhecidos, devemos excluir naturalmente todos os que ele *poderia* conhecer, como por exemplo – para voltarmos ao caso de Leo-

100

nardo – o símbolo do abutre. Não temos certeza se Leonardo foi buscar esse símbolo em Horapollo, mesmo que isso fosse plausível, tratando-se de uma pessoa culta de seu tempo, pois os artistas destacavam-se por um conhecimento humanístico notável. Por isso – apesar de o motivo do pássaro ser um arquétipo *par excellence* – o seu aparecimento na fantasia de Leonardo nada provaria; eis por que devemos procurar motivos que simplesmente não poderiam ser do conhecimento do sonhador e mesmo assim eles se comportam em seu sonho funcionalmente, de forma a coincidir com a dinâmica dos arquétipos, tal como a conhecemos pelas fontes históricas.

101   Outra fonte de acesso ao material necessário é a *imaginação ativa*. Entende-se por esta última uma sequência de fantasias que é gerada pela concentração intencional. Minha experiência ensinou-me que a intensidade e a frequência dos sonhos são reforçadas pela presença de fantasias inconscientes e inapreensíveis e que quando estas emergem na consciência o caráter dos sonhos se transforma tornando-os mais fracos e menos frequentes. Cheguei à conclusão a partir disto que o sonho muitas vezes contém fantasias tendentes a se tornarem conscientes. As fontes oníricas são muitas vezes instintos reprimidos, cuja tendência natural é influenciar a mente consciente. Em casos desse tipo entregamos ao paciente a tarefa de contemplar cada fragmento de sua fantasia que lhe parece importante dentro do seu contexto, isto é, examinando-o à luz do material associativo em que está contido, até poder compreendê-lo. Não se trata da livre associação como a que Freud recomendava para a análise dos sonhos, mas da elaboração da fantasia através da observação de outro material da mesma, tal como este é naturalmente agregado ao fragmento acima referido.

102   Não é oportuno aprofundar aqui explicações técnicas sobre o método. Bastaria dizer que a sequência de fantasias que vêm à tona alivia o inconsciente e representa um material rico de formas arquetípicas. Evidentemente, este método só pode ser aplicado a determinados casos cuidadosamente selecionados. Ele não é isento de perigo, uma vez que pode afastar demais o paciente da realidade. Convém, em todo caso, advertir contra a sua aplicação indiscriminada.

103   Finalmente como fonte interessante de material arquetípico, dispomos dos delírios dos doentes mentais, das fantasias em estado de transe e dos sonhos da primeira infância (dos 3 aos 5 anos de idade).

Podemos obter uma enorme quantidade desse material, mas ele de nada valerá se não conseguirmos encontrar paralelos históricos convincentes. É claro que não basta ligar um sonho acerca de uma serpente à presença mítica da mesma; pois quem garante que o significado racional da serpente no sonho é o mesmo do encontrado em seu contexto mitológico? Para traçarmos paralelos válidos é necessário conhecer o significado funcional de um símbolo individual. Depois descobriremos se o símbolo mitológico dado como paralelo pertence à mesma circunstância e se tem o mesmo significado funcional. Estabelecer tais fatos não é apenas uma questão de pesquisa laboriosa, mas também um objeto ingrato de demonstração. Como os símbolos não podem ser arrancados de seu contexto, devemos apresentar descrições exaustivas, tanto da vida pessoal como do contexto simbólico. Isto é praticamente impossível dentro dos limites de uma única conferência. Tentei fazê-lo várias vezes, correndo o risco de adormecer a metade do auditório.

d. Um exemplo

Escolho novamente o exemplo de um caso clínico que, apesar de já publicado, se presta como ilustração por ser breve. Além disso, posso acrescentar algumas observações, as quais haviam sido omitidas na publicação anterior[4].

Por volta do ano 1906 deparei com a curiosa fantasia de um indivíduo internado há muitos anos. O paciente sofria de uma esquizofrenia incurável desde sua juventude. Frequentara a escola pública e trabalhara como empregado de escritório. Ele não era especialmente bem-dotado e nessa época eu mesmo não tinha conhecimento algum de mitologia ou arqueologia; a situação, portanto, não era suspeita. Certo dia encontrei-o junto à janela, movendo a cabeça de um lado para outro, piscando para o Sol. Pediu-me que fizesse o mesmo, prometendo que eu veria algo muito importante. Ao perguntar-lhe o que estava vendo, ele espantou-se porque eu nada via, e disse: "O senhor está vendo o pênis do Sol – quando movo a cabeça de um lado para

---

4. *Símbolos da transformação* [§ 149s. e 223 e *Estrutura da alma*, § 317].

outro ele também se move e esta é a origem do vento". Naturalmente nada compreendi desta estranha ideia, mas anotei-a. Cerca de quatro anos depois, ao estudar mitologia, descobri um livro de Albrecht Dieterich, o conhecido filólogo que esclareceu tal fantasia. Esta obra, publicada em 1910, trata de um papiro grego da *Bibliothèque Nationale* de Paris. Dieterich acreditou ter descoberto numa parte do texto uma liturgia mitraica. O texto é sem dúvida uma prescrição religiosa para a realização de certas invocações nas quais Mitra é chamado. Ele provém da escola do misticismo alexandrino e coincide no tocante ao seu sentido com o *Corpus Hermeticum*. Lemos as seguintes instruções no texto de Dieterich:

> Procura nos raios a respiração, inspira três vezes tão fortemente quanto puderes e sentir-te-ás erguido e caminhando para o alto, de forma que acreditarás estar no meio de região aérea... O caminho dos deuses visíveis aparecerá através do Sol, o Deus, meu pai; do mesmo modo, tornar-se-á visível também o assim chamado tubo, a origem do vento propiciatório. Pois verás pendente do disco solar algo semelhante a um tubo. E rumo às regiões do oeste, um contínuo vento leste; se o outro vento prevalecer em direção ao leste, verás, de modo semelhante, a face movendo-se nas direções do vento[5].

Obviamente, a intenção do autor é propiciar ao leitor a possibilidade de vivenciar a visão que teve, ou em que pelo menos acredita. O leitor deve ser introduzido na experiência íntima do autor ou – o que é mais provável – numa daquelas comunidades místicas outrora existentes, das quais Filo Judeu dá testemunho por ter vivido na mesma época. Pois o Deus do fogo e do Sol aqui invocado é uma figura, cujos paralelos históricos podem ser comprovados, por exemplo, em conexão com a figura do Cristo do *Apocalipse*. Trata-se, por conseguinte, de uma *represéntation collective*, tal como o são também os atos rituais descritos – imitação dos ruídos emitidos pelos animais. Essa visão repousa num contexto religioso de natureza distintamente extática e descreve um tipo de iniciação à experiência mística da divindade.

---

5. *Eine Mithrasliturgie* p. 6-7. [Como Jung soube depois, a edição de 1910 era uma segunda edição. O livro foi publicado em 1903. O paciente fora hospitalizado, portanto, alguns anos antes.]

Nosso paciente era dez anos mais velho do que eu. Era megalomaníaco, ou seja, Deus e Cristo a um só tempo. Sua atitude para comigo era simpática – gostava de mim por ser a única pessoa a ouvir suas ideias abstrusas com interesse. Seus delírios eram de natureza predominantemente religiosa. Ao convidar-me para piscar em direção ao Sol e balançar a cabeça de um lado para o outro, como ele, sua intenção era obviamente que eu participasse de sua visão. Ele desempenhava o papel do sábio místico, e eu era seu discípulo. Ele era até mesmo o próprio deus Sol, na medida em que criava o vento com o menear de sua cabeça. A transformação ritual na divindade é testemunhada por Apuleio, nos mistérios de Ísis, sob a forma de uma apoteose solar. O sentido do vento prestador de serviço é provavelmente idêntico ao do espírito gerador (*pneuma* é vento), que flui do deus Sol para dentro da alma, fecundando-a. A associação de sol e vento ocorre com frequência no simbolismo da Antiguidade.

É necessário provar agora que nesses dois casos particulares não se trata apenas de coincidência meramente casual. Devemos mostrar, portanto, que a ideia de um tubo de vento em conexão com Deus, ou com o Sol, tem uma existência coletiva, independentemente desses dois testemunhos. Ou, em outras palavras, ela ocorre sem relação com tempo e lugar. Algumas pinturas medievais representam a Anunciação como um dispositivo tubular ligando o trono de Deus ao ventre de Maria e podemos ver uma pomba ou o menino Jesus descendo por ele. A pomba significa o fecundador, o vento do Espírito Santo.

É fora de cogitação que o paciente tenha tido algum conhecimento de um papiro publicado quatro anos depois, sendo extremamente improvável que sua visão tivesse algo a ver com uma figura medieval da Anunciação, admitindo a hipótese quase impensável de ter ele visto uma representação dessa pintura. O paciente foi declarado doente mental aos vinte anos de idade. Nunca viajara. Em sua cidade natal, Zurique, não há qualquer galeria de arte pública que expusesse um tal quadro.

Não menciono este caso para provar a visão de um arquétipo, mas para mostrar-lhes meu método de investigação do modo mais simples possível. Se tivéssemos apenas casos desse tipo, nossos levantamentos e dados seriam relativamente fáceis, mas apresentar material comprobatório é na realidade mais complexo. Antes de mais nada, certos símbolos devem ser isolados com clareza, a fim de poderem ser reconhecidos como fenômenos típicos e não só como meras coincidências. Isto pode ser realizado através de exames de uma série de sonhos, digamos, de algumas centenas, focalizando figuras típicas, assim como através da observação de seu desenvolvimento dentro da série. Com esse método é possível constatar certas continuidades e desvios em relação a uma mesma figura. Podemos escolher qualquer figura que dê a impressão de ser um arquétipo por seu comportamento no sonho ou nos sonhos. Quando o material à nossa disposição for bem observado e revelar a riqueza de seu conteúdo, poderemos descobrir fatos interessantes acerca da modificação sofrida pelo tipo. Não só o próprio tipo, mas também suas variações podem ser documentados com material mitológico comparativo. Descrevi esse método de investigação num trabalho publicado em 1935[6] em que também apresentei o material casuístico necessário.

---

6. "Fundamentos da psicoterapia prática", cf. *Psicologia e alquimia*, Segunda parte.

III

O arquétipo com referência especial ao conceito de anima[*]

Embora a consciência atual pareça ter esquecido a antiga abordagem não empírica da psicologia, sua atitude básica continua a mesma, ou seja, a psicologia identificando-se com uma teoria acerca do fato psíquico. Nos círculos acadêmicos tornou-se necessária uma revolução drástica no tocante à metodologia, a qual foi iniciada por Fechner[1] e Wundt[2], a fim de tornar claro, no âmbito científico, que a psicologia é um campo de experiência e não uma teoria filosófica. O materialismo crescente do final do século XIX não via significado algum no fato de que tivesse havido um "conhecimento anímico experimental[3]", ao qual devemos ainda hoje valiosas descrições. Menciono apenas o *Seherin von Prevorst* do Dr. Justinus Kerner (1846). Todas as descrições "românticas" em psicologia eram anátema para os novos rumos dos métodos aplicados às ciências naturais. A expectativa exagerada dessa ciência experimental de laboratório já se reflete na "psicofísica" de Fechner. Seus resultados atuais são a psicotécnica e uma mudança geral do ponto de vista científico favorável à fenomenologia.

111

---

[*] Primeira publicação no *Zentralblatt für Psychotherapie und ihre Grenzgebiete* IX/5 (Leipzig, 1936), p. 259-275. Revisto e publicado novamente em: *Von den Wurzeln des Bewusstseins. Studien über den Archetypus* (Ensaio II dos Ensaios Psicológicos "Psychologische Abhandlungen" IX), Rascher, Zurique, 1954.

1. *Elemente der Psychophysik*.
2. *Grundzüge der physiologischen Psychologie*.
3. Por exemplo a coleção do Dr. G.H. SCHUBERT. *Altes und Neues aus dem Gebiet der innern Seelenkunde*.

112 Mas não podemos afirmar que o ponto de vista fenomenológico tenha penetrado em todas as mentes. A teoria ainda desempenha um papel demasiado importante em toda parte, em lugar de ser incluída na fenomenologia, como deveria ser. Até mesmo Freud, cuja atitude empírica é incontestável, acoplou sua teoria como um *sine qua non* com o método, como se o fenômeno psíquico tivesse que ser inevitavelmente visto por um certo prisma, para ter algum valor. Mesmo assim, foi Freud que abriu caminho para a investigação dos fenômenos complexos, pelo menos no campo das neuroses. Mas o caminho aberto só foi até onde o permitiam certos conceitos básicos de natureza fisiológica, como se a psicologia fosse uma questão de fisiologia dos instintos. Esta limitação da psicologia foi bem recebida pela visão materialista do mundo daquela época, cerca de cinquenta anos atrás, e, apesar de nossa visão de mundo modificada, ela prevalece em grande medida ainda hoje. Isso deu-nos não só a vantagem de um "campo de trabalho delimitado", como também um excelente pretexto para não nos preocuparmos com o que acontece no mundo mais amplo.

113 Assim sendo, a psicologia médica em seu todo ignorou o fato de que uma psicologia das neuroses, como por exemplo a de Freud, fica pairando no ar, sem conhecer uma fenomenologia geral. Da mesma forma no campo das neuroses foi ignorado o fato de que Pierre Janet[4] já começara, antes de Freud, a construir um método descritivo, sem sobrecarregá-lo com pressupostos teóricos e filosóficos. A descrição biográfica do fenômeno anímico, ultrapassando o campo estritamente médico, era representada pela obra principal do filósofo Théodore Flournoy, de Genebra, ou seja, no concernente à psicologia de uma personalidade excepcional[5]. Seguiu-se a ele uma primeira tentativa abrangente: a obra principal de William James, *Varieties of Religious Experience* (1902). Devo a esses dois investigadores ter compreendido a natureza do distúrbio psíquico no âmbito da alma humana em seu todo. Eu próprio conduzi durante vários anos um trabalho experimental; no entanto, através de minha ocupação intensa com neuroses e psicoses fui levado a reconhecer que – por mais desejável que

---

4. *L'Automatisme psychologique; L'État mental des hystériques; Névroses et idées fixes.*
5. *Des Indes à la planète Mars* e *Nouvelles observations sur un cas de somnambulisme avec glossolalie.*

seja a avaliação quantitativa – é impossível prescindir do método descritivo qualitativo. A psicologia médica reconheceu que os fatos decisivos são extraordinariamente complexos e só podem ser apreendidos através da descrição casuística. Este método, porém, exige que se esteja livre de pressupostos teóricos. Toda ciência natural é descritiva quando não pode mais proceder experimentalmente, sem no entanto deixar de ser científica. Mas uma ciência experimental torna-se inviável quando delimita seu campo de trabalho segundo conceitos teóricos. A alma não termina lá onde termina um pressuposto fisiológico ou de outra natureza. Em outras palavras, em cada caso singular, cientificamente observado, devemos levar em consideração o fenômeno anímico em sua totalidade.

Essas ponderações são imprescindíveis para a discussão de um conceito empírico como o da "anima". Contrariando o preconceito frequentemente exteriorizado de que se trata de uma invenção teórica ou – pior ainda – de pura mitologia, ressalto que o conceito de "anima" é experimental. Este tem por único objetivo nomear um grupo de fenômenos análogos e afins. O conceito não significa mais do que o de "artrópodes" que inclui todos os animais de membros articulados, designando assim este grupo fenomenológico. Os preconceitos mencionados, por mais lamentáveis que sejam, provêm da ignorância. Os críticos desconhecem os fenômenos em questão, pois eles se encontram em sua maioria fora de um saber puramente médico, no terreno da experiência humana universal. A alma com que o médico lida não se preocupa com a limitação do saber deste, mas exprime suas manifestações de vida, reagindo a influências de todas as áreas da experiência humana. Sua natureza não se revela apenas na esfera pessoal, na dos instintos ou na esfera social, mas nos fenômenos do mundo de um modo geral; em outras palavras, se quisermos compreender o que significa "alma" devemos incluir o mundo. Não podemos, mas devemos, por razões práticas, delimitar nossas áreas de trabalho; isso porém só pode ser feito com a pressuposição consciente dos limites. Quanto mais complexos forem os fenômenos com que se depara o tratamento clínico, tanto mais ampla deve ser a pressuposição e o respectivo conhecimento.

Assim sendo, quem desconhecer o alcance e significado universais do *motivo da Sizígia* (motivo da conjunção) na psicologia dos primitivos[6], na mitologia, na ciência comparada das religiões e na história da literatura, dificilmente poderá opinar acerca da questão do conceito de anima. O seu conhecimento acerca da psicologia das neuroses poderia dar-lhe uma certa ideia do conceito de anima. No entanto, só o conhecimento de sua fenomenologia universal abrir-lhe-ia os olhos para o verdadeiro significado desse conceito, isto é, do que ele encontrará nos casos individuais, muitas vezes patologicamente distorcidos.

116   Apesar de que o preconceito comum ainda acredite que a única base essencial do nosso conhecimento é dada exclusivamente de fora, e que *"nihil est in intellectu quod non antea fuerit in* sensu[7]", a verdade é que a teoria atômica absolutamente respeitável de um Leucipo ou Demócrito não se baseava de modo algum na observação da fissão atômica, mas sim numa ideia "mitológica" de partículas mínimas já conhecidas pelos habitantes da Austrália central paleolítica, como átomos da alma, partes mínimas animadas[8]. A quantidade da realidade anímica projetada no desconhecido das aparências externas é familiar a todo conhecedor da antiga ciência e filosofia naturais. De fato, é tão grande, que não podemos dizer o modo pelo qual o mundo é propriamente constituído, uma vez que somos obrigados a converter acontecimentos físicos em processos psíquicos, se quisermos dizer o que quer que seja acerca do conhecimento. Mas quem pode garantir que nessa conversão se produza uma imagem "objetiva" adequada do mundo? Isso só poderia acontecer se o acontecimento físico também fosse psíquico. Mas uma grande distância separa-nos ainda desta constatação. Por enquanto devemos contentar-nos, queiramos ou não, com o pressuposto de que a alma fornece tais imagens e formas, e somente elas tornam possível o conhecimento do objeto.

117   Em geral se supunha que essas formas são transmitidas pela tradição, de modo que hoje ainda falamos de "átomos" porque direta ou indiretamente ouvimos falar da teoria do átomo de Demócrito. Mas onde é que Demócrito ou quem quer que tenha falado dos me-

---

6. Ressalto especialmente o xamanismo com sua ideia da *"épouse céleste"*. (ELIADE. *Le Chamanisme*, p. 80s.)

7. [...Nada há no intelecto que antes não tenha existido nos sentidos.]

8. SPENCER & GILLEN. *The Northern Tribes of Central Australia*, p. 331; bem como CRAWLEY. *The idea of the Soul*, p. 87s.

nores elementos constitutivos teria ouvido falar de átomos? Esta noção originou-se de ideias arquetípicas, isto é, em imagens primordiais que nunca são representações de acontecimentos físicos, mas produtos espontâneos do fator anímico. Apesar da tendência materialista de conceber a "alma" como um mero decalque de processos físicos e químicos, não temos uma só prova a favor dessa hipótese. Pelo contrário, inúmeros fatos provam que a alma traduz o processo físico em sequências de imagens, as quais muitas vezes não têm conexão visível com o processo objetivo. A hipótese materialista é ousada demais e desafia o que é passível de experiência com arrogância "metafísica". A única coisa que pode ser estabelecida com certeza no estado presente do nosso saber é nossa ignorância acerca da natureza do fato anímico. Não há razão alguma para se considerar a psique como algo secundário, ou como um epifenômeno, mas há motivos suficientes para concebê-la – pelo menos hipoteticamente – como um *factor sui generis*, pelo menos até poder ser provado suficientemente que o processo anímico também pode ser produzido numa retorta. A pretensão da alquimia no sentido de obter o *lapis philosophorum*, o qual é constituído de *corpus et anima et spiritus*, foi ridicularizada como algo impossível; portanto, a consequência lógica do pressuposto medieval, ou seja, o preconceito materialista concernente à alma, não deve ser obstinadamente levado adiante como se a sua premissa fosse um fato comprovado.

Não será fácil reduzir fatos anímicos complexos a uma fórmula química. O fator anímico deve ser considerado por enquanto *ex hypothesis*, como uma realidade autônoma de caráter enigmático, e isso em primeiro lugar porque ele parece *ser de essência diferente* dos processos físico-químicos, de acordo com toda a nossa experiência concreta. Ultimamente já não sabemos qual é a sua substancialidade, mas o mesmo também ocorre em relação ao objeto físico, ou seja, à matéria. Considerando pois o fator anímico como autônomo, podemos concluir que há uma existência anímica, a qual escapa aos caprichos e manipulações da consciência. Logo, se o caráter de evanescência, superficialidade, matiz sombrio e até de futilidade se ligam a tudo que é anímico, isto é devido quase sempre à psique subjetiva, isto é, aos conteúdos da consciência, mas não à psique objetiva, ao inconsciente, que representa uma condição *a priori* da consciência e seus con-

118

teúdos. Do inconsciente emanam influências determinantes, as quais, independentemente da tradição, conferem semelhança a cada indivíduo singular, e até identidade de experiências, bem como da forma de representá-las imaginativamente. Uma das provas principais disto é o paralelismo quase universal dos motivos mitológicos, que denominei *arquétipos*, devido à sua natureza primordial.

119   Um destes arquétipos, de experiência prática especial para o psicoterapeuta, foi por mim denominado anima. Com esta expressão latina deve ser caracterizado algo que não podemos confundir com nenhum dos conceitos dogmático-cristãos de ordem filosófica da alma. Se desejarmos formar uma ideia mais ou menos concreta deste conceito, recorramos a um autor clássico da Antiguidade, como Macróbio[9], ou à filosofia clássica chinesa[10], na qual anima (*po* e *gui*) é concebida como uma parte feminina ctônica da alma. Um paralelo desta espécie sempre corre o risco do concretismo metafísico, que procuro evitar na medida do possível, mas ao qual sucumbe até certo grau toda tentativa de uma descrição plástica. Não se trata aqui de um conceito abstrato, mas sim empírico, que se apresenta sob uma forma necessariamente a ele aderida e que (o primeiro) só pode ser descrito através de sua fenomenologia específica.

120   Uma psicologia científica, independentemente dos prós e contras da filosofia da época, deve considerar as intuições transcendentais que emanaram do espírito humano em todos os tempos, como projeções, isto é, como conteúdos psíquicos extrapolados num espaço metafísico e hipostasiado[11]. Historicamente encontramos a anima nas sizígias[12] divinas, nos pares divinos masculino-femininos. Estes mergulham, por um lado, nas obscuridades da mitologia primitiva[13]

---

9. *In somnium Scipionis.*
10. WILHELM & JUNG. *O segredo da flor de ouro* (1929), p. 49s.; CHANTEPIE DE LA SAUSSAYE [org.], *Lehrbuch der Religionsgeschichte*, I, p. 193s.
11. Este ponto de vista baseia-se na *Crítica da razão*, de KANT, e nada tem a ver com o materialismo.
12. *Syzygos*: acasalado, unido; *sygygia*: *coniugatio*.
13. WINTHUIS. *Das zweigeschlechterwesen bei den Zentralaustraliern und anderen Völkern.*

e, por outro, elevam-se nas especulações filosóficas do gnosticismo[14] e da filosofia chinesa, onde o par cosmogônico de conceitos é denominado yang (masculino) e yin (feminino)[15]. Podemos afirmar tranquilamente, acerca dessas sizígias, que elas são tão universais como a existência de homens e mulheres. Deste fato, naturalmente, resulta que a imaginação está presa a esse motivo de tal forma que em todo o tempo e lugar ela é motivada a projetá-la sempre de novo[16].

Ora, sabemos pela experiência médica que a projeção é um processo inconsciente automático, através do qual um conteúdo inconsciente para o sujeito é transferido para um objeto, fazendo com que este conteúdo pareça pertencer ao objeto. A projeção cessa no momento em que se torna consciente, isto é, ao ser constatado que o conteúdo pertence ao sujeito[17]. O panteão politeísta da Antiguidade não foi despotencializado por causa de Euhemeros[18], segundo o qual essas figuras divinas nada mais seriam do que reflexos do caráter humano. Ora, é fácil mostrar que o par divino é simplesmente uma idealização dos pais ou de qualquer outro par amoroso humano que, por um motivo qualquer, aparecia no céu. Esta suposição seria extremamente simples se a projeção não fosse um processo inconsciente, mas sim uma intenção consciente. Podemos presumir, em geral, que os pais sejam os indivíduos que mais conhecemos, isto é, dos quais o sujeito tem perfeita consciência, mas é justamente por essa razão que não poderiam ser projetados, uma vez que a projeção diz respeito a um conteúdo inconsciente para o sujeito, o qual aparentemente não lhe pertence. A imagem dos pais é precisamente a que menos poderia ser projetada, por ser demasiado consciente.

121

---

14. Principalmente no sistema dos valentinianos. Cf. IRINEU. *Adversus omnes haereses*.

15. *I Ching. O Livro das Mutações*.

16. A filosofia hermético-alquímica do século XIV ao XVII fornece exemplos instrutivos e abundantes. Uma ideia relativamente satisfatória é oferecida no *Symbola aureae mensae* de Michael Meier.

17. Há casos, entretanto, em que, apesar de um conhecimento aparentemente suficiente, não cessa a retroação da projeção sobre o sujeito, ou seja, não ocorre a esperada libertação. Neste caso, como vi muitas vezes, conteúdos significativos, porém inconscientes, ainda permanecem ligados ao portador da projeção. São estes conteúdos que mantêm a projeção.

18. Viveu em torno de 300 a.C.; cf. BLOCK. *Euhémère. Son livre et sa doctrine*.

122 Na realidade, porém, parece que são as *imagines* parentais as mais frequentemente projetadas. Este fato parece tão evidente que quase se poderia concluir serem projetados os conteúdos conscientes. Isto pode ser visto mais claramente nos casos de transferência, em que o paciente tem perfeita clareza de estar projetando a *imago* do pai (ou mesmo a da mãe) no médico, reconhecendo inclusive as fantasias incestuosas ligadas a ela e também num sentido mais abrangente, sem livrar-se porém dos efeitos retroativos de sua projeção, isto é, da transferência. Em outras palavras, ele se comporta como se não tivesse percebido absolutamente a sua projeção. A experiência mostra no entanto que nunca se projeta conscientemente. As projeções sempre existem e só posteriormente são reconhecidas. Podemos então presumir que além da fantasia incestuosa há conteúdos de grande carga emocional associados às *imagines* parentais, as quais precisam ser conscientizadas. Estas últimas parecem mais dificilmente conscientizáveis do que as fantasias incestuosas, supostamente reprimidas por uma resistência violenta, sendo portanto inconscientes. Supondo que esta opinião é correta, somos obrigados a concluir que além da fantasia incestuosa existem conteúdos reprimidos por uma resistência ainda maior. Como é difícil imaginar algo mais indecente do que o incesto, vemo-nos embaraçados ao pretender dar uma resposta a esta questão.

123 Se dermos a palavra à experiência prática, esta nos dirá que às fantasias incestuosas se associam ideias religiosas ligadas às *imagines* parentais. Não é necessário apresentar provas históricas no que concerne a esta questão. Todos a conhecem. Mas o que dizer da vergonha das associações de teor religioso?

124 Alguém observou certa vez que em ambientes sociais convencionais seria mais difícil falar de Deus à mesa do que contar uma história picante. Realmente, um número maior de pessoas suporta com mais facilidade assumir suas fantasias sexuais do que reconhecer um salvador em seu médico, porque o primeiro caso é legitimamente biológico e o segundo, patológico, causando grande temor. Na minha opinião, porém, se dá demasiada importância à "resistência". Os fenômenos podem ser explicados por uma falta de imaginação e reflexão, o que torna a conscientização difícil para o paciente. Talvez ele não tenha uma resistência particular contra as ideias religiosas, mas nunca

lhe ocorreu a possibilidade de poder considerar seu analista como um Deus ou salvador. A simples razão o protege de tais ilusões, mas ele hesita menos em supor que o próprio médico imagina tal coisa. Quando alguém é dogmático, tem maior facilidade de considerar o outro como profeta e fundador de religiões.

Ideias religiosas são, como prova a história, de uma força sugestiva e emocional extremas. Incluo nessa categoria obviamente todas as *représentations collectives*: aquilo que ensina a história das religiões, bem como tudo o que rima com "ismo". Este último é apenas uma variante moderna das confissões religiosas históricas. Alguém pode, de boa-fé, convencer-se de que não tem ideias religiosas. Mas ninguém pode colocar-se à margem da humanidade, de forma a não ter nenhuma *représentation collective* dominante. O seu materialismo, ateísmo, comunismo, socialismo, liberalismo, intelectualismo, existencialismo etc., testemunham contra sua inocência. De alguma forma, em alguma parte, aberta ou dissimuladamente, ele é possuído por uma ideia supraordenada.

125

A psicologia sabe o quanto ideias religiosas têm a ver com imagens parentais. A história preservou testemunhos poderosos desta evidência, independentemente das descobertas médicas modernas, que levaram certas pessoas a supor que as relações com os pais são a origem real das ideias religiosas. Esta hipótese porém é baseada num conhecimento falho dos fatos. Em primeiro lugar, não podemos simplesmente transpor a psicologia moderna da família a um contexto meramente primitivo, onde as coisas são muito diferentes; em segundo lugar, temos de precaver-nos contra as fantasias do pai originário e das hordas primitivas; em terceiro lugar, e é o mais importante, é preciso conhecer em seus detalhes a fenomenologia das experiências religiosas, o que é um assunto *sui generis*. As investigações psicológicas neste campo não satisfazem a nenhuma dessas três condições.

126

A única coisa que sabemos positivamente a partir da experiência psicológica é que há ideias teístas associadas às *imagines* parentais, inconscientes para a maioria de nossos pacientes. Se as projeções correspondentes não puderem ser retiradas intuitivamente, temos toda a razão para suspeitar da existência de conteúdos emocionais de natureza religiosa, sem levar em conta a resistência racional do paciente.

127

128   Na medida em que temos algum conhecimento acerca do homem, sabemos que ele sempre está sob a influência de ideias dominantes. Quem alegar que é isento de uma tal influência é suspeito de haver substituído uma forma conhecida de crença religiosa por uma variante desconhecida tanto para ele como para os outros. Em lugar do teísmo ele se devota ao ateísmo, em lugar de Dioniso ele prefere o Mitra mais moderno, e, em lugar do céu, procura o paraíso na terra.

129   Um ser humano sem uma *représentation collective* dominante seria um fenômeno totalmente anormal. Mas um tal fenômeno só ocorre na fantasia de indivíduos isolados que se iludem acerca de si mesmos. Erram não só acerca da existência de ideias religiosas, mas também e principalmente em relação à intensidade das mesmas. O arquétipo das ideias religiosas possui, como todo instinto, a sua energia específica, que ele não perde ainda que sua consciência o ignore. Assim como pode ser afirmado com a maior probabilidade que todo ser humano possui todas as funções e qualidades humanas médias, podemos supor a presença de fatores religiosos normais, isto é, de arquétipos, e essa expectativa não falha como é fácil reconhecer. Quem consegue descartar um manto de fé, só pode fazê-lo graças à convicção de ter um outro à mão – *plus ça change, plus ça reste la même chose*![19] Ninguém escapa do preconceito da condição humana.

130   As *représentations collectives* têm uma força dominante e portanto não é de surpreender que sejam reprimidas por uma intensa resistência. Em seu estado de repressão elas não se ocultam através de qualquer insignificância, mas de ideias e figuras que são problemáticas por outros motivos e que intensificam e complicam sua natureza dúbia. Por exemplo, tudo quanto se gostaria de atribuir aos pais e culpá-los de um modo infantil é exacerbado por essa intensificação secreta da fantasia e por isso permanece em aberto a questão de saber em que medida deve levar-se a sério a famigerada fantasia do incesto. Por detrás do casal amoroso ou parental há conteúdos de extrema tensão, não percebidos pela consciência e que só podem ser notados através da projeção. Essas projeções ocorrem de fato e não são ape-

---

19. (Quanto mais se transforma, mais permanece a mesma.)

nas opiniões tradicionais, o que é documentado historicamente. Isto mostra que as sizígias são projetadas de forma visionária ou vivencial, contradizendo as crenças tradicionais[20].

Um dos casos mais instrutivos é o do místico suíço do século XV, Nicolau de Flüe, recentemente canonizado [sic.], cujas visões são um retrato contemporâneo para nós[21]. Nas visões, cujo objeto é sua iniciação à adoção divina, a divindade aparece numa forma dual: ora como *pai* majestoso, ora como *mãe* majestosa. Esta representação é o menos ortodoxa possível, uma vez que a Igreja, há mil anos, eliminara o elemento feminino da Trindade, por ser herético. Bruder Klaus era um simples camponês iletrado, ao qual certamente só haviam ensinado a doutrina aprovada pela Igreja, e desconhecia a interpretação gnóstica do Espírito Santo como Sofia, menina e materna[22]. A chamada visão da Trindade deste místico é ao mesmo tempo um claro exemplo da intensidade do conteúdo projetado. A situação psicológica de Nicolau presta-se perfeitamente a uma tal projeção, pois sua ideia consciente de Deus coincide tão pouco com o conteúdo inconsciente do mesmo que este aparece sob a forma de uma experiência estranha. Este fato leva-nos a concluir que não foi a ideia tradicional de Deus, mas, pelo contrário, uma imagem "herética"[23] que se configurou numa forma visionária, isto é, um significado de natureza arquetípica que despertou espontaneamente no místico, sem intermediação. Trata-se do arquétipo do par divino, a sizígia.

131

---

20. Além disso é evidente que não se deve ignorar ser possível haver um número bem maior de visões, que correspondem ao dogma. Não se trata, porém, de projeções espontâneas e autônomas, no sentido estrito da palavra, mas de *visualizações de conteúdos conscientes*, provocadas pela devoção e pela auto e heterossugestão. Os exercícios espirituais bem como as práticas de meditação prescritas no Oriente atuam neste sentido. Um exame mais acurado de tais visões poderia levar-nos a constatar, entre outras coisas, o que foi a própria visão, e a medida cm que a elaboração no sentido dogmático contribuiu para a forma configuradora da visão.

21. STÖCKLI. *Die Visionen des seligen Bruder Klaus*, e BLANKE. *Bruder Klaus von der Flüe*.

22. Cf. IRINEU. *Adversus omnes haereses*, I, 2, 2s.

23. JUNG. *Bruder Klaus*.

132   Encontramos um fato semelhante nas visões de Guillaume de Digulleville[24], descritas em *Pélerinage de l'âme*. Ele vê Deus no mais alto dos céus sentado num trono radiante e redondo, como um Rei; a seu lado, a Rainha do Céu está sentada num trono semelhante de cristal marrom. Para um monge da ordem cisterciense – que se distinguia por extrema severidade – esta visão é bastante herética. A possibilidade de tal projeção foi aqui preenchida.

133   Uma impressionante descrição do caráter vivencial da visão da sizígia pode ser encontrada na obra de Edward Maitland, que apresenta a biografia de Anna Kingsford. Maitland descreve pormenorizadamente sua vivência de Deus que consistia numa visão luminosa, muito semelhante à de Bruder Klaus. O autor diz textualmente: "Era... Deus como o Senhor, que prova através de sua dualidade ser Deus tanto substância como energia, tanto amor como vontade, tanto feminino como masculino, tanto mãe como pai"[25].

134   Espero que estes poucos exemplos bastem para caracterizar o aspecto vivencial da projeção, independentemente da tradição. Dificilmente poderemos desviar da hipótese de que no inconsciente há um conteúdo de carga emocional pronto para projetar-se em determinado momento. O conteúdo é o tema da sizígia; esta exprime o fato de que concomitantemente ao masculino sempre é dado o feminino correspondente. A propagação ampla e de extraordinária emocionalidade deste tema prova tratar-se de uma realidade fundamental e por isso de grande importância prática, não importando que cada psicoterapeuta ou psicólogo compreenda onde e de que modo este fato anímico influencia seu campo de trabalho específico. Micróbios desempenhavam sua perigosa função muito antes de serem descobertos.

---

24. Guillaume escreveu três *Pèlerinages* a modo da *Divina Commedia*, mas independentemente de Dante, entre 1330 e 1350. Ele era prior do mosteiro cisterciense de Châlis na Normandia. Cf. Delacotte. *Guillaume de Digulleville... Trois romans-poèmes du XIVe siècle*. [Cf. também *Psicologia e alquimia*, § 315s.]

25. MAITLAND. *Anna Kingsford: Her Life, Letters, Diary and Work* I, p. 130. A visão de Maitland corresponde em forma e sentido a *Poimandres* (SCOTT. *Hermetica* I, p. 114s.), onde a luz espiritual também é designada por *mannweiblich*. Não sei se Maitland conhecia *Poimandres*, provavelmente não.

Como foi dito acima, é natural prever o par parental na sizígia. A parte feminina, ou a mãe, corresponde à anima. Mas como, pelos motivos já expostos, a consciência do objeto impede a sua projeção, resta-nos apenas supor que os pais sejam as pessoas menos conhecidas de todos os seres humanos. Haveria, portanto, uma imagem especular inconsciente dos pais que não se assemelharia a eles e até lhes seria completamente estranha e desproporcional, tal como um homem comparado a Deus. Seria concebível, como já afirmamos, que a imagem especular inconsciente não fosse mais do que a imagem de pai e mãe adquirida na primeira infância, supervalorizada e posteriormente reprimida devido à fantasia incestuosa ligada a eles. Esta interpretação parte, no entanto, do pressuposto de que essa imagem já tenha sido *consciente* alguma vez, pois de outro modo não poderia ser "reprimida". Pressupõe-se também que o ato de repressão moral tornou-se inconsciente, pois de outra forma esse ato permaneceria na consciência e com ele pelo menos a memória da reação moral repressiva, cuja constituição faria reconhecer, por sua vez, a natureza da coisa reprimida. Não quero deter-me nestas preocupações, mas ressalto que, segundo a opinião geral, a *imago* parental não se forma no período da pré-puberdade, ou em algum outro estágio de consciência mais ou menos desenvolvido, mas sim nos estados iniciais de consciência, entre o primeiro e quarto ano de vida, ou seja, numa fase em que a consciência ainda não apresenta uma continuidade real, mas um caráter de descontinuidade insular. A relação com o eu, indispensável para uma continuidade da consciência, só existe parcialmente, de modo que grande parte da vida psíquica naquele estágio se desenvolve num estado que só podemos designar como relativamente inconsciente. Em todo caso, um tal estado, no adulto, daria a impressão de uma situação sonambúlica, onírica ou crepuscular. Estes estados porém são sempre caracterizados por uma apercepção fantasiosa da realidade, tal como a observamos nas crianças pequenas. As imagens da fantasia superam a influência dos estímulos sensoriais e organizam estes últimos como uma *imagem anímica preexistente*.

Na minha opinião é um grande equívoco supor que a alma do recém-nascido seja *tabula rasa*, como se não houvesse nada dentro dela. Na medida em que a criança vem ao mundo com o cérebro diferenciado, predeterminado pela hereditariedade e portanto individualizado, ela responde aos estímulos sensoriais externos, não com *quaisquer* predisposições, mas sim com predisposições *específicas*, que condicionam uma seletividade e organização da apercepção que lhe são próprias (individuais). Tais predisposições são comprovadamente instintos herdados e pré-formações. Estas últimas são as condições aprioristicas e formais da apercepção, baseadas nos instintos. Sua presença imprime no mundo da criança e do sonhador o timbre antropomórfico. Trata-se dos arquétipos que determinam os rumos da atividade da fantasia, produzindo desse modo nas imagens fantásticas dos sonhos infantis, bem como nos delírios esquizofrênicos, surpreendentes paralelos mitológicos, como os que também encontramos de forma algo atenuada nas pessoas normais e neuróticas. Não se trata portanto de ideias *herdadas*, mas de suas *possibilidades*. Não se trata também de heranças individuais, mas gerais, como se pode verificar pela ocorrência universal dos arquétipos[26].

Assim como os arquétipos ocorrem em nível etnológico, sob a forma de mitos, também se encontram em cada indivíduo, nele atuando de modo mais intenso, antropomorfizando a realidade, quando a consciência é mais restrita e fraca, permitindo que a fantasia invada os fatos do mundo exterior. Esta condição é dada indubitavelmente na criança em seus primeiros anos. Para mim é mais provável que a forma arquetípica do par divino recubra e assimile a imagem dos pais verdadeiros, num primeiro momento, até que, com o desenvolvimento da consciência, a forma real dos pais seja percebida, não raro para o desapontamento da criança. Ninguém sabe melhor do que o psicoterapeuta que a mitologização dos pais se prolonga muito tempo através da idade adulta, e só é abandonada após uma grande resistência.

---

26. Hubert e Mauss (*Mélanges d'histoire des religions*, prefácio p. XXIX) chamam de "categorias" estas formas aprioristicas de ver, provavelmente apoiados em Kant: *"elles exislent d'ordinaire plutôt sous la forme d'habitudes directrices de la conscience, elles-mêmes inconscientes"* (eles existem habitualmente mais sob a forma de hábitos que orientam a consciência, sendo elas mesmas inconscientes). Os autores presumem que as imagens originárias são dadas pela linguagem. Esta suposição em alguns casos particulares é correta, mas de um modo geral é refutada pelo fato de que grande parte de imagens e conexões arquetípicas são trazidas á luz através da psicologia onírica e da psicopatologia, que nem seriam passiveis de comunicação mediante o uso histórico da linguagem.

Lembro-me de um caso que se me apresentou como o de uma vítima de um fortíssimo complexo materno e de castração, que ainda não tinha sido superado depois de um tratamento psicanalítico. Sem a minha intervenção o paciente havia feito espontaneamente alguns desenhos que representavam a mãe, primeiramente como um ser sobrenatural e depois como uma figura mutilada e sangrenta. Minha atenção foi especialmente despertada para o fato de que havia sido perpetrada obviamente na mãe uma castração, pois diante do seu genital ensanguentado jaziam decepados membros genitais masculinos. Os desenhos representavam um *climax a maiorem ad minus*[27] (um clímax decrescente): primeiro, a mãe era um hermafrodita divino o qual, através da experiência decepcionante e inegável da realidade, foi privado de sua perfeição andrógina e platônica, transformando-se na figura lamentável de uma mulher velha e comum. A mãe fora manifestamente desde o início, isto é, desde a mais tenra infância do paciente, assimilada à ideia arquetípica da sizígia ou da *coniunctio* masculino-feminina, aparecendo-lhe por isso como perfeita e sobrenatural[28]. Esta propriedade é inerente ao arquétipo e constitui também a razão pela qual permanece estranha à consciência por não lhe pertencer e, caso o sujeito se identifique com ela, pode operar uma transformação devastadora da personalidade, geralmente sob a forma de megalomania ou do complexo de inferioridade.

A decepção do paciente efetuou uma castração na mãe hermafrodita: este último constituía o complexo de castração do primeiro. Ele havia caído do Olimpo da infância e já não era o filho heroico de uma mãe divina. Seu "medo da castração" era o medo da vida real, que de modo algum correspondia à expectativa infantil primordial, faltando-lhe completamente o sentido mitológico do qual possuía uma obscura lembrança, desde a mais tenra idade. Sua existência fora – no sentido próprio da palavra – "dessacralizada". Isto significava para ele, sem que o compreendesse, uma pesada perda no tocante à esperança da vida e à força da ação. Ele mesmo se sentia castrado, o

---

27. [Gradação do maior para o menor.]
28. Corresponde ao homem originário bissexual de PLATÃO, *Symposium*, XIV, e ao ente originário hermafrodita, de um modo geral.

que é um mal-entendido neurótico plausível, o qual se tornaria posteriormente uma teoria de neurose.

140 Devido ao medo geral, de que no decorrer da vida se perca a conexão com o estágio prévio arquetípico e instintivo da consciência, instituiu-se, há muito tempo, o costume de dar ao recém-nascido, além de seus pais carnais, dois padrinhos de batismo, isto é, um *godfather* e uma *godmother*, como são chamados em inglês, cuja incumbência principal é cuidar do bem-estar espiritual do batizando. Eles representam o par divino que aparece no nascimento anunciando o tema do "duplo nascimento"[29].

141 A figura da anima que conferia à mãe, na ótica do filho, um brilho sobrenatural é desfeita gradualmente pela banalidade cotidiana, voltando para o inconsciente, sem que com isso perca sua tensão originária e instintividade. A partir desse momento ela está pronta a irromper e projeta-se na primeira oportunidade, quando uma figura feminina o impressionar, rompendo a cotidianidade. Acontece então

---

29. O "duplo nascimento" corresponde àquele tema mitológico do herói, o qual considera que este descende de pais divinos e humanos. O tema desempenha um papel significativo nos mistérios e religiões, como o motivo do batismo ou do renascimento. Este motivo também levou Freud a errar em seu estudo *Eine Kindheitserinnerung des Leonardo da Vinci*. Sem perceber que Leonardo não foi de modo algum o único a pintar o motivo de Sant'Ana, Maria e o Menino Jesus. Ele tenta reduzir Ana e Maria, isto é, a avó e a mãe, à mãe e madrasta de Leonardo, isto é, adequar o quadro à sua teoria. Todos os outros pintores teriam tido madrastas? O que levou Freud a cometer este exagero foi a fantasia da dupla descendência, a qual foi sugerida pela biografia de Leonardo. A fantasia retocou a realidade inadequada, isto é, de que Sant'Ana é a avó, e impediu Freud de investigar a biografia de outros pintores que também representaram Sant'Ana, Maria e o Menino. A "inibição do pensar religioso" confirmou-se no próprio autor (Freud). Até mesmo a teoria do incesto tão enfatizada se baseia num arquétipo, no motivo do incesto bem conhecido e frequentemente encontrado no mito do herói. Ele deriva logicamente do tipo hermafrodita originário, o qual remonta aos tempos mais remotos e primitivos. Sempre que uma teoria psicológica avança violentamente, suspeita-se com razão que uma imagem de fantasia arquetípica tenta desfigurar a realidade, correspondendo portanto ao conceito freudiano da "inibição do pensar religioso". Esclarecer o aparecimento dos arquétipos pela teoria do incesto seria como tirar água de um balde e despejá-la cm um recipiente contíguo, o qual está ligado ao primeiro por um cano. É impossível explicar um arquétipo através de outro, isto é, é impossível explicar de onde vem o arquétipo, uma vez que não há nenhum ponto de Arquimedes fora dessa condição apriorística.

o que Goethe vivenciou com Frau von Stein[30] e se repetiu na figura de Mignon e de Gretchen. Neste último caso, Goethe revelou-nos também toda a "metafísica" subjacente. Nas experiências da vida amorosa do homem a psicologia deste arquétipo manifesta-se sob a forma de uma fascinação sem limites, de uma supervalorização e ofuscamento, ou sob a forma da misoginia em todos os seus graus e variantes, que não se explicam de modo algum pela natureza dos "objetos" em questão, mas apenas pela transferência do complexo materno. No entanto, este é criado primeiro pela assimilação da mãe – o que é normal e sempre presente – a parte feminina do arquétipo preexistente de um par de opostos "masculino-feminino" e, secundariamente, por uma demora anormal a destacar-se da imagem primordial da mãe. Realmente, ninguém suporta a perda total do arquétipo. Por este motivo origina-se um tremendo "mal-estar na cultura", e ninguém se sente mais em casa, pois faltam "pai" e "mãe". Todos sabem as medidas tomadas pela religião no tocante a isto. Infelizmente há muita gente que sem pensar continua a perguntar se estas medidas são verdadeiras, quando na realidade se trata de uma questão de necessidade psicológica. Nada adianta racionalizar, deixando a questão de lado.

Na projeção, a anima sempre assume uma forma feminina, com determinadas características. Esta constatação empírica não significa no entanto que *o arquétipo em si* seja constituído da mesma forma. A sizígia masculino-feminino é apenas um dos possíveis pares de opostos, mas na prática é um dos mais importantes e frequentes. Ela tem muitas relações com outros pares (de opostos) que não apresentam diferenças sexuais, podendo, pois, ser colocados numa categoria sexual apenas de um modo forçado. Tais relações encontram-se em múltiplos matizes principalmente na ioga kundalini[31], no gnosticismo[32] e na filosofia alquímica[33], sem mencionar as formas espontâneas da fantasia no material clínico das neuroses e psicoses. Ao examinar

142

---

30. "Por que pousaste em mim esse olhar profundo?" Abril, 1776. [Para Frau von Stein.]
31. AVALON [org.], *The Serpent Power*. E também *Shri-Chakra-Sambhara Tantra* e WOODROFFE, *Shakti and Shâkta*.
32. SCHULTZ. *Dokumente der Gnosis*; especialmente as listas em IRINEU. Op. cit.
33. Cf. *Psicologia e alquimia*.

cuidadosamente todos esses dados, parece-nos provável que um arquétipo em estado de repouso, não projetado, não possui forma determinável, mas constitui uma estrutura formalmente indefinida, mas com a possibilidade de manifestar-se em formas determinadas, através da projeção.

143 Esta constatação parece contradizer o conceito de "tipo". Na minha opinião tal contradição não é aparente, mas *real*. Empiricamente, trata-se de "tipos", isto é, de formas definidas que podem ser diferenciáveis, recebendo um nome. Mas assim que retirarmos a fenomenologia e casuística destes tipos, tentando examiná-los em suas relações com outras formas arquetípicas, os primeiros atingem tão extensas ramificações na história da simbologia, que somos levados a concluir que os elementos psíquicos básicos são de uma multiplicidade cambiante, a ponto de ultrapassarem a capacidade imaginativa do homem. O empirista deve contentar-se, portanto, com um "como se" teórico. Neste ponto, sua situação não é pior que a da física atômica, se bem que seu método não seja quantitativamente mensurável, mas sim morfologicamente descritível.

144 A anima é um fator da maior importância na psicologia do homem, sempre que são mobilizadas suas emoções e afetos. Ela intensifica, exagera, falseia e mitologiza todas as relações emocionais com a profissão e pessoas de ambos os sexos. As teias da fantasia a ela subjacentes são obra sua. Quando a anima é constelada mais intensamente ela abranda o caráter do homem, tornando-o excessivamente sensível, irritável, de humor instável, ciumento, vaidoso e desajustado. Ele vive num estado de mal-estar consigo mesmo e o irradia a toda volta. Às vezes, a relação do homem com uma mulher que capturou sua anima revela a existência da síndrome.

145 A figura da anima, como acabo de observar, não escapou à atenção dos poetas. Há excelentes descrições que informam acerca do contexto simbólico em que o arquétipo em geral se aloja. Menciono principalmente *She*, *The Return of She* e *Wisdom's Daughter* de Rider-Haggard, bem como *L'Atlantide* de Benoit. Este foi acusado em sua época de plagiar Rider-Haggard, devido à assombrosa analogia das descrições de ambos. Ao que parece, Benoit conseguiu livrar-se da acusação. O *Prometeu* de Spitteler também contém ob-

servações extremamente sutis e o seu romance *Imago* descreve a projeção admiravelmente.

A questão da terapia é um problema que não pode ser resolvido com poucas palavras. Nem era minha intenção tratar deste problema aqui. No entanto, quero esboçar rapidamente meu ponto de vista em relação a ela: pessoas mais jovens, antes de atingirem a metade da vida (por volta dos trinta e cinco anos) conseguem suportar sem dano até mesmo a perda aparentemente total da anima. Em todo caso, neste estágio um homem deveria conseguir ser um homem. À medida em que cresce, o jovem deve poder libertar-se do fascínio pela anima, exercido sobre ele pela mãe. Há, no entanto, exceções, especialmente no caso de artistas, onde o problema se coloca frequentemente de modo bastante diferente; o mesmo se dá com o homossexualismo que em geral se caracteriza por uma identificação com a anima. Em vista da conhecida frequência deste último fenômeno, concebê-lo como uma perversão patológica é extremamente questionável. Segundo as descobertas da psicologia, trata-se mais de um desligamento incompleto do arquétipo hermafrodita, unido a uma resistência expressa a identificar-se com o papel de um ser sexual unilateral. Uma tal disposição não deve ser julgada sempre como negativa, posto que conserva o tipo humano originário que, de certa maneira, se perde no ser sexualmente unilateral.

Depois da metade da vida, no entanto, a perda permanente da anima significa uma diminuição progressiva de vitalidade, flexibilidade e humanidade. Em regra geral, disso vai resultar uma rigidez prematura, quando não uma esclerose, estereotipia, unilateralidade fanática, obstinação, pedantismo ou seu contrário: resignação, cansaço, desleixo, irresponsabilidade e finalmente um *ramolissement* infantil, com tendência ao alcoolismo. Depois da metade da vida deveria restabelecer-se, na medida do possível, a conexão com a esfera da vivência arquetípica[34].

---

[34]. Em meu livro *O eu e o inconsciente* apresentei a problemática essencial para a terapia, e também em *A psicologia da transferência*. Quanto ao aspecto mitológico da anima, o leitor poderá comparar com *Einführungen in das Wesen der Mythologie*, publicado em colaboração com Karl Kerényi.

IV

Aspectos psicológicos do arquétipo materno*

1. O conceito de arquétipo

148   O conceito da Grande Mãe provém da História das Religiões e abrange as mais variadas manifestações do tipo de uma Deusa-Mãe. No início esse conceito não diz respeito à psicologia, na medida em que a imagem de uma "Grande Mãe" aparece *nessa forma* muito raramente. E quando aparece na experiência clínica, isso só se dá em circunstâncias especiais. O símbolo é obviamente um derivado do arquétipo materno; assim sendo, quando tentamos investigar o pano de fundo da imagem da Grande Mãe, sob o prisma da psicologia, temos necessariamente de tomar por base de nossa reflexão o arquétipo materno de um modo muito mais genérico. Embora já não seja tão necessária atualmente uma discussão ampla sobre o conceito de arquétipo, não me parece, porém, dispensável fazer algumas observações preliminares a respeito do mesmo.

149   Em épocas passadas – apesar de existirem opiniões discordantes e tendências de pensamento aristotélicas – não se achava demasiado difícil compreender o pensamento de Platão, de que a ideia é preexistente e supraordenada aos fenômenos em geral. "Arquétipo" nada mais é do que uma expressão já existente na Antiguidade, sinônimo de "ideia" no sentido platônico. Por exemplo, quando Deus é desig-

---

*Publicado pela primeira vez sob o título "Os diversos aspectos do renascimento", em: *Eranos-Jahrbuch*, 1939 (Rhein-Verlag, Zurique, 1940); revisto e ampliado sob o título acima, em *Gestaltungen des Unbewussten* (Psychologische Abhandlungen VII). Rascher, Zurique, 1950.

nado por τὸ ἀρχέτυπον φῶς¹ no *Corpus Hermeticum*, provavelmente datado do século III, expressa-se com isso a ideia de que ele é preexistente ao fenômeno "luz" e imagem primordial supraordenada a toda espécie de luz. Se eu fosse um filósofo daria prosseguimento ao argumento platônico segundo minha hipótese, dizendo: em algum lugar, "em um lugar celeste" existe uma imagem primordial da mãe, preexistente e supraordenada a todo fenômeno do "maternal" (no mais amplo sentido desta palavra). Mas como não sou filósofo e sim um empirista, não posso permitir a mim mesmo a pressuposição de que o meu temperamento peculiar, isto é, minha atitude individual no tocante a problemas intelectuais, tenha validade universal. Tal coisa aparentemente só é aplicável àquele filósofo que supõe serem universais suas disposições e atitudes e não reconhece a sua problematicidade individual, sempre que possível, como condição essencial de sua filosofia. Como empirista devo constatar que há um temperamento para o qual *as ideias são entidades e não somente "nomina"*. Por acaso – quase eu poderia dizer – vivemos atualmente, há cerca de duzentos anos, numa época em que se tornou impopular e até mesmo incompreensível supor que as ideias pudessem ser algo diverso de simples *nomina*. Aquele que ainda pensa anacronicamente a modo de Platão, decepcionar-se-á ao vivenciar que a entidade celeste, isto é, metafísica, da ideia foi relegada à esfera incontrolável da fé e da superstição, compassivamente legada ao poeta. O ponto de vista nominalista "triunfou" mais uma vez sobre o realista na disputa secular dos universais, e a imagem originária volatilizou-se num *flatus vocis*. Essa reviravolta foi acompanhada e até certo ponto provocada pela marcante evidência do empirismo, cujas vantagens se impuseram nitidamente à razão. Desde então, a *"ideia"* deixou de ser um *a priori*, adquirindo um caráter secundário e derivado. É óbvio que o nominalismo mais recente também reivindica validade universal, apesar de basear-se num pressuposto determinado pelo temperamento e, portanto, limitado. O teor dessa validade é o seguinte: válido é tudo aquilo que vem de fora, sendo pois verificável. O caso ideal é a constatação pela experiência. A antítese é a seguinte: é válido aquilo que

---

1. SCOTT. *Hermetica* I, p. 140; a luz arquetípica.

vem de dentro e que portanto não é verificável. É óbvio que este ponto de vista é desesperador. A filosofia natural dos gregos, voltada para a materialidade, combinada com a razão aristotélica, obteve uma vitória tardia, porém significativa, sobre Platão.

150   Em toda vitória há sempre o germe de uma derrota futura. Mais recentemente têm-se multiplicado os sinais indicativos de uma mudança de ponto de vista. Significativamente, a teoria das categorias de Kant, a qual sufoca já no embrião qualquer tentativa de retomada de uma metafísica em seu sentido antigo, prepara por outro lado um renascimento do espírito platônico: uma vez que não pode haver uma metafísica que ultrapasse a capacidade humana, não existe também qualquer conhecimento empírico, o qual já não esteja aprioristicamente preso e limitado por uma estrutura cognitiva. Nos cento e cinquenta anos transcorridos desde a *Crítica da razão pura*, pouco a pouco foi-se abrindo caminho à intuição de que o pensar, a razão, a compreensão etc., não são processos autônomos, livres de qualquer condicionamento subjetivo, apenas a serviço das eternas leis da lógica, mas sim funções psíquicas agregadas e subordinadas a uma personalidade. A pergunta não é mais se isto ou aquilo foi visto, ouvido, tocado com as mãos, pesado, contado, pensado e considerado lógico. Mas é: *quem* vê, *quem* ouve, *quem* pensou? Começando com a "equação pessoal" na observação e medida dos menores processos, esta crítica prossegue até a criação de uma psicologia empírica, como nunca foi conhecida antes. Estamos convencidos atualmente de que em todas as áreas do conhecimento há premissas psicológicas, as quais testemunham decisivamente acerca da escolha do material, do método de elaboração, do tipo de conclusões e da formulação de hipóteses e teorias. Até mesmo acreditamos que a personalidade de Kant foi um fator decisivo de sua *Crítica da razão pura*. Não só os filósofos, mas também nossas próprias tendências filosóficas e até mesmo o que chamamos nossas melhores verdades são afetadas, quando não diretamente ameaçadas, pela ideia de uma premissa pessoal. Toda liberdade criativa – exclamamos – nos é desse modo roubada! Será possível que um homem só possa pensar, dizer e fazer o que ele mesmo é?

151   Contanto que não se caia de novo num exagero, vítimas de um psicologismo desenfreado, trata-se na realidade, segundo me parece, de uma crítica inevitável. Tal crítica é a essência, origem e método da

psicologia moderna: *há* um fator apriorístico em todas as atividades humanas, que é a estrutura individual inata da psique, pré-consciente e inconsciente. A psique pré-consciente, como por exemplo a do recém-nascido, não é de modo algum um nada vazio, ao qual, sob circunstâncias favoráveis, tudo pode ser ensinado. Pelo contrário, ela é uma condição prévia tremendamente complicada e rigorosamente determinada para cada indivíduo, que só nos parece um nada escuro, porque não a podemos ver diretamente. No entanto, assim que ocorrem as primeiras manifestações visíveis da vida psíquica, só um cego não veria o caráter individual dessas manifestações, isto é, a personalidade singular. É impossível supor que todas essas particularidades sejam criadas só no momento em que aparecem. Se se tratar, por exemplo, de predisposições mórbidas, que já existem nos pais, inferimos uma transmissão hereditária pelo plasma germinal. Não nos ocorreria o pensamento de que a epilepsia do filho de uma mãe epiléptica fosse uma mutação surpreendente. Procedemos do mesmo modo no tocante a talentos, que podem ser rastreados através de gerações. O reaparecimento de comportamentos instintivos complicados em animais que nunca viram seus pais, tendo sido impossível portanto que os mesmos os tivessem "educado", pode ser explicado da mesma maneira.

152 Hoje em dia devemos partir da hipótese de que o ser humano, na medida em que não constitui uma exceção entre as criaturas, possui, como todo animal, uma psique pré-formada de acordo com sua espécie, a qual revela também traços nítidos de antecedentes familiares, conforme mostra a observação mais acurada. Não temos razão alguma para presumir que certas atividades humanas (funções) constituem exceções a esta regra. Não temos a menor possibilidade de saber como são as disposições ou aptidões que permitem os atos instintivos do animal. Da mesma forma, é impossível conhecer a natureza das disposições psíquicas inconscientes, mediante as quais o homem é capaz de reagir humanamente. Deve tratar-se de formas de função as quais denominamos "imagens". "Imagens" expressam não só a forma da atividade a ser exercida, mas também, simultaneamente, a situação típica na qual se desencadeia a atividade[2]. Tais imagens são "imagens

---

2. Cf. [JUNG] *Instinkt und Unbewusstes* (Instinto e inconsciente).

primordiais", uma vez que são peculiares à espécie, e se alguma vez foram "criadas", a sua criação coincide no mínimo com o início da espécie. O típico humano do homem é a forma especificamente humana de suas atividades. O típico específico já está contido no germe. A ideia de que ele não é herdado, mas criado de novo em cada ser humano, seria tão absurda quanto a concepção primitiva de que o Sol que nasce pela manhã é diferente daquele que se pôs na véspera.

153   Uma vez que tudo o que é psíquico é pré-formado, cada uma de suas funções também o é, especialmente as que derivam diretamente das disposições inconscientes. A estas pertence a *fantasia criativa*. Nos produtos da fantasia tornam-se visíveis as "imagens primordiais" e é aqui que o conceito de arquétipo encontra sua aplicação específica. Não é de modo algum mérito meu ter observado esse fato pela primeira vez. As honras pertencem a Platão. O primeiro a pôr em evidência a ocorrência, na área da etnologia, de certas "ideias primordiais" que se encontram em toda parte foi Adolf Bastian. Mais tarde, são dois pesquisadores da Escola de Dürkheim, Hubert e Mauss, que falam de "categorias" próprias da fantasia. A pré-formação inconsciente na figura de um "pensamento inconsciente" foi reconhecida pelo eminente Hermann Usener[3]. Se de algum modo contribuí no tocante a essas descobertas, foi por ter provado que os arquétipos não se difundem por toda parte mediante a simples tradição, linguagem e migração, mas ressurgem espontaneamente em qualquer tempo e lugar, sem a influência de uma transmissão externa.

154   Não podemos subestimar o alcance dessa constatação, pois ela significa nada menos do que a presença, em cada psique, de disposições vivas inconscientes, nem por isso menos ativas, de formas ou ideias em sentido platônico que instintivamente pré-formam e influenciam seu pensar, sentir e agir.

155   Sempre deparo de novo com o mal-entendido de que os arquétipos são determinados quanto ao seu conteúdo, ou melhor, são uma espécie de "ideias" inconscientes. Por isso devemos ressaltar mais uma vez que os arquétipos são determinados apenas quanto à forma e não quanto ao conteúdo, e no primeiro caso, de um modo muito li-

---

3. USENER. *Das Weihnachtsfest*, p. 3.

mitado. Uma imagem primordial só pode ser determinada quanto ao seu conteúdo, no caso de tornar-se consciente e portanto preenchida com o material da experiência consciente. Sua forma, por outro lado, como já expliquei antes, poderia ser comparada ao sistema axial de um cristal, que pré-forma, de certo modo, sua estrutura no líquido-mãe, apesar de ele próprio não possuir uma existência material. Esta última só aparece através da maneira específica pela qual os íons e depois as moléculas se agregam. O arquétipo é um elemento vazio e formal em si, nada mais sendo do que uma *facultas praeformandi*, uma possibilidade dada *a priori* da forma da sua representação. O que é herdado não são as ideias, mas as formas, as quais sob esse aspecto particular correspondem aos instintos igualmente determinados por sua forma. Provar a essência dos arquétipos em si é uma possibilidade tão remota quanto a de provar a dos instintos, enquanto os mesmos não são postos em ação *in concreto*. No tocante ao caráter determinado da forma, é elucidativa a comparação com a formação do cristal, na medida em que o sistema axial determina apenas a estrutura estereométrica, não porém a forma concreta do cristal particular. Este pode ser grande ou pequeno ou variar de acordo com o desenvolvimento diversificado de seus planos ou da interpenetração recíproca de dois cristais. O que permanece é apenas o sistema axial em suas proporções geométricas, a princípio invariáveis. O mesmo se dá com o arquétipo: a princípio ele pode receber um nome e possui um núcleo de significado invariável, o qual determina sua aparência, apenas a princípio, mas nunca concretamente. *O modo* pelo qual, por exemplo, o arquétipo da mãe sempre aparece empiricamente, nunca pode ser deduzido só dele mesmo, mas depende de outros fatores.

2. O arquétipo materno

Como todo arquétipo, o materno também possui uma variedade incalculável de aspectos. Menciono apenas algumas das formas mais características: a própria mãe e a avó; a madrasta e a sogra; uma mulher qualquer com a qual nos relacionamos, bem como a ama de leite ou ama-seca, a antepassada e a mulher branca; no sentido da transferência mais elevada, a deusa, especialmente a mãe de Deus, a Virgem (enquanto mãe rejuvenescida, por exemplo Deméter e Core), Sofia (enquanto mãe que é também a amada, eventualmente também o tipo Cibele-Átis, ou enquanto filha-amada – mãe rejuvenescida); a meta da nostalgia da salvação (Paraíso, Reino de Deus, Jerusalém Celeste); em sentido mais amplo, a Igreja, a Universidade, a cidade ou país, o Céu, a Terra, a floresta, o mar e as águas quietas; a matéria, o mundo subterrâneo e a Lua; em sentido mais restrito, como o lugar do nascimento ou da concepção, a terra arada, o jardim, o rochedo, a gruta, a árvore, a fonte, o poço profundo, a pia batismal, a flor como recipiente (rosa e lótus); como círculo mágico (o mandala como padma) ou como cornucópia; em sentido mais restrito ainda, o útero, qualquer forma oca (por exemplo, a porca do parafuso); a yoni; o forno, o caldeirão; enquanto animal, a vaca, o coelho e qualquer animal útil em geral.

157   Todos estes símbolos podem ter um sentido positivo, favorável, ou negativo e nefasto. Um aspecto ambivalente é a deusa do destino (as Parcas, Greias, Nornas). Símbolos nefastos são bruxa, dragão (ou qualquer animal devorador e que se enrosca como um peixe grande ou uma serpente); o túmulo, o sarcófago, a profundidade da água, a morte, o pesadelo e o pavor infantil (tipo Empusa, Lilith etc.).

158   Esta enumeração não pretende ser completa. Ela apenas indica os traços essenciais do arquétipo materno. Seus atributos são o "maternal": simplesmente a mágica autoridade do feminino; a sabedoria e a elevação espiritual além da razão; o bondoso, o que cuida, o que sustenta, o que proporciona as condições de crescimento, fertilidade e alimento; o lugar da transformação mágica, do renascimento; o instinto e o impulso favoráveis; o secreto, o oculto, o obscuro, o abissal, o mundo dos mortos, o devorador, sedutor e venenoso, o apavorante e fatal. Estes atributos do arquétipo materno já foram por mim descritos minuciosamente e documentados em meu livro *Símbolos da transformação*. Nesse livro formulei as qualidades opostas desses atributos que correspondem à mãe amorosa e à mãe terrível. O paralelo histórico que nos é mais familiar é, com certeza, Maria, que na alegoria medieval é simultaneamente a cruz de Cristo. Na Índia, seria a Kali contraditória. A filosofia samkhya elaborou o arquétipo materno no conceito de Prakrti, atribuindo-lhe os três gunas como propriedades fundamentais, isto é, bondade, paixão e escuridão – satt-

wa, rajas, tamas[4]. Trata-se de três aspectos essenciais da mãe, isto é, sua bondade nutritiva e dispensadora de cuidados, sua emocionalidade orgiástica e a sua obscuridade subterrânea. O traço especial na lenda filosófica que mostra Prakrti *dançando* diante de Purusha a fim de lembrá-lo do "conhecimento discriminatório" não pertence diretamente à mãe, mas ao arquétipo da anima. Este último se mistura imediata e invariavelmente com a imagem da mãe na psicologia masculina.

Embora a figura da mãe, tal como aparece na psicologia dos povos, seja de certo modo universal, sua imagem muda substancialmente na experiência prática individual. Aqui o que impressiona antes de tudo é o significado aparentemente predominante da mãe pessoal. Essa figura sobressai de tal modo em uma psicologia personalista que esta última, como é sabido, jamais conseguiu ir além da mãe pessoal, seja em suas concepções ou mesmo teoricamente. Para ir diretamente ao assunto, a minha concepção difere da teoria psicanalítica em princípio, pelo fato de que atribuo à mãe pessoal um significado mais limitado. Isto significa que não é apenas da mãe pessoal que provêm todas as influências sobre a psique infantil descritas na literatura, mas é muito mais o arquétipo projetado na mãe que outorga à mesma um caráter mitológico e com isso lhe confere autoridade e até mesmo numinosidade[5]. Os efeitos etiológicos, isto é, traumáticos da mãe devem ser divididos em dois grupos: primeiro, os que correspondem à qualidade característica ou atitudes realmente existentes na mãe pessoal. Segundo, os que só aparentemente possuem tais características, uma vez que se trata de projeções de tipo fantasioso (quer dizer, arquetípico) por parte da criança. O próprio Freud já reconhecia que a verdadeira etiologia das neuroses não tinha suas raízes, como a princípio supunha, em efeitos traumáticos, mas principalmente num desenvolvimento peculiar da fantasia infantil. É inegável a possibilidade de que um tal desenvolvimento possa ser atribuído às influências

159

---

4. Este é o significado etimológico das três gunas. Cf. WECKERLING [org.]. *Das Glück des Lebens. Medizinisches Drama von Anandarâyamakhî*, p. 21s., e GARBE. *Die Sâmkhya-Philosophie*, p. 272s.
5. A psicologia americana nos fornece uma grande quantidade de exemplos neste sentido. *Generation of Vipers* de Wylie constitui uma verdadeira sátira acerca disso, mas com intenções educativas.

perturbadoras da mãe. Por isso, procuro antes de mais nada na mãe o fundamento das neuroses infantis, na medida em que sei por experiência que é muito mais provável uma criança desenvolver-se de um modo normal do que neuroticamente e que na maioria dos casos podemos rastrear as causas definitivas de distúrbios nos pais e, principalmente, na mãe. Os conteúdos das fantasias anormais só podem referir-se parcialmente à mãe pessoal uma vez que frequentemente eles aludem de modo claro e inequívoco a coisas que ultrapassam o que se poderia atribuir a uma mãe real. Isto principalmente quando se trata de imagens declaradamente mitológicas, tal como ocorre muitas vezes com fobias infantis, em que a mãe aparece sob a forma de um animal, de uma bruxa, fantasma, canibal, hermafrodita e coisas deste tipo. Mas como as fantasias nem sempre são manifestamente mitológicas ou, se o forem, não provêm necessariamente de um pressuposto inconsciente, podendo originar-se em contos de fada, em observações casuais etc., é recomendável fazer uma cuidadosa investigação em cada caso. Por razões práticas, tal investigação não pode ser levada a cabo tão facilmente nas crianças como nos adultos, os quais geralmente transferem suas fantasias para o médico durante a terapia, encontrando-se estas, portanto, em estado de projeção.

160   Não basta então reconhecê-las e depois descartá-las como algo ridículo – pelo menos definitivamente – pois os arquétipos constituem um bem inalienável de toda psique, "sendo o tesouro no campo dos pensamentos obscuros", no dizer de Kant, vastamente documentado por inúmeros temas do folclore. Um arquétipo, por sua natureza, não é de modo algum um preconceito simplesmente irritante. Ele só o é quando não está em seu devido lugar. Pertence aos mais supremos valores da alma humana, tendo por isso povoado os Olimpos de todas as religiões. Descartá-lo como algo insignificante representa realmente uma perda. Trata-se muito mais, por conseguinte, de solucionar essas projeções, a fim de restituir os seus conteúdos àquele que os perdeu por tê-los projetado fora de si, espontaneamente.

3. O complexo materno

161   O arquétipo materno é a base do chamado complexo materno. É uma questão em aberto saber se tal complexo pode ocorrer sem uma

participação causal da mãe passível de comprovação. Segundo minha experiência, parece-me que a mãe sempre está ativamente presente na origem da perturbação, particularmente em neuroses infantis ou naquelas cuja etiologia recua até a primeira infância. Em todo caso, é a esfera instintiva da criança que se encontra perturbada, constelando assim arquétipos que se interpõem entre a criança e a mãe como um elemento estranho, muitas vezes causando angústia. Quando os filhos de uma mãe superprotetora, por exemplo, sonham com frequência que ela é um animal feroz ou uma bruxa, tal vivência produz uma cisão na alma infantil e consequentemente a possibilidade da neurose.

A. *O complexo materno do filho*

Os efeitos do complexo materno diferem segundo ocorrerem no filho ou na filha. Efeitos típicos no filho são o homossexualismo, o dom-juanismo e eventualmente também a impotência[6]. No homossexualismo o componente heterossexual fica preso à figura da mãe de modo inconsciente; no dom-juanismo, a mãe é procurada inconscientemente "em cada mulher". Os efeitos do complexo materno sobre o filho são representados pela ideologia do tipo Cibele-Átis: autocastração, loucura e morte prematura. O complexo materno no filho não é puro, na medida em que existe uma dessemelhança quanto ao sexo. Essa diferença é a razão pela qual em cada complexo materno masculino, ao lado do arquétipo materno, a anima do parceiro sexual masculino desempenha um papel importante. A mãe é o primeiro ser feminino com o qual o futuro homem entra em contato e ela não pode deixar de aludir, direta ou indiretamente, grosseira ou delicadamente, consciente ou inconscientemente à masculinidade do filho, tal como este último toma consciência gradual da feminilidade da mãe ou pelo menos responde de forma inconsciente e instintiva a ela. No filho, as simples relações da identidade ou de resistência no tocante à diferenciação são continuamente atravessadas pelos fatores de atração ou repulsa erótica. Assim sendo, o quadro torna-se substancialmente complicado. Mas não pretendo afirmar que devido a

---

6. O complexo paterno desempenha aqui um papel considerável.

isso o complexo materno do filho deva ser tomado mais a sério do que o da filha. Na pesquisa desses fenômenos anímicos complexos ainda estamos em estado incipiente, no estágio do trabalho pioneiro. As comparações só podem ser feitas quando dispomos de dados estatísticos. Estes porém ainda não existem.

163   Só no caso da filha o complexo materno é mais puro e sem complicações. Trata-se nele, por um lado, de uma intensificação dos instintos femininos provindos da mãe, e, por outro, de um enfraquecimento e até mesmo de uma extinção dos mesmos. No primeiro caso, a preponderância do mundo instintivo provoca uma inconsciência na filha de sua personalidade; no segundo caso desenvolve-se uma projeção dos instintos sobre a mãe. Por ora, devemos contentar-nos com a constatação de que o complexo materno na filha, ou estimula efetivamente o instinto feminino, ou o inibe na mesma proporção; no filho, porém, o instinto masculino é lesado por uma sexualização anormal.

164   Uma vez que "complexo materno" é um conceito da psicopatologia, ele vem sempre associado à ideia de dano e sofrimento. No entanto, se o tirarmos desse quadro patológico demasiado estreito, dando-lhe uma conotação mais ampla e abrangente, poderemos fazer menção também de sua influência positiva: no filho, produz-se, além do homossexualismo ou em lugar dele, uma diferenciação do eros[7] (algo neste sentido é sugerido no *Simpósio* de Platão); ou então um desenvolvimento do bom gosto e da estética, fomentados pela presença de um certo elemento feminino; podem ainda ocorrer dons de educador aperfeiçoados pela intuição e tato femininos ou um espírito histórico conservador no bom sentido que preserva cuidadosamente todos os valores do passado. Pode ocorrer um sentido especial de amizade que tece laços extremamente delicados entre almas masculinas, e até resgata a amizade entre os sexos da condenação ao limbo da impossibilidade. Pode produzir uma riqueza do sentimento religioso, que ajuda a tornar realidade uma *ecclesia spiritualis*, e enfim uma receptividade espiritual que acolhe a Revelação.

165   O que é dom-juanismo negativo pode significar uma masculinidade arrojada, uma ambição por metas supremas, em seu aspecto po-

---

7. *Psicologia do inconsciente*, § 16s.: "A teoria do eros".

sitivo; além de uma violência frente a toda estupidez, obstinação, injustiça e preguiça, uma prontidão para sacrificar-se pelo que reconhece como correto tocando as raias do heroísmo; perseverança, inflexibilidade e tenaz força de vontade; uma curiosidade que não se assusta diante dos enigmas do mundo; e, finalmente, um espírito revolucionário, que constrói uma nova morada para seus semelhantes ou renova a face do mundo.

Todas essas possibilidades estão refletidas nos mitologemas que já citei como aspectos do arquétipo materno. Uma vez que já tratei numa série de escritos do complexo materno do filho, inclusive a complicação da anima, quero relegar a psicologia masculina ao pano de fundo nesta conferência, cujo tema é o arquétipo da mãe.

166

B. O complexo materno da filha

a. A hipertrofia do aspecto maternal

Há pouco observamos que o complexo materno[8] na filha gera uma hipertrofia do feminino ou então uma atrofia do mesmo. A exacerbação do feminino significa uma intensificação de todos os instintos femininos, e em primeiro lugar do instinto materno. O aspecto negativo desta é representado por uma mulher cuja única meta é parir. O homem, para ela, é manifestamente algo secundário; é essencialmente o instrumento de procriação, classificado como um objeto a ser cuidado entre as crianças, parentes pobres, gatos, galinhas e móveis. A sua própria personalidade também é de importância secundária; frequentemente ela é mais ou menos inconsciente, pois a vida é vivida nos outros e através dos outros, na medida em que, devido à inconsciência da própria personalidade, ela se identifica com eles.

167

---

8. Neste capítulo apresento uma série de "tipos" de complexo materno, sem com isso formular experiências terapêuticas. "Tipos" não são casos individuais, o que toda pessoa culta deveria saber. "Tipos" também não são um esquema inventado, dentro do qual todos os casos que se apresentam têm que se adaptar. "Tipo" é uma construção ideal, um meio-termo tirado da experiência, com o qual um caso individual jamais se identifica. Pessoas que tiram sua experiência unicamente de livros ou de laboratórios psicológicos não podem ter uma ideia exata do que seja a experiência psicológica do médico.

Primeiro, ela leva os filhos no ventre, depois se apega a eles, pois sem os mesmos não possui nenhuma razão de ser. Tal como Deméter extorque dos deuses um direito de propriedade sobre a filha. Seu eros desenvolve-se exclusivamente como relação materna, permanecendo no entanto inconsciente enquanto relação pessoal. Um eros inconsciente sempre se manifesta sob a forma de poder[9], razão pela qual este tipo de mulher, embora sempre parecendo sacrificar-se pelos outros, na realidade é incapaz de um verdadeiro sacrifício. Seu instinto materno impõe-se brutalmente até conseguir o aniquilamento da própria personalidade e da de seus filhos. Quanto mais inconsciente de sua personalidade for uma mãe deste tipo, tanto maior e mais violenta será sua vontade de poder inconsciente. No caso deste arquétipo não são poucas as vezes em que o símbolo adequado não é Deméter, mas Baubo. O intelecto não é cultivado, mas permanece em geral sob a forma de sua disposição originária, isto é, em sua forma natural primitiva, incapaz de relacionar-se, violento, mas também tão verdadeiro e às vezes tão profundo como a própria natureza[10]. Ela própria não o sabe, sendo por isso incapaz de apreciar a graça de seu intelecto ou de admirar filosoficamente sua profundidade; pode até mesmo esquecer o que acabou de dizer.

b. Exacerbação do eros

168   O complexo causado na filha por uma mãe deste tipo não é necessariamente um resultado da hipertrofia do instinto materno. Pelo contrário, pode ocorrer que na filha haja uma extinção completa desse instinto. Em lugar disso, ela apresenta uma exacerbação do eros que leva quase invariavelmente a uma relação incestuosa com o pai[11]. O eros exacerbado provoca uma ênfase anormal sobre a personalidade do outro. O ciúme da mãe e a necessidade de sobrepujá-la tornam-se

---

9. Esta frase baseia-se na reiterada experiência de que, onde falta amor, o poder ocupa o espaço vazio.

10. O termo que utilizei para definir tal coisa em meus seminários ingleses foi *natural mind*.

11. Neste caso a iniciativa é da filha. Em outros casos a psicologia do pai (projeção da anima) produz uma ligação incestuosa na filha.

os motivos preponderantes de empreendimentos futuros, muitas vezes desastrosos. Uma mulher deste tipo gosta de relações apaixonadas e sensacionais por elas mesmas, e se interessa por homens casados, não por eles, mas pelo fato de serem casados, o que lhe dá a oportunidade de perturbar um casamento, objetivo principal da sua manobra. Uma vez alcançado seu objetivo, o interesse se esvai por falta de instinto materno e a história continua com outro[12]. Este tipo feminino se caracteriza por uma notável inconsciência. Tais mulheres ficam totalmente cegas no tocante às suas ações[13], o que não é nada vantajoso nem para as pessoas envolvidas, nem para elas mesmas. Não é necessário ressaltar que, para homens de eros indolente, este tipo de mulher oferece uma ótima oportunidade para a projeção da anima.

c. Identificação com a mãe

Se não ocorrer uma exacerbação do eros no complexo materno feminino, produzir-se-á uma identificação com a mãe e um bloqueio da própria iniciativa feminina. Dá-se então uma projeção da personalidade da filha sobre a mãe, em virtude da inconsciência de seu mundo instintivo materno e de seu eros. Tudo o que nessas mulheres lembra maternidade, responsabilidade, vínculo pessoal e necessidade erótica suscita sentimentos de inferioridade, e as obriga a fugir naturalmente para a mãe, a qual vive tudo aquilo que as filhas consideram inatingível, digno de uma superpersonalidade: a mãe. Involuntariamente admirada pela filha, a mãe vive tudo antecipadamente em seu lugar. A filha contenta-se em depender da mãe, de um modo desinteressado e inconscientemente ela se esforça contra sua vontade a ascender pouco a pouco a uma posição de tirana da própria mãe, no início sob a máscara da mais perfeita lealdade e devoção. Ela vive uma existência de sombra, muitas vezes visivelmente sugada pela mãe, cuja vida ela prolonga como que através de uma permanente transfusão de sangue. Tais virgens exangues não são imunes ao casa-

169

---

12. Aqui este tipo se diferencia do seu similar, o complexo feminino do pai, caso em que ao contrário o "pai" é cuidado e mimado.

13. Isso não quer dizer que, para elas, os fatos sejam inconscientes, apenas seu significado o é.

mento. Pelo contrário, apesar de sua qualidade de sombra e de sua apatia, ou justamente por causa disso, elas são altamente cotadas no mercado do casamento. São de tal forma vazias que um homem pode nelas enxergar o que bem entender; além disso, são tão inconscientes que seu inconsciente estende inúmeras antenas, para não dizer tentáculos de pólipos invisíveis que captam todas as projeções masculinas, para a grande satisfação dos homens. Tamanha indefinição feminina é a contraface almejada de uma definição masculina inequívoca, a qual só pode ser estabelecida de uma forma algo satisfatória quando há condições de empurrar tudo o que é duvidoso, ambíguo, indefinido, obscuro para a projeção sobre uma encantadora inocência feminina[14]. Devido à característica de apatia e de sentimentos de inferioridade, os quais sempre simulam uma inocência ofendida, cabe ao homem o papel privilegiado de poder suportar essas conhecidas fraquezas femininas, com a magnanimidade e superioridade cavalheiresca. (Felizmente ele ignora que essas fraquezas são, em grande parte, suas próprias projeções.) Esse notório desamparo da jovem exerce sobre ele uma atração especial. Ela é de tal forma um apêndice da mãe que já não sabe o que lhe acontece quando um homem aparece por perto. Ela é tão inexperiente e necessitada de ajuda que até mesmo o mais meigo dos pastores de ovelhas se transforma num arrojado raptor de mulheres, prestes a arrebatar traiçoeiramente de uma mãe amorosa sua filha. Esta grande oportunidade de poder ser uma vez na vida um grande espertalhão não ocorre todos os dias, representando para ele um forte incentivo. Foi assim que Plutão raptou Perséfone da inconsolável Deméter, mas por um decreto dos deuses teve que ceder sua mulher para a sogra, a cada verão. (O leitor atento perceberá que tais lendas não surgem "por acaso"!)

d. Defesa contra a mãe

Os três tipos extremos que acabamos de descrever são ligados entre si por muitos estágios intermediários, entre os quais quero

---

14. Esse tipo de mulher tem um efeito estranhamente aliviador sobre o marido, mas só enquanto este não descobre *com quem* se casou e *quem* dorme com ele na cama, isto é, a sogra.

mencionar apenas o principal. Trata-se, neste tipo intermediário, menos de uma exacerbação ou bloqueio dos instintos femininos do que de uma defesa contra a supremacia da mãe que prevalece sobre todo o resto. Este caso é o exemplo típico do complexo materno negativo. Seu lema é: qualquer coisa menos ser como a mãe! Trata-se, por um lado, de um fascínio que no entanto nunca se torna uma identificação, e, por outro, de uma exacerbação do eros que se esgota porém numa resistência ciumenta contra a mãe. Tal filha sabe tudo o que *não* quer, mas em geral não tem clareza acerca do que imagina ser seu próprio destino. Seus instintos concentram-se na mãe, sob a forma de defesa, não se prestando pois à construção de sua própria vida. Se, apesar disso, ela casar-se por acaso, seu casamento serve apenas para livrar-se da mãe ou então o destino lhe impinge um marido com traços de caráter semelhantes ao da mãe. Todos os processos e necessidades instintivos encontram dificuldades inesperadas; a sexualidade não funciona ou os filhos não são bem-vindos, ou os deveres maternos lhe parecem insuportáveis, ou ainda as exigências da vida conjugal são recebidas com irritação e impaciência. De certa forma, tudo isso não pertence às realidades essenciais da vida, uma vez que seu fim último é constituído unicamente pela defesa persistente contra o poder materno. Em tais casos, podemos ver em todos os seus detalhes os atributos do arquétipo materno. Por exemplo, *a mãe enquanto família*, ou clã, produz uma violenta resistência ou falta de interesse por tudo o que representa família, comunidade, sociedade, convenção etc. A resistência contra a mãe, enquanto *uterus*, manifesta-se muitas vezes através de distúrbios da menstruação, dificuldade de engravidar, horror da gravidez, hemorragias e vômitos durante a gravidez, partos prematuros etc. A mãe enquanto *matéria* provoca impaciência em relação ao objeto, desajeitamento na manipulação de ferramentas e louças, bem como mau gosto no vestir.

    A partir da defesa contra a mãe verifica-se ocasionalmente um desenvolvimento espontâneo da inteligência, com o intuito de criar uma esfera em que a mãe não exista. Esse desenvolvimento resulta das necessidades próprias da filha e não visa homenagear um homem que ela queira impressionar, simulando uma camaradagem espiritual. O propósito é quebrar o poder da mãe através da crítica intelectual e cultura superior, de modo a mostrar-lhe toda a sua estupidez, seus erros lógicos e formação deficiente. O desenvolvimento intelectual é acompanhado de uma emergência de traços masculinos em geral.

C. Os aspectos positivos do complexo materno

a. A mãe

172   O aspecto positivo do primeiro tipo, ou seja, a exacerbação do instinto materno, refere-se àquela imagem da mãe que tem sido louvada e cantada em todos os tempos e em todas as línguas. Trata-se daquele amor materno que pertence às recordações mais comoventes e inesquecíveis da idade adulta e representa a raiz secreta de todo vir a ser e de toda transformação, o regresso ao lar, o descanso e o fundamento originário, silencioso, de todo início e fim. Intimamente conhecida, estranha como a natureza, amorosamente carinhosa e fatalmente cruel – uma doadora de vida alegre e incansável, uma *mater* dolorosa e o portal obscuro e enigmático que se fecha sobre o morto. Mãe é amor materno, é a *minha* vivência e o *meu* segredo. O que mais podemos dizer daquele ser humano a que se deu o nome de mãe, sem cair no exagero, na insuficiência ou na inadequação e mentira – poderíamos dizer – portadora casual da vivência que encerra ela mesma e a mim, toda humanidade e até mesmo toda criatura viva, que é e desaparece, da vivência da vida de que somos os filhos? No entanto, sempre o fizemos e sempre continuaremos a fazê-lo. Aquele que o sabe e é sensível não pode mais sobrecarregar com o peso enorme de significados, responsabilidades e missão no céu e na terra a criatura fraca e falível, digna de amor, de consideração, de compreensão, de perdão que foi nossa mãe. Ele sabe que a mãe é portadora daquela imagem inata em nós da *mater natura* e da *mater spiritualis*, da amplitude total da vida à qual somos confiados quando crianças, e ao mesmo tempo abandonados. Ele também não pode ter dúvida alguma em libertar a mãe humana dessa carga assustadora, pelo respeito que deve a ela e a si mesmo. É precisamente este peso de significados que nos prende à mãe e acorrenta esta ao filho para a ruína anímica e física de ambos. Nenhum complexo materno é resolvido, reduzindo-o unilateralmente à mãe em sua medida humana; é preciso retificá-la de certa forma. Corre-se desta forma o perigo de decom-

por em átomos também a vivência da "mãe", destruindo assim um valor supremo e atirando fora a chave de ouro que uma boa fada havia colocado em nosso berço. Por isso o homem sempre associou instintivamente aos pais (pai e mãe) o casal divino preexistente na figura do *godfather* e *godmother* do recém-nascido, a fim de que este último nunca se esqueça, quer por inconsciência, quer por um racionalismo míope, de conferir aos pais um caráter divino.

O arquétipo é a princípio muito menos um problema científico do que uma questão importantíssima da higiene anímica. Mesmo que nos faltassem todas as provas da existência dos arquétipos, e mesmo que todas as pessoas inteligentes nos provassem convincentemente de que os mesmos não podem existir, teríamos que inventá-los para impedir que os nossos valores mais elevados e naturais submergissem no inconsciente. Se estes valores caírem no inconsciente, toda a força elementar das vivências originárias desaparecerá com eles. Em seu lugar, surgiria a fixação na imago materna, e, depois que essa fosse devidamente racionalizada, ficaríamos completamente presos à *ratio* humana e, a partir daí, condenados a acreditar exclusivamente no racional. Por um lado, isto é uma virtude e uma vantagem; por outro, uma limitação e um empobrecimento, porque assim nos aproximamos do vazio do doutrinarismo e do "iluminismo". Essa *Déesse Raison* espalha uma luz ilusória, que só ilumina o que já sabemos e oculta na escuridão o que seria necessário conhecer e conscientizar. Quanto mais independente for o comportamento do entendimento, tanto mais este se torna puro intelecto, colocando opiniões doutrinárias em lugar da realidade, enxergando não o homem como ele é, mas uma imagem ilusória do mesmo.

Quer o homem compreenda ou não o mundo dos arquétipos, deverá permanecer consciente do mesmo, pois nele o homem ainda é natureza e está conectado com suas raízes. Uma visão de mundo ou uma ordem social que cinde o homem das imagens primordiais da vida não só não constitui uma cultura, como se transforma cada vez mais numa prisão ou num curral. Se as imagens originárias permanecerem de algum modo conscientes, a energia que lhes corresponde poderá fluir no homem. Quando não for mais possível manter a conexão com elas, a energia que nelas se expressa, causando o fascínio subjacente ao complexo parental infantil, retorna ao inconsciente.

Desta forma, o inconsciente recebe uma irresistível carga de energia que atua quase como uma *vis a ergo* de qualquer ponto de vista ou tendência que nosso intelecto possa apresentar como meta à nossa *concupiscentia*. Deste modo o homem fica irremediavelmente à mercê de sua consciência e de seus conceitos racionais no tocante àquilo que é certo ou errado. Longe de mim desvalorizar o dom divino da razão, esta suprema faculdade humana. Mas como senhora absoluta ela não tem sentido, tal como não tem sentido a luz num mundo em que está ausente seu oposto, a obscuridade. O homem deveria dar atenção ao sábio conselho da mãe e obedecer à lei inexorável da natureza que delimita todo ser. Jamais deveria esquecer que o mundo existe porque os seus opostos são mantidos em equilíbrio. O racional é contrabalançado pelo irracional e aquilo que se planeja, pelo que é dado.

175   Esta incursão no campo das generalidades foi provavelmente inevitável, pois a mãe é o primeiro mundo da criança e o último mundo do adulto. Todos nós somos envolvidos pelo manto dessa Ísis maior, como seus filhos. Agora, porém, queremos voltar aos nossos tipos do complexo materno feminino. No homem, o complexo materno nunca se encontra em estado "puro", isto é, ele vem sempre misturado ao arquétipo da anima, resultando daí o fato de as afirmações do homem sobre a mãe serem quase sempre emocionais, isto é, preconceituosas, impregnadas de "animosidade". A possibilidade de examinarmos os efeitos do arquétipo da mãe, livre da interferência da "animosidade", só existe na mulher, o que poderá dar certo apenas nos casos em que ainda não se desenvolveu um animus compensatório.

b. O eros exacerbado

176   Vejamos o segundo tipo do complexo materno, isto é, o eros exacerbado. Tracei deste caso um retrato desfavorável, visto que deparamos com ele no âmbito patológico; mas até mesmo este tipo, tão pouco atraente, tem um aspecto positivo de que a sociedade não pode abrir mão. Tomemos o pior efeito desta atitude, ou seja, a pouco escrupulosa destruição de casamentos. Veremos então por detrás dela uma ordem da natureza, cheia de sentido e propósito. Este tipo resulta frequentemente, como já dissemos, de uma reação a uma mãe puramente física e instintiva e, por isso, devoradora. Tal mãe é um

anacronismo, um retrocesso a um matriarcado sombrio, onde o homem leva uma existência insípida como simples fecundador e servidor no campo a ser arado. A reação da filha, através da exacerbação do eros, tem em mira o homem que deve ser resgatado da preponderância do materno-feminino. Tal filha intrometer-se-á sempre, instintivamente, quando for provocada pela inconsciência do cônjuge. Ele perturba a perigosa acomodação tão problemática para a personalidade masculina, que ele interpreta como fidelidade. Este comodismo leva à inconsciência da própria personalidade e aqueles matrimônios supostamente ideais em que o homem nada mais é do que o papai e ela, a mamãe, e em que o casal assim se chama entre si. Este caminho é difícil e facilmente rebaixa o casamento a uma identidade inconsciente dos cônjuges.

A mulher, cujo tipo está sendo comentado, fulmina com o raio quente do seu eros um homem que vive à sombra do materno assim provocando um conflito moral. Sem conflito, porém, não há consciência da "personalidade". "Mas por que", perguntar-se-á, "deve o homem atingir, *à tort et à travers*, uma consciência superior?" Tal pergunta acerta na mosca o problema, e a resposta a ela é algo difícil. Em lugar de uma verdadeira resposta, só posso confessar uma espécie de crença: parece-me que alguém afinal deveria ter sabido nos milhares de milhões de anos que este mundo maravilhoso das montanhas, mares, sóis, luas, da Via Láctea, das nebulosas, plantas e animais *existe*. Quando estive nas planícies Athi da África Oriental e de pé num pequeno morro contemplava os rebanhos selvagens de muitos milhares de cabeças a pastar no mais absoluto silêncio, tal como sempre fizeram desde tempos imemoriais, tive a sensação de ser o primeiro homem, o primeiro e único ser que sabia que tudo aquilo *existe*. Todo aquele mundo ao meu redor ainda permanecia no silêncio do início e não sabia do seu existir. Nesse preciso momento em que eu soube, o mundo passou a existir, e sem este momento ele jamais teria existido. Toda a natureza procura essa finalidade e a encontra plenificada no ser humano, e isso apenas no homem mais consciente. Qualquer passo à frente, por pequeno que seja, na trilha da tomada de consciência, cria o mundo.

Não existe consciência sem diferenciação de opostos. É o princípio paterno do Logos que, em luta interminável, se desvencilha do calor e da escuridão primordiais do colo materno, ou seja, da inconsciência. Sem temer qualquer conflito, qualquer sofrimento, qualquer pecado, a curiosidade divina almeja por nascer. A inconsciência é o pecado primeiro, o próprio mal para o Logos. O seu ato de criação libertadora do mundo porém é matricida, e o espírito que ousava enfrentar todas as alturas e profundidades também deve sofrer os castigos divinos, como dizia Sinésio, o acorrentamento ao rochedo do Cáucaso. Nem o princípio materno nem o paterno podem existir sem o seu oposto, pois ambos eram um só no início e tornar-se-ão um só no fim. A consciência só pode existir através do permanente reconhecimento e respeito do inconsciente: toda vida tem que passar por muitas mortes.

179   A provocação do conflito é uma virtude luciferina, no sentido próprio da palavra. O conflito gera o fogo dos afetos e emoções e, como todo fogo, este também tem dois aspectos, ou seja, o da convulsão e o da geração da luz. A emoção é por um lado o fogo alquímico, cujo calor traz tudo à existência e queima todo o supérfluo (*omnes superfluitates comburit*). Por outro lado a emoção é aquele momento em que o aço ao golpear a pedra produz uma faísca: emoção é a fonte principal de toda tomada de consciência. Não há transformação de escuridão em luz, nem de inércia em movimento sem emoção.

180   A mulher, cujo destino é ser um elemento de perturbação, só em casos patológicos é exclusivamente destrutiva. Normalmente, ela própria, enquanto elemento perturbador, é perturbada; como elemento transformador, ela mesma se transforma e o clarão do fogo que acende ilumina e clareia todas as vítimas da confusão. O que parecia ser uma perturbação sem sentido torna-se processo de purificação – "*dass ja das Nichtige Alles verflüchtige*"[15] – para que o insignificante volatilize todas as coisas.

181   Se esse tipo de mulher permanecer inconsciente de sua função, isto é, se não souber que é parte "daquela força que sempre quer o mal, mas cria o bem"[16], perecerá pela espada que traz consigo. A consciência, porém, a transforma em libertadora e redentora.

---

15. *Fausto*, Segunda parte, Despenhadeiro.
16. Op. cit., Primeira parte, Sala de estudos.

c. A apenas-filha

A mulher do terceiro tipo, isto é, a que se identifica com a mãe[17], pela paralisação dos próprios instintos, não será necessariamente uma nulidade sem esperança. Normalmente há pelo contrário a possibilidade de que, mediante uma projeção intensa da anima, se encha o recipiente vazio. Disto depende esta mulher: sem o homem, ela não consegue nem de longe chegar a si mesma; deverá ser literalmente raptada da mãe. Além disso, terá de desempenhar por um longo período de tempo, com o maior esforço, o papel que lhe cabe, até o limite de suas forças. Assim ela talvez conseguirá descobrir quem é. Tais mulheres podem ser esposas capazes dos maiores sacrifícios por homens que existem unicamente através de sua identificação com uma profissão ou um dom, mas que de resto são e permanecem inconscientes. Como eles mesmos só representam uma máscara, a mulher deverá ter condições de desempenhar o papel secundário com alguma naturalidade. Essas mulheres também podem possuir dons valiosos, que só não foram desenvolvidos porque a própria personalidade ficou totalmente inconsciente. Neste caso, ocorre uma projeção de seu dom no marido, o qual, não o tendo, faz-nos ver, repentinamente, como um homem insignificante e até improvável é elevado, como que por um tapete mágico, aos cumes mais elevados. *Cherchez la femme*, e encontramos a chave do segredo desse sucesso. Tais mulheres lembram-me – desculpem-me a comparação grosseira – aquelas cadelas enormes e fortes que fogem apavoradas do menor vira-lata, simplesmente porque ele é um macho temível e nem lhes passa pela cabeça que elas podem mordê-lo.

Mas, afinal, o *vazio* é um grande segredo feminino, é o absolutamente estranho ao homem, o oco, o outro abissal, o yin. Infelizmente essa nulidade que suscita compaixão (eu falo aqui como homem) é – quase eu diria assim – o mistério poderoso da inacessibilidade do feminino. Uma tal mulher é pura e simplesmente destino. Um homem pode declarar-se contra ou a favor disso, ou não dizer nada, ou achar ambas as coisas e cair, por fim, nesse buraco, insensata e prazerosamente, ou ele perdeu e desperdiçou a única possibilidade de apropri-

---

17. Causada pela projeção dos instintos.

ar-se de sua masculinidade. Não se pode convencer o primeiro de sua tola felicidade, sem tornar plausível, ao segundo, sua desgraça. "As Mães! Mães! Como isso soa estranho!"[18] Com esse lamento que sela a capitulação do homem nas fronteiras do reino do materno, passemos ao quarto tipo.

D. *O complexo materno negativo*

184   Como fenômeno patológico este tipo de mulher é uma companheira desagradável, exigente, pouco satisfatória para o homem, uma vez que todo o seu ímpeto é um rebelar-se contra o que brota do fundo originário natural. No entanto, uma experiência de vida maior poderá ensinar-lhe talvez algo melhor, de modo que ela renuncie a combater a mãe no sentido pessoal e mais restrito. No melhor dos casos ela será inimiga de tudo o que é obscuro, pouco claro e ambíguo, preferindo colocar em primeiro plano o que é seguro, nítido e razoável. Ela superará sua irmã feminina no tocante à objetividade e clareza de julgamento, podendo tornar-se a amiga, a irmã ou a conselheira competente de seu marido. Habilitam-na para isso suas aspirações masculinas, que tornam possível uma compreensão humana da individualidade do marido que nada tem a ver com o erotismo. De todas as formas de complexo materno é na segunda metade da vida que ela tem as possibilidades de ser bem-sucedida no casamento, mas isso só depois de sair vencedora do inferno do apenas-feminino, do caos do útero materno que (devido ao complexo negativo) é sua maior ameaça. Um complexo só é realmente superado quando a vida o esgota até o fim. Aquilo que afastamos de nós devido ao complexo, deveremos tragá-lo junto com a borra, se quisermos desvencilhar-nos dele.

185   Este tipo de mulher aproxima-se do mundo desviando o rosto, tal como a mulher de Ló, o olhar voltado para Sodoma e Gomorra. Nesse ínterim, a vida passa por ela como um sonho, uma fonte enfadonha de ilusões, desapontamentos e irritações, que repousam unicamente em sua incapacidade de olhar para frente. Assim sua vida se torna o que mais combate, isto é, o apenas-materno-feminino, devi-

---

18. [*Fausto*, Segunda parte, Galeria escura.]

do à sua atitude apenas inconsciente e reativa para com a realidade. Olhar para frente, porém, faz com que o mundo se abra para ela pela primeira vez na clara luz da maturidade, embelezada pelas cores e todos os maravilhosos encantos da juventude e, às vezes, até da infância. Olhar significa o conhecimento e descoberta da verdade que representa a condição indispensável da consciência. Uma parte da vida foi perdida, o sentido da vida, porém, está salvo.

A mulher que combate o pai continua tendo a possibilidade da vida instintivo-feminina, pois só rejeita o que lhe é estranho. Mas, quando combate a mãe, ela pode atingir uma consciência mais elevada, arriscando-se a lesar o mundo instintivo, pois ao negar a mãe ela também repudia tudo o que é obscuro, instintivo, ambíguo, inconsciente de seu próprio ser. Graças à sua lucidez, objetividade e masculinidade, este tipo de mulher é encontrado frequentemente ocupando cargos importantes, em que sua feminilidade materna, tardiamente descoberta, conduzida por uma inteligência fria, desenvolve uma eficiência propícia. Não é apenas exteriormente que se constata essa rara combinação de feminilidade e inteligência masculina, mas também no âmbito da intimidade anímica. Ela pode exercer um papel influente, oculto para o mundo externo, como *spiritus rector* invisível, sendo guia espiritual e conselheira de um homem. Graças às suas qualidades, ela é mais transparente para o homem do que outros tipos femininos de complexo materno, e por esta razão ela é alvo de projeções de complexos maternos positivos por parte do mundo masculino. A mulher excessivamente feminina aterroriza um certo tipo de homem que tem um complexo materno caracterizado por grande sensibilidade. O homem não se assusta diante dessa mulher porque ela constrói pontes para o espírito masculino, pelas quais ele pode levar os seus sentimentos com segurança para a outra margem. Sua inteligência bem articulada inspira confiança ao homem, elemento que não deve ser menosprezado e que falta na relação homem-mulher muito mais frequentemente do que se imagina. O eros do homem não leva unicamente para cima, mas também para baixo, àquele mundo sinistro e escuro de uma Hécate e de uma Kali, horror de todo homem espiritual. A inteligência dessa mulher será uma estrela para ele na escuridão desesperadora dos caminhos aparentemente equivocados e infindáveis da vida.

4. Resumo

187   Do que acabamos de dizer deveria ficar claro que o que é expresso na mitologia, bem como os efeitos do complexo materno, quando despidos de sua multiplicidade casuística, se refere ao inconsciente. Como poderia ter ocorrido ao homem a ideia de dividir o cosmos, baseando-se na analogia de dia e noite, verão e inverno, num mundo luminoso diurno e um mundo obscuro noturno, cheio de entes fabulosos, se não tivesse encontrado em si mesmo um modelo para isso na própria consciência e no inconsciente atuante, embora invisível, isto é, incognoscível? A percepção originária dos objetos provém só parcialmente do comportamento objetivo das coisas, mas em sua maior parte de fatos intrapsíquicos, os quais têm relação com as coisas apenas mediante a projeção. Isto é devido ao fato de que o primitivo ainda não experienciou a ascese do espírito, ou seja, a crítica do conhecimento, mas apreende o mundo como um fenômeno global, de modo ainda crepuscular, dentro do fluxo das fantasias que o habitam, em que o subjetivo e o objetivo se interpenetram mutuamente de forma indiferenciada. "Tudo o que está fora também está dentro", poderíamos dizer com Goethe[19]. O "dentro", que o racionalismo moderno pretende derivar do "fora", tem sua estrutura própria que precede toda experiência consciente como um *a priori*. É praticamente impossível imaginar como as experiências, no mais amplo sentido da palavra, bem como o psíquico de um modo geral, poderiam provir exclusivamente de algo externo. A psique pertence ao segredo da vida mais íntima e, tal como tudo o que vive organicamente, tem uma estrutura e forma peculiares. Saber se a estrutura anímica e seus elementos, isto é, os arquétipos, tiveram uma origem de algum modo, é uma questão metafísica e não comporta por isso uma resposta. A estrutura é aquilo que sempre é dado, isto é, o que sempre preexistiu, isto é, a condição prévia. É a *mãe*, a *forma* em que toda a vivência está contida. Em contraposição a ela, o *pai* representa a *dinâmica* do arquétipo, porque este último é as duas coisas: forma e energia.

---

19. ["Nada dentro, nada fora; /Pois o que está dentro, está fora". *Gott und Welt. Epirrhema.*]

A portadora do arquétipo é, em primeiro lugar, a mãe pessoal 188
porque a criança vive inicialmente num estado de participação exclusiva, isto é, numa identificação inconsciente com ela. A mãe não é apenas a condição prévia física, mas também psíquica da criança. Com o despertar da consciência do eu, a participação é progressivamente desfeita, e a consciência começa a tornar-se sua própria condição prévia, entrando em oposição ao inconsciente. A partir disto o eu começa a diferenciar-se da mãe e sua particularidade pessoal vai-se tornando cada vez mais distinta. Assim todas as qualidades fabulosas e misteriosas desprendem-se da imagem materna, transferindo-se à possibilidade mais próxima, por exemplo, à avó. Como mãe da mãe, ela é "maior" do que esta última. Ela é propriamente a "Grande Mãe". Não raro ela assume os traços da sabedoria, bem como as características da bruxa. Quanto mais o arquétipo se afasta da consciência, mais clara esta se torna e o primeiro assume uma forma mitológica cada vez mais nítida. A passagem da mãe para a avó significa que o arquétipo subiu de categoria. Isto se torna claro, por exemplo, na concepção dos bataks: o sacrifício funerário para o pai é modesto, é comida comum. Mas quando seu filho tem um filho, o pai torna-se avô, conquistando com isso um tipo de dignidade mais elevada no além. Então lhe são oferecidos grandes sacrifícios[20].

Na medida em que aumenta a distância entre consciente e inconsciente, a avó transforma-se em Grande Mãe, subindo de categoria, sendo que muitas vezes os opostos desta imagem se destroçam. Por um lado, nasce uma fada bondosa e, por outro, uma fada má, ou então ainda uma deusa benévola, luminosa e outra perigosa e escura. Na Antiguidade ocidental e principalmente nas culturas orientais muitas vezes os opostos permanecem unificados na mesma imagem, sem que esse paradoxo perturbe a consciência. Da mesma forma que as lendas dos deuses são muitas vezes contraditórias, o caráter moral de suas figuras também o é. Na Antiguidade ocidental o paradoxo e ambiguidade moral dos deuses causava escândalo e provocava uma crítica no mesmo sentido, a qual levou por um lado a uma desvalorização da sociedade dos deuses olímpicos e, por outro, deu ensejo a 189

---

20. WARNECK. *Die Religion der Batak*.

interpretações filosóficas. A expressão mais clara disso é o conceito do Deus judaico da reforma cristã: Javé, moralmente ambíguo, tornou-se um Deus exclusivamente bom, e, contrapondo-se a ele, o demônio reunia todo o mal em si. Parece que o desenvolvimento crescente do sentimento no homem ocidental forçou aquela decisão que dividia a divindade moral em duas. No Oriente, ao contrário, a atitude predominantemente intuitivo-intelectual não conferiu direitos de decisão aos valores do sentimento, razão pela qual os deuses puderam conservar imperturbado seu paradoxo moral originário. Assim Kali é representativa para o Oriente e a Virgem Maria, para o Ocidente. A segunda perdeu completamente a sombra. Esta caiu no inferno da imaginação popular onde leva uma existência insignificante de "avó do diabo". Graças ao desenvolvimento dos valores do sentimento, o esplendor da divindade clara e bondosa elevou-se a uma altura incomensurável; o obscuro porém que devia ser representado pelo diabo localizou-se no ser humano. Este desenvolvimento peculiar foi causado principalmente pelo fato de o cristianismo, assustado pelo dualismo maniqueísta, procurar a todo custo a preservação do monoteísmo. Uma vez que não se podia negar a realidade do obscuro e do mal, só restava responsabilizar o ser humano por estes últimos. Chegou-se até a eliminar o diabo, o que introjetou no homem esta figura metafísica, que constituía antigamente parte integrante da divindade, de forma a tornar o homem o portador do *mysterium iniquitatis*: "*omne bonum a Deo, omne malum ab homine!*"[21] Este desenvolvimento sofre hoje em dia uma reversão infernal, na medida em que o lobo, sob a pele de cordeiro, anda por aí, sussurrando aos ouvidos de todos que o mal na realidade nada mais é do que um mal-entendido do bem e um instrumento útil do progresso. Crê-se que com isso terminou definitivamente o mundo obscuro, sem pensar no envenenamento anímico do homem ocasionado por isso. Assim o próprio homem se transforma no diabo, pois este é metade de um arquétipo, cujo poder irresistível não impede que o europeu sem fé exclame sem querer "Oh Deus!", em toda ocasião adequada ou inadequada. Se pudermos, jamais devemos identificar-nos com

---

21. (Mistério da injustiça [pecado] – Todo o bem [vem de] Deus, todo o mal, do homem.)

um arquétipo, pois as consequências são assustadoras, conforme revela a psicopatologia e certos acontecimentos contemporâneos.

O Ocidente degradou-se animicamente de tal modo, que precisa negar a essência do poder da alma que o homem não pode sujeitar, nem é passível de sujeição por ele, isto é, a própria divindade, a fim de apoderar-se ainda do bem, além do mal que já tragou. Leia-se atentamente e com crítica psicológica o *Zaratustra* de Nietzsche. Este representou com rara consistência e com a paixão de um homem verdadeiramente religioso a psicologia daquele super-homem cujo Deus está morto; daquele ser humano que se despedaça pelo fato de haver encerrado o paradoxo divino no estojo exíguo do homem mortal. Goethe, o sábio, percebeu "que horror se apodera do super-homem"[22] e assim mereceu o sorriso de superioridade do filisteu da cultura. A sua apoteose da mãe, cuja grandeza abarca a rainha celeste e ao mesmo tempo Maria egipcíaca, significa suprema sabedoria e um sermão de quaresma para o ocidental meditativo. O que poderíamos pretender, porém, numa época em que até os representantes oficiais das religiões cristãs anunciam publicamente sua incapacidade de compreender os fundamentos da experiência religiosa? Retiro a seguinte frase de um artigo teológico (protestante): "Nós nos consideramos – seja natural ou idealmente – como *seres unitários e não tão divididos, que poderes estranhos pudessem interferir em nossa vida interior*[23], segundo presume o Novo Testamento"[24]. Parece evidente que o autor destas linhas desconhece que a ciência constatou há mais de meio século a labilidade e a possibilidade de dissociação da consciência, provando-a experimentalmente. Nossas intenções conscientes são por assim dizer constantemente perturbadas e atravessadas em maior ou menor grau por intrusões inconscientes, cujas causas nos são inicialmente desconhecidas. A psique está longe de ter uma unidade; pelo contrário, ela é uma mistura borbulhante de impulsos, bloqueios e afetos contraditórios e o seu estado conflitivo é, para muitas pessoas, tão insuportável, que elas desejam a salva-

---

22. *Fausto*, Primeira parte, Noite. Fala o espírito da terra.
23. O grifo é meu.
24. BULTMANN. Apud BURI. *Theologie und Philosophie*, p. 117.

ção apregoada pela teologia. Salvação do quê? Naturalmente, de um estado psíquico altamente duvidoso. A unidade da consciência, isto é, da chamada personalidade, não é uma realidade, mas um *desideratum*. Lembro-me ainda vivamente de um filósofo entusiasta dessa unidade, que me consultou devido à sua neurose: ele estava possuído pela ideia de ter um câncer. Não sei quantos especialistas já havia consultado e quantas radiografias já havia feito. Sempre lhe asseguravam que não tinha câncer. Ele mesmo me dizia: "Eu sei que não tenho câncer, mas poderia ter". Quem é responsável por essa fantasia? Não é ele mesmo que a produz, mas um poder *estranho* a ele a impõe. Há pouca diferença entre este estado e o dos possessos do *Novo Testamento*. É totalmente irrelevante o fato de acreditar-se em um demônio do ar ou em um fator no inconsciente que nos pregue uma peça demoníaca. O fato de que o homem se sente ameaçado por poderes estranhos em sua unidade imaginária permanece o mesmo nos dois casos. A teologia deveria levar em consideração estes fatos psicológicos, em vez de "desmitologizar" ainda, a modo dos iluministas, mas com um traço estilístico de cem anos.

191   Tentei dar no acima exposto uma visão de conjunto dos fenômenos psíquicos atribuídos ao predomínio da imagem materna. Ainda que eu não tenha chamado sempre a atenção do leitor, ele pôde perceber sem dificuldade os traços que caracterizam mitologicamente a figura da Grande Mãe, mesmo sob o disfarce da psicologia personalista. Quando pedimos aos nossos pacientes que estão particularmente influenciados pela imagem materna que expressem através da palavra ou da imagem o que significa "Mãe" para eles – quer positiva quer negativamente – o que recebemos como resposta são configurações simbólicas que devem ser encaradas como analogias diretas da figura materna mitológica. Com estas entramos porém numa área cujo esclarecimento ainda deixa muito a desejar. Eu, pelo menos, não me sinto em condições de dizer qualquer coisa de definitivo a respeito. Se apesar de tudo eu tiver que tecer algumas considerações, que as mesmas sejam tidas como provisórias e descompromissadas.

192   Antes de mais nada quero chamar a atenção para o fato particular de que a imagem materna se situa num nível diferente quando quem a expressa é um homem e não uma mulher. Para a mulher a mãe é o tipo de sua vida sexual consciente. Para o homem, porém, a

mãe é o tipo de algo estranho, ainda a ser vivenciado e preenchido pelo mundo imagístico do inconsciente latente. Por esta razão, o complexo materno do homem é, por princípio, diverso do da mulher. Portanto a mãe é para o homem, de antemão por assim dizer, uma questão de caráter decididamente simbólico, donde a tendência do mesmo a idealizá-la. A idealização é um expediente apotropaico secreto: ela ocorre quando um medo deve ser conjurado. O que se teme é o inconsciente e sua influência mágica[25].

Enquanto que no homem a mãe é *ipso facto* simbólica, na mulher ela se torna símbolo só no decorrer do desenvolvimento psicológico. Chama a atenção o fato de que, segundo a experiência, o tipo que prevalece em geral no homem é o de Urânia, ao passo que na mulher é o tipo ctônico, o da chamada Mãe-Terra. Numa fase em que aparece o arquétipo, ocorre frequentemente uma identificação mais ou menos completa com a imagem originária. A mulher pode identificar-se diretamente com a Mãe-Terra, ao passo que um homem não (exceto em casos psicóticos). Tal como mostra a mitologia, é uma característica da Grande Mãe o fato de ela aparecer muitas vezes junto com seu par masculino. O homem identifica-se, portanto, com o filho amado, agraciado pela Sofia, o *puer aeternus*, ou um *filius sapientiae*, um sábio. O companheiro da mãe ctônica no entanto é o oposto, um Hermes itifálico (ou, como no Egito, um *Bes*) ou – expresso em indiano – um *lingam*. Este símbolo tem o maior significado espiritual na Índia e Hermes é uma das figuras mais contraditórias do sincretismo helenístico, do qual provieram os desenvolvimentos espirituais decisivos do Ocidente. Hermes também é deus da revelação e, na filosofia natural da Alta Idade Média, nada menos do que o próprio *nous* criador do mundo. Este segredo foi expresso do melhor modo através das obscuras palavras da *Tabula Smaragdina*: "*Omne superius sicut inferius*"[26].

193

Com estas identificações entramos no terreno das sizígias, ou seja, na união dos opostos quando um deles jamais está separado do

194

---

25. É evidente que a filha também pode idealizar a mãe, mas isso se dá só em condições especiais, ao passo que no homem a idealização é algo normal.
26. RUSKA (org.), p. 2. Tudo o que está em cima é igual ao que está embaixo.

outro. Trata-se daquela esfera de vivência que conduz diretamente à experiência da individuação, ao tornar-se si-mesmo. Muitos símbolos deste processo poderiam ser encontrados na literatura ocidental da Idade Média e principalmente nos tesouros da sabedoria do Oriente, mas, quanto a isto, palavras, conceitos e mesmo ideias pouco significam. Eles podem até levar a caminhos errados. Neste terreno ainda bem escuro da experiência anímica em que o arquétipo se nos defronta por assim dizer diretamente, seu poder psíquico também se manifesta de maneira mais evidente. Se essa esfera representa algo, tratar-se-á da pura vivência, não podendo por isso ser apreendida por nenhuma fórmula preconcebida. Aquele que sabe compreenderá sem maiores esclarecimentos verbais qual a tensão expressa por Apuleio em sua maravilhosa oração *Regina Coeli*, quando ele associa à Vênus celeste a *"nocturnis ululatibus horrenda Proserpina"*[27]. É este o paradoxo assustador da imagem materna originária.

195 ' Quando no ano de 1938 escrevi a primeira versão deste ensaio, ainda não sabia que doze anos mais tarde a figura cristã do arquétipo materno seria elevada a uma verdade dogmática. A *Regina Coeli* cristã despiu-se evidentemente de todas as propriedades olímpicas, com exceção do luminoso, do bom e do eterno; até mesmo seu corpo humano, destinado à decomposição material, transformou-se em incorruptibilidade etérica. Apesar disso, a rica alegoria da mãe de Deus conservou alguns pontos em comum com sua prefiguração em Ísis (ou Io) e Sêmele. Não só Ísis e seu filho Hórus são prefigurações iconológicas, como também Sêmele com sua subida ao céu; esta, a mãe originariamente mortal de Dioniso, antecipou a *Assumptio Beatae Virginis*. O filho de Sêmele também é um deus que morre e ressuscita (e o mais jovem dos olímpicos). A própria Sêmele parece ter sido uma antiga *deusa-terra*, tal como a Virgem Maria é a terra da qual Cristo nasceu. Nesta circunstância propõe-se a seguinte pergunta ao psicólogo: onde foi parar a relação característica da imagem materna para com a terra, com o escuro e o abissal do homem corpóreo, para com seus instintos animais e sua natureza passional e para com a "matéria" de modo geral? A proclamação do dogma aconteceu numa época em que as con-

---

27. *Metamorphoseos*, lib. XI, p. 223s.; Prosérpina, que provoca medo com seu uivo noturno.

quistas das ciências da natureza e da técnica – unidas a uma visão de mundo racionalista e materialista – ameaçam os bens espirituais e psíquicos da humanidade de violenta destruição. A humanidade arma-se de medo e repugnância frente a um crime espantoso. Circunstâncias poderiam ocorrer em que a bomba de hidrogênio, por exemplo, teria que ser usada e tal ato pavoroso se tornaria inevitável para a defesa legítima da própria existência. Em flagrante contraste com esse desastroso desenvolvimento das coisas, a mãe de Deus é entronizada no céu; sim, a sua *"assumptio"* é até mesmo interpretada como um contragolpe deliberado ao doutrinarismo materialista, o qual representa uma insurreição dos poderes ctônicos. Tal como o aparecimento de Cristo deu origem a um demônio real, adversário de Deus, a partir de um Filho de Deus originário que se encontrava no céu, agora inversamente uma figura celestial cinde-se de seu reino originariamente ctônico, assumindo uma posição contrária aos poderes titânicos desencadeados tanto a partir da terra como do mundo subterrâneo. Do mesmo modo que a mãe de Deus foi despida de todas as qualidades essenciais da materialidade, a matéria foi totalmente privada de alma e isto numa época em que a Física se abre para intuições as quais, sem "desmaterializarem" completamente a matéria, a dotam de certas propriedades, problematizando sua relação com a psique de um modo inadiável. Como o tremendo desenvolvimento da ciência natural destronou prematuramente o espírito, endeusando a matéria de um modo igualmente irrefletido, o mesmo impulso para o conhecimento científico tenta agora construir a ponte sobre o tremendo abismo que se abriu entre as duas visões de mundo. A psicologia tende a ver no dogma da Assunção um símbolo que de algum modo antecipa todo esse desenvolvimento. Ela considera a relação com a terra e a matéria uma qualidade inalienável do arquétipo materno. Quando uma figura condicionada por esse arquétipo é representada, como sendo recebida no céu, isto é, no reino do espírito, isso indica uma união de terra e céu, isto é, de matéria e espírito. O conhecimento científico certamente tenderá para o caminho contrário. Ele verá na própria matéria o equivalente do espírito, mas este "espírito" aparecerá despido de todas ou pelo menos da maioria de suas qualidades conhecidas, tal como a matéria terrestre entra no céu, despida de suas propriedades específicas. Não obstante isso, o caminho da união dos dois princípios separados se processa gradualmente.

196 Concretamente falando, a Assunção é o oposto absoluto do materialismo. Tomado nesse sentido, tal contragolpe em nada diminui a tensão entre os opostos, mas os impele ao extremo.

197 Compreendida simbolicamente, porém, a Assunção do corpo significa um reconhecimento da matéria a qual, devido a uma tendência preponderantemente pneumática, fora identificada pura e simplesmente com o mal. Em si mesmos, tanto o espírito como a matéria são neutros, ou melhor, *utriusque capax*, isto é, capazes daquilo que o homem chama de bem ou mal. Embora estes conceitos sejam de natureza muito relativa, há em sua base opostos reais, os quais pertencem à estrutura energética da natureza física assim como psíquica, sem as quais não pode estabelecer-se nenhum tipo de ser. Não há positivo sem sua negação. Apesar da extrema oposição, ou por isso mesmo, um termo não pode existir sem o outro. É exatamente como formula a filosofia clássica chinesa: yang (o princípio luminoso, quente, seco e masculino) contém em si o germe do yin (o princípio escuro, frio, úmido e feminino), e vice-versa. Assim sendo descobrir-se-ia na matéria o germe do espírito, e no espírito o germe da matéria. Os fenômenos de "sincronicidade" há muito conhecidos e confirmados estatisticamente pelos experimentos de Rhine parecem apontar nessa direção[28]. Uma certa "animização" da matéria põe em questão a absoluta imaterialidade do espírito, na medida em que se deveria atribuir a este último um tipo de substancialidade. O dogma da Assunção, anunciado no momento da maior cisão política que a história já conheceu, é um sintoma compensatório que reflete os esforços da ciência no sentido de estabelecer uma imagem unitária do mundo. Em certo sentido ambos os desenvolvimentos foram antecipados pela alquimia, sob a forma do *hieros gamos* dos opostos, mas apenas de modo simbólico. O símbolo, no entanto, tem a grande vantagem de conseguir unificar numa *única* imagem fatores heterogêneos ou até mesmo incomensuráveis. Com o declínio da alquimia, ruiu a unidade simbólica de espírito e matéria, disso resultando o homem moderno, desenraizado e alienado numa natureza desprovida de alma.

---

28. JUNG. *Sincronicidade*: um princípio de conexões acausais.

A alquimia viu a simbologia da união dos opostos na árvore, e 198
por isso não é de surpreender que o inconsciente do homem hodierno, o qual já não se sente à vontade no seu mundo, nem pode basear sua existência no passado transcorrido, nem no futuro ainda por vir, volte a buscar o símbolo da árvore da vida, enraizada neste mundo, crescendo em direção ao polo celeste, que o homem também é. Na história do símbolo, a árvore é descrita como o caminho e o crescimento para o imutável e eterno, gerada pela união dos opostos e possibilitando a mesma através do seu eterno já existir. É como se o homem, que procura em vão sua existência, disso fazendo uma filosofia, só encontrasse o caminho de volta àquele mundo no qual não se sente estranho, através da vivência da realidade simbólica.

V

Sobre o renascimento*

Observações preliminares

Os textos seguintes reproduzem os conteúdos essenciais de duas conferências improvisadas. Elas foram estenografadas e pude utilizar essas anotações na elaboração do presente trabalho. Alguns trechos tiveram que ser deixados de lado, principalmente porque as exigências de um texto impresso são diferentes das exigências da palavra falada. No entanto, levei a cabo, tanto quanto possível, minha primeira intenção de resumir o conteúdo de minhas conferências sobre o tema "renascimento"; esforcei-me também no sentido de reproduzir minha análise da décima oitava sura do *Corão*, como exemplo de um mistério de renascimento em seus principais aspectos. Acrescentei uma série de fontes bibliográficas, que o leitor eventualmente poderá consultar. O resumo feito não pretende ser mais do que um apanhado geral de um campo do conhecimento, passível de ser iluminado apenas superficialmente no contexto de uma conferência.

O conceito de renascimento nem sempre é usado num sentido unívoco. Uma vez que esse conceito comporta vários aspectos, tentei reunir aqui os seus principais significados. Ressalto cinco aspectos diversos, que provavelmente poderiam ser multiplicados se nos apro-

---

*Publicado pela primeira vez sob o título "Os diversos aspectos do renascimento" em: Eranos-Jahrbuch, 1939 (Rhein-Verlag, Zurique, 1940); revisto e ampliado sob o título acima, em *Gestaltungen des Unbewussten* (Psychologische Abhandlungen VII). Rascher, Zurique, 1950.

fundássemos; parece-me, porém, que com essas definições abrangemos os principais significados. Na primeira parte da minha dissertação apresento um breve sumário das várias formas de renascimento, ao passo que na segunda parte trato de seus diferentes aspectos psicológicos. [Na terceira parte, o processo de transformação é ilustrado através do exemplo de uma série de símbolos.]

1. Formas do renascimento

α. *Metempsicose*. Como podemos ver pelo exposto, o conceito de renascimento é multifacetado. Em primeiro lugar destaco a metempsicose, a transmigração da alma. Trata-se da ideia de uma vida que se estende no tempo, passando por vários corpos, ou da sequência de uma vida interrompida por diversas reencarnações. O budismo especialmente centrado nessa doutrina – o próprio Buda vivenciou uma longa série de renascimentos – não tem certeza se a continuidade da personalidade é assegurada ou não; em outras palavras, pode tratar-se apenas de uma continuidade do carma. Os discípulos perguntaram ao mestre, quando ele ainda era vivo, acerca desta questão, mas Buda nunca deu uma resposta definitiva sobre a existência ou não da continuidade da personalidade[1]. 200

β. *Reencarnação*. A segunda forma é a reencarnação, que contém (*eo ipso*) o conceito de continuidade pessoal. Neste caso, a personalidade humana é considerada suscetível de continuidade e memória; ao reencarnar ou renascer temos, por assim dizer potencialmente, a condição de lembrar-nos de novo das vidas anteriores, que nos pertenceram, possuindo a mesma forma do eu da vida presente. Na reencarnação trata-se em geral de um renascimento em corpos humanos. 201

γ. *Ressurreição (resurrectio)*. Uma terceira forma é a ressurreição, pensada como um ressurgir da existência humana, após a morte. Há aqui outro matiz, o da mutação, da transmutação, ou transformação do ser. Esta pode ser entendida no sentido essencial, isto é, o ser ressurrecto é um outro ser; ou a mutação não é essencial, no sentido de que somente as condições gerais mudaram como quando nos encon- 202

---

1. Cf. *Samyutta-Nikaya*, 16,12 [Kassapa-Samyutta, Sutta 12: "Após a morte", p. 286.]

tramos em outro lugar, ou em um corpo diferentemente constituído. Pode tratar-se de um corpo carnal, como na crença cristã de que o corpo ressurge. Em nível superior, este processo não é compreendido no sentido material grosseiro, mas se considera que a ressurreição dos mortos é um ressurgir do *corpus glorificationis*, do *subtle body* (corpo sutil), no estado de incorruptibilidade.

203 δ. *Renascimento (renovatio)*. A quarta forma diz respeito ao renascimento *sensu strictiori*; em outras palavras, ao renascimento durante a vida individual. A palavra inglesa *rebirth* é o equivalente exato da palavra alemã *Wiedergeburt* (renascimento) e parece não existir no francês um termo que possua o sentido peculiar do "renascimento". Essa palavra tem um matiz específico. Possui uma conotação que indica a ideia de *renovatio*, da renovação ou mesmo do aperfeiçoamento por meios mágicos. O renascimento pode ser uma *renovatio* sem modificação do ser, na medida em que a personalidade renovada não é alterada em sua essência, mas apenas em suas funções, partes da personalidade que podem ser curadas, fortalecidas ou melhoradas. Estados de doença corporal também podem ser curados através de cerimônias de renascimento.

204 Outra forma ainda é uma mutação propriamente dita, ou seja, o renascimento total do indivíduo. Neste caso, a renovação implica mudança da essência, que podemos chamar de transmutação. Trata-se da transformação do ser mortal em um ser imortal, do ser corporal no ser espiritual, do ser humano num ser divino. Um exemplo muito conhecido é o da transfiguração miraculosa de Cristo, ou a subida ao céu da Mãe de Deus com seu corpo, após a morte. Representações semelhantes podem ser encontradas no *Fausto*, segunda parte, isto é, a transformação de Fausto no Menino e depois no Dr. Mariano.

205 ε. *Participação no processo da transformação*. A quinta forma, finalmente, é o renascimento indireto. Neste caso, a transformação não ocorre diretamente pelo fato de o homem passar por morte e renascimento, mas indiretamente pela participação em um processo de transformação como se este se desse fora do indivíduo. Trata-se de uma participação ou presença em um rito de transformação. Pode ser uma cerimônia como a missa, por exemplo, em que se opera uma transubstanciação. Pela presença no ritual o indivíduo rece-

be a graça. Nos mistérios pagãos também existem transformações semelhantes, em que o neófito também recebe a graça, tal como sabemos acerca dos mistérios de Elêusis. Lembro-me da profissão de fé do neófito eleusino, que enaltece o efeito da graça sob a forma da certeza da imortalidade[2].

2. Psicologia do renascimento

O renascimento não é um processo de algum modo observável. Não podemos medi-lo, pesar ou fotografá-lo; ele escapa totalmente aos nossos sentidos. Lidamos aqui com uma realidade puramente psíquica, que só nos é transmitida indiretamente através de relatos. Falamos de renascimento, professamos o renascimento, estamos plenos de renascimento – e esta verdade nos basta. Não nos preocupamos aqui com a questão de saber se o renascimento é um processo de algum modo palpável. Devemos contentar-nos com a realidade psíquica. No entanto é preciso acrescentar que não estamos nos referindo à opinião vulgar acerca do "psíquico" que o considera um nada absoluto ou algo menos do que um gás. Muito pelo contrário, a meu modo de ver a psique é a realidade mais prodigiosa do mundo humano. Sim, ela é a mãe de todos os fatos humanos, da cultura e da guerra assassina. Tudo isso é primeiramente psíquico e invisível. Enquanto permanece "unicamente" psíquico não é possível experimentá-lo pelos sentidos, mas apesar disso trata-se indiscutivelmente de algo real. O fato de as pessoas falarem de renascimento e de simplesmente haver um tal conceito significa que também existe uma realidade psíquica assim designada. Como essa realidade é constituída, só o podemos deduzir a partir de depoimentos. Se quisermos descobrir o signi-

---

2. Cf. versos 480-482 do "*Demeterhymnus*" (Hino a Deméter) (DE JONG. *Das antike Mysterienwesen in religionsgeschichtlicher, ethnologischer und psychologischer Bedeutung*, p. 14):
    Bem-aventurado aquele que os viu nos habitantes da Terra!
    Mas não participou dos santos rituais
    Sorte diversa o aguarda na escuridão cega da morte!
Em um epitáfio de Elêusis (op. cit.) lê-se:
    Em verdade, os deuses bem-aventurados anunciam um belo segredo!
    Aos mortais não é maldição a morte, e sim bênção!

ficado do renascimento, devemos interrogar a história para saber quais as acepções que esta lhe dá.

207 O "renascimento" é uma das proposições mais originárias da humanidade. Esse tipo de proposição baseia-se no que denomino "arquétipo". Todas as proposições referentes ao sobrenatural, transcendente e metafísico são, em última análise, determinadas pelo arquétipo e por isso não surpreende que encontremos afirmações concordantes sobre o renascimento nos povos mais diversos. Um acontecimento psíquico deve subjazer a tais proposições. À psicologia cabe discutir o seu significado, sem entrar em qualquer conjetura metafísica e filosófica. Para obtermos uma visão abrangente da fenomenologia das vivências de transformação é necessário delimitar essa área com mais precisão. Podemos distinguir principalmente dois tipos de vivência: primeiro, a vivência da transcendência da vida, e, segundo, a de sua própria transformação.

A. A experiência da transcendência da vida

208 α. *Vivências mediadas pelo rito sagrado*. Pelo conceito de "transcendência da vida" entendo as experiências acima mencionadas feitas pelo neófito através de sua participação em um rito sagrado que lhe revela a perpetuidade da vida através de transformações e renovações. Nos dramas de mistérios a transcendência da vida é representada, em face de suas formas concretas e constantes de manifestação, geralmente através do destino de morte e renascimento de um deus ou herói divino. O neófito é pois simples testemunha do processo, ou um participante ativo do mesmo, ou um possuído pelo drama divino, ou ainda se identifica com o deus, através do ritual. O decisivo neste caso é que a substância, a existência ou forma da vida objetiva em um processo que transcorre por si mesmo, se transforma ritualmente, sendo que o neófito recebe a "graça", é influenciado, impressionado ou "consagrado" por sua simples presença ou participação. O processo da transformação não ocorre no neófito, mas fora dele, apesar de este encontrar-se envolvido no processo. O neófito participa ritualmente da morte, do despedaçamento e da dispersão do corpo de Osíris, por exemplo, e, logo em seguida, de sua ressurreição. Ele faz assim a experiência da permanência e continuidade da vida que ultra-

passa todas as modificações das formas manifestadas e sempre ressurge como fênix das próprias cinzas. Desta participação no evento ritual pode surgir, como efeito, aquela esperança de imortalidade, característica do neófito de Elêusis.

Um exemplo vivo do drama do mistério que representa a permanência e a transformação da vida é a missa. Se observarmos os fiéis durante o ofício litúrgico, podemos notar todos os graus de participação, da simples presença indiferente até a mais profunda compenetração emocionada. Os grupos masculinos que se aglomeram à porta da saída, conversando sobre coisas mundanas, fazendo o sinal da cruz e se ajoelhando mecanicamente partilham do ritual sagrado apesar de sua dispersão, pela simples presença no espaço cheio de graça. Na missa, Cristo é sacrificado através de um ato exterior ao mundo e atemporal, ressurgindo novamente na substância transformada pela consagração. A morte sacrifical no rito não é uma repetição do evento histórico, mas um ato eterno que ocorre por primeira e única vez. A vivência da missa é, pois, participação em uma transcendência da vida, que ultrapassa todas as barreiras de espaço e tempo. É um momento de eternidade no tempo[3].

β. *Experiências diretas*. Tudo o que o drama dos mistérios representa e produz no espectador também pode ocorrer sob a forma de uma experiência espontânea, extática ou visionária sem qualquer ritual. A visão do meio-dia de Nietzsche é um exemplo clássico disso[4]. Nietzsche, como é sabido, substitui o mistério cristão pelo mito de Dioniso-Zagreu, que foi desmembrado e retornou à vida ("...inteiramente abraçado pelo generoso amor da videira e escondido de si mesmo..."). Sua experiência tem portanto um caráter dionisíaco da natureza; a divindade aparece nas vestes da antiga natureza, é o momento da eternidade, a hora do meio-dia consagrada a Pan: "Acaso o tempo passou? Porventura estou caindo? Não cairia acaso no poço da eternidade?" O próprio "aro de ouro", o "anel do retorno" aparece a ele como uma promessa de ressurreição e vida[5]. É como se Nietzsche tivesse estado presente numa celebração de mistérios.

---

3. Cf. JUNG. *O símbolo da transformação na missa*.
4. *Also sprach Zarathustra*, p. 400s.
5. HORNEFFER. *Nietzsches Lehre von der Ewigen Wiederkunft*.

211	Muitas vivências místicas têm um caráter semelhante: representam uma ação em que o espectador fica envolvido, embora sua natureza não mude necessariamente. Do mesmo modo, muitas vezes os sonhos mais belos e impactantes não têm efeito duradouro ou transformador sobre o sonhador. Este pode sentir-se impressionado, sem contudo ver nisso obrigatoriamente um problema. Neste caso o sucedido permanece "do lado de fora", como uma ação ritual executada por outros. Tais formas mais estéticas de vivência devem ser cuidadosamente destacadas das que indubitavelmente envolvem mudanças na natureza da pessoa.

B. Transformação subjetiva

212	Transformações da personalidade não são ocorrências raras. Na realidade, elas desempenham um papel considerável na psicopatologia, embora sejam diversas das vivências místicas que acabamos de descrever e às quais a investigação psicológica não tem acesso fácil. No entanto, os fenômenos que a seguir examinaremos pertencem a uma esfera bastante familiar à psicologia.

213	α. *Diminuição da personalidade.* Um exemplo da alteração da personalidade no sentido da diminuição é-nos dado por aquilo que a psicologia primitiva conhece como *loss of soul* (perda de alma). A condição peculiar implícita neste termo corresponde na mente do primitivo à suposição de que a alma se foi, tal como um cachorro que foge à noite de seu dono. A tarefa do xamã é então capturar a fugitiva e trazê-la de volta. Muitas vezes a perda ocorre subitamente e se manifesta através de um mal-estar geral. O fenômeno se conecta estreitamente com a natureza da consciência primitiva, desprovida da firme coerência da nossa própria consciência. Possuímos controle sobre o nosso poder voluntário, mas o primitivo não o tem. São necessários exercícios complicados para que ele possa concentrar-se em qualquer atividade consciente e intencional que não seja apenas emocional e instintiva. Nossa consciência é mais segura e confiável neste aspecto. No entanto algo semelhante pode ocorrer ocasionalmente com o homem civilizado, só que não o descrevemos como uma *loss of soul*, mas como um *abaissement du niveau mental,* termo que Janet designou para este fenômeno⁶. Trata-se de um relaxamento da tensão da consciência, que pode ser comparada com uma baixa leitura barométrica, pressagiando mau tempo. O tônus cedeu, o que é sentido subjetivamente como peso, morosidade e depressão. Não se tem mais nenhum desejo ou coragem de enfrentar as tarefas do dia. A pessoa se sente como chumbo porque nenhuma parte do corpo parece disposta a mover-se, e isso é devido ao fato de não haver mais qualquer energia disponível⁷. Este fenômeno bem conhecido corresponde à *loss of soul* do primitivo. O estado de desânimo e paralisação da vontade pode aumentar a ponto de a personalidade desmoronar, por assim dizer, desaparecendo a unidade da consciência; as partes isoladas da personalidade tornam-se autônomas e através disso perde-se o controle da consciência. Criam-se assim, por exemplo, campos anestesiados ou amnésia sistemática. Esta última é um "fenômeno histérico de perda". Esta expressão médica corresponde à *loss of soul*.

O *abaissement* pode ser consequência de um cansaço físico e psíquico, de doenças somáticas, de emoções e choques violentos, cujo efeito é especialmente deletério sobre a autossegurança da personalidade. O *abaissement* sempre tem uma influência limitadora sobre a personalidade global. Diminui a autoconfiança e a iniciativa e limita o horizonte espiritual através de um egocentrismo crescente. Pode levar finalmente ao desenvolvimento de uma personalidade essencialmente negativa, que representa uma falsificação em relação à personalidade originária. 214

β. *Transformação no sentido da ampliação.* A personalidade, no início, é raramente aquilo que será mais tarde. Por isso existe pelo menos na primeira metade da vida a possibilidade de ampliação ou modificação da mesma. Ela pode ocorrer por influência exterior e isso através de novos conteúdos vitais que afluem e são assimilados. Neste caminho pode-se fazer a experiência de um acréscimo essencial da personalidade. Por isso é frequente supor que tal ampliação venha *exclusivamente* de fora e nisto se baseia o preconceito de que nos 215

---

6. *Les Névroses*, p. 358.
7. O fenômeno-gana descrito pelo conde Keyserling (*Südamerikanische Meditationen*) pertence a este domínio.

tornamos uma personalidade na medida em que recolhermos maximamente as experiências. Quanto mais seguirmos esta receita, pensando que todo acréscimo só vem de fora, tanto mais empobrecemos interiormente. Assim, pois, se formos tocados por uma grande ideia de fora, devemos compreender que ela só nos toca porque há algo em nós que lhe corresponde e vai ao seu encontro. Possuir disponibilidade anímica significa riqueza: não o acúmulo de coisas conquistadas. Só nos apropriamos verdadeiramente de tudo o que vem de fora para dentro, como também tudo o que emerge de dentro, se formos capazes de uma amplitude interna correspondente à grandeza do conteúdo que vem de fora ou de dentro. A verdadeira ampliação da personalidade é a conscientização de um alargamento que emana de fontes internas. Sem amplitude anímica jamais será possível referir-se à magnitude do objeto. Por isso diz-se com razão que o homem cresce com a grandeza de sua tarefa. Mas ele deve ter dentro de si a capacidade de crescer, senão nem a mais árdua tarefa servir-lhe-á de alguma coisa. No máximo, ela o destruirá.

216   O encontro de Nietzsche com Zaratustra que transformou o aforista crítico no poeta trágico e profético é um exemplo clássico dessa ampliação. Paulo é um exemplo semelhante: Cristo veio de repente ao seu encontro na estrada de Damasco. Embora o Cristo que apareceu a Paulo não fosse possível sem o Jesus histórico, o aparecimento de Cristo a Paulo não proveio do Jesus histórico, mas sim do seu inconsciente.

217   Num ponto culminante da vida em que o botão se abre em flor e do menor surge o maior, "um torna-se dois", e a figura maior – que sempre fomos, mas permanecia invisível – comparece diante do homem que fomos até então, com a força da revelação. O verdadeiramente pequeno e sem esperança sempre reduz à sua pequenez a revelação do grande e jamais compreenderá que o Juízo Final também despontou para a sua pequenez. O ser humano intimamente grande sabe porém que o amigo da alma, pelo qual há tanto ansiava, o imortal, chegou enfim de fato para levar "cativo seu cativeiro"[8], aquele que sempre trouxe em si aprisionado a fim de capturá-lo, permitindo que a sua vida desembocasse em sua própria vida: um momento de

---

8. *Ef* 4,8 [tradução de Lutero].

perigo mortal! A visão profética de Nietzsche ao deparar com o bailarino na corda bamba[9] desvela o perigo ameaçador da atitude do "equilibrista" diante de um acontecimento, a que Paulo deu o nome máximo de que foi capaz.

O próprio Cristo é o símbolo supremo do imortal que está oculto no homem mortal[10]. Habitualmente este problema é representado por um motivo dual, por exemplo, pelos Dioscuros, um dos quais é mortal e o outro, imortal. Um paralelo indiano é o do par de amigos:

218

> Dois amigos unidos, esvoaçantes,
> Abraçam juntos a mesma árvore;
> Um deles come a frutinha doce,
> O outro olha para baixo, sem comer.
>
> O Espírito sobre essa árvore pairando
> Sofre em sua impotência aflito, delirante;
> mas quando louva e contempla
> a onipotência e majestade do outro
> Vê sua dor se esvaindo[11].

Um paralelo digno de nota é a lenda islâmica do encontro de Moisés com Chidr ou al Chadir[12], ao qual voltarei mais adiante. Naturalmente, não podemos ver a transformação da personalidade no sentido da multiplicação, apenas sob a forma de tais vivências significativas. Existe também uma casuística trivial que pode ser compilada facilmente a partir dos casos clínicos e do processo de cura de pacientes nervosos. Todos os casos finalmente em que o reconhecimento de algo maior rebenta um anel de ferro que oprime o coração pertencem a esta categoria[13].

219

---

9. *Also sprach Zarathustra*, p. 21s.: "Tua alma morrerá mais depressa do que teu corpo".
10. Cf. mais pormenores in: JUNG. *Tentativa de uma interpretação psicológica do dogma da Trindade* [§ 226s.].
11. Svetâsvatara Upanishad IV, 6, 7, 9, in: DEUSSEN, *Sechzig Upanishads des Veda*, p. 301.
12. *O Corão*, 18ª Sura.
13. Em minha dissertação inaugural *Sobre a psicologia e patologia dos fenômenos chamados ocultos*, 1902, descrevi um caso desse tipo de ampliação da personalidade.

220 γ. *Modificação da estrutura interior*. Neste caso não se trata de ampliação nem de diminuição, mas de uma modificação estrutural da personalidade. Menciono como forma principal o *fenômeno da possessão*, o qual consiste no fato de um conteúdo, qualquer pensamento ou parte da personalidade, dominar o indivíduo, por algum motivo. Os conteúdos da possessão aparecem como convicções singulares, idiossincrasias, planos obstinados etc. Em geral, eles não são suscetíveis de correção. Temos de ser um amigo muito especial do possuído, disposto a arcar com as penosas consequências, se quisermos enfrentar uma tal situação. Recuso-me a traçar uma linha divisória absoluta entre possessão e paranoia. A possessão pode ser formulada como uma identificação da personalidade do eu com um complexo[14].

221 Um caso frequente é a identificação com a *persona*, que é o sistema da adaptação ou estilo de nossa relação com o mundo. Assim sendo, quase todas as profissões têm a sua persona característica. Tais coisas são fáceis de estudar atualmente, uma vez que as pessoas públicas aparecem fotografadas frequentemente na imprensa. O mundo exige um certo tipo de comportamento e os profissionais se esforçam por corresponder a tal expectativa. O único perigo é identificar-se com a persona, como, por exemplo, o professor com o seu manual, o tenor com sua voz; daí a desgraça. É que, então, se vive apenas em sua própria biografia, não se é mais capaz de executar uma atividade simples de modo natural. Pois já está escrito: "...e então ele foi para cá ou para lá; disse isso ou aquilo" etc. A túnica de Dejanira colou-se à pele de Héracles e nela se enraizou. É preciso a determinação desesperada de um Héracles para arrancar do corpo a túnica de Nesso e entrar no fogo da imortalidade, a fim de transformar-se naquilo que verdadeiramente é. Exagerando um pouco, poderíamos até dizer que a persona é o que não se é realmente, mas sim aquilo que os outros e a própria pessoa acham que se é[15]. Em todo caso a tentação de ser o

---

14. A respeito do conceito da Igreja de possessão, cf. DE TONQUÉDEC. *Les* Maladies nerveuses ou mentales et les manifestations diaboliques (prefaciado pelo Cardeal Verdier).
15. Nesse contexto pode ser útil ler *Aphorismen zur Lebensweisheit* de Schopenhauer (*Parerga und Paralipomena* I [cap. II: "Sobre o que se é" e cap. IV: "Sobre o que se representa"]).

que se aparenta é grande, porque a persona frequentemente recebe seu pagamento à vista.

Há também outros fatores que podem obcecar o indivíduo de forma decisiva. Entre eles, especialmente importante é a *função inferior*. Este não é o lugar adequado para tratar detalhadamente desta problemática[16]. Só quero ressaltar que a função inferior coincide com o lado obscuro da personalidade humana. O obscuro que adere a cada personalidade é a porta de entrada para o inconsciente, o pórtico dos sonhos. Dele saem aquelas duas figuras crepusculares, a "sombra" e a "anima", para entrar na parte noturna do sonho, nas visões oníricas ou, permanecendo invisíveis, tomam posse da consciência do eu. Um ser humano possuído por sua sombra está postado em sua própria luz, caindo em suas próprias armadilhas. Sempre que possível, ele prefere exercer uma impressão desfavorável sobre os outros. Em geral, não tem sorte, porque vive abaixo de si mesmo, e no máximo alcança o que não lhe convém. Onde não há soleira na qual possa tropeçar, ele a constrói, imaginando ter feito algo útil.

A possessão provocada pela *anima* ou *animus* apresenta entretanto uma outra imagem. Em primeiro lugar, ao dar-se a transformação da personalidade, evidenciam-se os traços do sexo oposto: no homem, o feminino e, na mulher, o masculino. No estado de possessão ambas as figuras perdem seu encanto e seus valores, que só possuem em estado de despreocupação em relação ao mundo (introversão), isto é, quando constroem uma ponte para o inconsciente. Voltada para fora, a anima é volúvel, desmedida, caprichosa, descontrolada, emocional, às vezes demoniacamente intuitiva, indelicada, perversa, mentirosa, bruxa e mística[17]. O animus, pelo contrário, é rígido, cheio de princípios, legalista, dogmático, reformador do mundo,

222

223

---

16. Este problema importante foi tratado com minúcias no cap. V de *Tipos psicológicos*.
17. Cf. descrição excelente da anima em Ulysses Aldrovandus (*Dendrologiae libri duo*, p. 146): "Ela aparecia simultaneamente como muito suave e muito dura, e embora mostrasse há quase dois mil anos as caras mais variáveis – a modo de um Proteu – cumulava de preocupações, inquietudes e aflições o amor. Suscitado certamente do caos, isto é, da confusão agatônica, do antigo cidadão bolonhês Lucius Agatho Priscus". Descrição semelhante encontra-se também na Hypnerotomachia de Poliphilo. (Cf. LINDA FIERZ-DAVID. *Der Liebestraum des Poliphilo*, p. 205s.)

teórico, emaranhando-se em argumentos, polêmico, despótico[18]. Ambos têm mau gosto: a anima é cercada de indivíduos medíocres e o animus se presta a pensamentos medíocres.

224   Outro caso de modificação estrutural diz respeito a algumas raras observações sobre as quais só posso externar-me com a maior reserva. Trata-se de estados de possessão em que esta é desencadeada por algo que poderíamos designar mais adequadamente por "alma ancestral" e precisamente como uma *determinada* alma ancestral. São casos de identificação visível com pessoas falecidas. (Os fenômenos de identificação ocorrem naturalmente após a morte do "ancestral".) Léon Daudet foi o primeiro a chamar minha atenção para tais possibilidades através do seu livro confuso, mas genial, *L'Hérédo*. Ele supõe que na estrutura da personalidade existem elementos ancestrais que repentinamente podem irromper sob certas condições. Através disso, o indivíduo pode precipitar-se subitamente em um papel ancestral. Agora sabemos que este papel tem um grande significado para o primitivo. Não há unicamente a suposição de que os espíritos ancestrais reencarnem nas crianças, mas tenta-se também transferi-los às crianças, dando-lhes os nomes correspondentes. Da mesma forma os primitivos procuram transformar-se a si próprios ritualmente nos ancestrais. Remeto a ideia australiana da *altjirangamitijna*[19] das almas ancestrais meio animais cuja revivificação através do culto tem o maior significado funcional para a vida da tribo. Essas ideias da idade da pedra eram amplamente difundidas, o que se pode reconhecer ainda através de numerosos vestígios em outros lugares. Por este motivo não é improvável que tais formas primordiais da vivência ainda se repitam hoje como identificações com almas ancestrais e acredito mesmo ter visto casos semelhantes.

225   δ. *Identificação com um grupo*. Passemos agora ao comentário de outra forma de transformação, que chamaremos de identificação com um grupo. Trata-se mais exatamente da identificação de um indivíduo com um certo número de pessoas que têm uma vivência de transformação coletiva. É uma situação psicológica especial, que não

---

18. Cf. EMMA JUNG. *Ein Beitrag zum Problem des Animus*.
19. Cf. o resumo em LÉVY-BRUHL. *La Mythologie primitive*.

deve ser confundida com a participação em um ritual de transformação, o qual é realizado de fato diante de um público, mas não depende de forma alguma de uma identidade de grupo nem gera necessariamente uma tal identidade. É algo bem diferente vivenciar a transformação no grupo do que em si mesmo. Em um grupo maior de pessoas ligadas e identificadas entre si por um estado de ânimo peculiar, cria-se uma vivência de transformação que tem apenas uma vaga semelhança com uma transformação individual. Uma vivência grupal ocorre em um nível inferior de consciência em relação à vivência individual. É um fato que, quando muitas pessoas se reúnem para partilhar de uma emoção comum, emerge uma alma conjunta que fica abaixo do nível de consciência de cada um. Quando um grupo é muito grande cria-se um tipo de alma animal coletiva. Por esse motivo a moral de grandes organizações é sempre duvidosa. É inevitável que a psicologia de um amontoado de pessoas desça ao nível da plebe[20]. Por isso, se eu tiver no grupo o que se chama uma vivência comunitária coletiva, esta ocorre em um nível de consciência relativamente inferior: por este motivo a vivência grupal é muito mais frequente do que uma vivência de transformação individual. É também muito mais fácil alcançar a primeira, pois o encontro de muitas pessoas tem uma grande força sugestiva. O indivíduo na multidão torna-se facilmente uma vítima de sua sugestionabilidade. Só é necessário que algo aconteça, por exemplo, uma proposta apoiada por todos para que cada um concorde, mesmo que se trate de algo imoral. Na massa não se sente nenhuma responsabilidade, mas também nenhum medo.

A identificação com o grupo é, pois, um caminho simples e mais fácil; mas a vivência grupal não vai mais fundo do que o nível em que cada um está. Algo se modifica em cada um, mas essa mudança não perdura. Pelo contrário: a pessoa depende continuamente da embriaguez da massa a fim de consolidar a vivência e poder acreditar nela. Quando não está mais na multidão, a pessoa torna-se outro ser, incapaz de reproduzir o estado anterior. Na massa predomina a *participation mystique*, que nada mais é do que uma identidade inconsciente. Por exemplo, quando se vai ao teatro, os olhares encontram ime-

---

20. Cf. LE BON. *Psychologie der Massen*.

diatamente os olhares que se ligam uns aos outros; cada um olha como o outro olha e todos ficam presos à rede invisível da relação recíproca inconsciente. Se esta condição se intensifica, cada um sente-se arrastado pela onda coletiva de identificação com os outros. Pode até mesmo ser uma sensação agradável – uma ovelha entre dez mil ovelhas. E se percebemos que essa multidão é uma grande e maravilhosa unidade tornamo-nos heróis exaltados pelo grupo. Voltando depois a nós mesmos, descobrimos que meu nome civil é este ou aquele, que moro nesta ou naquela rua, no terceiro andar e que aquela história, no fundo, foi muito prazerosa; e esperamos que amanhã ela se repita a fim de que eu possa me sentir de novo como um povo inteiro, o que é bem melhor do que ser apenas o cidadão x ou y. Como este é um caminho fácil e conveniente de ascensão a outros níveis de personalidade, o ser humano sempre formou grupos que possibilitassem vivências de transformação coletiva, frequentemente sob a forma de estados extáticos. A identificação regressiva com estados de consciência inferiores e mais primitivos é sempre ligada a um maior sentido de vida, donde o efeito vivificante das identificações regressivas com os ancestrais meio teriomórficos da Idade da Pedra[21].

227   A inevitável regressão psicológica dentro do grupo é parcialmente suprimida pelo ritual, isto é, pela cerimônia do culto que coloca no centro da atividade grupal a representação solene dos eventos sagrados, impedindo que a multidão caia numa instintividade inconsciente. Ao exigir a atenção e o interesse de cada indivíduo, a cerimônia do culto possibilita que o mesmo tenha uma vivência relativamente individual dentro do grupo, mantendo-se assim mais ou menos consciente. No entanto, se faltar a relação com um centro que expresse o inconsciente através de seu simbolismo, a alma da massa torna-se inevitavelmente o ponto focal de fascínio, atraindo cada um com seu feitiço. Por isso as multidões humanas são sempre incubadoras de epidemias psíquicas[22], sendo os acontecimentos na Alemanha nazista o evento clássico desse fenômeno.

---

21. O altjirangamitijna. Cf. os rituais das tribos australianas: SPENCER AND GILLEN. *The Northern Tribes of Central Australia*, bem como LÉVY-BRUHL. Op. cit.

22. Lembro-me do pânico catastrófico ocorrido em Nova York pouco antes da última guerra mundial, depois da emissão radiofônica de uma história fantástica de H.G. Wells [*War of the Worlds*] e que se repetiu recentemente em Quito.

Contra esta avaliação da psicologia das massas, essencialmente negativa, objetar-se-á que há também experiências positivas como por exemplo um entusiasmo saudável que incentiva o indivíduo a ações nobres, ou um sentimento igualmente positivo de solidariedade humana. Fatos deste tipo não devem ser negados. A comunidade pode conferir ao indivíduo coragem, decisão e dignidade que ele perderia facilmente no isolamento. Ela pode despertar nele a lembrança de ser um homem entre homens. Mas isso não impede que algo lhe seja acrescentado, algo que não possuiria como indivíduo. Tais presentes, muitas vezes imerecidos, significam no momento uma graça especial, mas a longo prazo há o perigo de o presente transformar-se em perda, uma vez que a natureza humana tem a debilidade de julgar que é indiscutivelmente sua tal dádiva; por isso, num momento de necessidade, passa a exigir esse presente como um direito seu em vez de obtê-lo mediante o próprio esforço. Infelizmente constatamos isso com grande clareza, na tendência de exigir tudo do Estado, sem refletir sobre o fato de que este é constituído por sua vez pelos mesmos indivíduos que fazem tais exigências. O desenvolvimento lógico desta tendência leva ao comunismo, no qual cada indivíduo escraviza a coletividade e esta última é representada por um ditador, isto é, um senhor de escravos. Todas as tribos primitivas, cuja ordem social é comunista, também têm um chefe com poderes ilimitados sobre elas. O estado comunista nada mais é do que uma monarquia absoluta em que não há súditos, mas apenas servos.

ε. *Identificação com o herói do culto.* Para a vivência da transformação também é importante a identificação com o deus ou herói que se transforma durante o ritual sagrado. Muitas cerimônias de culto têm por finalidade criar essa identificação. Na *Metamorfose* de Apuleio encontramos um bom exemplo disso: o neófito, que é um ser humano comum, é escolhido para ser Hélio coroado de palmas, coberto com um manto místico, venerado pela multidão. A sugestão da comunidade produz a identificação com o deus. A participação da comunidade também pode ocorrer sem a apoteose do neófito, mas o ofício sagrado é recitado e através dele ocorrem gradualmente mudanças psíquicas individuais nos participantes, através de um longo período de tempo. Exemplo disso é o culto de Osíris. Inicialmente somente o faraó participava do deus da transformação, na medida em que apenas ele tinha "um Osíris". Mais tarde os nobres do reino obtiveram também um

Osíris e finalmente o cristianismo coroou esse desenvolvimento, reconhecendo que todos têm uma alma imortal e participação direta na divindade. No cristianismo, a evolução continuou no sentido do Deus ou Cristo exterior transformar-se pouco a pouco no Cristo interior do indivíduo e, embora presente em muitos, permanece sempre um e o mesmo; uma verdade que já fora antecipada na psicologia do totem, em que durante as refeições o animal totêmico era morto e comido em muitos pedaços e no entanto era sempre único, tal como existe só *um* Menino Jesus e *um* Papai Noel.

230   Através da participação do destino do deus nos mistérios, o indivíduo transforma-se indiretamente. No cristianismo eclesial a vivência da transformação é indireta, na medida em que ocorre através da participação no ritual oficiado ou recitado. O ritual oficiado (*dromenon*) é uma das formas e o recitado, ou a "Palavra", ou ainda a "Mensagem" é a outra. A primeira é característica do culto ricamente elaborado da Igreja Católica. A segunda forma é o "anúncio da Palavra" no protestantismo.

231   ζ. *Procedimentos mágicos*. Outra forma de transformação é alcançada através de um rito usado para este fim. Em vez de se vivenciar a experiência de transformação mediante uma participação, o ritual é intencionalmente usado para produzir uma transformação. Este torna-se assim de certa forma uma técnica à qual nos submetemos. Por exemplo: um homem está doente e deveria ser "renovado" por isso. A renovação deveria "ocorrer-lhe" e para que ocorra ele é puxado através de um buraco feito na parede na cabeceira de seu leito e assim renasce. Ou então recebe um outro nome e com este uma nova alma. Desse modo os demônios não o reconhecem mais; ou ainda deve passar por uma morte figurada, ou então é puxado grotescamente através de uma vaca de couro que o devora pela boca e o expele por trás. Ou ainda, passa por uma ablução ou banho batismal, transformando-se em um ser semidivino, com um novo caráter e um destino metafísico transformado.

232   η. *Transformação técnica*. Além da utilização mágica do ritual existem ainda técnicas especiais que atraem além da graça correspondente ao ritual também o esforço do iniciado para alcançar a meta. Trata-se aqui de uma vivência de transformação produzida por meios técnicos. Pertencem a este contexto os exercícios denominados ioga no Oriente e *exercitia spiritualia* no Ocidente. Trata-se de uma técni-

ca determinada, prescrita com maior ou menor precisão, a fim de atingir um efeito psíquico determinado ou pelo menos tentar atingi-lo. É o caso tanto na ioga mental como nos métodos ocidentais correspondentes[23]. São técnicas, no pleno sentido da palavra, derivadas da reelaboração de processos e transformações naturais. Outrora, quando não existiam pressupostos históricos, havia transformações espontâneas, de certo modo naturais, e agora elas são utilizadas em suas sequências na técnica, a fim de alcançar a transformação. O modo pelo qual tais métodos devem ter surgido originalmente pode ser esclarecido sob a forma da seguinte lenda:

Era uma vez um velho estranho. Ele vivia numa caverna na qual se refugiara fugindo ao ruído das aldeias. Tinha a fama de mago e por isso possuía alunos que esperavam aprender com ele a arte da magia. Ele, porém, não cogitava disso. Só procurava saber o que não sabia, mas tinha a certeza do que sempre ocorria. Tendo meditado muito tempo sobre o que nossa meditação não alcança, não teve outra saída para sua situação precária a não ser pegar uma argila vermelha e fazer todo tipo de desenhos nas paredes de sua caverna, a fim de descobrir como aquilo que ele não sabia poderia ser. Depois de muitas tentativas chegou ao círculo. "Isto está certo", achou ele, "e mais um quadrilátero dentro" e assim ficou melhor. Os alunos estavam curiosos, mas sabiam apenas que algo acontecia com o velho; eles teriam gostado demais de descobrir o que realmente ele fazia. Perguntaram-lhe: "O que fazes lá dentro?" Mas o velho não dava nenhuma informação. Descobriram então os desenhos na parede e disseram: "Ah! É isso!", e copiaram os desenhos. Mas assim, sem perceber, inverteram todo o processo: anteciparam o resultado, esperando com isso forçar o processo que havia conduzido àquele resultado. Assim acontecia outrora e ainda acontece hoje.

θ. *Transformação natural*. Já mencionei antes que além dos processos de transformação técnicos há transformações naturais. Todas as ideias acerca do renascimento fundamentam-se neste fato. A própria natureza exige morte e renascimento. O velho alquimista Demócrito diz: "A natureza alegra-se com a natureza, a natureza abraça a natureza, e a natureza vence a natureza"[24]. Há processos naturais de

---

23. Cf. JUNG. "Considerações em torno da psicologia da meditação oriental" [OC, 11/5]
24. BERTHELOT. *Collection des anciens alchimistes grecs*, II, I, 3, p. 43 (45).

transformação que nos ocorrem, quer queiramos ou não, saibamos ou não. Tais processos produzem consideráveis efeitos psíquicos, que bastariam para que se indagasse reflexivamente o que realmente se produziu. Como o velho da nossa história, ele desenhará mandalas, entrará em seu círculo protetor e na perplexidade e angústia da prisão por ele mesmo escolhida à guisa de refúgio, se transformará em um ser semelhante aos deuses. Os mandalas são lugares de nascimento, ou melhor, conchas de nascimento, flores de lótus das quais nasce o Buda. O iogue sentado em flor de lótus vê-se transformado em uma figura imortal.

235   Os processos naturais de transformação são anunciados principalmente no sonho. Em outra parte apresentei uma série de símbolos oníricos do processo de individuação[25]. Eram sonhos que usavam sem exceção o simbolismo do renascimento. Em todo o caso, trata-se de um processo demorado de transformação interna e do renascimento em um outro ser. Este "outro ser" é o outro em nós, a personalidade futura mais ampla, com a qual já travamos conhecimento como um amigo interno da alma. Por isso é algo confortante para nós ao encontrarmos o amigo e companheiro reproduzido num ritual sagrado, como por exemplo naquela relação de amizade entre Mitra e o deus Sol, o que para a mente ilustrada representa um mistério, porquanto esta última costuma olhar para essas coisas sem empatia. No entanto, se ele levasse em conta o sentimento, descobriria que é o amigo o qual o Sol leva consigo em seu carro, tal como se vê nos monumentos. É a representação de uma amizade masculina, imagem externa de um fato interno: trata-se da representação da relação com o amigo interno da alma, no qual a própria natureza gostaria de nos transmutar: naquele outro, que também somos, e que nunca chegamos a alcançar plenamente. O homem é o par de um Dioscuro, em que um é mortal e o outro, imortal; sempre estão juntos e apesar disso nunca se transformam inteiramente num só. Os processos de transformação pretendem aproximar ambos, a consciência porém resiste a isso, porque o outro lhe parece de início como algo estranho e inquietante, e não podemos nos acostumar à ideia de não sermos

---

25. *Eranos-Jahrbuch* 1935. Este material encontra-se ampliado e reelaborado em *Psicologia e alquimia*.

senhores absolutos na própria casa. Sempre preferiríamos ser "eu" e mais nada. Mas confrontamo-nos com o amigo ou inimigo interior, e de nós depende ele ser um ou outro.

Não precisamos ser doentes mentais para ouvir a sua voz. Muito pelo contrário, ouvi-la é a coisa mais simples e natural. Podemos por exemplo fazer uma pergunta à qual ele responde. O fluxo das ideias continua como em uma conversa comum. Podemos chamá-la uma mera "associação" ou um "solilóquio" ou uma "meditação" dos antigos alquimistas, que designavam o parceiro do diálogo como "*aliquem alium internum*", como um outro interior[26]. Esta forma de colóquio com o amigo da alma foi até mesmo admitida por Inácio de Loyola no método dos *Exercitia spiritualia*[27], com a limitação, porém, de que só o meditador fala, mas a resposta interna é omitida. Esta seria repudiada por provir supostamente apenas do homem e assim continua até hoje. O preconceito não é moral ou metafísico, mas – o que é pior – sua natureza é intelectual. A "voz" é explicada como uma associação tola que prossegue de um modo sem sentido ou propósito, como um mecanismo de relógio que saiu do eixo. Ou então pensamos: "trata-se apenas de meus pensamentos", mesmo que um exame mais acurado revele que se trata de pensamentos rejeitados ou jamais admitidos conscientemente; como se tudo o que fosse psíquico pertencesse à alçada do eu! Esta *hybris* cumpre o ofício útil da manutenção e supremacia da consciência, que deve ser protegida da dissolução no inconsciente. Mas ela sucumbe quando o inconsciente resolve tornar obsessivos alguns pensamentos insensatos, ou gerar outros sintomas psicógenos pelos quais não queremos assumir responsabilidade alguma.

236

Nossa opinião sobre a voz interior move-se entre dois extremos: ou a vemos como um desvario total ou então como a voz de Deus. A ninguém ocorre que possa haver um meio-termo valioso. O "outro" que responde deve ser tão unilateral, por seu lado, quanto o eu. Do conflito entre ambos pode surgir verdade e sentido, mas isto só no caso de que o eu esteja disposto a conceder a personalidade que cabe

237

---

26. RULANDUS. *Lexicon alchemiae*, p. 327, verbete *meditatio*.
27. IZQUIERDO. *Praxis Exercitiorum spiritualium* (p. 10): "*Colloquium aliud non est, quam familiariter loqui cum Christo Domino*" etc. [O Colóquio nada mais é do que conversar intimamente com Cristo, o Senhor].

ao outro. Este último tem uma personalidade própria, sem dúvida, tanto quanto as vozes dos doentes mentais; porém um colóquio verdadeiro só se torna possível quando o eu reconhece a existência de um interlocutor. Este reconhecimento não é comum entre as pessoas, pois nem todos se prestam aos *Exercitia spiritualia*. Não se trata naturalmente de uma conversa quando somente um dirige a palavra ao outro – como faz George Sand em suas conversas com seu amigo espiritual[28]; só ele fala nas trinta páginas em questão e ficamos esperando inutilmente a resposta do outro. Ao colóquio dos *Exercitia* segue-se talvez a graça silenciosa, na qual o cético moderno não acredita. Mas como seria se Cristo com o qual falamos desse uma resposta imediata através das palavras de um coração humano pecador? Que terríveis abismos de dúvida se abririam então? Que loucura temeríamos? Compreende-se que é melhor a mudez das imagens divinas e que a consciência do eu acredite em sua supremacia em vez de prosseguir em suas associações. Compreende-se que o amigo interno apareça tantas vezes como inimigo e, por estar tão longe, sua voz é fraca. Quem "está próximo dele está próximo do fogo"[29].

Talvez esse alquimista estivesse pensando em algo parecido quando disse: "Escolhe para ti aquela pedra, mediante a qual os reis são venerados em suas coroas e os médicos curam seus doentes, porque ela está próxima do fogo"[30]. Os alquimistas projetam os acontecimentos internos em formas externas e assim o amigo interno neles aparece sob a forma da "pedra", da qual o *Tractatus aureus* diz: "Entendei, ó filhos dos sábios, o que clama a pedra: protege-me e eu te protegerei, dá-me o que é meu, a fim de que eu te ajude"[31]. Um es-

---

28. [Presumivelmente: *Entretiens journaliers avec le très docte et très habile-docteur Piffoël* etc.]

29. [*Neutestamentliche Apokryphen*, p. 35.]

30. Um Pseudo-Aristóteles in: *Rosarium philosophorum*, 1550, fol. Q.

31. "*Largiri vis mihi meum*" [Tu queres dar-me o que é meu] é o modo comum de ler, tanto na primeira edição de 1566, in: *Ars chemica*, sob o título *Septem tractatus seu capitula Hermetis Trismegisti, aurei*, como in: *Theatr. chem.*, 1613, IV, e MANGET. *Bibliotheca chemica curiosa* I, 400s. No *Rosarium philosophorum*, 1550, fol. E IV, encontra-se uma outra versão: "*Largire mihi ius meum ut te adiuvem*" [Dá-me o meu direito, a fim de que eu te ajude], o que representa uma das arbitrariedades interpretativas do anônimo do *Rosarium*, importante, porém, para a interpretação da alquimia.

coliasta acrescenta[32]: "O pesquisador da verdade ouve a pedra e o filósofo, como se ambos falassem por *uma* só boca". O filósofo é Hermes, e a pedra, idêntica a Mercúrio, corresponde justamente ao Hermes latino[33]. Desde os tempos mais remotos, Hermes é o mistagogo e o psicopompo dos alquimistas, seu amigo e conselheiro[34], que os conduz à meta da obra. Ele é *"tanquam praeceptor intermedius inter lapidem et discipulum"*[35]. A outros, porém, o amigo aparece sob a figura de Cristo ou do Chadir, ou de um guru visível ou invisível. Ele também pode aparecer na figura de qualquer dirigente pessoal ou social. Neste caso o colóquio é decididamente unilateral. Não há diálogo interior, pois a resposta possível aparece como ação do outro, isto é, como acontecimento externo. Tal resposta ao alquimista se manifestava através da transformação da matéria química. Quando um deles buscava a transformação, a descobria fora, na matéria, e a transformação da mesma clamava: "Eu sou a transformação"; alguns eram tão lúcidos, que sabiam: "é a *minha* transformação, mas não pessoal, e sim a transformação de algo mortal em algo imortal em mim, que se liberta do seu invólucro mortal, o qual sou eu, e desperta agora para sua própria vida, entra na Barca solar que talvez me leve"[36].

---

32. MANGET. Op. cit., p. 430b.
33. Comprovantes minuciosos in: *Psicologia e alquimia* [§ 84s.] e *O Espírito de Mercúrio* [§ 278s. e 289].
34. Cf. a bela oração do Astrampsychos: Ἐλθέ μοι, κύριε Ἑρμῆ, onde se lê no final: "Eu sou tu, e tu és eu" [REITZENSTEIN. *Poimandres*, p. 21].
35. MANGET. Op. cit.: "Semelhante ao professor mediador entre a pedra e o aluno".
36. A pedra e sua transformação é representada como a ressurreição do *homo philosophicus*, do segundo Adão (*Aurora consurgens, quae dicitur Aurea hora*, in: *Artis auriferae* I, p. 185s.), como alma humana (livro de Krates, in: BERTHELOT. *La Chimie au Moyen Âge*, III, 50), como ser subordinado e superordenado ao ser humano ("*Hic lapis est subtus te, quantum ad obedientiam: supra te, quo ad dominium: ergo a te, quantum ad scientiam: circa te, quantum ad aequales*" [Esta pedra está abaixo de ti, para obedecer; acima de ti para mandar; portanto dentro de ti, para reconhecer; e em torno de ti, como igual a ti]) (*Rosinus ad Sarratantam*, in: *Art. aurif.* I, p. 310, como vida ("*sanguis est anima, et anima est vita, et vita lapis noster est*" [o sangue é a alma, e a alma é a vida, e a vida é nossa pedra]) (*Tractatus Aristotelis*, in: *Art. aurif.* I, p. 364; como ressurreição dos mortos "Calidis liber secretorum", ibid., p. 347, bem como *Rachaidib fragmentum* in: *Art. Aurif.* I, p. 398 e 401), como Maria virgo (*De arte chimica*, in: *Art. aurif.* I, p. 582), como o próprio homem (*tu es eius minera... et de te extrahitur... et in te inseparabiliter manet*" [tu és seu mineral... e de ti ele é extraído... e em ti ele permanece inseparável]) (*Rosinus ad Sarratantam*, in: *Art. aurif.* I, p. 311).

239   Trata-se de um pensamento muito antigo. Estive no Alto Egito, na região de Assuan, e entrei numa sepultura do Egito Antigo, recentemente aberta. Atrás da porta da entrada havia uma cestinha de caniço com o cadáver seco de um recém-nascido envolto em trapos. Pelo visto a mulher de um trabalhador havia colocado furtivamente o recém-nascido morto dentro da sepultura de um nobre, a fim de que a criança participasse da salvação (do nobre) quando este entrasse na Barca solar para o nascer de um novo dia; a criança alcançaria a graça divina por ter sido enterrada em um lugar sagrado.

3. Exemplo de uma sequência de símbolos ilustrativos do processo de transformação

240   Como exemplo, escolho uma figura que desempenha um papel importante na mística islâmica, ou seja, Chadir, o reverdejante. Ele comparece na 18ª Sura do *Corão*, que contém o mistério do renascimento; ela se intitula "a gruta". A gruta é o lugar do renascimento, aquele espaço oco secreto em que se é encerrado, a fim de ser incubado e renovado. O *Corão* diz sobre ela: "Talvez tenhas visto o Sol, como se inclinava ao nascer, a partir de sua gruta, afastando-se para o lado direito e deixando a gruta à esquerda ao poente, enquanto eles (os adormecidos) permaneciam no meio espaçoso"[37]. O "meio" é o centro, onde jaz o tesouro, onde se dá a incubação, o processo do sacrifício ou ainda a transformação. O mais belo desenvolvimento deste simbolismo se encontra em fragmentos de altares mitraicos[38] e nas representações alquímicas da substância da transformação[39], que sempre aparece entre o Sol e a Lua. Representações da crucificação também seguem o mesmo tipo. A mesma disposição simbólica encontra-se na cerimônia de transformação (ou de cura) dos navajos[40].

---

37. P. 241.
38. CUMONT. *Textes et monuments figurés relatifs aux mystères de Mithra* II.
39. Cf. em especial a visão da coroação no sonho de Zósimo: "O qual trazia um objeto, branco a toda volta e brilhante na beleza mais madura e tinha o nome (*mesouranisma heliou*) 'posição do Sol no meio do céu'" (JUNG. *Algumas observações sobre as visões de Zósimo*, p. 23 [e *As visões de Zósimo*, § 86]).
40. MATTHEWS. *The Mountain Chant*, e STEVENSON. *Ceremonial of Hasjelti Dailjis*.

Esse lugar do meio ou da transformação é a gruta, em que os sete adormecidos foram descansar, sem saber que dentro dela experimentariam um acréscimo de vida no sentido de uma relativa imortalidade. Ao despertar, haviam dormido 309 anos.

A lenda tem o seguinte sentido: Quem por acaso chega nessa gruta, ou seja, na gruta que cada um tem dentro de si, ou na escuridão que fica por detrás da sua consciência, é envolvido num processo de transformação, a princípio inconsciente. Através dessa entrada no inconsciente ele produz uma conexão de sua consciência com os conteúdos inconscientes. Pode então ocorrer uma grande modificação de sua personalidade no sentido positivo ou negativo. Frequentemente essa transformação é interpretada no sentido de um prolongamento da vida natural ou como um direito à imortalidade. O primeiro sentido é o caso de muitos alquimistas, principalmente o de Paracelso (no tratado *De vita longa*[41]), e o segundo é o caso clássico do mistério eleusino.

O número dos sete adormecidos indica, pela sacralidade do número sete[42], que se trata de deuses transformados durante o sono, assim gozando de eterna juventude[43]. Graças a essa constatação sabemos antecipadamente que estamos lidando com uma lenda *misteriosófica*. O destino das figuras numinosas, narrado nessa lenda, fascina o ouvinte, porque o relato expressa processos paralelos em seu in-

---

41. Uma representação da doutrina secreta a que faz alusão este tratado encontra-se em *Paracelso como fenômeno espiritual* [§ 170s.] de minha autoria.

42. As diversas visões da lenda referem-se ora a sete, ora a oito jovens. No relato do *Corão*, o oitavo é um cão. O *Corão* menciona ainda outras versões (na sura 18): "Alguns dizem: teriam sido... três, e o seu cão, o quarto; outros afirmam: teriam sido cinco, e contando com o cão, seis... Outros ainda dizem: teriam sido sete e com o cão, oito" (p. 242). O cão pertence obviamente à estória. Poderia tratar-se aqui da dúvida característica do sete e do oito (tal como do três e quatro), que ressaltei in: *Psicologia e alquimia* [§ 200s.]. Lá aparece, do sete ao oito, a figura de Mefisto, o qual surgiu notadamente do cão, do cachorro lanudo. Do três ao quatro, o quarto é o diabo ou o feminino, em grau mais elevado, a *mater Dei* (cf. meus comentários in: *Psicologia e religião* [§ 124s.]). Poderia tratar-se de uma dúvida semelhante à da contagem do nove egípcio (*paut = company of the gods*; cf. BUDGE, *The Gods of the Egyptians* I, p. 88). A lenda refere-se à perseguição dos cristãos, de Décio, por volta de 250. Ela ocorre em Éfeso, onde João "dorme", mas ainda não morreu. Os sete adormecidos despertavam de novo sob o reinado do Imperador Teodósio II (408 a 450). Dormiram, portanto, quase 200 anos.

43. Os sete são os sete antigos deuses planetários. Cf. BOUSSET. *Hauptprobleme der Gnosis*, p. 23s.

consciente, integrando-os assim à consciência. A repristinação do estado originário significa que a vida atingiu novo frescor juvenil.

243   A história dos sete adormecidos é seguida, no texto do *Corão*, por considerações morais aparentemente desconexas. Mas a desconexão é apenas aparente; na realidade, o texto é a matéria utilizada por aqueles que não podem renascer, mas se contentam com a conduta moral, isto é, com a obediência à lei. Muitas vezes, o comportamento que se molda pelas prescrições é o substitutivo da transformação espiritual[44]. Ao comentário edificante segue-se então a história de Moisés e seu servo Josué ben Nun:

> Moisés disse certa vez a seu servo: eu não quero parar de caminhar, mesmo que tenha de viajar por oitenta anos até chegar ao lugar de encontro dos dois mares. Depois de alcançarem esse lugar, esqueceram o peixe que seguiu seu caminho por um canal até o mar. Depois de haverem passado por esse lugar, Moisés disse a seu servo: – Traze-nos o do meio-dia, pois estamos cansados com esta viagem. O servo respondeu: – Vê o que me aconteceu! Quando acampávamos lá, junto à rocha, eu me esqueci do peixe. Só satanás pode ter sido a causa desse esquecimento e falta de lembrança, e de um modo estranho (o peixe) seguiu o caminho para o mar. Então Moisés lhe disse: – É lá, portanto, o lugar que procuramos. E retrocederam pelo mesmo caminho que haviam seguido. Nele encontraram um dos nossos servos que havíamos dotado de graça e sabedoria. Moisés disse-lhe: – Devo seguir-te para que me ensines uma parte da sabedoria que aprendeste, para minha ori-

---

44. Nas Epístolas Paulinas são discutidas amplamente a obediência à lei, por um lado, e a liberdade dos "filhos de Deus", portanto, dos renascidos, por outro. Trata-se, portanto, de duas categorias de seres humanos relativamente diferentes – separadas por um maior ou menor desenvolvimento da consciência –, como também do homem superior e inferior num mesmo indivíduo. O *sarkikos* (carnal) permanece eternamente submetido à lei, ao passo que o *pneumatikos* (espiritual) é o único capaz de renascer para a liberdade. A este estado de coisas corresponde o paradoxo aparentemente insolúvel da exigência absoluta de obediência à Igreja e da libertação da lei por ela afirmada ao mesmo tempo. Assim a lenda no texto do *Corão* fala ao *pneumatikos* e promete renascimento àquele que tem ouvidos para ouvir. Mas quem não tem ouvido interior, como o *sarkikos*, encontra satisfação e orientação segura em seu caminho, na cega submissão à vontade de Alá.

entação? Mas o servo respondeu: – Não aguentarás ficar a meu lado; como suportarias pacientemente estar perto de coisas que não podes compreender? Moisés porém respondeu: – Se Deus quiser, verás que sou paciente, e não te desobedecerei em nada. O Outro retrucou: – Pois bem, se quiseres seguir-me, não poderás perguntar-me coisa alguma, até que eu, espontaneamente, te ofereça a explicação. E, assim, ambos seguiram até chegar a um barco no qual o Outro fez um furo. Moisés disse então: – Será que fizeste um furo para que a tripulação se afogue? Acho estranho o que fizeste. O Outro porém respondeu: – Eu já te dissera antes que não aguentarias ficar pacientemente a meu lado? Moisés respondeu: – Não me repreendas por tê-lo esquecido e não tornes tão difícil a ordem da obediência. Ao continuar, encontraram um jovem que o Outro matou. Moisés disse então: – Mataste um homem inocente, que não havia cometido nenhum assassinato. Na verdade cometeste uma ação injusta. Mas o Outro respondeu: – Já não te dissera antes que não aguentarias ficar pacientemente a meu lado? Ao que Moisés respondeu: – Se eu te perguntar mais alguma coisa, não precisas continuar a suportar-me em tua companhia. Aceita isso como desculpa. E continuaram até chegar a uma certa cidade onde pediram comida a seus habitantes; mas estes recusaram-se a hospedá-los. Lá encontraram um muro que ameaçava ruir; o Outro porém o escorou. Moisés disse-lhe: – Se quisesses poderias ser remunerado por esse trabalho. Mas o Outro respondeu: – Aqui vamos separar-nos. Antes porém quero revelar-te o significado das coisas que não pudeste suportar com paciência. Aquele barco pertencia a pessoas pobres, que trabalhavam no mar, e eu o inutilizei porque um rei pirata os perseguia, saqueando cada barco que encontrava. No que concerne ao jovem que matei, os seus pais são pessoas de fé e temíamos que os contaminasse com seus extravios e falta de fé; por isso desejávamos que o Senhor lhes desse em troca um filho melhor, mais piedoso e mais amoroso. Aquele muro pertence a dois jovens da cidade que são órfãos. Debaixo do muro está enterrado um tesouro que lhes caberá, e, como seu pai era um homem honrado, é a vontade do teu Senhor que eles mesmos ao atingirem a maioridade retirem o tesouro pela graça do teu Senhor. Eu não agi portanto por capricho. Vê, esta é a explicação daquilo que não conseguiste suportar com paciência[45].

244   Esta história é uma ampliação e elucidação da lenda dos sete adormecidos e do problema do renascimento sugerido por esta última. Moisés é o homem que está em busca (*quest*) de algo. É acompanhado nessa viagem por sua "sombra", pelo "servo" ou homem "inferior" (*pneumatikos* e *sarkikos* em *dois* indivíduos). Josué é o filho de Nun. Este é o nome que significa peixe[46], o que indica que Josué descende da profundidade da água, do obscuro e do mundo da sombra. O lugar crítico é alcançado no "encontro dos dois mares". Entre outras coisas, este lugar é interpretado como sendo o istmo de Suez, onde confluem os mares do Ocidente e do Oriente. Trata-se, portanto, do lugar do meio, que já encontramos mencionado no preâmbulo simbólico, mas cuja importância o homem e sua sombra não reconheceram no primeiro momento. É que eles haviam esquecido o seu peixe, o qual representa a fonte discreta de alimento. O peixe refere-se a Nun, pai da sombra e do homem carnal, que tem sua origem na obscuridade do Criador. O peixe despertara para a vida, saltando para fora do cesto, em direção à sua pátria, o mar; em outras palavras, o pai, o ancestral animal e criador da vida, separa-se do homem consciente, o que equivale a uma perda da alma instintiva. Este processo é um fenômeno de dissociação bem conhecido na psicopatologia das neuroses, que está sempre relacionada com uma unilateralidade da atitude consciente. Na medida em que os processos neuróticos nada mais são do que exageros de acontecimentos normais, não é de admirar-se que coisas muito parecidas também sucedam dentro do âmbito da normalidade. Trata-se da conhecida "perda da alma" dos primitivos, tal como descrevi acima no capítulo sobre a diminuição da personalidade; em linguagem científica trata-se de um *abaissement du niveau mental*. Moisés e seu servo logo percebem o que aconteceu.

245   Moisés, cansado, sentou-se, com fome. Provavelmente sentiu primeiro uma falta fisiológica! O cansaço é um dos mais frequentes sintomas de uma tal perda de energia (libido). O processo total descreve

---

45. P. 246s.
46. Cf. VOLLERS. *Chidher*, p. 241s.

algo típico: *o não reconhecimento de um momento de vital importância*, motivo ou tema que encontramos numa grande variedade de formas míticas. Moisés reconhece que inconscientemente encontrara a fonte da vida e que de novo a perdera, o que podemos ver como uma notável intuição. O peixe que queriam comer, incorporando-o, é um conteúdo do inconsciente, através do qual é restabelecida a conexão com a origem. Ele é o renascido e o que despertou para uma nova vida. Isso aconteceu, segundo dizem os comentários, mediante um contato com a água da vida. Ao escapar para o mar, o peixe torna-se de novo um conteúdo do inconsciente e seus descendentes caracterizam-se por terem apenas um olho e meia cabeça[47].

A alquimia também conhece um estranho peixe no mar, o "peixe redondo sem pele nem ossos"[48], o qual representa o "elemento redondo", o germe da "pedra viva" do *filius philosophorum*. A água da vida teve seu paralelo na *acqua permanens* da alquimia. Esta água é enaltecida como *vivificans*, além de ter a propriedade de dissolver tudo o que é sólido e coagular tudo o que é líquido. Os comentários do *Corão* mencionam que o mar, no lugar em que o peixe desapareceu, tomou-se solo firme, onde ainda poderiam ser reconhecidos os vestígios do peixe[49]. Naquela ilha estaria sentado o chadir, no lugar do meio. Uma interpretação mística diz que ele estaria sentado "em um púlpito (trono) constituído de luz, entre o mar de cima e o mar de baixo"[50], logo também numa posição central. O aparecimento do chadir parece estar em conexão secreta com o desaparecimento do peixe. Parece que ele mesmo tenha sido o peixe. Esta conjetura é confirmada pelo fato dos comentários transferirem a fonte da vida para o lugar da tenebrosidade[51]. A profundidade do mar é tenebrosa (*mare tenebrositatis*!). A escuridão tem seu paralelo na *nigredo* alquímica, que ocorre depois da *coniunctio*, quando o feminino rece-

246

---

47. Op. cit., p. 253.
48. *Allegoria super Turbam*, in: *Art. Aurif*. I, p. 141 [*Aion*, § 195s.].
49. VOLLERS. Op. cit., p. 244.
50. Op. cit., p. 260.
51. Op. cit., p. 258.

be em si o masculino[52]. Da *nigredo* surge a "pedra", o símbolo do si-mesmo imortal; aliás, seu primeiro aparecimento é comparado a "olhos de peixe"[53].

247   O Chadir deve representar também o si-mesmo. Suas propriedades qualificam-no como tal: parece que nasceu numa gruta, portanto nas trevas; é o "longevo" e, como Elias, sempre se renova. Como Osíris, no fim de seus dias, é despedaçado pelo Anticristo, mas pode despertar novamente para a vida. É análogo ao segundo Adão, com o qual é identificado o peixe, que revive[54]: um conselheiro, um paráclito, ou "irmão Chadir". Em todo caso Moisés o reconhece como uma consciência mais elevada e espera ser instruído por ele. Seguem-se então aquelas ações incompreensíveis, mostrando como a consciência do eu reage à orientação superior do destino do si-mesmo. Para o iniciado, capaz de transformação, trata-se de um relato consolador; para o obediente, porém, uma exortação para não resmungar contra a onipotência incompreensível de Alá. Chadir não representa apenas

---

52. Cf. o mito da *"Visio Arislei"*, sobretudo na versão do *Rosarium philosophorum* (*Art. aurif.* II, p. 246), a submersão do Sol no poço de Mercúrio, e o leão verde que devora o Sol (op. cit., p. 315 e 366). Cf. acerca disso *Psicologia da transferência* [§ 467s. do vol. XVI].

53. A pedra branca aparece durante o processo na borda do recipiente como "pedras preciosas do Oriente, como olhos de peixe" (*"tanquam oculi piscium"*; cf. HOLLANDUS. *Opera mineralia*, p. 286; também LAGNEUS. *Harmonia chemica*, in: *Teatr. chem.*, 1613, IV, p. 870). Os olhos aparecem ao findar a nigredo, quando começa a albedo. Uma analogia correspondente são as *scintillae* que surgem na matéria escura. Esta ideia remete a Zc 4,10: "*Quis enim despexit dies parvos? Et lactabuntur, et videbunt lapidem stanneum in manu Zorobabel. Septem isti, Oculi sunt Domini, qui discurrunt in universam terram*". ["Sim, aqueles que desprezaram o dia dos pequenos começos, verão, todos, com alegria o fecho da abóboda na mão de Zorobabel. Esses sete são os olhos do Senhor, que passam sobre toda a Terra."] (Cf. Eirenaeus Orandus na introdução ao Tratado de Flammel acerca dos hieróglifos, fol. A5). Trata-se dos sete olhos de Deus na pedra fundamental do templo novo (Zc 3,9). Os sete indicam as sete estrelas, os deuses planetários, representados pelos alquimistas em caverna subterrânea (MYLIUS. *Philosophia reformata*, p. 167). São os que "dormem no Hades" ou lá "estão encarcerados" (BERTHELOT. *Alch. grecs.*, IV, xx, 8, p. 181). É uma alusão à lenda dos sete adormecidos.

54. VOLLERS. Op. cit., p. 254. Possivelmente devido a uma influência cristã. Cf. a refeição de peixe dos cristãos primitivos, e o simbolismo do peixe em geral. Quanto à simbólica do peixe, cf. minha obra *Aion – Estudos sobre o simbolismo do si-mesmo*.

a sabedoria superior, mas também um modo de agir correspondente a ela, o qual ultrapassa a razão humana.

O ouvinte de um relato semelhante de mistério reconhecer-se-á a si mesmo no Moisés que busca e no Josué distraído, e a história mostrar-lhe-á como se processa o renascimento, o qual propicia a imortalidade. O característico é que nem Moisés, nem Josué, são transformados, mas apenas o peixe esquecido. O lugar em que o peixe desaparece é o lugar do nascimento de Chadir. O ser imortal surge das coisas despercebidas e desprezadas e até do completamente improvável. Este é um tema corrente do nascimento do herói e não necessita ser comprovado[55]. O estudioso da Bíblia lembrar-se-á de *Isaías* 53,2s., onde é descrito "o servo de Deus", e das histórias do nascimento nos Evangelhos. O caráter de alimento da substância ou deidade transformadora é encontrado em muitos relatos de cultos: Cristo é o pão, Mondamin, o milho, Dioniso, o vinho etc. Com estes símbolos encobre-se uma realidade psíquica que, do ponto de vista da consciência, significa provavelmente apenas algo a ser assimilado, mas cuja natureza própria passa despercebida. O símbolo do peixe alude diretamente a isso: é a influência "nutritiva" dos conteúdos inconscientes, os quais mantêm a vitalidade da consciência através de um influxo energético contínuo, uma vez que a consciência não produz sua própria energia. Aquilo que é passível de transformação é essa raiz da consciência despercebida e quase invisível (= inconsciente), da qual provém, no entanto, toda a força da consciência. Uma vez que o inconsciente nos dá a impressão de ser algo estranho, um não eu, é natural que seja representado por uma figura fora do comum. Por um lado, é a coisa mais insignificante, mas, por outro, na medida em que contém aquela totalidade "redonda" em potencial, que falta à consciência, é também a coisa mais significativa. O "redondo" é o grande tesouro que jaz oculto na ca-

248

---

55. Mais exemplos in: *Transformações e símbolos da libido* [Segunda Parte]. Em vez de muitas provas alquímicas, cito o verso antigo: "*Hic lapis exilis extat, pretio quoque vilis, / Spernitur a stultis amatur plus ab edoctis*" ["Esta pedra invisível é de pequeno valor; quanto mais desprezada pelos tolos, tanto mais apreciada pelos sábios"] (*Rosarium philosophorum*, in: *Art. aurif.* II, p. 210). A "*lapis exilis*" pode eventualmente constituir a ponte para a "*lapsit exillis*", o Graal de Wolfram Von Eschenbach.

verna do inconsciente[56] e cuja personificação é justamente este ser pessoal que constitui a unidade mais elevada da consciência e do inconsciente. É uma figura comparável a Hiranyagarbha, Purusha, Atmã e ao Buda místico. Por este motivo escolhi para ela o termo "si-mesmo", entendendo-o como uma totalidade anímica, ao mesmo tempo um centro, sendo que ambos não coincidem com o eu, mas o incluem, como um círculo maior contém o menor.

249   A intuição da imortalidade relaciona-se com a natureza peculiar do inconsciente. Há neste algo de não espacial e de atemporal. A prova empírica deste fato encontra-se nos chamados fenômenos telepáticos que, no entanto, ainda são negados por um ceticismo exagerado, mas que na realidade ocorrem com muito mais frequência do que em geral se acredita[57]. A intuição da imortalidade repousa, a meu ver, num *sentimento peculiar de expansão espaçotemporal*. Parece-me também que os ritos de deificação dos mistérios representam uma projeção desses fenômenos anímicos.

250   O caráter do si-mesmo como uma personalidade é expresso com especial clareza na lenda do Chadir. Este elemento manifesta-se de modo extraordinário nos relatos sobre o Chadir, não contidos no *Corão*. Vollers dá exemplos expressivos em seu trabalho várias vezes citado. Em uma estada no Quênia, o guia do safári era um somali educado no sufismo. Para ele, o Chadir era uma figura completamente viva e ele me assegurava que eu poderia encontrar-me com o Chadir a qualquer momento, porque eu era um *m'tu-ya-kitâbu*[58], um "homem do Livro" (isto é, do *Corão*). Ele havia percebido nas nossas conversas que eu conhecia o *Corão* melhor do que ele mesmo. (O que aliás não quer dizer grande coisa.) Por isso ele também me considerava um *"islamu"*. Dizia-me que eu poderia encontrar o Chadir na rua, sob a forma de um homem ou que ele poderia aparecer-me durante a noite como uma pura luz branca, ou então – e neste momento arrancou sorrindo um

---

56. Cf. "As visões de Zósimo" in: *Von den Wurzeln des Bewusstseins*.

57. Cf. RHINE. *Neuland der Seele*. Aqui também um apanhado geral dos primeiros experimentos. Até hoje não foram levantadas objeções convincentes a esses resultados. Eles correm, portanto, o perigo de serem ignorados.

58. Trata-se da língua quissuahíli, a língua franca da África Oriental. Contém muitas palavras de origem árabe, conforme mostra este exemplo: *kitâb* = livro.

talo de grama – o reverdejante também poderia ser visto assim. Certa vez recebera, ele mesmo, consolo e ajuda do Chadir: depois da guerra estivera muito tempo desempregado e sofria dificuldades. Uma noite porém, enquanto dormia, teve o seguinte sonho: *viu na porta uma clara luz branca e sabia que era o Chadir. No sonho, levantou-se com rapidez e cumprimentou-o respeitosamente com salem aleikum (a paz esteja contigo) e sabia que agora o seu desejo seria satisfeito.* E realmente alguns dias depois recebeu uma oferta para ser chefe de safári (expedição) por uma firma de equipamentos de Nairóbi.

Esse caso mostra como também atualmente o Chadir ainda vive na religião popular, como amigo, conselheiro consolador e também como mestre de sabedoria revelada. Sua posição dogmática foi descrita por meu somali como *maleika kwanza-ya-mungu* = anjo de Deus, portanto um tipo de "anjo da Face", um verdadeiro *angelos*, um mensageiro.

251

O caráter de amigo do Chadir explica a parte da 18ª Sura que se segue. Eu transcrevo o texto literalmente:

252

> Os judeus perguntar-te-ão também sobre Dhulkarnain. Responde: Quero contar-vos uma história sobre ele. Consolidamos seu reino sobre a Terra, e lhe demos os meios de satisfazer todos os seus desejos. Certa vez seguia seu caminho até chegar ao lugar onde o Sol se põe e pareceu-lhe que o Sol se punha dentro de um poço cheio de lodo negro. Lá encontrou um povo. E nós lhe dissemos: Ó Dhulkarnain, castiga este povo ou mostra-te clemente para com ele, ao que o primeiro respondeu: aquele que agir injustamente, a este castigaremos, e depois então deverá voltar ao seu Senhor, que o castigará ainda mais severamente. Aqueles porém que acreditam e agem corretamente, receberão a recompensa mais maravilhosa e tornaremos suaves para eles as nossas ordens. Caminhou então o seu caminho, até chegar ao lugar onde nasce o Sol. Encontrou-o nascendo sobre um povo ao qual nada déramos a fim de que se protegessem. Isto é verdade, pois abarcamos em nosso saber todos os que estavam com ele. E prosseguiu seu caminho, até chegar entre duas montanhas, onde encontrou um povo, que mal conseguia compreender a sua língua. Disseram-lhe: Ó Dhulkarnain, Gog e Magog estão perverten-

do o país. Ficarias satisfeito se te pagássemos um tributo com a condição de construíres uma trincheira entre nós e eles? Ele retrucou: a força que o meu Senhor me deu é melhor que o vosso tributo. Ficai apenas firmemente a meu lado, que levantarei uma trincheira firme entre vós e eles. Trazei-me grandes peças de ferro a fim de preencher o espaço entre as duas vertentes da montanha. E continuou, dizendo: Soprai os foles a fim de que o ferro arda como o fogo. E continuou: trazei-me metal derretido para que eu derrame sobre ele. Assim, eles (Gog e Magog) não poderiam nem escalar a trincheira, nem perfurá-la. Então disse Dhulkarnain: Fiz isso com a graça do meu Senhor. Mas quando um dia a promessa do meu Senhor for cumprida, Ele transformará a trincheira em pó; a promessa do meu Senhor, porém, é verdadeira. Naquele dia deixaremos os homens caírem uns sobre os outros, como as ondas do mar; e quando a trombeta soar reuniremos a todos. Naquele dia daremos o inferno aos infiéis, cujos olhos estavam vendados e ouvidos cerrados, de forma que não podiam ouvir minha advertência.

253   Encontramos de novo aqui uma daquelas incoerências que não são raras no *Corão*. Como podemos interpretar esta passagem aparentemente abrupta para o *Dhulkarnain*, o Bicornudo, isto é, Alexandre, o Grande? Independentemente do anacronismo inacreditável (a cronologia de Maomé deixa em geral muito a desejar) não se vê bem como Alexandre é trazido para esse contexto. Mas devemos lembrar que Chadir e Dhulkarnain são *o* grande par de amigos que é comparado com razão por Vollers aos Dioscuros. A relação psicológica deve ser mais ou menos a seguinte: Moisés tivera uma vivência tremenda do si-mesmo que revelara com grande clareza a seus olhos processos inconscientes. Depois, ao chegar até seu povo, os judeus, que são contados entre os infiéis, desejando contar-lhes algo sobre sua vivência, prefere fazê-lo novamente sob a forma de uma lenda de mistério. Em vez de falar de si mesmo prefere falar do "Bicornudo". O próprio Moisés também é cornudo de forma que a substituição de Dhulkarnain é plausível. O primeiro deveria contar e descrever a história desse amigo, isto é, como Chadir ajudou seu amigo. Dhulkarnain caminha em direção ao poente e, em seguida, ao nascente. Ele des-

creve portanto o caminho da renovação do Sol através de morte e escuridão para uma nova ascensão. Isso alude novamente ao fato de que é Chadir que ajuda o homem, não só nas necessidades do corpo, mas também no sentido de seu renascimento[59]. O *Corão* não faz distinção alguma nesta representação entre Alá, que fala de si mesmo como um de nós, e Chadir. Mas é claro que, nesse trecho, as ações de auxílio já descritas, simplesmente prosseguem, donde se conclui o quanto Chadir representa uma exemplificação ou "encarnação" de Alá. A relação de amizade entre Chadir e Alexandre tem um papel especial nos comentários, tal como a relação com o Profeta Elias. Vollers não hesita em estender a comparação ao par de amigos Gilgamesh e Enkidu[60].

Moisés deve relatar, portanto, a seu povo os atos do par de amigos à maneira de uma lenda de mistério impessoal. Psicologicamente, isso deve significar que a transformação deve ser representada ou sentida como se acontecesse a "outro". Ainda que o próprio Moisés ocupe o lugar de Dhulkarnain em sua vivência com Chadir, o primeiro deve mencionar este último e não a si mesmo, ao contar a história. Dificilmente isso é acidental, pois o grande perigo psíquico ligado à individuação, o tornar-se quem se é, reside na identificação da consciência do eu com o si-mesmo. Isso produz uma inflação que ameaça dissolver a consciência. Toda cultura mais primitiva ou mais antiga tem uma sensibilidade mais fina em relação aos *perils of the soul* e à periculosidade e ambiguidade dos deuses. Em outras palavras: tais culturas ainda não perderam um certo instinto anímico para os processos de fundo, quase imperceptíveis, mas de vital importância, o que já não podemos afirmar acerca da cultura moderna. O par de amigos distorcidos pela inflação na figura de Nietzsche e Zaratustra está diante de nossos olhos e nos alerta, sem que os entendamos. E o que pensar de Fausto e Mephisto? A *hybris* fáustica já é o primeiro passo para a loucura. Parece-me que, no *Fausto*, o início da transfor-

254

---

59. Encontramos alusões semelhantes nas estórias judaicas sobre Alexandre. Cf. BIN GORION. *Der Born Judas* III, p. 133s., a lenda da "caverna sagrada", e p. 153, a história da "água da vida", relacionada com a Sura 18.
60. [Cf. também JUNG. *Símbolos da transformação*, § 282s.]

mação discreta em cachorro e não num peixe comestível, além da figura transformada ser um diabo e não um sábio amigo "dotado de nossa graça e sabedoria", dá-nos uma chave para a compreensão da enigmática alma germânica.

255   Mesmo omitindo certos pormenores do texto, quero acrescentar a construção do muro contra Gog e Magog, também conhecidos como *Yajuj* e *Majuj*. Este motivo repete o último feito de Chadir no episódio precedente, a saber, a reconstrução do muro da cidade. Agora, porém, o muro significa uma grande proteção contra Gog e Magog. A passagem poderia referir-se ao Ap 20,7s.:

> e quando se completarem os mil anos, Satanás será solto de sua prisão e sairá para seduzir os pagãos nos quatro cantos da terra, Gog e Magog, reunindo-os para brigar; seu número é como a areia do mar. E subiram à superfície da Terra e cercaram o acampamento dos santos e a Cidade amada[61].

256   Dhulkarnain assume aqui o papel de Chadir e constrói um muro indestrutível para o povo que residia "entre duas montanhas". Trata-se certamente de novo do lugar do meio, que deve ser protegido contra Gog e Magog, as massas inimigas indeterminadas e ilimitadas. Psicologicamente, trata-se novamente do si-mesmo (*Selbst*) entronizado no lugar central e designado no *Apocalipse* como a "Cidade amada", Jerusalém, o centro da Terra. O si-mesmo é o herói, cujo nascimento já é ameaçado por forças coletivas invejosas; o tesouro cobiçado por todos e que suscita contendas ciumentas, e finalmente o Deus que é despedaçado pelo poder originário e obscuro. A individuação em seu significado psicológico é um *opus contra naturam*, a qual gera na camada coletiva o *horror vacui* e sucumbe com demasiada facilidade ao impacto dos poderes anímicos coletivos. A lenda dos mistérios do par de amigos prestativos promete proteção[62] àquele que encontrou o tesouro em sua busca. Mas chegará o dia, conforme a providência de Alá, do desmoronamento da trincheira de bronze, ou seja, o dia do fim do mundo, o que significa psicologicamente o momento em que a consciência individual é extinta nas águas da es-

---

61. [Tradução de Lutero.]
62. Semelhante aos Dioscuros, que salvam aqueles que estão em perigo no mar.

curidão, quer dizer, quando ocorre portanto um fim de mundo *subjetivo*. Isto significa aquele momento em que a consciência submerge novamente naquela escuridão da qual emergira originariamente, tal como a ilha do Chadir, isto é, a morte.

A lenda dos mistérios prossegue, adentrando o escatológico: naquele dia (do Juízo Final) a luz retorna à luz eterna, mas o obscuro retorna ao eterno obscuro. Os opostos separar-se-ão e será instaurado um estado permanente atemporal que, no entanto, representa uma tensão suprema, o estado inicial inverossímil, justamente devido à separação absoluta dos opostos; isto contrapõe-se a uma concepção que vislumbra o fim em uma *complexio oppositorum*.

Esta visão da eternidade do paraíso e do inferno encerra a série de símbolos da 18ª Sura. Apesar de seu caráter aparentemente desconexo e muitas vezes apenas indicativo, ela é uma representação quase perfeita de uma transformação anímica que hoje, com o conhecimento psicológico mais vasto, podemos reconhecer como um processo de individuação. Devido à antiguidade da lenda e do contexto espiritual primitivo do profeta islâmico, o processo transcorre exclusivamente em um âmbito extraconsciente, sob a forma da lenda dos mistérios do amigo ou do par de amigos e de seus feitos. Por isso, tudo parece apenas indicado e carece de um encadeamento lógico, mas expressa o obscuro arquétipo da transformação tão admiravelmente, que o eros religioso apaixonado do árabe o considera bastante satisfatório. Por isso a figura de Chadir ocupa na mística islâmica um lugar de destaque.

VI

A psicologia do arquétipo da criança*

1. Introdução

259   O autor[1] do trabalho sobre a mitologia da "criança" ou da divindade-criança pediu-me que comentasse o objeto de seu estudo sob o ponto de vista psicológico. Aceito o seu convite com prazer, apesar do empreendimento parecer-me muito ousado, em vista do grande significado do motivo mitológico da criança. A ocorrência deste motivo na Grécia e em Roma foi ampliada pelo próprio Kerényi, através de paralelos indianos, finlandeses e de outras procedências, indicando assim que a representação (do motivo) seria passível de muitas outras extensões. Uma descrição abrangente não contribuiria com nada de determinante, em princípio; poderia, porém, produzir uma impressão poderosa da incidência e frequência universal do motivo. Até hoje, o tratamento habitualmente dado a motivos mitológicos em diversos campos da ciência independentes uns em relação aos outros, tal como na filologia, etnologia, história da civilização e das religiões comparadas, não ajudou realmente a reconhecer a sua universalidade; a problemáti-

---

*Publicado juntamente com uma contribuição de Karl Kerényi ("*Das Urkind in der Urzeit*") sob a forma de monografia (Albae Vigiliae VI / VII) na editora Pantheon Akademische Verlagsanstalt, Amsterdan-Leipzig, 1940, sob o título *Das Göttliche Kind. In Mythologischer und Psychologischer Beleuchtung*. A seguir juntamente com o capítulo seguinte deste volume, sob o título: C.G. Jung und Karl Kerényi, *Einführung in das Wesen der Mythologie. Gottkindmythos/Eleusinische Mysterien*, na mesma editora, 1941. Nova edição com o mesmo título, mas com outro subtítulo: *Das Göttliche Kind/das göttliche Mädchen*, Rhein-Verlag, Zurique, 1951.

1. [KERÉNYI. *Das göttliche Kind.*]

ca psicológica que esta última levanta poderia ter sido facilmente posta de lado por hipóteses de migração. Consequentemente, as ideias de Adolf Bastian tiveram pouco êxito em sua época. Já havia então material empírico suficiente para permitir conclusões psicológicas consideráveis, mas faltavam as premissas necessárias. Embora os conhecimentos psicológicos daquele tempo incluíssem em seu âmbito a formação dos mitos conforme testemunha o exemplo de *Völkerpsychologie* de Wilhelm Wundt, eles não haviam chegado a provar esse mesmo processo como uma função viva existente na psique do homem civilizado. Do mesmo modo, não conseguiam compreender os motivos mitológicos como elementos estruturais da psique. Fiéis à sua história, em que a psicologia era em primeiro lugar metafísica, depois o estudo dos sentidos e de suas funções e, em seguida, das funções da consciência, identificaram o seu objeto com a consciência e seus conteúdos, ignorando completamente a existência de uma alma não consciente. Apesar de vários filósofos, como Leibniz, Kant e Schelling terem indicado claramente o problema da alma obscura, foi um médico que se sentiu impelido a destacar o *inconsciente* como a base essencial da psique, a partir de sua experiência científica e médica. Estamos falando de Carl Gustav Carus, o precursor de Eduard von Hartmann. Mais recentemente foi novamente a psicologia médica que se aproximou do problema do inconsciente, sem pressuposições filosóficas. Tornou-se claro, através de numerosas investigações, que a psicopatologia das neuroses e de muitas psicoses não pode dispensar a hipótese de uma parte obscura da alma, ou seja, do inconsciente. O mesmo se dá com a psicologia do sonho, que é verdadeiramente uma *terra intermedia* entre a psicologia normal e a patológica. No sonho, tal como nos produtos da psicose, verificam-se inúmeras conexões que podem ser postas em paralelo com associações de ideias mitológicas (ou eventualmente com certas criações poéticas, muitas vezes caracterizadas por tomarem emprestado seus motivos dos mitos, de modo nem sempre consciente). Se uma investigação cuidadosa demonstrasse que na maioria desses casos se trata simplesmente de conhecimentos esquecidos, o médico jamais se teria dado ao trabalho de fazer pesquisas extensas sobre paralelos individuais e coletivos. Verdadeiramente, porém, foram observados mitologemas típicos justamente em indivíduos nos quais esses conhecimentos estavam fora de questão e mesmo sendo impossível uma derivação indireta de ideias religiosas ou de figuras da linguagem popular[2]. Tais conclusões forçam-nos a assumir que se trata de revivescências "autóctones", além de toda tradição e consequentemente da existência de elementos estruturais "formadores de mitos" da psique inconsciente[3].

260   Estes produtos nunca ou raramente são mitos formados, mas sim componentes de mitos que, devido à sua natureza típica, podemos chamar de "motivos", "imagens primordiais", "tipos" ou "arquétipos", como eu os designei. O arquétipo da criança é um ótimo exemplo. Hoje podemos permitir-nos pronunciar a fórmula de que os arquétipos aparecem nos mitos e contos de fadas, bem como no sonho e nos produtos da fantasia psicótica. O meio que os contém é, no primeiro caso, um contexto de sentido ordenado e quase sempre de compreensão imediata, mas, no segundo caso, uma sequência de imagens geralmente incompreensível, irracional, delirante, que no entanto não carece de uma certa coerência oculta de sentido. No indivíduo, os arquétipos aparecem como manifestações involuntárias de processos inconscientes, cuja existência e sentido só pode ser inferido; no mito, pelo contrário, trata-se de formações tradicionais de idades incalculáveis. Remontam a um mundo anterior originário, com pressupostos e condições espirituais que ainda podemos observar entre os primitivos atuais. Os mitos, neste nível, são em regra geral ensinamentos tribais, transmitidos de geração em geração, através de relatos orais. O estado de espírito primitivo diferencia-se do civilizado principalmente pelo fato de a consciência estar muito menos desenvolvida no sentido da extensão e intensidade. Funções tais

---

2. JUNG. *Die Struktur der Seele* [§ 317s.].

3. Freud (*Die Traumdeutung*, p. 185) fez um paralelo entre certos aspectos da psicologia infantil e o mito de Édipo, cuja "atuação universalmente válida" – dizia – seria explicada por pressupostos infantis muito semelhantes. A elaboração propriamente dita do material mitológico foi assumida posteriormente por meus discípulos (MAEDER. *Essai d'interprétation de quelques rêves* e *Die Symbolik in den Legenden, Märchen, Gebräuchen und Träumen*; RICKLIN. *Über Gefängnispsychosen* e *Wunscherfüllung und Symbolik im Märchen*; ABRAHAM. *Traum und Mythus*). Seguiu-se o trabalho de Rank, da Escola de Viena, *Der Mythus von der Geburt des Helden*. In: *Transformações e símbolos da libido* (1911), apresentei depois uma pesquisa mais extensa sobre os paralelos psíquicos e mitológicos. Cf. tb. *O arquétipo com referência especial ao conceito de anima* [Capítulo III deste volume].

como o pensamento, a vontade etc., não estão diferenciadas, mas ainda no estado pré-consciente, o que se evidencia por exemplo, no caso do pensamento, pelo fato de que não se pensa conscientemente, mas os pensamentos *acontecem*. O primitivo não pode afirmar que ele pensa, mas sim que "algo pensa dentro dele". A espontaneidade do ato de pensar não está causalmente em sua consciência, mas em seu inconsciente. Além disso, ele é incapaz de qualquer esforço consciente de vontade, devendo colocar-se previamente na "disposição do querer", ou entregar-se a ela: daí, os seus *rites d'entrée et de sortie*. Sua consciência é ameaçada por um inconsciente poderosíssimo, daí o temor de influências mágicas que a qualquer momento podem atravessar a sua intenção e por esse motivo ele está cercado de poderes desconhecidos aos quais deve ajustar-se de algum modo. Devido ao crônico estado crepuscular de sua consciência, muitas vezes é quase impossível descobrir se ele apenas sonhou alguma coisa ou se a viveu na realidade. A automanifestação do inconsciente com seu arquétipo introduz-se sempre em toda parte na consciência e o mundo mítico dos antepassados, por exemplo, o *alchera* ou *bugari* dos aborígines australianos é uma existência de nível igual ou mesmo superior à natureza material[4]. Não é o mundo tal como o conhecemos que fala a partir de seu inconsciente, mas o mundo desconhecido da psique, do qual sabemos que reflete apenas em parte o nosso mundo empírico, e que, por outro lado, molda este último de acordo com o pressuposto psíquico. O arquétipo não provém de fatos físicos mas descreve como a alma vivencia a realidade física, e aqui ela (a alma) procede muitas vezes tão autocraticamente chegando a negar a realidade tangível através de afirmações que colidem com esta última.

A mentalidade primitiva não *inventa* mitos, mas os *vivencia*. Os mitos são revelações originárias da alma pré-consciente, pronunciamentos involuntários acerca do acontecimento anímico inconsciente e nada menos do que alegorias de processos físicos[5]. Tais alegorias seriam um jogo ocioso de um intelecto não científico. Os mitos, pelo contrário, têm um significado vital. Eles não só representam, mas

261

---

4. O fato é conhecido e a respectiva literatura etnológica por demais volumosa para ser mencionada aqui.
5. *Die Struktur der Seele* [§ 328s.].

também *são* a vida anímica da tribo primitiva, a qual degenera e desaparece imediatamente depois de perder sua herança mítica, tal como um homem que perdesse sua alma. A mitologia de uma tribo é sua religião viva, cuja perda é tal como para o homem civilizado, sempre e em toda parte, uma catástrofe moral. Mas a religião é um vínculo vivo com os processos anímicos, que não dependem do consciente, mas o ultrapassam, pois acontecem no obscuro cenário anímico. Muitos desses processos inconscientes podem ser gerados indiretamente por iniciativa da consciência, mas jamais por arbítrio consciente. Outros parecem surgir espontaneamente, isto é, sem causas discerníveis e demonstráveis pela consciência.

262   A psicologia moderna trata produtos da atividade da fantasia inconsciente como autorretratos de processos que acontecem no inconsciente ou como asserções da psique inconsciente acerca de si própria. Podemos distinguir duas categorias em tais produtos. Primeiro: fantasias (inclusive sonhos) de caráter pessoal, que indubitavelmente se reportam a vivências pessoais, a coisas esquecidas ou reprimidas, podendo portanto ser inteiramente explicadas pela anamnese individual. Segundo: fantasias (inclusive sonhos) de caráter impessoal e pessoal, que não podem ser atribuídas a vivências do passado individual e consequentemente não podem ser explicadas a partir de aquisições individuais. Tais imagens da fantasia têm, sem dúvida, uma analogia mais próxima com os tipos mitológicos. Presume-se por este motivo que elas correspondam a certos elementos estruturais *coletivos* (e não pessoais) da alma humana em geral e que são *herdadas* tais como os elementos morfológicos do corpo humano. Embora a tradição e a expansão mediante a migração de fato existam, há, como já dissemos, inúmeros casos que não podem ser explicados desse modo, exigindo pois a hipótese de uma revivescência "autóctone". Estes casos são tão numerosos que não podemos deixar de supor a existência de um substrato anímico coletivo. Designei este último por *inconsciente coletivo*.

263   Os produtos desta segunda espécie assemelham-se de tal forma aos tipos estruturais dos mitos e dos contos de fadas que somos levados a considerá-los como aparentados. Por isso é muito possível que ambos, tanto os tipos mitológicos como os individuais, surjam em circunstâncias muito similares. Conforme já mencionamos, os pro-

dutos da fantasia da segunda espécie (como também os da primeira) surgem em um estado de intensidade reduzida da consciência (em sonhos, sonhos acordados, delírios, visões etc.). Nesses estados cessa a inibição provocada pela concentração da consciência sobre os conteúdos inconscientes, e assim jorra, como que saindo de portas laterais abertas, o material até então inconsciente, para o campo da consciência. Este modo de surgimento é uma regra geral[6].

A intensidade de consciência reduzida e a ausência de concentração e atenção, ou seja, o *abaissement du niveau mental* (Pierre Janet), corresponde quase exatamente ao estado primitivo de consciência, no qual devemos supor a origem da formação dos mitos. Por essa razão é extremamente provável que os arquétipos mitológicos também tenham surgido de maneira semelhante à das manifestações de estruturas arquetípicas individuais que ocorrem ainda atualmente.

O princípio metodológico segundo o qual a psicologia trata dos produtos do inconsciente é o seguinte: conteúdos de natureza arquetípica são manifestações de processos no inconsciente coletivo. Não se referem, portanto, a algo consciente agora ou no passado, mas a algo essencialmente inconsciente. Em última análise, portanto, é impossível indicar aquilo a que se referem. Toda interpretação estaciona necessariamente no "como se". O núcleo de significado último pode ser circunscrito, mas não descrito. Mesmo assim, a simples circunscrição já denota um progresso essencial no conhecimento da estrutura pré-consciente da psique, que já existia quando ainda não havia qualquer unidade pessoal (que no primitivo atual ainda não é uma posse assegurada), nem qualquer vestígio de consciência. Podemos observar tal estado pré-consciente na primeira infância e são justamente os sonhos dessa época que frequentemente trazem à luz conteúdos arquetípicos extremamente importantes[7].

---

6. Certos casos de visões espontâneas, "*automatismes téléologiques*" (Flournoy) e os procedimentos referentes ao método da "imaginação ativa" por mim indicados [*Estudo empírico do processo de individuação* (Capítulo XI deste volume)] constituem uma exceção.

7. O material correspondente encontra-se apenas em relatórios não impressos do Seminário de Psicologia da Eidgenössischen Technischen Hochschule, Zurique, 1936-1939.

266   Quando se procede segundo o princípio acima, não se trata mais de indagar se um mito se refere ao Sol ou à Lua, ao pai ou à mãe, à sexualidade, ao fogo ou à água, mas trata-se unicamente da circunscrição e da caracterização aproximada de um *núcleo de significado* inconsciente. O sentido deste núcleo nunca foi consciente e nunca o será. Sempre foi e será apenas interpretado, pois toda a interpretação que se aproxima de algum modo do sentido oculto (ou – do ponto de vista do intelecto científico – sem sentido, o que é o mesmo) sempre reivindicou não só a verdade e validade absolutas, mas também reverência e devoção religiosa. Os arquétipos sempre foram e são forças da vida anímica, que querem ser levados a sério e cuidam de valorizar-se da forma mais estranha. Sempre foram portadores de proteção e salvação, e sua violação tem como consequência os *perils of the souls*[8], tão conhecidos na psicologia dos primitivos. Além disso, também são causas infalíveis de perturbações neuróticas ou até psicóticas, ao se comportarem exatamente da mesma forma que órgãos corporais ou sistemas de funções orgânicas negligenciadas ou maltratadas.

267   Um conteúdo arquetípico sempre se expressa em primeiro lugar metaforicamente. Se falar do Sol e com ele identificar o leão, o rei, o tesouro de ouro guardado pelo dragão, ou a "força vital de saúde" do homem, não se trata nem de um, nem de outro, mas de um terceiro desconhecido, que se expressa mais ou menos adequadamente através dessas metáforas, mas que – para o intelecto é um perpétuo vexame – permanecendo desconhecido e não passível de uma formulação. Por essa razão, o intelecto científico sempre sucumbe de novo a tendências iluministas, na esperança de banir definitivamente o fantasma do inexplicável. Não importa se esses esforços são chamados de evemerismo, apologética cristã, iluminismo no sentido estrito da palavra, ou de positivismo, sempre haverá oculto por trás um mito em roupagem nova e desconcertante que, segundo um modelo arcaico e venerável, lhe dava um cunho de conhecimento definitivo. Na realidade nunca nos libertaremos legitimamente do fundamento arquetípico, a não ser que estejamos dispostos a pagar o preço de uma

---

8. (Perigos da alma.)

neurose, da mesma forma que não nos livraremos de nosso corpo e de seus órgãos sem cometer suicídio. Já que não podemos negar os arquétipos ou torná-los inócuos de algum modo, cada nova etapa conquistada na diferenciação cultural da consciência confronta-se com a tarefa de encontrar uma nova *interpretação* correspondente a essa etapa, a fim de conectar a vida do passado, ainda existente em nós com a vida do presente, se este ameaçar furtar-se àquele. Se esta conexão não ocorrer cria-se uma consciência desenraizada, que não se orienta pelo passado, uma consciência que sucumbe desamparada a todas as sugestões, tornando-se suscetível praticamente a toda epidemia psíquica. Com a perda do passado, tornado "insignificante", desvalorizado, impossível de recuperar seu valor, também se perde o salvador, pois este é o próprio insignificante, ou dele surge. Ele aparece sempre de novo na "transformação da figura dos deuses" (Ziegler), como profeta ou primogênito de uma nova geração e se manifesta inesperadamente nos lugares mais improváveis (nascimento da pedra e da árvore, sulco de arado, água etc.) e também sob uma forma ambígua (pequeno polegar, anão, criança, animal etc.).

Este arquétipo da "criança divina" é extremamente disseminado e intimamente misturado a todos os outros aspectos mitológicos do motivo da criança. Não é necessário aludir ao Menino Jesus, vivo ainda, que na lenda de Cristóvão mostra também aquele aspecto típico de ser "menor que pequeno" e "maior que grande". No folclore o motivo da criança aparece sob a forma de anões, elfos, como personificações de forças ocultas da natureza. A figura do homenzinho de metal[9] ἀνθρωπάριον do classicismo tardio também pertence a essa esfera, homenzinho que animava até a Alta Idade Média as galerias das minas[10] por um lado, e por outro representava os metais alquímicos[11] e principalmente o Mercúrio renascido em sua forma perfeita (como hermafrodita, *filius sapientiae* ou como *infans noster*[12]). Gra-

---

9. BERTHELOT. *Collection des anciens alchimistes grecs*, III, XXXV, p. 201.
10. AGRICOLA. *De animantibus subterraneis*; KIRCHER. *Mundus subterraneus*, VIII, 4.
11. MYLIUS. *Philosophia reformata*.
12. "Allegoria super librum turbae". In: *Artis auriferae* I, p. 161.

ças à interpretação religiosa da "criança", alguns testemunhos da Idade Média foram conservados, mostrando que a "criança" não é simplesmente uma figura tradicional, mas também uma visão vivenciada espontaneamente (enquanto irrupção do inconsciente). Menciono a visão do "menino nu", de Mestre Eckhart e o sonho do Irmão Eustáquio[13]. Há também relatos interessantes acerca de tais vivências espontâneas em histórias de fantasmas na Inglaterra, onde se trata da visão de um *Radiant Boy*, supostamente visto em um lugar de ruínas romanas[14]. Tal figura é tida como de mau agouro. Até parece tratar-se da figura de um *puer aeternus*, que se tomou desfavorável através de "metamorfoses"; portanto ele participou do destino dos deuses da Antiguidade e germânicos, os quais se tornaram cruéis. O caráter místico da vivência também é confirmado na segunda parte do *Fausto* de Goethe, em que o próprio Fausto se transforma no menino e é admitido no "Coro dos meninos abençoados", isto como "fase larvar" do Doutor Mariano[15].

269 Na estranha história intitulada *Das Reich ohne Raum*, de Bruno Goetz, aparece a figura de um *puer aeternus* chamado Fo (igual a Buda) com coros completos de meninos "desgraçados" de significado nefasto. (É melhor deixar de lado fatos contemporâneos). Menciono apenas o caso acima para demonstrar a vitalidade permanente deste arquétipo.

270 O motivo da criança ocorre não raro no campo da psicopatologia. A criança delirante é comum entre mulheres doentes mentais e é geralmente interpretado no sentido cristão. *Homunculi* também aparecem como no famoso caso Schreber[16], onde se manifestam em bandos e maltratam o doente. Mas a manifestação mais clara e significativa do motivo da criança na terapia das neuroses dá-se no processo da maturação da personalidade, induzido pela análise do inconscien-

---

13. *Texte aus der deutschen Mystik des 14. und 15. Jahrhunderts*, p. 143s. e 150s.
14. INGRAM. *The Haunted Homes and Family Traditions of Great Britain*, p. 43s.
15. Há uma antiga autoridade da alquimia, chamada Morienes, Morienus ou Marianus ("*De compositione alchemiae*". In: MANGETUS. *Bibliotheca chemica curiosa* I, p. 509s.). Devido ao caráter pronunciadamente alquímico de *Fausto*, Segunda parte, uma tal conexão não seria totalmente inesperada.
16. *Denkwürdigkeiten eines Nervenkranken*.

te, que eu denominei *processo de individuação*[17]. Trata-se aqui de processos pré-conscientes, os quais passam pouco a pouco, sob a forma de fantasias mais ou menos estruturadas, diretamente para a consciência, ou se tornam conscientes através dos sonhos ou, finalmente, através do método da imaginação ativa[18]. Estes materiais contêm abundantes motivos arquetípicos, entre os quais, frequentemente, o da criança. Muitas vezes a criança é formada segundo o modelo cristão, mas mais frequentemente ela se desenvolve a partir de níveis antigos não cristãos, ou seja, a partir de animais ctônicos, tais como crocodilos, dragões, serpentes ou macacos. Às vezes a criança aparece no cálice de uma flor, sai de um ovo dourado ou constitui o ponto central de um mandala. Nos sonhos, apresenta-se como filho ou filha, como menino, jovem ou uma virgem. Ocasionalmente, parece ter origem exótica: chinesa, indiana, de pele escura ou mais cósmica sob as estrelas, ou ainda com a fronte cingida por uma coroa de estrelas, filho do rei ou de uma bruxa com atributos demoníacos. Como um caso especial do motivo do "tesouro difícil de atingir"[19], o motivo da criança é extremamente mutável, assumindo todos os tipos de formas possíveis, pedra preciosa, pérola, flor, vaso, ovo dourado, quaternidade, esfera de ouro etc. Pode ser intercambiada com essas imagens e outras semelhantes.

2. A psicologia do arquétipo da criança

A. *O arquétipo como estado pretérito*

No que diz respeito à psicologia do motivo ou tema da criança, devo ressaltar que toda afirmação que ultrapasse os aspectos puramente fenomênicos de um arquétipo expõe-se necessariamente à crítica acima expressa. Em momento algum devemos sucumbir à ilusão

---

17. Descrição geral em: "Consciência, inconsciente e individuação" [Capítulo X deste volume]. Fenomenologia especial nos capítulos seguintes, bem como em: *Psicologia e alquimia* [Segunda parte: "Símbolos oníricos do processo de individuação"] e *Estudo empírico do processo de individuação* [Capítulo XI deste volume].
18. *O eu e o inconsciente*, Segunda parte, III [além disso, *A função transcendente*].
19. *Símbolos da transformação* [índice, cf. verbete].

de que um arquétipo possa ser afinal explicado e com isso encerrar a questão. Até mesmo a melhor tentativa de explicação não passa de uma tradução mais ou menos bem-sucedida para outra linguagem metafórica (de fato, a linguagem nada mais é do que imagem!). Na melhor das hipóteses, *sonha-se* a continuidade do mito, dando-lhe uma forma moderna. O que quer que uma explicação ou interpretação faça com o mito, isso equivalerá ao que fazemos com nossa própria alma, e haverá consequências correspondentes para o nosso próprio bem-estar. O arquétipo – e nunca deveríamos esquecer-nos disso – é um órgão anímico presente em cada um. Uma explicação inadequada significa uma atitude equivalente em relação a este órgão, através do qual este último pode ser lesado. O último que sofre, porém, é o mau intérprete. A "explicação" deve portanto levar em conta que o sentido funcional do arquétipo precisa ser mantido, isto é, uma conexão suficiente e adequada quanto ao sentido da consciência com o arquétipo deve ser assegurada. Este último é um elemento da estrutura psíquica, representando portanto um componente vitalmente necessário à economia anímica. Ele representa ou personifica certos acontecimentos instintivos da psique primitiva obscura, das verdadeiras, mas invisíveis raízes da consciência. O elementar significado da conexão com essas raízes é-nos mostrado pela preocupação da mente primitiva com relação a certos fatos "mágicos", os quais nada mais são do que aquilo que designamos por arquétipos. Esta forma originária da *religio* constitui ainda hoje a essência atuante de toda vida religiosa e assim permanecerá, qualquer que seja a forma futura dessa vida.

272   Não há substitutivo "racional" para o arquétipo, como também não há para o cerebelo ou os rins. Podemos examinar órgãos somáticos anatomicamente, histologicamente e embriologicamente. Isto corresponderia à descrição da fenomenologia arquetípica e à apresentação da mesma em termos histórico-comparativos. O sentido de um órgão somático só pode ser obtido a partir do questionamento teleológico. Daí surge a pergunta: qual é a finalidade biológica do arquétipo? Da mesma forma que a fisiologia responde à pergunta no que diz respeito ao corpo, cabe à psicologia responder à mesma pergunta em relação ao arquétipo.

Afirmações tais como "o motivo da criança é apenas um vestígio da memória da própria infância" e outras explicações similares só nos fazem fugir da questão. Se, ao contrário – com uma pequena modificação dessa frase – dissermos que "o motivo da criança é o quadro para certas coisas que esquecemos da própria infância" já nos aproximamos mais da verdade. No entanto, uma vez que o arquétipo é sempre uma imagem que pertence à humanidade inteira e não somente ao indivíduo, talvez seja melhor formular a frase do seguinte modo: "*o motivo da criança representa o aspecto pré-consciente da infância da alma coletiva*"[20]. 273

Não é um erro imaginar esta afirmação, de início, como histórica, em analogia a determinadas experiências psicológicas, que mostram como certas fases da vida individual se tornam autônomas, podendo personificar-se na medida em que resultam numa visão de si mesmo: por exemplo, a própria pessoa se vê como criança. Experiências visionárias deste tipo – quer ocorram em sonho ou em estado de vigília – são, como sabemos, condicionadas ao fato de ter havido uma dissociação prévia entre o estado presente e o passado. Tais dissociações ocorrem devido a incompatibilidades, por exemplo, entre o estado presente que entrou em conflito com o estado da infância. Talvez tenha havido uma separação violenta na pessoa de seu caráter originário, a favor de uma persona arbitrária, voltada para a ambição[21]. Assim ela tornou-se carente de infância, é artificial, tendo per- 274

---

20. Talvez não seja supérfluo mencionar um preconceito de caráter leigo, que sempre tende a confundir o motivo da criança com a experiência concreta da "criança", como se a criança real fosse o pressuposto causal da existência do motivo da criança. Na realidade psicológica, porém, a representação empírica da "criança" é apenas um meio de expressão (e nem mesmo o único!) para falar de um fato anímico impossível de apreender de outra forma. Por este motivo a representação mitológica da criança não é de forma alguma uma cópia da "criança" empírica, mas um símbolo fácil de ser reconhecido como tal: trata-se de uma criança divina, prodigiosa, não precisamente humana, gerada, nascida e criada em circunstâncias totalmente extraordinárias. Seus feitos são tão maravilhosos ou monstruosos, como a sua natureza ou constituição corporal. É unicamente graças a essas propriedades não empíricas que temos necessidade de falar de um "motivo da criança". Além disso, a "criança" mitológica varia: ora é Deus, gigante, ora o Pequeno Polegar, o animal, etc., o que aponta para uma causalidade que é tudo menos racional ou concretamente humana. O mesmo vale para os arquétipos "pai" e "mãe", os quais, mitologicamente falando, são símbolos irracionais.
21. *Tipos psicológicos* [§ 879s.], definições, cf. alma, e *O eu e o inconsciente*, Primeira parte, cap. 3.

dido suas raízes. Isto representa a oportunidade favorável para um confronto veemente com a verdade originária.

275   Em vista do fato de que até hoje a humanidade não cessou de fazer afinnações acerca da criança divina, podemos talvez estender a analogia individual à vida da humanidade, chegando à conclusão de que esta provavelmente também entra sempre de novo em contradição com sua condição infantil, isto é, com o estado originário inconsciente, instintivo, e de que há o perigo de uma tal contradição perturbar a visão da "criança". O exercício religioso, isto é, a repetição das palavras e do ritual do acontecimento mítico tem por isso a finalidade de trazer a imagem da infância e tudo o que a ela está ligado diante dos olhos da consciência, com o objetivo de não romper a conexão com o estado originário.

B. A função do arquétipo

276   O motivo da criança não representa apenas algo que existiu no passado longínquo, mas também algo presente; não é somente um vestígio, mas um sistema que funciona ainda, destinado a compensar ou corrigir as unilateralidades ou extravagâncias inevitáveis da consciência. A natureza da consciência é de concentrar-se em poucos conteúdos, seletivamente, elevando-os a um máximo grau de clareza. A consciência tem como consequência necessária e condição prévia a exclusão de outros conteúdos igualmente passíveis de conscientização. Esta exclusão causa inevitavelmente uma certa unilateralidade dos conteúdos conscientes. Uma vez que a consciência diferenciada do homem civilizado possui um instrumento eficaz para a realização de seus conteúdos através da dinâmica da vontade, com o crescente fortalecimento desta última há um perigo maior de perder-se na unilateralidade desviando-se das leis e raízes do seu ser. Por um lado, isso representa a possibilidade da liberdade humana, mas, por outro, é a fonte de infindáveis transgressões contra os instintos. O homem primitivo se caracteriza, pois – pelo fato de estar mais próximo do instinto, como o animal –, pela neofobia (terror do que é novo) e pelo tradicionalismo. Na nossa opinião ele é lamentavelmente atrasado enquanto nós exaltamos o progresso. Mas nossa valorização do

progresso possibilita, por um lado, uma quantidade das mais agradáveis realizações do desejo, no entanto, por outro, acumula uma culpa prometeica, igualmente gigantesca, que exige de tempos em tempos uma expiação sob a forma de catástrofes fatais. Há muito a humanidade sonhava com o voo e agora já chegamos aos bombardeios aéreos! Sorrimos hoje da esperança cristã no além e nós mesmos acabamos caindo em quiliasmos cem vezes mais ridículos do que a ideia de um além-morte prazeroso! A consciência diferenciada é continuamente ameaçada de desenraizamento, razão pela qual necessita de uma compensação através do estado infantil ainda presente.

Os sintomas de compensação são caracterizados pelos defensores do progresso de modo pouco lisonjeiro. Vistos superficialmente, trata-se de um efeito retrógrado, o que faz com que se fale em inércia, atraso, ceticismo, criticismo, conservadorismo, timidez, mesquinharia etc. Na medida em que a humanidade tem, em alto grau, a capacidade de livrar-se dos próprios fundamentos, também pode ser arrastada acriticamente por unilateralidades perigosas até a catástrofe. O ideal retrógrado é sempre mais primitivo, mais natural (tanto no bom como no mau sentido) e "mais moral", posto que se atém fielmente a leis tradicionais. O ideal progressista é sempre mais abstrato, antinatural e mais "amoral", na medida em que exige infidelidade à tradição. O progresso conquistado pela vontade é sempre *convulsivo*. A característica retrógrada é mais próxima da naturalidade, sempre ameaçada porém de um despertar doloroso. A concepção mais antiga tinha consciência de que um progresso só é possível *Deo concedente*, o que prova encontrar-se consciente dos opostos, repetindo os antiquíssimos *rites d'entrée et de sortie* em nível superior. Quanto mais a consciência se diferencia, tanto maior o perigo da sua separação da raiz. A separação completa ocorre quando é esquecido o *Deo concedente*. Ora, é um axioma da psicologia que uma parte da alma cindida da consciência só é aparentemente desativada; de fato, esta conduz a uma possessão da personalidade, cujas metas são falsificadas no interesse da parte anímica cindida. Quando, pois, o estado infantil da alma coletiva é reprimido até a total exclusão, o conteúdo inconsciente se apodera da meta consciente, o que inibe, falsifica ou até destrói sua realização. Um progresso viável porém só pode ocorrer através da cooperação de ambos.

C. O caráter futuro do arquétipo

278   Um aspecto fundamental do motivo da criança é o seu caráter de futuro. A criança é o futuro em potencial. Por isto a ocorrência do motivo da criança na psicologia do indivíduo significa em regra geral uma antecipação de desenvolvimentos futuros, mesmo que pareça tratar-se à primeira vista de uma configuração retrospectiva. A vida é um fluxo, um fluir para o futuro e não um dique que estanca e faz refluir. Não admira, portanto, que tantas vezes os salvadores míticos são crianças divinas. Isto corresponde exatamente às experiências da psicologia do indivíduo, as quais mostram que a "criança" prepara uma futura transformação da personalidade. No processo de individuação antecipa uma figura proveniente da síntese dos elementos conscientes e inconscientes da personalidade. É, portanto, um símbolo de unificação dos opostos[22], um mediador, ou um *portador da salvação*, um propiciador de completitude. Devido a este significado, o motivo da criança também é capaz das inúmeras transformações acima mencionadas: pode ser expresso, por exemplo, pelo redondo, pelo círculo ou pela esfera, ou então pela quaternidade como outra forma de inteireza[23]. Designei esta inteireza que transcende a consciência com a palavra si-mesmo (*Selbst*)[24]. A meta do processo de individuação é a síntese do si-mesmo. Observado por outro ponto de vista, prefere-se o termo "enteléquia" ao de "síntese". Há uma razão empírica pela qual a expressão "enteléquia" possa parecer mais adequada: os símbolos da totalidade ocorrem frequentemente no início do processo da individuação e até podem ser observados nos sonhos iniciais da primeira infância. Esta observação intercede a favor de uma existência apriorística da potencialidade da inteireza[25], razão pela qual o conceito de enteléquia é recomendável. Na medida, porém, em que o processo de individuação transcorre empiricamente como uma síntese, é como se pa-

---

22. *Tipos psicológicos* [§ 315s.].
23. "Símbolos oníricos do processo de individuação" [*Psicologia e alquimia*, Segunda parte] e *Psicologia e religião* [§ 108s.].
24. *O eu e o inconsciente* [§ 398s.; cf. também *Aion*, cap. 4].
25. *Psicologia e alquimia* [§ 328s.].

radoxalmente algo já existente dependesse ainda de uma montagem. Deste ponto de vista o termo "síntese" também é aplicável.

D. *Unidade e pluralidade do motivo da criança*

No âmbito da fenomenologia multifacetada da "criança" temos que distinguir a unidade e a pluralidade de suas respectivas manifestações. Tratando-se, por exemplo, de muitos *homunculi*, anões, meninos etc., que não apresentam características individuais, existe a probabilidade de uma dissociação. Encontramos por isso tais formas especialmente na esquizofrenia, que é em essência uma fragmentação da personalidade. Numerosas crianças representam um produto da dissolução da personalidade. Se a pluralidade porém ocorre em pessoas normais, então trata-se da representação de uma síntese da personalidade ainda incompleta. A personalidade (ou seja, o "si-mesmo") encontra-se ainda no estágio da pluralidade, isto é, um eu talvez esteja presente, mas ainda não pode experienciar a sua totalidade no quadro de sua própria personalidade, a não ser no âmbito da família, da tribo ou da nação; encontra-se ainda no estágio da identificação inconsciente com a pluralidade do grupo. A Igreja leva na devida conta esta condição comumente difundida através da doutrina do *corpus mysticum*, do qual o indivíduo é membro por sua natureza.

Se no entanto o tema da criança aparece sob a forma da unidade, trata-se de uma síntese da personalidade inconsciente que já se completou provisoriamente, a qual, na prática, como tudo o que é inconsciente, não significa mais do que uma possibilidade.

279

280

E. *A criança-deus e a criança-herói*

A criança ora tem o aspecto da divindade criança, ora o do herói juvenil. Ambos os tipos têm em comum o nascimento miraculoso e as adversidades da primeira infância, como o abandono e o perigo da perseguição. Por sua natureza, o primeiro é inteiramente sobrenatural e o segundo é humano, porém elevado ao limite do sobrenatural (é semidivino). O deus, especialmente em sua íntima afinidade com o animal simbólico, personifica o inconsciente coletivo ainda não inte-

281

grado em um ser humano, ao passo que o herói inclui a natureza humana em sua sobrenaturalidade, representando desta forma uma síntese do inconsciente ("divino", isto é, ainda não humanizado) e da consciência humana. Significa consequentemente uma antecipação potencial de uma individuação que se aproxima da totalidade.

282   Os destinos da "criança" podem por isso ser considerados como representações daqueles acontecimentos psíquicos que ocorrem na enteléquia ou na gênese do si-mesmo. O "nascimento miraculoso" procura relatar a maneira pela qual essa gênese é vivenciada. Como se trata de uma gênese psíquica, tudo tem que acontecer de um modo não empírico, como por exemplo através de um nascimento virginal, por uma concepção milagrosa ou então por um nascimento a partir de órgãos não naturais. O motivo da "insignificância", do estar exposto a, do abandono, perigo etc., procura representar a precariedade da possibilidade da existência psíquica da totalidade, isto é, a enorme dificuldade de atingir este bem supremo. Caracteriza também a impotência, o desamparo daquele impulso de vida o qual obriga tudo o que cresce a obedecer à lei da máxima autorrealização; neste processo as influências do ambiente colocam os maiores e mais diversos obstáculos, dificultando o caminho da individuação. A ameaça da própria singularidade por dragões e cobras, o inconsciente, indica de modo particular o perigo de a consciência recentemente adquirida ser tragada pela alma instintiva. Os vertebrados inferiores há muito são símbolos prediletos do substrato psíquico coletivo[26], cuja localização anatômica coincide com os centros subcorticais, o cerebelo e a medula espinal. Estes órgãos constituem a serpente[27]. Sonhos com serpentes ocorrem, por este motivo, geralmente por ocasião de desvios da consciência de sua base instintiva.

283   O tema "menor do que pequeno e no entanto maior do que grande" complementa a impotência da "criança" com os seus feitos igualmente maravilhosos. Este paradoxo pertence à essência do herói e perpassa como um fio vermelho todo o seu destino. Ele enfrenta o

---

26. Vertebrados superiores simbolizam especialmente as emoções.
27. Este significado da serpente já se encontra em HIPÓLITO. *Refutatio*, IV, 49-51. Cf. tb. LEISEGANG. *Die Gnosis*, p. 146.

maior perigo, mas no entanto sucumbe a algo insignificante: Baldur perece pelo visco, Mauí pelo riso de um pequeno pássaro, Siegfried pelo único ponto vulnerável, Héracles pelo presente de sua esposa, outros por uma traição vulgar etc.

O ato principal do herói é vencer o monstro da escuridão: a vitória esperada da consciência sobre o inconsciente. Dia e luz são sinônimos da consciência, noite e escuridão, do inconsciente. A tomada de consciência é provavelmente a experiência mais forte dos tempos primordiais, pois é através dela que se fez o mundo, de cuja existência ninguém suspeitava antes. "E Deus disse: Faça-se a luz!" É a projeção daquela vivência imemorial da consciência se destacando do inconsciente. Ainda hoje, a posse da alma é algo precário entre os primitivos, e a "perda da alma" é uma doença anímica típica, que leva a medicina primitiva a tomar múltiplas medidas psicoterapêuticas. Por isso, a "criança" já se destaca por feitos que indicam a meta da vitória sobre a escuridão.

284

3. A fenomenologia especial do arquétipo da criança

A. O *abandono da criança*

A criança enjeitada, seu abandono e o risco a que está sujeita são aspectos que configuram o início insignificante, por um lado, e o nascimento misterioso e miraculoso da criança por outro. Essa afirmação descreve uma certa vivência psíquica de natureza criativa, cujo objetivo é a emergência de um conteúdo novo, ainda desconhecido. Na psicologia do indivíduo trata-se sempre, em tal circunstância, de uma situação de conflito doloroso aparentemente sem saída – para a consciência, pois para esta sempre vale o *tertium non datur*[28]. Desta colisão dos opostos a psique inconsciente sempre cria uma terceira instância de natureza irracional, inesperada e incompreensível para a consciência. Apresenta-se ela sob uma forma que não corresponde nem ao sim, nem ao não, sendo portanto rejeitada pelos dois. A consciência nada sabe além dos opostos e por isso também não reconhece

285

---

28. *Tipos psicológicos* [§ 249s. – Não existe um terceiro].

aquilo que os une. Mas como a solução do conflito pela união dos opostos é de vital importância e também desejada pela consciência, o pressentimento de criação significativa abre caminho. Disso resulta o caráter numinoso da "criança". Um conteúdo importante, mas desconhecido, exerce sempre um efeito fascinante e secreto sobre a consciência. A nova configuração é o vir a ser de uma totalidade, isto é, está a caminho da totalidade, pelo menos na medida em que ela excede em "inteireza" a consciência dilacerada pelos opostos, superando-a por isso em completitude. Por esse motivo, todos os "símbolos unificadores" também possuem um significado redentor.

286   A "criança" surge desta situação como um conteúdo simbólico manifestamente liberto do pano de fundo (da mãe), isto é, isolado, incluindo às vezes também a mãe na situação perigosa, quando é ameaçado, por um lado, pela atitude de recusa da consciência e, por outro, pelo *horror vacui* do inconsciente, pronto para devorar de novo todos os seus nascimentos, uma vez que o inconsciente produz estes últimos apenas ludicamente e que a destruição é uma parte inevitável do jogo. Nada no mundo dá as boas-vindas a este novo nascimento, mas apesar disso ele é o fruto mais precioso e prenhe de futuro da própria natureza originária; significa em última análise um estágio mais avançado da autorrealização. É por isso que a natureza, o próprio mundo dos instintos, se encarrega da "criança": esta é alimentada ou protegida por animais.

287   "Criança" significa algo que se desenvolve rumo à autonomia. Ela não pode *tornar-se* sem desligar-se da origem: o abandono é, pois, uma condição necessária, não apenas um fenômeno secundário. O conflito não é superado portanto pelo fato de a consciência ficar presa aos opostos; por este motivo, necessita um símbolo que lhe mostre a exigência do desligamento da origem. Na medida em que o símbolo da "criança" fascina e se apodera do inconsciente, seu efeito redentor passa à consciência e realiza a saída da situação de conflito, de que a consciência não era capaz. O símbolo é a antecipação de um estado nascente de consciência. Enquanto este estado não se estabelece, a "criança" permanece uma projeção mitológica que exige uma repetição pelo culto e uma renovação ritual. O Menino Jesus, por exemplo, permanece uma necessidade cultual, enquanto a maioria das pessoas ainda é incapaz de realizar psicologicamente a frase bíbli-

ca: "A não ser que vos torneis como as criancinhas". Tratando-se aqui de desenvolvimentos e transições extremamente difíceis e perigosos, não surpreende que tais figuras permaneçam vivas por centenas ou milhares de anos. Tudo o que o homem deveria, mas ainda não pode viver em sentido positivo ou negativo, vive como figura e antecipação mitológica ao lado de sua consciência, seja como projeção religiosa ou – o que é mais perigoso – conteúdos do inconsciente que se projetam então espontaneamente em objetos incongruentes, como por exemplo em doutrinas e práticas higiênicas e outras "que prometem salvação". Tudo isto é um substitutivo racionalizado da mitologia que, devido a sua falta de naturalidade, mais prejudica do que promove a pessoa humana.

A situação de conflito sem saída, que gera a criança como um *tertium* irracional, é sem dúvida uma fórmula que corresponde apenas a um grau de desenvolvimento psicológico moderno. Não se aplica essa fórmula à vida anímica do primitivo; e isso porque o âmbito da consciência infantil do primitivo ainda exclui todo um mundo de possibilidades de vivências psíquicas. O conflito moral moderno, no estágio natural do primitivo, ainda é uma calamidade objetiva que ameaça a própria vida. Não raro, há figuras de criança que são portadoras de cultura e por isso identificadas com fatores que promovem a cultura, tais como o fogo[29], o metal, o trigo, o milho etc. Como portadoras de luz, ou seja, amplificadoras da consciência, essas figuras de criança vencem a escuridão, ou seja, o estado inconsciente anterior. Uma consciência mais elevada, ou um saber que ultrapassa a consciência atual, é equivalente a estar sozinho no mundo. A solidão expressa a oposição entre o portador ou o símbolo da consciência mais alta e o seu meio ambiente. Os vencedores da escuridão retornam a tempos remotos, o que indica (juntamente com muitas outras lendas) que também existia uma *carência psíquica originária*, ou seja, a *inconsciência*. O medo "irracional" da escuridão dos primitivos atuais provém provavelmente desta fonte. Encontrei em uma tribo no Monte Elgon uma forma de religião que correspondia a um otimismo panteís-

288

---

29. Até mesmo o Cristo é de natureza ígnea "*Qui iuxta me est, iuxta ignem est*" etc. (Quem está perto de mim, está perto do fogo): ORÍGENES, *Homiliae in Ieremiam*, XX, 3, apud: PREUSCHEN. *Antilegomena*, p. 44); também o Espírito Santo.

ta. Esta convicção, porém, era sempre abolida das seis da tarde até às seis da manhã e substituída por medo, pois de noite domina Ayik, o ser da escuridão, o "autor do medo". Durante o dia não havia serpentes gigantes naquela região, mas de noite elas espreitavam à beira de todos os caminhos. De noite toda a mitologia estava à solta!

B. *A invencibilidade da criança*

289   Chama a atenção o paradoxo presente em todos os mitos da criança, pelo fato de ela estar entregue e indefesa frente a inimigos poderosíssimos, constantemente ameaçada pelo perigo da extinção, mas possuindo forças que ultrapassam muito a medida humana. Esta afirmação se relaciona intimamente com o fato psicológico de a "criança" ser "insignificante" por um lado, isto é, desconhecida, "apenas" uma criança, mas, por outro, divina. Do ponto de vista da consciência, parece tratar-se de um conteúdo insignificante sem nenhum caráter liberador ou salvífico. A consciência fica aprisionada em sua situação de conflito e os poderes que aí se digladiam parecem ser tão grandes que o conteúdo "criança" emerge isolado, sem nenhuma relação com os fatores da consciência. Por isso, ele não é notado, podendo retornar facilmente ao inconsciente. Pelo menos é o que deveríamos temer, se as coisas se comportassem de acordo com as nossas expectativas conscientes. O mito enfatiza, porém, que não é este o caso, mas que a "criança" é dotada de um poder superior e que se impõe inesperadamente, apesar de todos os perigos. A "criança" nasce do útero do inconsciente, gerada no fundamento da natureza humana, ou melhor, da própria natureza viva. É uma personificação de forças vitais, que vão além do alcance limitado da nossa consciência, dos nossos caminhos e possibilidades, desconhecidos pela consciência e sua unilateralidade, e uma inteireza que abrange as profundidades da natureza. Ela representa o mais forte e inelutável impulso do ser, isto é, o impulso de realizar-se a si mesmo. É uma impossibilidade de *ser-de-outra-forma*, equipada com todas as forças instintivas naturais, ao passo que a consciência sempre se emaranha em uma suposta possibilidade de ser-de-outra-forma. O impulso e compulsão da autorrealização é uma lei da natureza e, por isso, tem uma força invencível, mesmo que o seu efeito seja no início insignificante e improvável. A força manifesta-se nos atos milagrosos da criança-herói e

mais tarde nas *athla* (nas "obras") da *figura do serviçal* (do tipo Héracles) em que, apesar do herói ter ultrapassado o estágio da impotência da "criança", ainda ocupa uma posição insignificante. A figura do serviçal conduz geralmente à epifania propriamente dita do herói semidivino. Por estranho que pareça, temos na alquimia uma variante do tema muito parecida e isso nos sinônimos da *lapis*. Como matéria-prima ela é a *lapis exilis et vilis*. Como substância de transmutação, ela aparece como *servus rubeus* ou *fugitivus*, e atinge finalmente numa verdadeira apoteose a dignidade de um *filius sapientiae*, ou *deus terrenus*, uma "luz acima de todas as luzes", um poder que contém todas as forças das regiões superiores e inferiores. Ela torna-se o *corpus glorificatum* que alcançou a incorruptibilidade eterna, tornando-se por isso uma panaceia (o "portador da cura")[30]. A grandeza e a invencibilidade da "criança" começa na especulação indiana acerca do ser do Atmã. Este corresponde ao que é "menor do que pequeno e maior do que grande": o si-mesmo, como fenômeno individual, "menor do que pequeno", mas como equivalente do mundo, "maior do que grande"[31]. O si-mesmo, enquanto polo oposto, ou o absolutamente "Outro" do mundo, é a *conditio sine qua non* do conhecimento do mundo e da consciência de sujeito e objeto. É a alteridade psíquica que possibilita verdadeiramente a consciência. A identidade não possibilita a consciência. Somente a separação, o desligamento e o confronto doloroso através da oposição, pode gerar consciência e conhecimento. A introspecção indiana reconheceu muito cedo este fato psicológico e por isso pôs em pé de igualdade o sujeito da cognição e o sujeito da existência em geral. De acordo com a atitude predominantemente introvertida do pensamento indiano, o objeto perdeu até mesmo o atributo de realidade absoluta, tornando-se frequentemente mera ilusão. A mentalidade greco-ocidental não podia se livrar da convicção da existência absoluta do mundo. Isto acontecia no entanto às custas do significado cósmico do si-mesmo. Hoje é difícil ainda para o homem ocidental reconhecer a necessidade psico-

---

30. [A pequena pedra insignificante – o escravo vermelho ou fugaz – filho da sabedoria – deus terreno – corpo glorificado]. O material encontra-se resumido em: *Psicologia e alquimia*, Partes II e III. Mercúrio como servo na parábola de IRINEU FILALETES. *Erklärung der Hermetisch Poetischen Werke Herrn Georgii Riplaei*, p. 131s.

31. [Cf. Katha-Upanishad. In: *Sacred Books of the East*, XV, p. 11, traduzido e comentado em: *Tipos psicológicos*, § 342.]

lógica de um sujeito transcendente do conhecer, como um polo oposto do universo empírico, embora o postulado da existência de um si-mesmo em confronto com o mundo, pelo menos como um *ponto refletor*, seja logicamente indispensável. Independentemente da atitude de rejeição ou de aprovação condicional da respectiva filosofia, há uma tendência compensatória em nossa psique inconsciente para produzir um símbolo do si-mesmo em seu significado cósmico. Estes esforços ocorrem nas formas arquetípicas do mito do herói, como podem ser facilmente observados em todo processo de individuação.

290   A fenomenologia do nascimento da "criança" sempre remete de novo a um estado psicológico originário do não conhecer, da escuridão ou crepúsculo, da indiferenciação entre sujeito e objeto, da identificação inconsciente de homem e mundo. Deste estado de indiferenciação surge o ovo dourado, o qual é tanto homem quanto mundo; no entanto não é nenhum dos dois, mas um terceiro, irracional. Para a consciência crepuscular do homem primitivo é como se o ovo saísse do útero do vasto mundo, sendo por isso um acontecimento cósmico e objetivo externo. Para a consciência diferenciada, ao contrário, parece evidente que este ovo nada mais é do que um símbolo nascido da psique, ou – o que é pior – uma especulação arbitrária e portanto "nada mais do que" um fantasma primitivo desprovido de qualquer "realidade". A psicologia médica atual considera diferentemente o fenômeno deste *phantasmata*. Sabe que perturbações das funções corporais importantes, por um lado, e consequências psíquicas devastadoras, por outro, resultam de meras "fantasias". "Fantasias" são expressões naturais da vida do inconsciente. Uma vez que este é a psique de todos os complexos autônomos funcionais do corpo, suas "fantasias" têm um significado etiológico que não deve ser menosprezado. Sabemos pela psicopatologia do processo de individuação que a formação dos símbolos é frequentemente associada a perturbações somáticas psicógenas, as quais em certas ocasiões podem ser sentidas como "verdadeiras". No campo da medicina, as fantasias são coisas *reais*, às quais o psicoterapeuta tem que levar seriamente em conta. Ele não pode negar a legitimidade daqueles *phantasmata* primitivos, cujo conteúdo é tão real que devido a isso são projetados no mundo exterior. Em última análise, o corpo humano também é constituído da matéria do mundo e é nela que as fantasias se tornam

manifestas; sim, sem ela, as "fantasias" não podem ser experienciadas. Sem matéria, elas seriam mais ou menos como grades abstratas de cristal dentro de uma solução de lixívia em que o processo de cristalização ainda não começou.

Os símbolos do si-mesmo surgem na profundeza do corpo e expressam a sua materialidade tanto quanto a estrutura da consciência discriminadora. O símbolo é o corpo vivo, *corpus et anima*; por isso, a "criança" é uma fórmula tão adequada para o símbolo. A singularidade da psique é uma grandeza em vias de realização, nunca de um modo total, mas aproximativo, a qual é ao mesmo tempo o fundamento imprescindível de toda consciência. As "camadas" mais profundas da psique vão perdendo com a escuridão e fundura crescentes a singularidade individual. Quanto mais "baixas", isto é, com a aproximação dos sistemas funcionais autônomos, tornam-se gradativamente mais coletivas, a fim de se universalizarem e ao mesmo tempo se extinguirem na materialidade do corpo, isto é, nas substâncias químicas. O carbono do corpo é simplesmente carbono. Em seu nível "mais baixo" a psique é pois simplesmente "mundo". Neste sentido dou toda razão a Kerényi quando este diz que no símbolo fala *o próprio mundo*. Quanto mais arcaico e "mais profundo", isto é, mais fisiológico o símbolo, tanto mais ele é coletivo e universal, tanto "mais material". Quanto mais abstrato, diferenciado e específico, tanto mais se aproxima da natureza da unicidade e singularidade consciente e tanto mais se desfaz do seu caráter universal. Em plena consciência ele corre o perigo de tornar-se mera alegoria, que em parte alguma ultrapassa os limites da compreensão consciente, ficando então exposta a todas as tentativas possíveis de explicação racionalista.

C. *O hermafroditismo da criança*

É um fato digno de nota que talvez a maioria dos deuses cosmogônicos sejam de natureza bissexual. O hermafrodita justamente significa uma união dos opostos mais fortes e estranhos. Essa união remete em primeiro lugar a um estado de espírito primitivo, em cujo estado crepuscular as diferenças e contrastes ainda se encontram indistintos ou confusos. Com a clareza crescente da consciência, porém, os opostos afastam-se de modo distinto e irreconciliável. Assim, se o hermafrodita fosse apenas um produto da indiferenciação primitiva, seria de esperar-se sua eliminação com o desenvolvimento da cultura. Isto não acontece de forma alguma; pelo contrário, esta representação ocupou também a fantasia em níveis culturais elevados e máximos, sempre de novo, tal como podemos observar na filosofia do gnosticismo do helenismo tardio e sincrético. A "rebis" hermafrodita desempenha um papel significativo na filosofia da natureza da Idade Média. E na época atual ouvimos falar da androginia de Cristo na mística católica[32].

293 Aqui não pode mais tratar-se da persistência de um fantasma primitivo, de uma contaminação originária de opostos. A representação primordial, como podemos constatar nas obras medievais[33], tornou-se o *símbolo da união construtiva de opostos*, um símbolo "unificador" propriamente dito. Em seu significado funcional, o símbolo não aponta mais para trás, mas para a frente, para uma meta ainda não atingida. Sem ater-nos à sua monstruosidade, o hermafrodita tornou-se pouco a pouco, inequivocamente, um portador de cura, superador de conflitos, significado este que ele já alcançara em fases bem anteriores da cultura. Este significado vital explica por que a imagem do hermafrodita não se apaga nos primeiros tempos, mas, pelo contrário, pôde afirmar-se com a profundidade crescente do conteúdo simbólico através dos séculos. O fato de uma representação tão arcaica ter-se elevado a um tal nível de significado indica não só a vitalidade das ideias arquetípicas em geral, como também demonstra o acerto do princípio de que o arquétipo é o mediador e unificador de opostos entre os fundamentos inconscientes e a consciência. Ele constrói uma ponte entre a consciência do presente, ameaçada de desenraizamento, e a totalidade natural inconscientemente instintiva dos tempos originários. Através dessa mediação a unicidade, a singularidade e a unilateralidade da atual consciência individual é conectada sempre de novo com a condição prévia natural e da raça. Progresso e desenvolvimento são ideais inegáveis; mas perdem o sentido se o homem chegar a seu novo estado apenas como um fragmento de si mesmo, deixando para trás, na sombra do inconsciente, todo o essen-

---

32. KOEPGEN. *Die Gnosis des Christentums*, p. 315s.
33. A *lapis* como *mediator* e *medium*; cf. *Tractatus aureus cum scholiis*. In: MANGETUS. *Bibl. chem*. I, p. 408b, e *Art. Aurif.*, p. 641.

cial que constitui seu pano de fundo, a um estado de primitividade, ou até de barbárie. A consciência cindida de seus fundamentos, incapaz de preencher o sentido de um novo estado, torna a cair com muita facilidade em uma situação bem pior do que aquela da qual a mudança quis libertá-la – *exempla sunt odiosa*! Friedrich Schiller foi quem pela primeira vez viu com clareza este problema; mas nem seus contemporâneos, nem seus sucessores tiveram a capacidade de tirar qualquer conclusão deste fato. Pelo contrário, as pessoas tendem mais do que nunca a educar apenas crianças. Por isso eu suspeito que o *"furor paedagogicus"* seja um atalho bem-vindo que circunda o problema central tratado por Schiller, ou seja, *a educação do educador*. As crianças são educadas por aquilo que o adulto *é*, e não por suas palavras. A crença geral nas palavras é uma verdadeira doença da alma, pois uma tal superstição sempre afasta o homem cada vez mais de seus fundamentos, levando-o à identificação desastrosa da personalidade com o *slogan* em que acredita naquele momento. Enquanto isso, tudo o que foi superado e deixado para trás pelo chamado progresso resvala cada vez mais para dentro do inconsciente profundo, ocasionando a volta à condição primitiva da identificação com a massa. E este estado torna-se então realidade em lugar do progresso esperado.

Na medida em que a cultura se desenvolve, o ser originário bissexual torna-se símbolo da unidade da personalidade do si-mesmo, em que o conflito entre os opostos se apazigua. Neste caminho, o ser originário torna-se a *meta* distante da autorrealização do ser humano, sendo que desde o início já fora uma projeção da totalidade inconsciente. A totalidade humana é constituída de uma união da personalidade consciente e inconsciente. Tal como todo indivíduo provém de genes masculinos e femininos e o seu sexo é determinado pela predominância de um ou outro dos genes, assim também na psique só a consciência, no caso do homem, tem um sinal masculino, ao passo que o inconsciente tem qualidade feminina. Na mulher, dá-se o contrário. Apenas redescobri e reformulei este fato na minha teoria da anima[34], que já há muito era conhecida.

---

34. *Tipos psicológicos*, definições, cf. alma, e *O eu e o inconsciente* [Segunda parte, cap. II, § 296s.].

295   A ideia da *coniunctio* do masculino e feminino, que se tornou um conceito técnico na filosofia hermética, já aparece no gnosticismo como um *mysterium iniquitatis* provavelmente com a influência do "casamento divino" do Antigo Testamento, tal como foi realizado por exemplo por Oséias[35]. Tais coisas não são apenas indicadas por certos costumes tradicionais[36], mas também são citações do Evangelho que encontramos na *Segunda Epístola de Clemente*: "Quando os dois se tornarem um, e o que está fora (tornar-se) como o que está dentro, o masculino com o feminino tornar-se-ão nem masculino, nem feminino"[37]. Este *logion* é introduzido por Clemente de Alexandria através das seguintes palavras: "Quando tiverdes calcado com os pés a veste da vergonha...[38]", o que se refere provavelmente ao corpo, pois Clemente assim como Cassiano (do qual a citação foi tirada) como também o Pseudo-Clemente interpretaram a palavra num sentido espiritual, ao contrário dos gnósticos, os quais, ao que parece, tomaram a *coniunctio* literalmente. No entanto, tiveram o cuidado, através da prática do aborto e de outras restrições, de não permitir que o sentido biológico de seu comportamento prevalecesse sobre o significado religioso do rito. Enquanto na mística eclesiástica a imagem primordial do *hieros gamos* era sublimada ao máximo e só se aproximava ocasionalmente da *physis*, pelo menos emocionalmente, como por exemplo no caso de Mectilde de Magdeburgo[39], a imagem se manteve inteiramente viva, continuando como objeto de preocupação psíquica especial. Os desenhos simbólicos de Opicinus de Canistris[40] nos dão sob este aspecto uma ideia interessante do modo pelo qual esta imagem primordial servia como instrumento de união dos opostos, até mesmo no estado patológico. Por outro lado, na filosofia hermética dominante da Idade Média, a *coniunctio* realizava-se inteiramente no campo da *physis* através da teoria abstrata co-

---

35. Os 1,2s.
36. Cf. FENDT. *Gnostische Mysterien*.
37. HENNECKE. *Neutestamentliche Apokryphen*, p. 176, 12.
38. CLEMENTE. *Stromata*, III, 13, 92 [e HENNECKE. Op. cit., p. 23].
39. *Das fliessende Licht der Gottheit*.
40. SALOMON. *Opicinus de Canistris*.

niugium Solis et Lunae, a qual apesar da fantasia imagística dava ensejo à antropomorfização.

Nesta situação, isto só é compreensível quando, na psicologia moderna do inconsciente, a imagem originária reaparece sob a forma da oposição masculino-feminino, ou seja, como consciência masculina e inconsciente personificado no feminino. Através da conscientização psicológica, porém, o quadro complicou-se consideravelmente. Enquanto a antiga ciência era quase exclusivamente uma área em que só o inconsciente do homem podia projetar-se, a nova psicologia teve de reconhecer também a existência de uma psique feminina autônoma. No entanto trata-se aqui do caso inverso: uma consciência feminina opõe-se a uma personificação masculina do inconsciente, que já não podemos chamar de *anima*, mas, sim, de *animus*. Esta descoberta complicou também o problema da *coniunctio*.

Originariamente, este arquétipo era vivido inteiramente no campo da magia da fertilidade, permanecendo portanto durante muito tempo um fenômeno puramente biológico, sem outra finalidade a não ser a da fecundação. Mas já na remota Antiguidade o significado simbólico do ato parece ter-se ampliado. Assim, por exemplo, a realização do *hieros gamos* como um ritual do culto tornou-se não só um mistério, como também uma abstração[41]. Já vimos que o gnosticismo também se esforçou seriamente no sentido de subordinar o fisiológico ao metafísico. Na Igreja, finalmente, a *coniunctio* é totalmente suprimida do plano da *physis*, e na filosofia da natureza tornou-se uma *theoria* abstrata. Este desenvolvimento significa uma transformação gradual do arquétipo em um processo anímico que podemos designar teoricamente por uma combinação de processos conscientes e inconscientes[42]. Na prática, porém, a coisa não é tão fácil, pois em geral o inconsciente feminino do homem é projetado em uma parceira feminina, e o inconsciente masculino da mulher em um homem. A elu-

---

41. Cf. denúncia do bispo Astério (FOUCART. *Mystères d'Eleusis*, cap. XX). Segundo relato de Hipólito, o hierofante ficou impotente mediante a ingestão de uma dose de cicuta. As autocastrações dos sacerdotes a serviço da deusa-mãe têm um significado semelhante.

42. Mais sobre o confronto com o inconsciente, cf. *O eu e o inconsciente*, Primeira parte, cap. II [§ 221s.].

cidação desta problemática porém é especialmente psicológica e já não se refere mais ao esclarecimento do hermafrodita mitológico.

D. A criança como começo e fim

298   Depois de sua morte, Fausto é perseguido, como menino, no "coro dos meninos bem-aventurados". Não sei se Goethe se referia, com essa estranha ideia, aos cupidos dos antigos sepulcros. Isto não seria inconcebível. A figura do *cucullatus* indica o gênio encapuçado, isto é, invisível, do morto, que agora reaparece na ciranda infantil de uma nova vida, cercado de figuras marinhas dos golfinhos e dos deuses do mar. Este é o símbolo querido do inconsciente, a mãe de tudo o que vive. Tal como a "criança" tem, em certas circunstâncias (por exemplo, no caso de Hermes e dos dáctilos) uma relação muito próxima com o falo enquanto símbolo do genitor, assim ela aparece de novo no falo sepulcral, como símbolo da concepção renovada.

299   A "criança" é, portanto, também *"renatus in novam infantiam"*, não sendo, portanto, apenas um ser do começo, mas também um ser do fim. O ser do começo existiu antes do homem, e o ser do fim continua depois dele. Psicologicamente, esta afirmação significa que a "criança" simboliza a essência humana pré-consciente e pós-consciente. O seu ser pré-consciente é o estado inconsciente da primeiríssima infância; o pós-consciente é uma antecipação *per analogiam* da vida além da morte. Nesta ideia se exprime a natureza abrangente da totalidade anímica. Esta nunca está contida no âmbito da consciência, mas inclui a extensão do inconsciente, indefinido e indefinível. A totalidade é pois empiricamente uma dimensão incomensurável, mais velha e mais nova do que a consciência envolvendo-a no tempo e no espaço. Esta constatação não é uma simples especulação, mas uma experiência anímica direta. O processo da consciência não só é constantemente acompanhado, mas também frequentemente conduzido, promovido e interrompido por processos inconscientes. A vida anímica estava na criança ainda antes de ela ter consciência. Mesmo o adulto continua a dizer e fazer coisas cujo significado talvez só se torne claro mais tarde, ou talvez se perca. No entanto, ele as disse e fez como se soubesse o que significavam. Nossos sonhos dizem constantemente coisas que ultrapassam a nossa compreensão consciente

(razão pela qual são tão úteis na terapia das neuroses). Temos pressentimentos e percepções de fontes desconhecidas. Medos, humores, intenções e esperanças nos assaltam, sem causalidade visível. Tais experiências concretas fundamentam aqueles sentimentos de que nós nos conhecemos de modo muito insuficiente e a dolorosa conjetura de que poderíamos ter vivências surpreendentes com nós mesmos.

O homem primitivo não é um enigma para si mesmo. A pergunta acerca do homem é sempre a última que ele se propõe. Mas o primitivo tem tanto de anímico projetado fora de sua consciência que a experiência de algo psíquico fora dele é muito mais familiar do que para nós. A consciência protegida a toda volta por poderes psíquicos, sustentada, ameaçada ou traída por eles, é uma experiência primordial da humanidade. Essa experiência projetou-se no arquétipo da criança que expressa a totalidade do ser humano. Ela é tudo o que é abandonado, exposto e ao mesmo tempo o divinamente poderoso, o começo insignificante e incerto e o fim triunfante. A "eterna criança" no homem é uma experiência indescritível, uma incongruência, uma desvantagem e uma prerrogativa divina, um imponderável que constitui o valor ou desvalor último de uma personalidade.

4. Conclusão

Tenho a consciência de que um comentário psicológico do arquétipo da criança sem uma documentação detalhada não passa de um esboço. Uma vez, porém, que se trata de um território novo na psicologia, o que em primeiro lugar me preocupou foi delimitar o âmbito possível da problemática levantada pelo arquétipo em questão e descrever resumidamente seus diferentes aspectos. Delimitações agudas e formulações estritas de conceitos são praticamente impossíveis neste campo, pois a interpenetração recíproca e fluida pertence à natureza dos arquétipos. Estes só podem ser circunscritos na melhor das hipóteses de modo aproximativo. O seu sentido vivo resulta mais de sua apresentação como um todo do que de sua formulação isolada. Toda tentativa de uma apreensão mais aguda pune-se imediatamente pelo fato de apagar a luminosidade do núcleo inapreensível de significado. Nenhum arquétipo pode ser reduzido a uma simples fórmula. Trata-se de um recipiente que nunca podemos esvaziar, nem encher. Ele existe em si apenas potencialmente e, quando toma forma em alguma matéria, já não é mais o que era antes. Persiste através dos milênios e sempre exige novas interpretações. Os arquétipos são os elementos inabaláveis do inconsciente, mas mudam constantemente de forma.

302 É praticamente impossível arrancar um arquétipo isolado do tecido vivo da alma e seu sentido, mas, apesar de seu entrelaçamento, os arquétipos constituem unidades que podem ser apreendidas intuitivamente. A psicologia como uma das múltiplas manifestações de vida da alma opera com ideias e conceitos que, por sua vez, são derivados de estruturas arquetípicas, gerando um mito algo abstrato. A psicologia traduz, portanto, a linguagem arcaica do mito em um mitologema moderno ainda não reconhecido como tal, o qual constitui um elemento da "ciência" do mito. Esta atividade "inútil" é um mito vivo e vivido, sendo por isso satisfatório e até benéfico para as pessoas de temperamento imaginativo, na medida em que estavam cindidas dos fundamentos da alma por uma dissociação neurótica.

303 Encontramos o arquétipo da "criança" empiricamente em processos de individuação espontâneos e induzidos terapeuticamente. A primeira manifestação da "criança" é, em geral, totalmente inconsciente. Neste caso há uma identificação do paciente com o seu infantilismo pessoal. Depois, ocorre, "sob a influência da terapia", uma separação e objetivação mais ou menos gradual da "criança" e portanto uma dissolução da identidade, acompanhada de uma intensificação "às vezes tecnicamente apoiada" de figurações fantasiosas, em que traços arcaicos, isto é, mitológicos, tornam-se cada vez mais visíveis. O processo de transformação que se segue corresponde ao mito do herói. Em geral, o motivo dos grandes feitos não comparece; em compensação, as ameaças míticas desempenham um papel maior. Na maioria das vezes reaparece, nesse estágio, uma identificação com o papel do herói, que por diversos motivos é um polo de atração. Tal identificação é frequentemente obstinada e preocupante para o equilíbrio anímico. Se essa identificação puder ser dissolvida através da redução da consciência à sua medida humana, a figura do herói diferenciar-se-á gradativamente até o símbolo do si-mesmo.

304 Na realidade prática, porém, trata-se certamente não de um mero saber acerca de tais desenvolvimentos, mas da vivência das transformações. O estágio inicial do infantilismo pessoal mostra a

imagem de uma criança "abandonada", ou seja, "incompreendida" e tratada injustamente, a qual tem pretensões exageradas. A epifania do herói, isto é, a segunda identificação manifesta-se em uma inflação correspondente: a pretensão exagerada torna-se convicção de que se é algo especial; ou a impossibilidade de satisfazer a pretensão é prova da própria inferioridade, o que favorece o papel do herói sofredor (numa inflação negativa). Apesar de serem contraditórias, ambas as formas são idênticas, porque à megalomania consciente corresponde uma inferioridade compensatória inconsciente e a uma inferioridade consciente, uma megalomania inconsciente. (Nunca encontramos uma sem a outra.) Se o recife da segunda identificação for circum-navegado com êxito, o acontecimento consciente pode ser separado nitidamente do inconsciente e este último pode ser observado objetivamente. Disso resulta a possibilidade de um confronto com o inconsciente e assim de uma síntese possível dos elementos conscientes e inconscientes do conhecimento e da ação. Ocorre novamente o deslocamento do centro da personalidade do eu para o si-mesmo[43].

Nesse quadro psicológico ordenam-se os temas do abandono, da invencibilidade, do hermafroditismo, e do ser do começo e do fim, enquanto categorias da vivência e da compreensão, facilmente discerníveis.

---

43. *O eu e o inconsciente.*

VII

Aspectos psicológicos da Core*

306   A figura de Deméter e Core em seu tríplice aspecto, como mãe, jovem e Hécate é, para a psicologia do inconsciente, algo não só conhecido como também um problema prático. A "Core" tem seu correspondente psicológico nos arquétipos que, por um lado, designei por *si-mesmo* ou personalidade supraordenada e, por outro, por *anima*. A fim de explicar essas figuras que não podemos pressupor como algo conhecido, devemos fazer algumas observações de ordem geral.

307   O psicólogo confronta-se com as mesmas dificuldades que o mitólogo, quando pedem a eles uma definição exata, uma informação unívoca ou concisa a respeito desses temas. Só a própria imagem é concreta, clara ou nitida e sem ambiguidades, quando é representada em seu contexto habitual. Nesta forma ela diz tudo o que contém. Mas assim que procuramos abstrair a "essência própria" da imagem, esta torna-se indistinta e se dissolve finalmente em brumas. Para compreender a sua função viva temos de preservá-la como um ser vivo em sua complexidade, sem pretender examiná-la cientificamente segundo a anatomia de seu cadáver ou, historicamente, segundo a

---

*Publicado juntamente com uma contribuição de Karl Kerényi ("Kore") como monografia (Albae Vigiliae VIII/IX) pela editora Pantheon Akademische Verlagsanstalt, Amsterdam-Leipzig, 1941, sob o título: *Das göttliche Mädchen* – Die Hauptgestalt der Mysterien von Eleusis in Mythologischer und psychologischer Beleuchtung. Depois, juntamente com o ensaio precedente do presente volume, como: JUNG, C.G. & KERÉNYI, K. *Einführung in das Wesen der Mythologie* – Gottkindmythos/Eleusinische Mysterien, na mesma editora, 1941. Nova edição com o mesmo título geral, mas com o subtítulo: *Das göttliche Kind/Das göttliche Mädchen*, pela editora Rhein – Verlag, Zurique, 1951.

arqueologia de suas ruínas. Não negamos naturalmente os direitos desses métodos quando são empregados adequadamente.

Devido à enorme complexidade dos fenômenos psíquicos, um ponto de vista puramente fenomenológico é sem dúvida o único possível e que promete êxito a longo prazo. "De onde" vêm as coisas e o "o quê" são constituem perguntas que no campo da psicologia suscitam tentativas de interpretação inoportunas. Tais especulações baseiam-se muito mais em pressupostos inconscientes filosóficos do que na própria natureza dos fenômenos. O campo das manifestações psíquicas, provocadas por processos inconscientes, é tão rico e múltiplo, que prefiro descrever o fato observado e quando possível classificá-lo, isto é, subordiná-lo a determinados tipos. Trata-se de um método científico, empregado sempre que nos encontramos diante de um material variado e ainda não organizado. Podemos ter dúvidas quanto à utilidade e oportunidade das categorias ou tipos de ordenamento empregados, mas não quanto ao acerto do método.

308

Como observo e examino há décadas os produtos do inconsciente no sentido mais amplo, isto é, os sonhos, fantasias, visões e delírios, não pude deixar de reconhecer certas regularidades ou *tipos*. Há tipos de *situações* e de *figuras* que se repetem frequentemente de acordo com seu sentido. Por isso uso também o conceito de *tema* ou *motivo* a fim de designar estas repetições. Assim, não existem apenas sonhos típicos, mas também motivos típicos em sonhos. Estes últimos, como dissemos, podem ser situações ou figuras. Entre estas últimas, comparecem figuras humanas que podem ser subordinadas a uma série de tipos: os principais são – segundo suponho[1] – a sombra, o velho, a criança (inclusive o menino-herói), a mãe ("mãe-originária" e "mãe-Terra") como personalidade supraordenada ("demoníaca" por

309

---

1. Pelo que eu saiba, até hoje não foram feitas outras propostas. A crítica contentou-se em afirmar que tais arquétipos não existem. E não existem mesmo, assim como não existe na natureza um sistema botânico! Mas será que por isso vamos negar a existência de famílias de plantas naturais? Ou será que vamos contestar a ocorrência e contínua repetição de certas semelhanças morfológicas e funcionais? Com as formas típicas do inconsciente, trata-se de algo em princípio muito semelhante. São formas existentes a priori ou normas biológicas de atividade anímica.

ser supraordenada) e seu oposto correspondente, a jovem e também a *anima* no homem e o *animus*, na mulher.

310   Os tipos acima citados não esgotam nem de longe todas as regularidades estatísticas a esse respeito. A figura de Core que aqui nos interessa pertence, quando observada no homem, ao tipo "anima"; quando observada na mulher, ao tipo de "personalidade supraordenada". É uma característica essencial das figuras psíquicas serem duplas, ou pelo menos capazes de duplicação; em todo caso, elas são bipolares e oscilam entre o seu significado positivo e negativo. Assim sendo, a personalidade "supraordenada" pode aparecer numa forma desprezível e distorcida, como, por exemplo, Mefistófeles, o qual na realidade tem uma personalidade muito mais positiva do que o Fausto ambicioso, vazio e irrefletido; outra figura negativa é o polegar ou parvo do conto de fadas. A figura correspondente a Core na mulher é geralmente uma figura dupla, ou seja, uma mãe e uma jovem; isto é, ora ela aparece como uma, ora como a outra. Deste fato eu concluiria, por exemplo, que, na formação do mito Deméter-Core, a influência feminina sobrepujou tão consideravelmente o masculino que este último praticamente ficou quase sem significado. O papel do homem no mito de Deméter restringe-se, por assim dizer, ao raptor ou violador.

311   Na observação prática, a figura de Core aparece na mulher como uma jovem desconhecida; não raro, como Gretchen e mãe solteira[2]. Uma variação frequente é a dançarina, constituído de empréstimos feitos aos conhecimentos clássicos: neste caso, a jovem aparece como Coribante, mênada ou ninfa. Outra variante frequente é a sereia, cuja sobrenatureza é revelada pelo rabo do peixe. Muitas vezes tanto a figura de Core como a da mãe resvalam para o reino animal, cujo representante favorito é o gato, a serpente, o urso, o monstro negro subterrâneo como o crocodilo, ou seres da espécie da salamandra e

---

2. A concepção personalista interpreta tais sonhos como "realização de desejos". Semelhante interpretação é tida por muitos como a única possível. Sonhos deste tipo ocorrem, no entanto, nas circunstâncias de vida mais diversas, mesmo nas situações em que a teoria da realização do desejo se torna uma pura "prepotência" e arbitrariedade. Por esta razão, a pesquisa do tema na área dos sonhos me parece ser o procedimento mais prudente e adequado.

do sáurio[3]. O desamparo da jovem – deixam-na entregue a todos os perigos possíveis – é, por exemplo, ser devorada por monstros ou ser abatida ritualmente como um animal sacrificado. Frequentemente trata-se de orgias sangrentas, cruéis e até mesmo obscenas, nas quais a criança inocente é imolada. Às vezes trata-se de uma verdadeira *nekyia*, descida ao Hades à procura do "tesouro difícil de alcançar", ocasionalmente ligada a orgias rituais, sexuais ou sacrifícios à Lua do sangue menstrual. Significativamente as torturas e as ações obscenas são realizadas por uma "Mãe-Terra". Podem ocorrer banhos ou libações de sangue[4], e também crucifixões. A figura da jovem a ser observada na casuística é bastante diferente da vaga figura da Core colhendo flores, na medida em que a figura atual é mais nitidamente delineada e não tão "inconsciente", como mostram os exemplos que se seguem.

As figuras correspondentes a Deméter e Hécate são figuras maternas superiores e de estatura sobrenatural, as quais vão do tipo Pietá até o tipo Baubo. O inconsciente feminino compensatório do inofensivo convencional mostra ser em última análise extremamente inventivo. Lembro-me apenas de pouquíssimos casos em que a figura nobre própria de Deméter irrompeu do inconsciente em formação espontânea. Lembro-me de um caso em que uma Virgem divina apareceu vestida do mais puro branco, mas carregando em seus braços um macaco preto. A Mãe-Terra é sempre ctônica e ocasionalmente relaciona-se com a Lua, seja através do sacrifício de sangue já mencionado, seja através do sacrifício de uma criança, ou então adornada com a

312

---

3. A dupla visão da salamandra relatada por Benvenuto Cellini em sua biografia, corresponde a uma projeção da anima, suscitada pela música tocada pelo pai [cf. GOETHE. *Obras* XXXIV, p. 20, e JUNG. *Psicologia e alquimia*, § 404].

4. Uma paciente minha, cuja dificuldade maior era um complexo materno negativo, desenvolveu uma série de fantasias sobre uma figura materna primitiva, uma índia. que dava instruções acerca da natureza da mulher. No meio dessas lições, há um parágrafo especial referente ao sangue que diz: "A vida da mulher tem a ver com o sangue. Todos os meses há de lembrar-se dele, e o parto é coisa sangrenta, destruição e criação. Uma mulher pode parir, mas a nova vida não é criação sua. No fundo ela sabe disso e alegra-se com a graça que lhe foi concedida. Ela é uma pequena mãe, não a Grande Mãe. Mas a sua pequena imagem assemelha-se à grande. Quando consegue compreendê-lo, é abençoada pela natureza, porque se submeteu de modo correto, e isso lhe permite participar da nutrição da Grande Mãe".

forma da Lua crescente[5]. Em representações desenhadas ou plásticas, a "mãe" é sempre escura e até preta ou vermelha (que são suas cores principais), o rosto tem uma expressão primitiva ou animal, sua forma assemelha-se não raro ao ideal neolítico da Vênus de Brassempouy, ou da de Willendorf ou ainda o da adormecida de Hal Saflieni. Em outras ocasiões também encontrei os múltiplos seios, cuja disposição correspondia à da porca. A Mãe-Terra desempenha um papel importante no inconsciente da mulher, pois todas as suas manifestações são caracterizadas como sendo "poderosas". Isso mostra que nesses casos o "elemento-Mãe-Terra", no consciente, é anormalmente fraco, necessitando, portanto, ser fortalecido.

313   Admito que em vista disso parece difícil compreender quando tais figuras são consideradas como pertencentes à personalidade supraordenada. Numa investigação científica, no entanto, devemos renunciar aos preconceitos morais ou estéticos, permitindo que os fatos falem por si mesmos. A jovem é frequentemente caracterizada como não humana, no sentido comum da palavra; ora ela é desconhecida, ora de origem bizarra, ora sua presença é estranha, ora ela atua ou padece de modo curioso, o que nos faz concluir que a jovem é de natureza mítica e fora do comum. A Mãe-Terra é também um ser divino – no antigo sentido –, de modo contundente. Ela aparece nem sempre sob a forma de Baubo, mas às vezes como a rainha Vênus no *Polifilo*[6], sempre, porém, pesada de fatalidade. As formas frequente-

---

5. Frequentemente a Lua está simplesmente "aí", como, por exemplo, em uma fantasia sobre a mãe ctônica na forma da "mulher-abelha" (JOSEPHINE D. BACON, *In the Border Country*, p. 14s.): O caminho levava a um minúsculo casebre, da mesma cor que as quatro grandes árvores à sua volta. A porta estava escancarada, e no meio estava uma velha, sentada sobre um assento baixo, envolvida num capote longo, que para ela olhava amigavelmente. O casebre ressoava com o zumbido das abelhas. Em um dos cantos havia uma fonte profunda e fria, na qual se espelhavam "uma lua branca e estrelinhas". Ela via todo o firmamento dentro da fonte. A velha exortou-a a lembrar-se novamente das obrigações da vida feminina. Na ioga tântrica, desprende-se da *shakti* adormecida um "zumbido como o de um enxame de abelhas loucas de amor" (Shat-chakra Nirupana, p. 29. In: AVALON. *The Serpent Power*). Cf. mais adiante [§ 352] a dançarina que se dissolve em um enxame de abelhas. As abelhas também se conectam – enquanto alegoria – com Maria, como se vê pelo texto da bênção do círio pascal. Cf. DUCHESNE. *Origines du culte chrétien*, p. 265s.

6. COLONNA. *Hypnerotomachia Poliphili*, e LINDA FIERZ-DAVID. *Der Liebstraum des Poliphilo*.

mente antiestéticas da "Mãe-Terra" correspondem a um preconceito do inconsciente feminino atual, que não existia na Antiguidade. A natureza ctônica da Hécate, ligada a Deméter, e o destino de Perséfone apontam para o lado escuro da alma humana, ainda que numa medida menor do que hoje em dia.

A "personalidade supraordenada" é o ser humano total, isto é, tal como é na realidade e não apenas como julga ser. A totalidade compreende também a alma inconsciente que tem suas exigências e necessidades vitais tal como a consciência. Não quero interpretar o inconsciente de modo personalístico, nem afirmar que as imagens da fantasia como as que acima foram descritas sejam "satisfações de desejo" reprimidas. Tais imagens nunca foram conscientes anteriormente, não podendo, portanto, ser reprimidas. Eu compreendo o inconsciente muito mais como uma psique impessoal comum a todos os seres humanos, apesar de ela expressar-se através de uma consciência pessoal. Embora todos respirem, a respiração não é um fenômeno a ser interpretado de modo pessoal. As imagens míticas pertencem à estrutura do inconsciente e constituem uma posse impessoal, que mais possui a maioria das pessoas do que é por elas possuída. As imagens, como as acima descritas, ocasionam em certas circunstâncias perturbações e sintomas, sendo então tarefa da terapia médica descobrir se, como e em que medida tais impulsos devem ser integrados à personalidade consciente ou se passaram de uma potencialidade normal a uma efetivação, devido a uma orientação insuficiente da consciência. Na prática encontramos as duas possibilidades.

Habitualmente chamo a personalidade supraordenada de si-mesmo, e separo estritamente o *eu*, o qual como se sabe só vai até onde chega a consciência do *todo da personalidade*, no qual se inclui, além da parte consciente, o inconsciente. O eu está para o "si-mesmo" assim como a parte está para o todo. Assim sendo, o si-mesmo é supraordenado ao eu. Empiricamente o si-mesmo não é sentido como sujeito, mas como objeto, e isto devido à sua parte inconsciente, que só pode chegar indiretamente à consciência, via projeção. Por causa da parte inconsciente, o si-mesmo se acha tão distante da consciência que se, por um lado, pode ser expresso por figuras humanas, por outro, necessita de símbolos objetivos e abstratos. As figuras humanas são pai e filho, mãe e filha, rei e rainha, deus e deusa. Os símbolos teriomórficos são dragão, serpente, elefante, leão, urso ou outro animal poderoso. E, por outro lado, aranha, caranguejo, borboleta, besouro, verme etc. Os símbolos vegetais são, em geral, flores (lótus e rosa!). Estas últimas conduzem à forma geométrica como círculo, esfera, quadrado, quaternidade, relógio, firmamento etc.[7] O alcance indefinido da parte inconsciente torna, portanto, impossível uma apreensão e descrição completas da personalidade humana. Consequentemente, o inconsciente complementa o quadro com figuras vivas, que vão do animal até a divindade como os dois extremos além do humano. Além disso, o extremo animal é complementado pelo acréscimo do vegetal e do abstrato inorgânico, tornando-o um microcosmos. Estas complementações são encontradas com grande frequência como atributo em imagens divinas antropomórficas.

316   Deméter e Core, mãe e filha, totalizam uma consciência feminina para o alto e para baixo. Elas juntam o mais velho e o mais novo, o mais forte e o mais fraco e ampliam assim a consciência individual estreita, limitada e presa a tempo e espaço rumo a um pressentimento de uma personalidade maior e mais abrangente e, além disso, participa do acontecer eterno. Não devemos supor que mito e mistério tenham sido inventados conscientemente para uma finalidade qualquer, mas ao que parece representariam uma confissão involuntária de uma condição prévia psíquica, porém inconsciente. A psique que preexiste à consciência (por exemplo, no caso da criança) participa, por um lado, da psique materna e, por outro, chega até a psique de filha. Por isso poderíamos dizer que toda mãe contém em si sua filha e que toda filha contém em si sua mãe; toda mulher se alarga na mãe, para trás e na filha, para frente. Desta participação e mistura resulta aquela insegurança no que diz respeito ao tempo: como mãe, vive-se antes; como filha, depois. Da vivência consciente desses laços resulta um sentimento da extensão da vida, através de gerações: um primeiro passo em direção à experiência e convicção imediatas de estar fora do tempo dá-nos o sentido de *imortalidade*. A vida individual é elevada ao tipo, isto é, ao arquétipo do destino feminino em geral. Ocorre

---

7. *Psicologia e alquimia*, Segunda parte.

assim uma apocatástase das vidas dos antepassados que, mediante a ponte do ser humano contemporâneo individual, prolongam-se nas gerações futuras. Através de uma experiência deste tipo o indivíduo é incorporado à vida cheia de sentido das gerações, sendo que seu fluxo (da vida) deve fluir através de cada um. Todos os obstáculos desnecessários são afastados do caminho, mas este é o próprio fluxo da vida. Cada indivíduo, porém, é ao mesmo tempo liberto de seu isolamento e devolvido à sua inteireza. Toda preocupação cultual com arquétipos tem, em última análise, este objetivo e resultado.

Fica logo claro ao psicólogo quais os efeitos catárticos e ao mesmo tempo renovadores procedentes do culto a Deméter sobre a psique feminina; fica clara também a carência da higiene psíquica que caracteriza nossa cultura, a qual não conhece mais esse tipo de vivência salutar, como o das emoções eleusinas.

É claramente perceptível para mim que, não só o leigo em psicologia, como o psicólogo profissional, o psiquiatra e até o psicoterapeuta não possuem aquele conhecimento do material arquetípico de seus pacientes, pois não investigaram este aspecto da fenomenologia do inconsciente. Não raro ocorrem no campo da observação psiquiátrica e psicoterapêutica casos que se distinguem por uma rica produção de símbolos arquetípicos[8]. Uma vez que faltam ao médico observador os conhecimentos históricos necessários, ele não está em condições de perceber paralelismo entre as suas observações e os achados da antropologia e das ciências humanas em geral. Inversamente, o estudioso da mitologia e das religiões comparadas, geralmente não é psiquiatra e por isso não sabe que os seus mitologemas continuam vivos e radiantes, como os sonhos e visões, no recesso das vivências pessoais mais íntimas e que em hipótese alguma gostaríamos de entregar à dissecação científica. O material arquetípico é por isso o grande desconhecido e requer estudos e uma preparação especial, só para poder coletar tal material.

---

8. Remeto à dissertação do meu discípulo JAN NELKEN. *Analytische Beobachtungen über Phantasien eines Schizofrenen* (1912), bem como à minha análise de uma série de fantasias em: *Símbolos da transformação*.

319   Não me parece supérfluo dar alguns exemplos tirados de minha experiência casuística, nos quais se manifestam imagens arquetípicas no sonho ou na fantasia. Em meu público sempre deparo com a dificuldade de ele considerar a ilustração mediante "alguns exemplos" a coisa mais simples do mundo. Na realidade, porém, é quase impossível demonstrar algo com poucas palavras e algumas imagens arrancadas do seu contexto. Isto só é possível diante de alguém que conhece o assunto. Ninguém poderia imaginar o que Perseu deve fazer com a cabeça de Górgona, a não ser que se conheça o mito. O mesmo ocorre com as imagens individuais: elas necessitam de um contexto, que não é apenas mito, mas também anamnese individual. Tais conexões, porém, têm uma extensão ilimitada. Cada série de imagens mais ou menos completa exigiria, para sua representação, um livro de cerca de 200 páginas. A minha investigação da série de fantasias de Miller pode dar uma ideia do que seja[9]. É, pois, com muita hesitação, que tento dar exemplos casuísticos. O material que utilizo procede em parte de pessoas normais, em parte de pessoas um pouco neuróticas. Trata-se ora de sonhos, ora de visões ou de sonhos entretecidos de visões. Essas "visões" não são de modo algum alucinações ou estados extáticos, mas sim imagens de fantasias visuais espontâneas, ou aquilo que chamamos de *imaginação ativa*. Este último é um método de introspecção indicado por mim e que consiste na observação do fluxo das imagens interiores: concentra-se a atenção em uma imagem onírica que causa impacto, mas é ininteligível, ou em uma impressão visual, observando-se as mudanças que ocorrem na imagem. Evidentemente, devemos suspender todo senso crítico e o que ocorre deve ser observado e anotado com absoluta objetividade. É óbvio também que as objeções como: isso é "arbitrário ou inventado por mim mesmo", devem ser postas de lado, pois surgem da ansiedade da consciência do eu, que não tolera nenhum senhor a seu lado na própria casa; em outras palavras, é a inibição exercida pela consciência sobre o inconsciente.

320   Nestas condições aparece frequentemente uma série dramática de fantasias. A vantagem deste método é o de trazer à luz uma grande

---

9. *Símbolos da transformação*. O livro de H.G. BAYNES *The Mythology of the Soul* compreende 939 páginas e se esforça por fazer jus ao material de apenas dois indivíduos.

quantidade de conteúdos inconscientes. Podemos utilizar para a mesma finalidade desenhos, pinturas e modelagens. Séries visuais, ao tornar-se dramáticas, passam facilmente à esfera auditiva ou da linguagem, o que determina diálogos ou algo parecido. Em alguns indivíduos um pouco patológicos e especialmente nas esquizofrenias latentes, que não são raras, este método pode ser um tanto perigoso, requerendo, portanto, um controle médico. Ele baseia-se num enfraquecimento deliberado da consciência e de sua influência limitadora ou repressora sobre o inconsciente. O objetivo do método é em primeiro lugar terapêutico e, em segundo lugar, ele fornece um rico material empírico. Alguns dos nossos exemplos foram tirados desse material. Diferem dos sonhos apenas pela forma mais apurada, devido ao fato de os conteúdos derivarem, não de uma consciência onírica, mas desperta. Os exemplos provêm de mulheres de meia-idade.

A. Caso X[*]

1. (IMPRESSÃO VISUAL ESPONTÂNEA): *"Vi um pássaro branco, de asas bem abertas. Ele desceu sobre uma figura feminina vestida de azul, que lá estava sentada como uma estátua antiga. O pássaro pousou em sua mão que continha um grão de trigo. O pássaro tomou-o em seu bico e voou de novo para o céu".* 321

X pintou um quadro dessa visão: em um assento de mármore branco encontra-se uma figura "materna", arcaicamente simples e vestida de azul. (A maternidade é ressaltada pelos seios volumosos.) 322

2. *"Um touro ergue uma criança do chão e carrega-a até uma estátua de mulher antiga. Uma jovem nua, com uma coroa de flores no cabelo, aparece montada em um touro branco. Ela pega a criança e joga-a para o alto como uma bola e toma-a de volta. O touro branco carrega as duas até um templo. Lá, a jovem deita a criança no chão etc."* (Segue-se uma consagração.) 323

---

[*] As diversas partes estão ordenadas cronologicamente.

324   Nesta imagem, a jovem aparece mais ou menos como Europa (aqui são utilizados alguns conhecimentos escolares). A nudez e a coroa de flores indicam alegria dionisíaca. O jogo de bola com a criança é um motivo do ritual secreto que sempre diz respeito ao "sacrifício da criança". (Compare-se com a acusação de assassínio ritual dos pagãos contra cristãos e dos cristãos contra gnósticos e judeus, e também os sacrifícios de crianças fenícias, rumores sobre missas negras etc., bem como "o jogo de bola na igreja"[10].)

325   3. *"Vi um porco dourado sobre um pedestal. Seres meio animais dançavam rondas à sua volta. Nós nos apressávamos a cavar um buraco profundo no chão. Mergulhei o braço no buraco e encontrei água. Apareceu então um homem numa carruagem dourada. Ele pulou no buraco, balançando de um lado para o outro (como se estivesse dançando)... Eu também balancei no mesmo ritmo que ele. Subitamente ele pulou para fora do buraco, violentou-me e me engravidou".*

326   X é idêntica à jovem que muitas vezes também aparece como rapaz. Este último é uma figura do animus que incorpora o masculino na mulher. O rapaz e a jovem formam uma sizígia ou *coniunctio*, a qual simboliza a essência da totalidade (tal como no hermafrodita platônico que se tornou mais tarde símbolo da totalidade perfeita na filosofia alquímica). X entrou na dança e por isso o "nós nos apressávamos". O paralelismo com os motivos ressaltados por Kerényi parecem dignos de nota.

327   4. *"Vi um belo jovem com címbalos dourados, dançando e pulando de alegria e animação... Finalmente caiu por terra e enterrou seu rosto nas flores. Em seguida, mergulhou no colo de uma mãe antiquíssima. Depois de algum tempo, levantou-se e mergulhou na água, onde afundava e emergia como um golfinho... Vi que seu cabelo era dourado e então pulamos juntos de mãos dadas. Chegamos assim a um desfiladeiro..."* Ao atravessar este último, o jovem cai no fundo do desfiladeiro. X fica sozinha e chega a um rio onde a espera um cavalo-marinho branco e um barco dourado.

---

10. [Cf. "A psicologia da figura do trickster", § 460[7] deste volume, e *Psicologia e alquimia*, § 182].

Nessa cena X é o jovem, por isso este desaparece depois, deixando-a como única heroína da história. Esta é a criança da mãe, o golfinho, o jovem perdido no desfiladeiro e a noiva manifestamente esperada por Posídon. A interferência peculiar e o deslocamento dos motivos nesses materiais oníricos são algo semelhante às variações mitológicas. O jovem no colo da mãe impressionou X de tal modo, que ela pintou essa cena. A figura é a mesma do número 1. Só que, em lugar do grão de trigo em sua mão, é o corpo do jovem que jaz completamente exausto no colo da mãe gigantesca.

5. *Segue-se agora o sacrifício de um carneiro, durante o qual também se joga bola com o animal do sacrifício. Os participantes lambuzam-se com o sangue derramado. Depois, tomam um banho de sangue pulsante. Através disso X transforma-se em uma planta.*

6. *Chega depois X a um covil de serpentes, onde estas a envolvem.*

7. *Sob o mar, uma mulher divina dorme em um covil de serpentes. (Na imagem ela é representada bem maior que os demais.) Usa uma veste vermelho-sangue, que envolve apenas a parte inferior de seu corpo. Sua pele é escura, tem lábios vermelhos e carnudos e parece ter uma enorme força física. Ela beija X que obviamente desempenha o papel da jovem e a oferece como um dom aos múltiplos homens presentes etc.*

Esta deusa ctônica é a típica "Mãe-Terra", tal como aparece em tantas fantasias modernas.

8. *Quando X emergiu do fundo e chegou novamente à luz, teve a experiência de um tipo de iluminação: chamas brancas brincavam em redor de sua cabeça, enquanto ela caminhava através de campos de trigo, de hastes ondulantes.*

Com esta imagem terminava o episódio da mãe. Embora não se tratasse nem de longe de um mito conhecido, aparecem temas e conexões, tais como os conhecemos na mitologia. Essas imagens ocorrem espontaneamente e não se baseiam de forma alguma em nenhum conhecimento consciente. Apliquei o método da imaginação ativa em mim mesmo por muito tempo e observei então numerosos símbolos e conexões entre eles, os quais só pude provar, anos depois, em textos de cuja existência eu nem suspeitava. Dá-se o mesmo no tocante aos sonhos. Por exemplo, há alguns anos sonhei: *"Eu subia pe-*

nosamente a encosta de uma montanha. Quando imaginava ter atingido o cume, descobri que estava de pé à beira de um platô. Erguia-se ao longe a crista de uma montanha que na realidade era o cume. A noite desceu e vi na obscuridade daquele declive um riacho descendo, sob uma luz que brilhava como metal e dois caminhos ascendentes, um à esquerda, outro à direita, serpenteavam montanha acima. No alto, à direita, havia um hotel. Embaixo, o regato desviava para a esquerda e uma ponte conduzia para o lado oposto".

335   Pouco tempo depois encontrei em um obscuro tratado alquímico a seguinte "alegoria": Em sua *Speculativa Philosophia*[11] o médico de Frankfurt Gerardo Dorneo, que viveu na segunda metade do século XVI, descreve a *Mundi peregrinatio, quam erroris viam appelamus*, por um lado, e a *Via veritatis*, por outro. A respeito do primeiro caminho diz o autor:

> [...] o gênero humano, em que a resistência a Deus é inata, não abre mão de buscar meios e caminhos para escapar, por seu próprio esforço, das armadilhas que prepara para si próprio, e não pede auxílio Àquele do qual vem todo dom de misericórdia. Assim foi que construíram uma gigantesca oficina do lado esquerdo da estrada. Nesse edifício reina o empenho (etc.). Conseguido isso, afastam-se do empenho e voltam sua atenção para a segunda região do mundo, utilizando a ponte da insuficiência como transição. Mas como Deus, em sua bondade, deseja atraí-los de volta, permite que a sua fragilidade os domine; voltando então a buscar – como anteriormente – o remédio dentro de si mesmos (empenho!) correm para o imenso hospital, igualmente construído do lado esquerdo, e presidido pela medicina. Ali há uma grande quantidade de farmácias, cirurgiões e médicos etc.

336   O autor diz a respeito do "caminho da verdade", que é o caminho "reto": "Chegareis ao acampamento da sabedoria e lá sereis recebidos e fortalecidos com alimento muito mais nutritivo do que até então". – O regato também aí está: "Uma torrente de água viva flui

---

11. *Theatrum chemicum*, 1602, I, p. 286s.

do cume da montanha, graças a um engenho espantoso" (A sabedoria, de cuja fonte jorram águas![12])

A diferença importante em relação à imagem do meu sonho é que – independentemente da situação invertida do hotel – o rio da Sabedoria encontra-se do lado direito e não – como no meu sonho – no meio do quadro.

No caso do meu sonho não se trata aparentemente de algum "mito" conhecido, mas de uma conexão de ideias que facilmente poderia ser considerada "individual", isto é, única. No entanto, uma análise cuidadosa poderia provar facilmente que se trata de uma imagem arquetípica, a qual pode ser reproduzida em qualquer época e em qualquer lugar. Mas devo confessar que a natureza arquetípica da imagem onírica só ficou clara para mim quando li Dorneo. Observei tais acontecimentos semelhantes não só em mim mesmo, como nos meus pacientes. Mostra-se através desse evento a necessidade duma atenção especial a fim de que tais paralelos não escapem.

A imagem da mãe antiga não se esgota com a figura de Deméter. Ela também se exprime através de Cibele Ártemis. O caso seguinte aponta nessa direção.

B. Caso Y

1. SONHO: *"Estou caminhando no alto de uma montanha, a trilha é erma, selvagem e difícil. Uma mulher desce do céu, a fim de me acompanhar e me ajudar. Ela é inteiramente luminosa, seus cabelos*

---

12. "...*humanum genus, cui Deo resistere iam innatum est, non desistit media quaerere, quibus proprio conatu laqueos evadat quos sibimet posuit, ab eo non petens auxilium, a quo solo dependet omnis misericordiae munus. Hinc factum est, ut in sinistram viae partem officinam sibi maximam extruxerint... huic domui praeest industria... Quod postquam adepti fuerint, ab industria recedentes in secundam mundi regionem tendunt: per infirmitatis pontem facientes transitum... At quia bonus Deus retrahere vellet, infirmitatis in ipsos dominari permittit, tum rursus ut prius remedium 'industria'! a se quaerentes, ad xenodochium etiam a sinistris construtum et permaximum confluunt, cui medicina praeest. Ibi pharmacopolarum, chirurgorum et physicorum ingens est copia*" etc. (p. 287). – *Pervenietis ad Sophiae castra, quibus excepti, longe vehementiori quam antea cibo reficiemini* (p. 288). – *Viventis aquae fluvium, tam admirando fluentem artificio de montis... apicen* (p. 280). – *Sophiae... de cuius etiam fonte scaturiunt aquae* (p. 279).

são claros e os olhos brilhantes. De vez em quando, porém, desaparece. Depois de ter caminhado sozinho por algum tempo, percebo que esqueci meu cajado em algum lugar e tenho que voltar para buscá-lo. Devo passar por um monstro terrível, um urso gigantesco. Quando passei por ele pela primeira vez, a mulher celeste estava presente e me protegia. Agora, porém, ao passar ao lado do urso percebo que ele avança em minha direção, mas a mulher celeste está novamente a meu lado e, ao vê-la, o animal deita-se, calmo, e deixa-nos passar. Então, essa mulher novamente desaparece".

341 Estamos aqui diante de uma deusa maternal e protetora, que se relaciona com ursos, logo um tipo de Diana ou a *Dea artio gallo-romana*. A mulher divina é o aspecto positivo. O urso, o negativo da "personalidade supraordenada", a qual complementa o homem consciente para cima, à região celestial e para baixo, à região animal.

342 2. SONHO: *"Passamos por um pórtico e entramos numa sala em forma de torre, subimos uma longa escada, e em um dos últimos degraus leio uma inscrição aproximadamente assim: 'Vis ut sis' (queres que sejas). A escada termina em um templo situado no topo de uma montanha coberta de árvores, que não tem outro acesso. É o sacrário da Ursana, a deusa Ursa, que é simultaneamente a mãe de Deus. O templo é de pedra vermelha e nele sacrifícios sangrentos são oferecidos. Há animais em torno do altar. Para poder entrar no templo, devemos nos transformar-nos em um animal da floresta. O templo tem aforma de uma cruz de braços iguais, com um espaço redondo no centro, descoberto, de modo que se vê o céu diretamente, bem como a constelação da ursa. No meio do espaço aberto, sobre o altar, há uma taça lunar; que está sempre fumegante. Há também uma enorme imagem da deusa, que não é bem visível. Os adoradores, transformados em animais – aos quais também pertenço –, devem tocar o pé da imagem divina, a qual lhes responde com um sinal, ou um dito oracular como* 'Vis ut sis'[13]".

343 Nesse sonho a deusa Ursa sobressai claramente, embora sua estátua não seja "bem visível". A relação com o si-mesmo, com a personalidade supraordenada, não é indicada apenas pelo oráculo: *'Vis ut sis'*, mas também pela quaternidade e o espaço central e circular do tem-

---

13. (*Tu queres, que sejas.*)

plo. Desde tempos remotos a relação com os astros simboliza a própria "eternidade". A alma vem "das estrelas" e retorna às regiões estelares. Uma relação da "Ursana" com a Lua é sugerida pela "taça lunar".

A deusa Lua também aparece nos sonhos infantis: uma menina que cresceu sob circunstâncias psíquicas particularmente difíceis teve um sonho repetido entre o sétimo e décimo ano de vida: *Embaixo, no pontilhão junto à água, a Senhora Lua espera por ela, a fim de levá-la à sua ilha.* Infelizmente ela nunca pôde lembrar-se do que acontecia lá, mas era tão belo que muitas vezes rezara para que o sonho se repetisse. Apesar de ser evidente que as duas sonhadoras não são idênticas, o motivo da ilha também ocorreu no sonho anterior, sob a forma de "crista da montanha inacessível". 344

Trinta anos depois, a sonhadora da Senhora Lua teve uma fantasia dramática: 345

"*Eu subia a encosta de uma montanha escura e íngreme. No topo havia um castelo encimado por uma cúpula. Entrei e subi (à esquerda) uma escada em espiral. Chegando em cima, no espaço da cúpula, encontrei-me na presença de uma mulher que usava um adorno na cabeça, feito de chifres de vaca. Reconheci nela a Senhora Lua dos meus sonhos de criança. A uma ordem da Senhora Lua olho para a direita e vejo um Sol de brilho ofuscante, do outro lado um abismo. Uma ponte transparente transpõe o abismo, caminho sobre ela com a consciência de que em hipótese alguma devo olhar para baixo. Um medo terrível me assalta e eu hesito. Sinto no ar a iminência de uma traição, mas mesmo assim atravesso a ponte e paro diante do Sol. Este me diz: 'Se puderes aproximar-te de mim nove vezes sem que te queimes, tudo estará bem'. Eu, porém, sinto um medo crescente e por fim olho para baixo e vejo um tentáculo negro como o de um octópode que tenta agarrar-me por baixo do Sol. Desço assustada e caio no abismo. Mas em vez de despedaçar-me estou nos braços da Mãe-Terra. Ao procurar ver sua face, ela se transforma em argila e estou deitada sobre a terra*". 346

É significativo como o início desta fantasia coincide com o nosso sonho. A Senhora Lua é claramente distinta da Mãe-Terra embaixo. A primeira incentiva a sonhadora à aventura perigosa com o Sol; a segunda, no entanto, a acolhe de modo perfeito e maternal nos braços. A sonhadora, em perigo, parece estar no papel da Core. 347

348   Voltemos à nossa série de sonhos:

349   3. Y vê no SONHO *dois quadros pintados pelo pintor nórdico Hermann Christian Lund.*

a. *"Um deles representa uma sala camponesa nórdica, onde passeiam meninas em roupas típicas coloridas, de braços dados (isto é, em uma fila). A menina do meio nessa fila é menor do que as outras e além disso é corcunda e pode virar a cabeça para trás. Isto, juntamente com seu olhar estranho, dá-lhe um caráter de bruxa.*

b. *O segundo quadro representa um dragão monstruoso, que estende o pescoço pelo quadro inteiro, especialmente sobre uma menina que se encontra em poder do dragão, totalmente imóvel, pois, assim que ela tenta mover-se, o dragão também se move. Este pode aumentar ou diminuir de tamanho segundo seu desejo e, quando a menina tenta afastar-se, ele estende seu pescoço por cima da menina e logo a captura de novo. Estranhamente a menina não tem rosto ou, pelo menos, não posso vê-la.*

350   Trata-se de um pintor inventado pelo sonho. O animus aparece muitas vezes como pintor; ora ele tem um projetor, é operador de cinema, ora é dono de uma galeria de arte. Tudo isso se refere ao animus como função mediadora entre o consciente e o inconsciente: o inconsciente contém imagens as quais, mediadas pelo animus, tornam-se manifestas, quer como imagens da fantasia, quer inconscientemente como a vida atuante e vivida. Da projeção do animus nascem relações fantásticas de amor ou ódio para com "heróis" ou "demônios". Os artistas de cinema, os tenores, os esportistas que se destacam etc., são as vítimas prediletas. No primeiro quadro, a menina é caracterizada como "demoníaca", com uma corcunda e um olhar malvado, podendo virar a cabeça para trás. (Daí os amuletos contra o mau olhado, que os primitivos gostam de usar na nuca, pois a parte vulnerável das pessoas fica nas costas, por onde não se enxerga.)

351   No segundo quadro a "menina" é representada como a vítima inocente de um monstro. Tal como no primeiro quadro, há uma relação de identidade entre a mulher celeste e o urso, neste último, a relação é entre a virgem e o dragão. Na vida isto é mais do que uma simples "piada" de mau gosto. Aqui também se trata da ampliação da personalidade consciente, por um lado, devido ao desamparo da víti-

ma e por outro, devido à periculosidade do mau olhado de uma moça corcunda e do poder do dragão.

4. METADE SONHO E METADE IMAGINAÇÃO VISUAL. 352
"Um mágico demonstra seus truques a um príncipe indiano. Ele faz aparecer uma bela jovem que sai debaixo de um pano. É uma dançarina, que tem o poder de mudar sua forma ou, pelo menos, de eletrizar o que está à sua volta através de uma ilusão perfeita. Durante a dança, ela e a música se dissolvem num enxame de abelhas zumbindo. Depois, ela se transforma num leopardo, depois num jato de água da fonte e em seguida em um polvo marinho que prende em seus tentáculos um jovem pescador de pérolas. No momento dramático ela reassume, a cada vez, sua forma humana. Aparece como jumenta, carregando dois balaios cheios de frutas maravilhosas. Depois torna-se um pavão multicor: O príncipe fica fora de si de admiração e a chama para junto dele. Ela, porém, continua a dançar, nua, e até mesmo arranca a pele do corpo; finalmente, cai no chão como um esqueleto descarnado. Este é enterrado, mas à noite um lírio nasce do túmulo e de seu cálice sai a mulher branca que, lentamente, ascende ao céu".

Esse fragmento descreve a transformação da ilusionista (capacidade especificamente feminina) em uma personalidade transfigurada. Esta fantasia não foi inventada como algo alegórico, mas é constituída em parte por um sonho, em parte por imagens espontâneas da fantasia. 353

5. SONHO: *"Estou numa igreja de arenito cinzento. A abside é algo elevada. Lá (perto do Santíssimo) uma menina vestida de vermelho está pendurada na cruz de pedra da janela. (Será um suicídio?)"* 354

Como no caso anterior em que a criança, ou seja, o carneiro sacrifical, desempenha um papel, aqui o sacrifício da jovem que está pendurada na "árvore da cruz" representa o mesmo papel. A morte da dançarina deve também ser compreendida nesse sentido, porque essas figuras de meninas estão sempre consagradas à morte, uma vez que o seu domínio exclusivo sobre a psique feminina impede o processo de individuação, isto é, a maturação da personalidade. A menina corresponde à anima do homem: através dela são alcançados os objetivos naturais, em que a ilusão desempenha o maior papel que se possa imaginar. Enquanto, porém, uma mulher se contenta de ser uma *femme à homme*, ela não tem individualidade feminina. É oca e 355 apenas cintila como um receptáculo adequado para a projeção masculina. A mulher como personalidade, porém, é algo diverso: aqui, as ilusões já não servem mais. Quando se coloca o problema da personalidade, o que em geral é uma questão penosa da segunda metade da vida, a forma infantil do si-mesmo também desaparece.

356   Precisamos agora apreciar a figura da Core, tal como pode ser observada no homem, isto é, sua anima. Uma vez que a totalidade do homem, na medida em que não é constitutivamente homossexual, só pode ser uma personalidade masculina, a figura da anima não pode ser catalogada como um tipo de personalidade supraordenada, mas requer uma avaliação e posição diferentes. A anima aparece nos produtos da atividade inconsciente também sob a figura da jovem e da mãe, razão pela qual a interpretação personalista a reduz sempre à mãe pessoal, ou a qualquer outra mulher. Nesta operação perde-se o sentido próprio dessa figura, como aliás em todas as interpretações redutivas, quer no âmbito da psicologia do inconsciente quer no da mitologia. As numerosas tentativas na esfera desta última, de interpretar deuses e heróis de modo solar, lunar, astral ou meteorológico, não contribuem significativamente para o seu conhecimento; pelo contrário, desviam o sentido para um rumo falso. Logo, quando aparece nos sonhos ou em outros produtos espontâneos uma figura feminina desconhecida, cujo significado oscila entre os extremos de deusa e prostituta, é aconselhável deixá-la em sua autonomia e não reduzi-la arbitrariamente a algo conhecido. Se o inconsciente a põe como "desconhecida", este atributo não deveria ser afastado à força, pretendendo chegar a uma interpretação "razoável". A anima é uma figura bipolar, tal como a "personalidade supraordenada", podendo ora aparecer como positiva ora como negativa; a velha ou jovem, mãe ou menina; fada bondosa ou bruxa; santa ou prostituta. Ao lado dessa ambivalência, a anima tem relações "ocultas" com "segredos", com o mundo obscuro em geral, tendo frequentemente um matiz religioso. Quando ela emerge com alguma clareza, sempre tem uma relação estranha com o *tempo*: na maioria das vezes é quase ou totalmente imortal, pois está fora do tempo. Os escritores que tentaram dar forma poética a esta figura não deixaram de trazer à luz a relação peculiar da anima com o tempo. Mencionam as descrições clássicas de Rider Haggard, em *She* e *The Return of She*, de Benoît em *L'Atlan-*

tide, e muito especialmente de um jovem autor americano, Sloane, em seu romance *To Walk the Night*. Em todos esses escritos, a anima está fora do tempo conhecido, sendo por isso antiquíssima ou um ser que pertence a outra ordem de coisas.

Uma vez que os arquétipos do inconsciente hoje em dia não são mais praticamente expressos em figuras tidas como religiosas, voltam para o inconsciente, ocasionando a projeção inconsciente sobre personalidades humanas, mais ou menos adequadas. No menino aparece na mãe uma certa forma de anima, conferindo-lhe a radiância do poder e da superioridade ou então uma aura demoníaca, talvez ainda mais fascinante. Devido, porém, à ambivalência, a projeção pode ser de natureza inteiramente negativa. Grande parte do medo que o sexo feminino suscita nos homens é devido à projeção da anima. Um homem infantil tem, em geral, uma anima maternal; um adulto, porém, a projeta numa figura de mulher mais jovem. O "demasiado velho", porém, é compensado por uma menina ou até mesmo uma criança.

C. Caso Z

A anima também se relaciona com animais, que simbolizam suas características. Ela pode portanto aparecer como serpente, tigre ou pássaro. Uma série de sonhos contendo tais transformações é citada à guisa e exemplo[14].

1. *Um pássaro branco pousa sobre a mesa. Transforma-se repentinamente em uma menina loura, de cerca de 7 anos, e de súbito volta à forma de pássaro, o qual fala com voz humana.*

2. *Em uma casa subterrânea, ou melhor, no mundo subterrâneo vive um mago e profeta velhíssimo, com uma "filha", a qual não é sua filha verdadeira. Esta é dançarina, uma criatura muito flexível, mas está em busca de cura, pois ficou cega.*

3. *Uma casa isolada numa floresta. Nela mora um velho sábio. Aparece de repente sua filha, uma espécie de fantasma, queixando-se de que as pessoas sempre a consideram como mera fantasia.*

---

14. Os sonhos só são reproduzidos por extratos, ou seja, na medida em que se referem à representação da anima.

362   4. Em uma fachada de igreja há uma figura de madona gótica, que no entanto é viva – "a mulher desconhecida, mas conhecida". Nos braços ela carrega em lugar da criança algo que parece uma chama, uma serpente ou um dragão.

363   5. Em uma capela escura está ajoelhada uma "condessa" vestida de negro. Seu vestido é coberto de pérolas preciosas. Tem cabelo ruivo e é inquietante. Além disso ela está cercada de espíritos de mortos.

364   6. Uma serpente fêmea comporta-se de modo carinhoso e insinuante. Fala com voz humana. Só "ocasionalmente" ela tem a forma de serpente.

365   7. Um pássaro fala com a mesma voz, mas mostra-se prestativo ao tentar salvar o sonhador de uma situação perigosa.

366   8. A desconhecida está sentada, tal como o sonhador, na ponta de uma torre de igreja e o fixa com seu olhar sinistro por sobre o abismo.

367   9. A desconhecida aparece repentinamente, como uma velha serviçal, em um sanitário público subterrâneo, a 15 graus negativos de temperatura.

368   10. Ela sai de casa como "une petite bourgeoise", juntamente com uma companheira, e em seu lugar aparece de repente, em tamanho muito ampliado, vestida de azul, uma deusa semelhante a Atená.

369   11. Ela aparece numa igreja, no lugar em que havia antes um altar, de estatura acima do comum, mas com a face velada.

370   Em todos esses sonhos[15] trata-se de um ser feminino desconhecido, cujas qualidades não se referem a nenhuma das mulheres que o sonhador conhece. A desconhecida é caracterizada como tal pelo próprio sonho e revela sua natureza excepcional, seja através de sua capacidade de transformação, seja através de sua ambivalência paradoxal. Ela resplandece em todos os matizes, indo do mais baixo ao mais elevado.

371   O sonho 1 caracteriza a anima como um ser natural élfico, isto é, apenas parcialmente humano. Pode também ser um pássaro, isto é, pertencer inteiramente à natureza e desaparecer de novo (tornar-se inconsciente) da esfera humana (da consciência).

---

15. Nas exposições que se seguem não se trata de "interpretações" dos sonhos, mas apenas de um resumo dos modos pelos quais a anima se apresenta.

O sonho 2 esboça a desconhecida como uma figura mítica no além (isto é, no inconsciente). Ela é *sorar* ou *filia mystica* de um hierofante ou "filósofo", portanto, é evidentemente um paralelo em relação àquelas sizígias místicas tais como as encontramos nas figuras de Simão Mago e Helena, Zósimo e Teosebeia, Comário e Cleópatra etc. A nossa figura onírica é mais próxima à de Helena. Uma descrição admirável da psicologia da anima, sob a forma de uma mulher, pode ser encontrada em Erskiner (*Helena de Troia*).

O sonho 3 apresenta o mesmo tema, porém em um plano mais semelhante ao do conto de fadas. Aqui a anima é caracterizada como um ser fantasmagórico.

O sonho 4 desloca a anima para a proximidade da Mãe de Deus. O filho, porém, corresponde à especulação mística acerca da serpente redentora e da natureza ígnea do Salvador.

No sonho 5 a anima, num plano romanesco, é a "mulher elegante", fascinante, mas que tem a ver com espíritos.

Nos sonhos 6 e 7 aparecem variações teriomórficas da figura. A identidade é nitidamente reconhecida pelo sonhador, pela voz e pelo conteúdo do que é dito. A anima "por acaso" assumiu a forma de serpente, tal como já ocorrera no sonho 1, em que a forma humana se transformou na de um pássaro, com a maior facilidade. Como serpente, ela aparece negativamente e como pássaro, positivamente.

O sonho 8 mostra um confronto do sonhador com a anima. Isto acontece num plano alto, acima da terra (isto é, da realidade humana). Obviamente, se trata aqui de uma fascinação perigosa pela anima.

O sonho 9 significa uma queda profunda da anima a uma posição extremamente "subordinada" em que o último vestígio de fascínio se evaporou, permanecendo apenas algo lamentavelmente humano.

O sonho 10 mostra a dupla natureza paradoxal da anima. Por um lado, a mediocridade banal e, por outro, uma divindade olímpica.

O sonho 11 restaura a anima na Igreja Cristã, não porém como um ícone, mas como o próprio altar. Este é o lugar do sacrifício e, ao mesmo tempo, receptáculo das relíquias consagradas.

A fim de esclarecer um pouco todas essas relações da figura da anima seria necessária uma investigação especial e extensiva, o que, no entanto, não será feito aqui, porquanto, como já dissemos, a anima só tem um significado indireto na interpretação da figura da Core. Apresentei esta série de sonhos para dar ao leitor uma noção do material empírico no qual se baseia a ideia da anima[16]. Desta série e de outras semelhantes resulta um quadro médio daquele fator que desempenha um papel tão importante na psique masculina e que o pressuposto ingênuo identifica invariavelmente com certas mulheres, atribuindo-lhes todas as ilusões tão abundantes no eros masculino.

382   Parece claro que a anima do homem encontrou um terreno fértil para a projeção no culto de Deméter. A Core de destino subterrâneo, a mãe de dupla face e as relações de ambas com aspectos teriomórficos ofereceram à anima uma ampla possibilidade de refletir-se de modo ofuscante e ambivalente no culto eleusino ou, mais ainda, de ser vivenciada nele; o iniciado se preenche com a essência do aspecto da anima transcendente, beneficiando-se de um modo permanente. As vivências da anima são para o homem duradouras e do maior significado.

383   O mito Deméter-Core é demasiado feminino para ser resultado simplesmente de uma projeção da anima. Embora a anima possa ser vivenciada em Deméter-Core, ela mesma é de natureza completamente diversa. É *femme à homme* no mais alto grau, ao passo que Deméter-Core representa a esfera vivencial de mãe-filha, estranha ao homem e que também o exclui. A psicologia do culto de Deméter traz de fato todos os passos de uma ordem social de cunho matriarcal, na qual o homem é um fator realmente imprescindível, mas perturbador.

---

16. Remeto ao meu ensaio O *arquétipo com referência especial ao conceito de anima* [capítulo III deste volume].

VIII

A fenomenologia do espírito no conto de fadas*

Prefácio

Pertence às regras invioláveis do jogo da ciência da natureza pressupor o seu objeto como conhecido, só na medida em que a pesquisa tem condições de declarar algo de cientificamente válido sobre ele. Neste sentido, porém, só é aceitável o que pode ser provado por fatos. O objeto da pesquisa é o fenômeno natural. Na psicologia, um dos fenômenos mais importantes é a *afirmação* e, em particular, sua forma e conteúdo, sendo que o segundo aspecto deve ser o mais significativo, em vista da natureza da psique. A primeira tarefa que se propõe é a descrição e a ordem dos acontecimentos, seguida pelo exame mais acurado das leis de seu comportamento vivo. A questão da substância da coisa observada só é possível na ciência da natureza onde existe um ponto de Arquimedes externo. Para a psique falta um tal ponto de apoio, porque só a psique pode observar a psique. Consequentemente, o conhecimento da substância psíquica é impossível, pelo menos segundo os meios de que dispomos atualmente. Isso não exclui de modo algum a possibilidade de a física atômica do futuro poder propiciar-nos ainda o ponto de Arquimedes a que nos referimos. Por enquanto, nossas elucubrações mais sutis não podem estabelecer mais do que

---

* Publicado pela primeira vez no *Eranos-Jahrbuch* em 1945 (Rhein-Verlag, Zurique, 1946) sob o título "Zur Psychologie des Geistes". Elaborado e ampliado com o título acima em: *Symbolik des Geistes*. (Psychologische Abhandlungen VI) Rascher, Zurique, 1948.

é expresso na seguinte sentença: *assim se comporta a psique*. O pesquisador honesto deixará de lado respeitosamente a questão da substância. Este ponto de vista não exclui a existência da fé, convicção e vivências de certezas de todo tipo, nem contesta a sua validade possível. Por maior que seja o seu significado para a vida individual e coletiva, faltam todos os meios à psicologia para provar a sua validade num sentido científico. Pode-se lamentar esta incapacidade da ciência, mas não é por isso que poderá ultrapassar seus limites.

A. Sobre a palavra "espírito"

385   A palavra alemã *Geist* (espírito) possui um âmbito de aplicação tão vasto que requer um certo esforço para tornar claros todos os seus significados. Designa-se por espírito o princípio que se contrapõe à matéria. Pensa-se então em uma substância ou existência imaterial, que em seu nível mais elevado e universal é chamada "Deus". Também imaginamos essa substância imaterial como a que é portadora do fenômeno psíquico, ou até mesmo da vida. Contrariando essa concepção temos a antítese espírito-natureza. Aqui o conceito de espírito limita-se ao sobrenatural ou antinatural, tendo perdido a relação substancial com alma e vida. A concepção de Spinoza, de que o espírito é um atributo da substância una, representa uma limitação semelhante. O hilozoísmo vai mais longe ainda, ao considerar o espírito como uma qualidade da matéria.

386   Uma concepção amplamente difundida concebe o espírito como um princípio de atividade superior, e a alma como inferior; inversamente, entre certos alquimistas o espírito é visto como *ligamentum animae et corporis*[1], sendo que obviamente é considerado como *spiritus vegetativus* (posteriormente, espírito da vida ou dos nervos). É também comum a concepção de que espírito e alma são essencialmente a mesma coisa, só podendo ser separados arbitrariamente. Em Wundt o espírito é "o ser interior, independentemente de qualquer conexão com um ser exterior"[2]. Outros limitam o espírito a certas capacidades, funções

---

1. (Liame, que une alma e corpo.)
2. [Não pôde ser averiguada a origem da citação. Pelo sentido, pertence entre outros a: *Logik III: Logik der Geisteswissenschaften*.]

ou qualidades psíquicas, tais como a razão e a capacidade de pensar frente às *faculdades afetivas* "da alma". Para estes autores o espírito significa o conjunto dos fenômenos do pensamento racional, ou seja, do intelecto, incluindo vontade, memória, fantasia, poder criativo ou motivações determinadas por um ideal. Outro significado de espírito outorga-lhe uma conotação "espirituosa", a qual supõe uma dinâmica surpreendente, multifacetada, rica em conteúdo e engenhosidade, brilhante, surpreendente e cheia de humor. Além disso, o espírito é designado como uma certa atitude ou seu princípio subjacente, como por exemplo educar "no espírito de Pestalozzi" ou "o espírito de Weimar é a herança imortal dos germânicos". Um caso especial é o espírito da época, o qual representa o princípio e motivo de certas concepções, julgamentos e ações de natureza coletiva. Existe ainda um chamado espírito objetivo, que significa o acervo total das criações culturais do homem, particularmente de natureza intelectual e religiosa.

O espírito, compreendido como atitude, tem – como demonstra o uso corrente da língua – a tendência inconfundível à personificação: o espírito de Pestalozzi também pode ser tomado num sentido concretista, como seu espírito, isto é, a sua *imago* ou fantasma, bem como os espíritos de Weimar podem ser os espíritos pessoais de Goethe e Schiller, pois espírito tem ainda sempre o significado de aparição de fantasma, isto é, a alma de um falecido. O "sopro fresco do espírito" indica, por um lado, o parentesco originário da ψυχή com ψυχρός e ψῦχος sendo que estes dois últimos têm o sentido de frio e, por outro lado, o significado originário de πνεῦμα, o que designa somente "o ar em movimento"; animus e anima, por sua vez, têm a ver com ἄνεμος (vento). A palavra alemã *Geist* (espírito) deve relacionar-se mais com algo que espuma e borbulha, razão pela qual não se pode rejeitar seu parentesco com *Gischt* (espuma), *Gäscht* (bolha), *Gheest* (fantasma) e com o *Aghast* (irritação) emocional. A emoção é concebida como possessão, desde os tempos mais remotos, e por isso dizemos ainda hoje que um indivíduo irascível é possuído pelo demônio ou por um mau espírito, ou é por eles cavalgado, ou que um espírito dessa categoria entrou nele[3]. Tal como os espíritos e as almas dos

---

3. Cf. minhas exposições em: *Geist und Leben*.

mortos são, segundo uma antiga visão, de constituição sutil, semelhante a um sopro de vento, ou fumaça, o *spiritus* significa também para o alquimista uma essência sutil, volátil, ativa e "vivificante" como, por exemplo, o álcool era compreendido, assim como as demais substâncias arcanas. Neste nível, o espírito é espírito do vinho, espírito do amoníaco, espírito fórmico etc.

388 Esta quantidade de sentidos e nuanças de significados da palavra *Geist* (espírito) dificulta, por um lado, para o psicólogo, a delimitação conceitual de seu objeto, e, por outro, facilita sua tarefa de descrever seu objeto, uma vez que os múltiplos aspectos fornecem um quadro concreto do fenômeno. Trata-se de um complexo funcional, que originariamente era sentido, em nível primitivo, como uma presença invisível, a modo de um sopro. William James descreveu este fenômeno primordial em suas *Varieties of Religious Experience*. Um exemplo bem conhecido por todos é o milagre do vento de Pentecostes. Para a experiência primitiva, a personificação da presença invisível, como aparição de um fantasma ou demônio, é muito conatural a eles. A alma ou espírito dos falecidos é o mesmo que a atividade psíquica dos vivos; é sua continuação. A ideia de que a psique é um espírito está implícita nisso. Quando algo de psíquico ocorre no indivíduo e este sente que o fenômeno lhe pertence, trata-se de seu próprio espírito. No entanto, se algo de psíquico lhe ocorre como algo estranho, trata-se de um outro espírito que talvez possa causar-lhe uma possessão. No primeiro caso, o espírito corresponde à atitude subjetiva, no último, à opinião pública, ao espírito da época ou à disposição originária ainda não humana, antropoide, que também chamamos inconsciente.

389 Correspondendo à natureza constatamos que como vento originário do espírito, este último é sempre o ser ativo, alado e em movimento, como também o vivificante, estimulante, incitante, incendiário, inspirador. O espírito é, modernamente falando, o dinâmico e, por isso, forma o clássico oposto da matéria, ou seja, da sua estática, indolência e inércia. Em última análise, trata-se da antítese entre a vida e a morte. A diferenciação subsequente desta antítese conduz ao confronto marcante entre espírito e natureza. Se o espírito é o essencialmente vivo e vivificante, a natureza não pode ser sentida por isso como algo de não espiritual ou morto. Deve tratar-se, portanto, da

pressuposição (cristã) de um espírito cuja vida é tão superior à da natureza que esta se comporta em relação a ele como se fosse morte.

Este desenvolvimento especial da visão acerca do espírito baseia-se no conhecimento de que a presença invisível do espírito é um fenômeno típico, isto é, consiste no *próprio espírito* e que este não é constituído apenas do borbulhar da vida, mas também de formações de conteúdo. No primeiro caso destacam-se imagens e modelos que preenchem a visão interior, e no último são o pensamento e a razão que ordenam o mundo das imagens. Assim sendo, um espírito superior sobrepôs-se ao espírito da vida originário e natural, colocando-se em relação a este numa posição oposta ao exclusivamente natural. O espírito superior tornou-se o princípio cósmico ordenador sobrenatural e supramundano e, como tal, foi designado por "Deus" ou pelo menos se tornou um atributo da substância una (tal como em Spinoza) ou ainda uma pessoa da divindade no contexto do cristianismo.

390

O desenvolvimento correspondente do espírito numa direção inversa hilozoísta, porém, *a maiori ad minus*, ocorreu sob o signo anticristão, no materialismo. A premissa desse retrocesso é a certeza exclusiva da identificação do espírito com funções psíquicas, cuja dependência em relação ao cérebro e ao metabolismo se tornava cada vez mais clara. Era necessário apenas dar outro nome à "substância una", chamando-a de "matéria", para criar o conceito de um espírito que dependesse necessariamente da nutrição e do meio ambiente e cuja forma máxima era o intelecto ou a razão. Assim, a presença originariamente pneumática parecia ter entrado inteiramente no âmbito da fisiologia humana, e um autor como Klages poderia acusar o "espírito como adversário da alma". Neste conceito retirara-se a espontaneidade originária do espírito, depois que o mesmo fora degradado a um atributo servil da matéria. Era preciso que a qualidade própria do espírito, do deus *ex-machina*, ficasse preservada em algum lugar – senão nele mesmo, então em seu sinônimo originário, na alma, esse ser eólico, de cores cintilantes[4], semelhante a uma borboleta (anima, ψυχή).

391

---

4. *Seele* (alma) em língua germânica, *saiwalô*, talvez aparentado com αἰόλος (multicolorido e cintilante, em movimento, mutável). Palavra que também tem o significado de astucioso e enganador, o que daria uma certa verossimilhança à definição alquímica da anima como Mercúrio.

392   Embora a concepção materialista do espírito não tivesse prevalecido em toda parte, o seu conceito ficou preso no espaço dos fenômenos da consciência fora da esfera religiosa. O espírito, enquanto "espírito subjetivo", tomou o sentido do fenômeno endopsíquico puro, ao passo que o "espírito subjetivo" não significava o espírito universal, ou a divindade, mas o conjunto dos bens da cultura intelectual, os quais constituem nossas instituições humanas e o conteúdo de nossas bibliotecas. O espírito perdeu sua natureza primordial, sua autonomia e espontaneidade na mais vasta extensão, com a única exceção do âmbito religioso, onde seu caráter originário foi conservado pelo menos em princípio.

392a[5]   Neste resumo foi descrita uma entidade que se apresenta como um fenômeno psíquico imediato, contrariamente a outros psiquismos, cuja existência depende casualmente, segundo a visão ingênua, de influências físicas. A relação da essência do espírito com condições físicas não é imediatamente percebida, razão pela qual se atribui imaterialidade ao fenômeno espiritual e isto numa medida maior do que no caso do fenômeno *anímico*, no sentido mais estrito. Este último é considerado, de certa forma, não só como dependente da *physis*, mas possuindo uma certa materialidade, a qual aparece na ideia do corpo sutil e na concepção chinesa da *alma-gui*. Devido à íntima conexão de certos processos psíquicos com fenômenos físicos paralelos não é possível aceitar uma total imaterialidade do anímico. Inversamente, o *consensus omnium* insiste na imaterialidade do espírito, mas nem todos lhe concedem uma substancialidade própria. Não é fácil, porém, reconhecer a razão pela qual a matéria hipotética, que hoje se apresenta de um modo completamente diverso do que há trinta anos, deva ser considerada a única real, em detrimento do espírito. Embora o conceito de imaterialidade em si não exclua de modo algum o da realidade, a visão leiga relaciona sempre realidade com materialidade. Espírito e matéria são certamente formas de um ser transcendental em si mesmo. Assim, por exemplo, os adeptos do tantrismo têm a mesma razão para dizer que a matéria nada mais é do que a concretitude do pensamento de Deus. A única realidade imediata é a realida-

---

5. [Este parágrafo não foi numerado na edição anglo-americana (1959), por descuido.]

de psíquica dos conteúdos conscientes, etiquetados com uma origem espiritual ou material, conforme o caso.

É próprio do ser espiritual: primeiro, um princípio espontâneo de movimento e ação; segundo, a capacidade de criação livre de imagens, independentemente da percepção pelos sentidos; e terceiro, a manipulação autônoma e soberana das imagens. No homem primitivo o ser espiritual está *fora* e *diante* dele, mas com o desenvolvimento crescente deste último o ser espiritual atinge sua consciência, tornando-se uma função subordinada a ela, o que faz com que seu caráter originário de autonomia aparentemente se perca. Este caráter só é mantido ainda pelas visões mais conservadoras, ou seja, no âmbito das religiões. A descida do espírito à esfera da consciência humana se expressa no mito do νοῦς divino, que é aprisionado na φύσις. Este processo, que se estende através dos milênios, é provavelmente uma necessidade inevitável, e as religiões estariam perdidas se acreditassem na tentativa de que pudessem deter o ímpeto evolutivo. Mas não é sua tarefa, se estiverem bem orientadas, impedir o inelutável caminho das coisas; pelo contrário, sua tarefa é a de construir esse caminho de tal forma, que ele possa transcorrer sem dano fatal para a alma. As religiões devem, pois, lembrar-se constantemente da origem e do caráter originário do espírito, a fim de que o homem jamais se esqueça do que ele atrai para dentro de sua esfera, tudo aquilo que preenche seu campo de consciência. Não foi o homem que criou o espírito, mas este é o que o torna criativo, dando-lhe o impulso inicial e a ideia feliz, a perseverança, o entusiasmo e a inspiração. O espírito penetra de tal modo o ser humano que este corre o maior perigo de acreditar-se seu criador e *possuidor*. Na realidade, porém, o fenômeno primordial do espírito apodera-se do homem da mesma forma que o mundo físico é na aparência o objeto complacente das intenções humanas, quando na verdade aprisiona sua liberdade em mil laços, tornando-se uma ideia obsessiva. O espírito ameaça inflacionar o homem ingênuo e a nossa época forneceu exemplos extremamente instrutivos a respeito. O perigo torna-se tanto maior quanto mais o objeto externo prende o interesse e quanto mais o indivíduo se esquece de que uma tal relação com o espírito deveria caminhar de mãos dadas com a diferenciação dos nossos relacionamentos com a natureza, a fim de criar o equilíbrio necessário. Se o objeto interno

393

não estiver confrontado com o objeto externo, disso resulta um materialismo sem freio acoplado a uma arrogância delirante ou a uma extinção da personalidade autônoma, o que em todo caso é o ideal do Estado totalitário e massificante.

394 Como vemos, o conceito comum e moderno do espírito se adequa mal à visão cristã, que concebe o espírito como *summum bonum*, como o próprio Deus. Na realidade também existe a ideia de um espírito maligno. A ideia moderna de espírito, porém, não pode ser obnubilada por isso, uma vez que o espírito não é necessariamente mau; pelo contrário, ele deve ser considerado moralmente indiferente ou neutro. Quando nas Escrituras se lê: "Deus é espírito", isto soa como a definição ou qualificação de uma substância. O diabo é investido, ao que parece, da mesma substância espiritual, embora esta seja má e corrupta. A identidade originária da substância expressa-se ainda na ideia da queda do Anjo, bem como na estreita relação entre Javé e Satanás no *Antigo Testamento*. Um efeito desta relação primitiva repercute no "Pai-nosso" quando pedimos: "Não nos deixeis cair em tentação", pois esta é a função própria do *tentador*, do demônio.

395 Com isso, chegamos a uma questão que não havíamos levantado até agora no decorrer de nossas considerações. Recorremos primeiro às concepções histórico-culturais correntes, as quais foram produzidas pela consciência humana e por suas reflexões, a fim de situar os modos de manifestações psíquicas do fator "espírito". No entanto, não levamos em conta que o espírito, graças à sua autonomia originária que não pode ser psicologicamente questionada[6], é capaz de manifestar-se espontaneamente.

B. A autorrepresentação do espírito nos sonhos

396 A manifestação psíquica do espírito indica simplesmente que é de natureza arquetípica, isto é, o fenômeno que denominamos espírito depende da existência de uma imagem primordial autônoma, uni-

---

6. Mesmo que se conceba uma autorrevelação do espírito, por exemplo, uma aparição do espírito, como uma simples alucinação, a mesma não deixa de ser um fenômeno psíquico espontâneo (isto é independente da nossa vontade). Trata-se em todo caso de um complexo autônomo, o que é perfeitamente válido para os nossos objetivos.

versalmente dada de modo pré-consciente na disposição da psique humana. Como em todos os casos parecidos, encontrei este problema em meus pacientes, ao investigar seus sonhos. Chamou minha atenção em primeiro lugar o caráter por assim dizer "espiritual" de um certo tipo de complexo paterno; da imagem do pai partem afirmações, ações, tendências, impulsos, opiniões etc., às quais não podemos negar o atributo de "espirituais". Nos homens um complexo paterno positivo produz frequentemente uma certa credulidade em relação à instância autoritária e uma prontidão a submeter-se diante de todas as normas e valores espirituais. Nas mulheres dá origem a vivas aspirações e a interesses espirituais. Nos sonhos é de uma figura paterna que provêm convicções decisivas, proibições e conselhos. A invisibilidade desta fonte é muitas vezes ressaltada pelo fato de consistir apenas de uma voz autoritária que pronuncia julgamentos definitivos[7]. É por isso que a imagem de um velho simboliza geralmente o fator "espírito". Às vezes este papel é desempenhado por um espírito propriamente dito, ou seja, de uma pessoa falecida. Mais raramente são figuras grotescas, tais como gnomos, animais falantes e sábios que representam o espírito. As formas dos anões são encontradas, pelo menos na minha experiência, entre as mulheres, razão pela qual parece lógico que Barlach, no *Toten Tag*, tivesse atribuído à mãe a figura anã do "*Steissbart*", tal como Bes é ligada à deusa-mãe de Karnak. O espírito pode também apresentar-se em ambos os sexos sob a forma de um menino ou jovem. Nas mulheres esta figura corresponde a um animus "positivo", o qual indica a possibilidade de um empreendimento espiritual consciente. Nos homens essa forma não é tão unívoca. Ela pode ser positiva, significando neste caso a personalidade "superior", o si-mesmo ou o *filius regius*, tal como é concebido pelos alquimistas[8]. Pode entretanto ser negativa, tendo nesse caso a conotação de sombra infantil[9]. Em ambos os casos, o menino representa um determinado espírito[10]. Ancião e menino pertencem um ao

---

7. Um caso deste tipo é mencionado em *Psicologia e alquimia* [§ 52s.].
8. A visão do "menino nu" do Mestre Eckhart insere-se neste contexto [cf. § 268 deste volume].
9. Lembro-me dos "meninos" no romance de BRUNO GOETZ. *Das Reich ohne Raum*.
10. Cf. "a criança divina" [§ 267s. deste volume].

outro. Este par também desempenha um papel importante na alquimia, como símbolo de Mercúrio.

397 Jamais se pode afirmar com cem por cento de certeza que as figuras espirituais do sonho sejam moralmente boas. Frequentemente elas têm o sinal não só da ambivalência como da malignidade. Devo porém ressaltar que o grande Plano segundo o qual é construída a vida inconsciente da alma é tão inacessível à nossa compreensão que nunca podemos saber que mal é necessário para que se produza um bem por enantiodromia, e qual o bem que pode levar em direção ao mal. Muitas vezes o *probate spiritus*[11] recomendado por João não pode ser senão a espera paciente e prudente de ver como as coisas se encaminham.

398 A figura do Velho Sábio pode evidenciar-se tanto em sonhos como também através das visões da meditação (ou da "imaginação ativa") tão plasticamente a ponto de assumir o papel de um guru, como acontece na Índia[12]. O Velho Sábio aparece nos sonhos como mago, médico, sacerdote, professor, catedrático, avô ou como qualquer pessoa que possuía autoridade. O arquétipo do espírito sob a forma de pessoa humana, gnomo ou animal manifesta-se sempre em situações nas quais seriam necessárias intuição, compreensão, bom conselho, tomada de decisão, plano etc., que no entanto não podem ser produzidos pela própria pessoa. O arquétipo compensa este estado espiritual de carência através de conteúdos que preenchem a falta. Um excelente exemplo é o sonho do mago branco e preto, o qual procurava compensar as dificuldades espirituais de um jovem estudante de teologia. Não conheço pessoalmente o sonhador, de modo que se exclui a possibilidade de minha influência pessoal. Ele sonhou que *estava diante de uma figura sacerdotal sublime, chamada "o mago branco", embora estivesse vestido com uma longa túnica negra. Este acabava de terminar um longo discurso com as palavras: "para isso precisamos da ajuda do mago negro".* Abriu-se, então, repentina-

---

11. ["Provai os espíritos, para saber se vêm de Deus" (1Jo 4,1).]

12. Esta é a razão das várias histórias milagrosas sobre os rishis e mahatmas. Um indiano culto, com quem conversei sobre os gurus, respondeu-me quando lhe perguntei quem tinha sido o seu guru: "Foi Sankaracharya" (Século VIII/IX). Surpreso, fiz a seguinte observação: "Mas este é o conhecido comentador". Ao que respondeu: "Sim, foi ele, mas evidentemente o seu espírito", sem a mínima perturbação com a minha inquietação ocidental.

mente a porta e outro velho entrou, o "mago negro ", que vestia uma túnica branca. Ele também era belo e sublime. O mago negro parecia desejar comunicar-se com o mago branco, mas hesitava fazê-lo na presença do sonhador. O mestre branco, então, disse-lhe, apontando para o sonhador: "Fale, ele é um inocente". O mago negro começou então a contar uma história estranha de como encontrara as chaves perdidas do Paraíso, sem saber como utilizá-las. Viera até o mago branco a fim de obter uma explicação acerca do segredo das chaves. Contou-lhe que o rei do país onde vivia estava à procura de um cenotáfio adequado para ele. Por acaso, os seus súditos haviam encontrado em escavações um antigo sarcófago, contendo os restos mortais de uma virgem. O rei abriu o sarcófago, lançou fora os ossos e mandou enterrar novamente o sarcófago vazio, a fim de preservá-lo para um uso posterior. Assim que os ossos chegaram à luz do dia, o ser a quem outrora haviam pertencido, isto é, a virgem, transformou-se num cavalo negro, que fugiu para o deserto. O mago negro perseguiu-o através do deserto e além, e lá encontrou, depois de muitas peripécias e dificuldades, as chaves perdidas do Paraíso. Assim terminara a história e infelizmente também o sonho[13].

A compensação certamente não ocorreu aqui, oferecendo ao sonhador o que lhe parecia desejável, mas fê-lo confrontar-se com um problema já aludido acima, que a vida sempre nos traz de novo, ou seja, a insegurança da avaliação moral, o emaranhado do bem e do mal e a concatenação inexorável da culpa, do sofrimento e da redenção. Este caminho para a experiência religiosa primordial é correto, mas quantos conseguem reconhecê-lo? Ele é uma voz suave que ressoa ao longe, uma voz ambígua, dúbia e obscura, significando perigo e risco; uma senda insegura que só podemos trilhar com a graça de Deus, sem certeza, nem sanção.

399

C. O espírito no conto de fadas

Gostaria de apresentar material onírico moderno em maior quantidade. Receio, porém, que o individualismo dos sonhos peça um espaço maior, que extrapole os limites de nossa exposição. Por

400

---

13. [Cf. *Psicologia e educação*, § 208s., e *O eu e o inconsciente*, § 287.]

isso preferimos apelar para o folclore, onde nos são poupadas as confrontações e embaraços próprios da casuística individual e podemos observar as variações do tema do espírito, sem levar em consideração condições individuais mais ou menos únicas. Nos mitos e contos de fada, como no sonho, a alma fala de si mesma e os arquétipos se revelam em sua combinação natural, como "formação, transformação, eterna recriação do sentido eterno"[14].

401   A frequência com que aparece o Velho como arquétipo do espírito no sonho é mais ou menos a mesma do que no conto de fadas[15]. O Velho sempre aparece quando o herói se encontra numa situação desesperadora e sem saída, da qual só pode salvá-lo uma reflexão profunda ou uma ideia feliz, isto é, uma função espiritual ou um automatismo endopsíquico. Uma vez que o herói não pode resolver a situação por motivos externos ou internos, o conhecimento necessário que compense a carência, surge sob a forma de um pensamento personificado, isto é, do velho portador de bom conselho e ajuda. Num conto de fadas da Estônia[16], conta-se, por exemplo, que um menino órfão e maltratado deixara escapar uma vaca no pasto, e por isso não queria voltar para casa, com medo do castigo. Fugiu então, às cegas, sem saber para onde. Encontrou-se assim numa situação desesperada, sem qualquer perspectiva possível. Exausto, caiu num sono profundo. Ao acordar "pareceu-lhe que algo líquido estivera em sua boca e viu um velhinho com uma longa barba grisalha, de pé, à sua frente, o qual estava recolocando a tampa na vasilha de leite. O menino pediu: 'dá-me de beber'. O Velho retrucou: 'Chega por hoje. Se meu caminho não tivesse passado por aqui ocasionalmente com certeza este teria sido teu último sono, pois quando te encontrei já estavas semimorto'. Então o Velho perguntou ao menino quem era e para onde se dirigia. O menino contou tudo o que vivera conforme se lembrava, até a surra da véspera. O Velho disse então: 'Meu querido menino! Passaste por algo que não é melhor nem pior do que muitos

---

14. *Fausto*, segunda parte, Galeria escura.
15. O material dos contos de fada que utilizo aqui, devo-o à colaboração amiga da Dra. Marie-Louise von Franz.
16. *Wie ein Waisenknabe unverhofft sein Glück fand* [como uma criança órfã inesperadamente encontrou sua felicidade] (Finnische und Estnische Volksmärchen n 68).

passam com seus queridos responsáveis e consoladores, que repousam em caixões debaixo da terra. Já não podes mais voltar. Como escapaste, tens que procurar um novo caminho no mundo. Eu não tenho casa, nem quintal, nem mulher, nem filho e por isso não posso cuidar de ti. Quero dar-te, porém, de graça um bom conselho'".

O que o Velho disse até então poderia ter pensado o próprio menino, o herói do conto. Seguindo o ímpeto de sua emoção e fugindo assim a esmo, ele devia pelo menos ter pensado na necessidade de alimento. Teria sido necessário também refletir sobre sua situação num tal momento. Se o tivesse feito, toda a história de sua vida, até o passado mais recente, ter-lhe-ia ocorrido, como costuma acontecer. Trata-se, numa anamnese desse tipo, de procedimento útil, cuja meta é reunir todas as virtualidades do indivíduo no momento crítico, que exige a totalidade de suas forças físicas e espirituais, a fim de forçar a porta que se abre para o futuro. Ninguém vai ajudá-lo nessa tarefa e ele deverá contar apenas consigo mesmo. Não há recuo possível, este entendimento dará a necessária determinação ao seu comportamento. Na medida em que o Velho o leva a tomar consciência disso, este poupa-lhe o trabalho de pensar por si mesmo. Na realidade o Velho representa essa reflexão útil e a concentração das forças morais e físicas que se realiza espontaneamente no espaço psíquico extraconsciente, quando um pensamento consciente não é possível ou já não o é mais. No que diz respeito à concentração e tensão das forças psíquicas, há sempre algo que se nos afigura como magia; o fato é que elas desenvolvem uma força inesperada de penetração, a qual frequentemente supera o esforço consciente da vontade. Pode-se observar tal efeito experimentalmente no estado de concentração artificial induzido pela hipnose: em meus cursos eu costumava hipnotizar uma histérica de frágil compleição, que mergulhava num sono profundo, e a deixava deitada quase um minuto com a cabeça apoiada numa cadeira e os calcanhares em outra, rígida como uma tábua. Seu pulso subia pouco a pouco até 90. Entre os estudantes havia um atleta que tentou em vão imitar esse experimento mediante um esforço voluntário e consciente. Logo ele fraquejou e não conseguia manter a posição. Seu pulso subira a 120.

402

O menino estava apto então a receber o bom conselho do Velho, isto é, a situação já não parecia desesperadora. O Velho aconselhou-o a continuar caminhando tranquilamente, sempre em direção leste

403

onde, depois de sete anos, alcançaria a grande montanha cujo significado é a sua boa sorte. Tamanho e altura da montanha aludem à personalidade adulta[17]. Da força concentrada surge a segurança e, com ela, a melhor garantia do sucesso[18]. Nada mais lhe faltará. "Toma meu bornal e meu cantil de água", disse o Velho, "neles encontrarás diariamente todo o alimento e bebida que necessitares". Deu-lhe também uma folha de bardana, que podia transformar-se numa canoa, caso o menino tivesse que atravessar as águas.

404 Muitas vezes pergunta o Velho, no conto de fadas, *por que, quem, de onde vem, aonde vai*[19], a fim de encaminhar a autorreflexão e favorecer a reunião das forças morais e, mais frequentemente ainda, fornece os talismãs mágicos necessários[20], isto é, a possibilidade inesperada e improvável do êxito peculiar à personalidade unificada no bem e no mal. No entanto a intervenção do Velho, ou melhor, a objetivação espontânea do arquétipo, parece igualmente indispensável, uma vez que a vontade consciente por si mesma quase nunca é

---

17. A montanha representa a meta da caminhada e da ascensão, razão pela qual tem frequentemente o significado psicológico do si-mesmo. O *I Ching* descreve-o como meta: "O rei o apresenta à Montanha do Oeste" (Hexagrama n. 17, *Sui*, Seguir). Em Honório De Autun (*Speculum de mysteriis ecclesiae*, in: MIGNE, P.L. CLXXII, p. 345) lê-se: "*Montes patriarchae et prophetae sunt*" [As montanhas são patriarcas e profetas]. Ricardo De São Vítor diz: "*Vis videre Christum transfiguratum? Ascende in montem istum, disce cognoscere te ipsum*" [Queres ver o Cristo transfigurado? Sobe esta montanha, aprende a conhecer-te a ti mesmo]. *(Benjamin Minor* in: MIGNE, P.L. CXCVI col. 53-56).

18. Há de se ressaltar especialmente a fenomenologia da ioga, neste aspecto.

19. Existem numerosos exemplos a respeito dessa questão: Spanische und Protugiesische Volksmärchen [n. 34: *Der weisse Papagei*; n. 45: *Königin Rose und der kleine Thomas*]; Russische Volksmärchen [n. 26: *Das Mädchen ohne Hände*]; Märchen aus dem Balkan [n. 15: *Das Hirt und die drei Samovilen*]; Märchen aus Iran [*Das Geheimnis des Bades Bâdgerd*]; Nordische Volksmärchen I [Schweden, n. 11: *Der Werwolf*], p. 231.

20. Ele dá um novelo à menina que procura seus irmãos, o qual rola até eles (Finnische und Estnische Volksmärchen n. 83 [*Die kämpfenden Brüder*, p. 280]). Ao príncipe que busca o Reino do Céu é dada uma canoa, que anda por si só (Deutsche Märchen seit Grimm [*Die eisernen Stiefel*], p. 381). Outro presente é uma flauta, que faz tudo dançar (Märchen aus dem Balkan [*Die zwölf Brocken*], p. 173), ou a esfera indicadora de caminho e a vara que torna invisível (Nordische Volksmärchen [n. 18 Dänemark: *Die Prinzessin mit den zwölf Paar Goldschuhen*], p. 97) ou cachorros milagrosos (op. cit., p. 287 [n. 20 Schweden: *Die drei Hunde*]) ou um livro de sabedoria secreta (Chinesische Volksmärchen, p. 248 [n. 86: *Tchang Liang*]).

capaz de unificar a personalidade, a ponto de alcançar uma extraordinária possibilidade de êxito. Para tanto é necessária – não só no conto de fadas, mas na vida em geral – a intervenção objetiva do arquétipo que neutraliza a reação puramente emocional através de uma cadeia de confrontações e conscientizações internas. Estas conferem clareza no tocante ao *quem*, *onde*, *como*, *para que*, possibilitando assim o conhecimento da situação momentânea e da meta. O esclarecimento e o desembaraçar do novelo do destino têm um aspecto verdadeiramente mágico, experiência que não é ignorada pelo psicoterapeuta.

A tendência do Velho de provocar a reflexão também é expressa no modo de convidar as pessoas a "dormir sobre o assunto". Deste modo ele diz à menina que procure seu irmão desaparecido: "Deita e dorme; a manhã é mais inteligente que a noite"[21]. Ele também enxerga através da situação obscura em que se encontra o herói em apuros, ou pelo menos sabe obter as informações que o ajudam a prosseguir. Para isso gosta de recorrer à ajuda dos animais, especialmente dos pássaros. O eremita diz ao príncipe que está à procura do caminho que leva ao céu: "Moro aqui há 300 anos, mas nunca me perguntaram acerca desse caminho; não posso responder-te, mas lá em cima, no outro andar da casa, moram os pássaros mais diversos; estes com certeza poderão dizer-te algo a respeito"[22]. O Velho sabe que caminhos conduzem à meta, e os mostra ao herói[23]. Avisa acerca dos futuros perigos e dá os meios de enfrentá-los eficazmente. Ensina, por exemplo, ao menino que deseja buscar água de prata na fonte, onde um leão monta guarda. O animal tem a peculiaridade enganosa de dormir de olhos abertos e vigiar de olhos fechados[24], ou então aconselha o menino, desejoso de cavalgar até uma fonte mágica, a fim de buscar a poção curativa para o rei, a apanhar a água durante o trote,

405

---

21. Finnische und Estnische Volksmärchen n. 83 [Estland: *Die kämpfenden Brüder*], p. 280.
22. Deutsche Märchen seit Grimm [*Die eisernen Stiefel*], p. 382. Em um conto dos Bálcãs [15: *Der Hirt und die drei Samovilen*], o velho é o "Czar de todos os pássaros". Nesse lugar a pega está a par de tudo. Cf. o misterioso "Senhor do Pombal". In: MEYRINK. *Der weisse Dominikaner* (novela).
23. Märchen aus Iran [*Das Geheimnis des Bades Bâdgerd*], p. 152.
24. Spanische Märchen n. 34 [*Der weisse Papagei*], p. 158.

sem apear-se, pois as bruxas espreitam para laçar todos os que da fonte se aproximam[25]. O Velho ordena à princesa, que busca o amante transformado num lobisomem, a acender o fogo, colocando sobre ele uma grande panela cheia de alcatrão. Em seguida, ela deve jogar no alcatrão fervente seu querido lírio branco e, ao chegar o animal, deverá despejar o caldeirão sobre a cabeça do lobisomem, libertando assim seu amante do feitiço[26]. Ocasionalmente, o Velho tem espírito crítico, como no conto caucasiano do príncipe caçula que desejava construir uma igreja perfeita para o pai, a fim de herdar o reino. Ele a constrói e ninguém consegue achar uma falha sequer nessa obra. No entanto, um Velho aparece e diz: "Oh, que bela igreja você construiu! Mas é pena que o alicerce esteja um pouco torto!" O príncipe manda destruir a igreja e constrói uma outra, mas nessa também o Velho encontra uma falha, e isso por três vezes[27].

406   O Velho representa, por um lado, o saber, o conhecimento, a reflexão, a sabedoria, a inteligência e a intuição e, por outro, também qualidades morais como benevolência e solicitude, as quais tornam explícito seu caráter "espiritual". Uma vez que o arquétipo é um conteúdo autônomo do inconsciente, o conto de fadas, concretizando o arquétipo, dá ao Velho uma aparência onírica, do mesmo modo que nos sonhos modernos. Num conto dos Bálcãs, o Velho aparece ao herói em apuros num sonho e dá-lhe o bom conselho de como poderia superar as tarefas impossíveis que lhe foram impostas[28]. Sua relação (do Velho) com o inconsciente é claramente manifesta em um conto russo, onde é designado "rei da floresta"[29]. Quando o camponês cansado se sentou num toco de árvore, deste saiu um velhinho de baixa estatura, "todo enrugado, e com uma barba verde que pendia até os joelhos". "Quem és tu?" perguntou o camponês. "Eu sou Och, o rei da floresta", disse o homenzinho. O camponês ofereceu-lhe o serviço de seu filho, que era desmazelado. "E quando o rei da floresta partiu

---

25. Op. cit. [n. 41: *Königin Rose oder der kleine Thomas*, p. 199].
26. Nordische Volksmärchen I, n. 11 [Schweden: *Der Werwolf*], p. 231s.
27. Kaukasische Märchen, p. 35s. [*Der Sprosser und die Nachtigall*], p. 35s. [*Die Nachtigall Gisar*: Balkan n. 51].
28. Balkanmärchen [n. 49: *Die Lubi und die Schöne der Erde*], p. 217.
29. Russische Märchen [n. 6: *Och*], p. 30s.

com ele, conduziu-o a um outro mundo debaixo da terra, a uma cabana verde... Nela, tudo era verde: as paredes, os bancos, sua mulher e seus filhos também eram verdes. Enfim, tudo, tudo era verde. E as mulherzinhas de água que o serviam eram tão verdes como a arruda". Até a comida era verde. O rei da floresta é aqui descrito como um nume da vegetação ou da árvore, o qual, por um lado, reina na floresta e, por outro, também tem relação com o reino da água – através das sereias – o que nos faz reconhecer de modo claro sua conexão com o inconsciente, na medida em que este é frequentemente expresso pela floresta e pela água.

A conexão com o inconsciente também é clara quando o Velho aparece como anão. No conto da princesa que procura o amante lê-se: "Chegou a noite, a escuridão e as estrelas nasciam e se punham; a princesa continuava sentada no mesmo lugar e chorava. Estando assim, imersa em seus pensamentos, ouviu uma voz saudando-a: 'Boa- noite, bela jovem! Por que estás sentada aí, tão só e triste?' Ela ergueu-se de um salto, perplexa, o que não era de estranhar. Mas, ao olhar à sua volta, só viu um velhinho minúsculo, que lhe acenava a cabeça com ar gentil e humilde". Num conto suíço, um homenzinho de ferro ("*es chlis isigs Manndle...*") vem ao encontro do filho do camponês (que quer levar uma cesta cheia de maçãs para a filha do rei) e lhe pergunta: "o que leva na cesta?" ("...*das frogtene, was er do e dem Chratte häig?*"). Em outra passagem o homenzinho ("*Manndle*") veste uma roupa de ferro ("*es isigs Chlaidle an*")[30]. A palavra "*isig*" (de gelo, gelado) deve ser entendida como "*eisern*" (de ferro, férreo), o que parece mais verossímil do que "*eisig ou isig*" (de gelo, gelado). Neste último caso a forma correta seria "*es Chlaidle vo Is*" (uma roupinha de gelo). De fato existem os "*Eismännchen*" (homenzinhos de gelo), mas também os "*Erzmännchen*" (homenzinhos de metal), e em um sonho moderno até encontrei um homenzinho de ferro preto, o qual surgira num momento decisivo de uma mudança da vida, tal como nesse conto do João bobo, e estava a ponto de casar-se com uma princesa.

407

---

30. Trata-se do conto *Der Vogel Greif*, n. 84 dos Kinder- und Hausmärchen, coletados pelos irmãos Grimm II, p. 29s. O texto está repleto de erros fonéticos.

408	Numa série moderna de visões, em que o arquétipo do Velho Sábio aparecia várias vezes, ora com estatura normal (ao aparecer no fundo de uma cratera ladeado de paredões íngremes de rocha), ora minúsculo e encontrando-se no topo de uma montanha, dentro de uma mureta baixa de pedra. O mesmo tema encontra-se também no conto de Goethe acerca da princesa anã, cuja morada era um cofre[31]. Neste contexto se inserem o *anthroparion*, o homenzinho de chumbo da visão de Zósimo[32], bem como o homenzinho de metal das minas, os hábeis dáctilos da Antiguidade, os *homunculi* dos alquimistas, os duendes, os *brownies* escoceses etc. A realidade de tais representações tornou-se clara para mim por ocasião de um grave acidente na montanha, quando após a catástrofe dois dos participantes tiveram a visão conjunta, em plena luz do dia, de um homenzinho de capuz que saía das fendas inacessíveis da geleira; atravessou-a em seguida, o que desencadeou nos dois homens um verdadeiro pânico. Muitas vezes encontrei temas que me davam a impressão de que o inconsciente era o mundo do infinitamente pequeno. Do ponto de vista da razão, poder-se-ia deduzir que isso acontece porque se tem o obscuro sentimento de que se trata de realidades endopsíquicas, as quais deveriam ser muito pequenas para caber dentro da cabeça. Não sou amigo de tais conjeturas "racionais", embora não pretenda afirmar que todas elas não sejam cabíveis. Parece-me mais provável que a tendência ao diminuto, por um lado, e a ampliação exagerada (gigante!), por outro, têm a ver com a estranha incerteza do conceito de tempo-espaço no inconsciente[33]. O sentido humano de medida, isto é, nosso conceito racional de grande e pequeno é um antropomorfismo manifesto, que perde sua validade, não só no âmbito dos fenômenos físicos, mas também no do inconsciente coletivo, os quais se situam além do alcance do especificamente humano. O atmã é "menor do que o pequeno" e maior que o grande. É do tamanho de um polegar e no entanto "cobre o mundo inteiro por todos os lados, numa altura de dois

---

31. *Die neue Melusine*. Conto de fada.
32. Cf. meu artigo Einige Bemerkungen zu den Visionen des Zozimos. In: *Eranos-Jahrbuch* 1937.
33. Em um conto de fadas siberiano (n. 13, p. 62 [*Der in Stein verwandelte Mann*]), o velho aparece como uma figura branca erguendo-se até o céu.

palmos"[34]. Goethe fala acerca dos cabiros: "pequeno de estatura mas grande na envergadura do poder"[35]. Do mesmo modo, o arquétipo do Sábio é minúsculo, quase imperceptível, e, no entanto, uma força do destino capaz de determiná-lo, quando se vai ao fundo das coisas. Os arquétipos têm esta peculiaridade em comum com o mundo atômico, o qual demonstra em nossos dias que quanto mais se aprofunda o experimento do pesquisador no universo da microfísica, tanto mais devastadoras são as energias que lá encontra comprimidas. Tornou-se claro que não é só no âmbito físico, mas também na investigação psicológica, que o maior efeito provém no menor. Quantas vezes, num momento crítico da vida, tudo depende de um nada aparente!

Em certos contos de fada primitivos a natureza esclarecedora de nosso arquétipo se expressa pelo fato de que o Velho é identificado com o Sol. Ele acarreta um incêndio que utiliza para assar uma abóbora. Depois de comê-la, afasta-se levando consigo o fogo, fazendo com que os homens tentem roubá-lo[36]. Num conto norte-americano, o Velho é um xamã que possui o fogo[37]. O espírito tem o aspecto do fogo, conforme sabemos através da linguagem do *Antigo Testamento* e da história do milagre de Pentecostes.

Além de sua inteligência, sabedoria e conhecimento, o Velho se distingue, como já vimos, pela posse de qualidades morais: põe à prova a capacidade moral dos homens e distribui seus dons de acordo com essa prova. O conto estoniano[38] da enteada e da filha legítima é um exemplo especialmente claro. A primeira é uma órfã que se distingue pela obediência e senso de ordem. A história começa contando que ela deixa sua roca de fiar cair no poço. Pulando no poço para reavê-la, não se afoga, mas entra no país mágico e inicia sua busca. Encontra uma vaca, um carneiro e uma macieira, cujos desejos ela satisfaz. Chega então a um banheiro, onde está sentado um velho todo

---

34. [Cf. § 289 do presente volume.]
35. *Fausto*, segunda parte, cena dos cabiros. Cf. *Psicologia e alquimia*, § 203.
36. Indianermärchen aus Südamerika, p. 285 [*Das Ende der Welt und der Feuerdiebstahl*].
37. Indianermärchen aus Nordamerika, p. 74 [*Geschichten von Mänäbusch: Der Feuerdiebstahl*].
38. N. 53: *Der Lohn der Stieftochter und der Haustochter*, p. 192s.

sujo, que lhe pede um banho. Segue-se então o diálogo: o Velho: "Bela menina, bela menina! Dá-me um banho! Para mim é muito penoso ficar assim tão sujo!" Ela: "Como posso acender o fogão?" "Junte tocos de madeira e excremento de gralha para fazer o fogo". Ela, porém, recolhe gravetos, ramos secos etc., e pergunta: "Onde devo buscar a água para o banho?" E ele: "Debaixo do secador de grãos encontrarás uma égua branca. Recolhe a urina dela numa tina". Mas a menina pega a água limpa e pergunta: "Onde posso encontrar uma esponja para o banho?" "Corta o rabo da égua branca e faze o esfregão". Ela porém o faz de fibras de bétula. "Onde posso achar sabão?" "Pega uma pedra do chão do banheiro e esfrega-me com ela". Ela porém vai buscar sabão na aldeia e assim lava o Velho. Como recompensa este lhe dá uma caixa cheia de ouro e pedras preciosas.

411[39] A filha legítima fica com inveja. Joga a roca de fiar dentro do poço, mas logo a encontra. Apesar disso, continua fazendo inversamente tudo o que a enteada fizera corretamente. A recompensa correspondeu àquilo que fizera. A frequência deste tema torna supérfluos outros exemplos.

412 A figura do Velho, tão superior quanto prestativa, procura conectar de algum modo as duas irmãs (do conto) com a divindade. No conto alemão do *"soldado e da princesa negra"*[40] é relatado como a princesa amaldiçoada sai todas as noites do seu sarcófago para buscar e devorar o soldado que montava guarda em seu túmulo. Certo soldado, quando chegou a sua vez, tentou escapar. "Quando caiu a noite saiu furtivamente correndo através de campos e montanhas, até chegar a um belo prado. De repente apareceu diante dele um homenzinho de longas barbas grisalhas. Este porém não era senão o nosso querido Senhor Deus, o qual não queria mais continuar assistindo aqueles horrores que o diabo perpetrava todas as noites. 'Para onde vais?', perguntou o homenzinho grisalho. 'Não posso acompanhar-te?' E como o velhinho tinha um ar tão ingênuo e franco, o soldado contou-lhe que estava fugindo e o motivo pelo qual o fazia". Segue-se en-

---

39. [A edição anglo-americana incluiu uma alínea neste lugar, a qual não quisemos assumir.]
40. Deutsche Märchen seit Grimm, p. 189s.

tão, como sempre, o bom conselho. Neste conto, o Velho é ingenuamente declarado como sendo o próprio Deus, tal como o alquimista inglês, Sir George Ripley, designa o "velho rei" como *antiquus dierum*[41].

Como todos os arquétipos têm um caráter positivo, favorável, luminoso, que aponta para o alto, também têm um outro, que aponta para baixo, em parte negativo e desfavorável, e em parte ctônico, porém neutro. O arquétipo do espírito não constitui nenhuma exceção a essa regra. Sua forma anã já significa uma diminuição limitante, e sugere o caráter natural de um nume da vegetação, que provém do mundo subterrâneo. O Velho aparece num conto balcânico como deficiente, pois perdera um olho[42]. Os vilões, uma espécie de monstros alados, tinham vazado esse olho e o herói é encarregado de restituir-lhe a vista. O Velho perdera, portanto, uma parte da luz de seus olhos, isto é, do seu conhecimento e iluminação, a favor do mundo obscuro, demoníaco; este último o afeta, lembrando o destino de Osíris que perdera um de seus olhos ao avistar um porco preto, isto é, Seth. Lembra também o destino de Wotan que sacrificou o seu olho ao poço de Mimir. Significativamente, a cavalgadura do Velho do nosso conto é um bode, o que indica que ele possui um lado escuro. Em um conto siberiano, o Velho aparece como ancião perneta, maneta e caolho, o qual ressuscita um morto com um bastão de ferro. No decorrer da história, ele próprio é assassinado por engano por aquele que ressuscitara várias vezes, pondo assim a perder toda a sua ventura. O título do conto é: *O Velho que tinha um lado só*. Na realidade, o seu defeito significa que ele é apenas a metade de si mesmo. A outra metade é invisível, mas no conto aparece como um assassino, o qual atenta contra a vida do herói da história. Finalmente, o herói consegue matar seu múltiplo assassino; na confusão o herói também mata o Velho que tinha um lado só, o que alude à identidade dos dois assassinados. Disso resulta a possibilidade de que o Velho poderia ser simultaneamente o seu oposto: um vivificador bem como um assassino – *ad utrumque peritus*[43], como se diz em relação a Hermes.

413

---

41. O velho dos dias. – Em sua "Cantilena".
42. Balkanmärchen n. 36 *Der König und seine drei Söhne*.]
43. [Perito em ambos.] PRUDÊNCIO. *Contra Symmachum*; cf. RAHNER. *Die seelenheilende Blume*, p. 132.

414   Nestas circunstâncias, por motivos heurísticos entre outros, sempre que o Velho aparece de um modo "modesto" e "ingênuo" é recomendável sondar cuidadosamente o contexto. No conto estoniano já mencionado, do menino que perdeu a vaca confiada a seu cuidado, pode-se levantar a seguinte hipótese: o Velho prestativo, que surgiu na hora exata, fizera astuciosamente desaparecer a vaca, a fim de dar um motivo para a fuga do seu protegido. Isto é claramente possível, como mostra a experiência do dia a dia: o saber superior, mas subliminar do destino, encerra o incidente desagradável, a fim de intimidar o João bobo da consciência do eu, para trazê-lo ao caminho próprio que ele jamais teria encontrado em sua estupidez. Se o menino órfão tivesse suspeitado que o Velho fizera desaparecer magicamente a sua vaca, este parecer-lhe-ia um espertalhão ou o diabo. O Velho, na realidade, também tem um aspecto *mau*, como um xamã primitivo que, por um lado, cura, e ainda, por outro, é o temível preparador de venenos. A palavra φάρμακον significa tanto remédio como veneno, e veneno afinal pode ser um ou outro.

415   Assim o Velho tem um caráter ambíguo, élfico, tal como a figura extremamente instrutiva de Merlin pode parecer o bem e, dependendo de sua manifestação, o mal. Neste último caso ele representa o mau feiticeiro que, por egoísmo, pratica o mal pelo mal. No conto siberiano[44], o Velho é um mau espírito, "sobre cuja cabeça havia dois lagos, onde nadavam dois patos". Ele se alimenta de carne humana. A história conta como o herói e sua gente vão a uma festa na aldeia próxima, deixando seus cães em casa. Estes decidem – segundo o ditado "quando o gato sai de casa, os ratos dançam" – fazer também uma festa. No auge desta, todos se precipitam sobre as provisões de carne. Quando as pessoas chegam, enxotam os cães. Mas estes perdem-se na selva. "O criador diz a Ememcut – o herói da história: 'Vai com tua mulher procurar os cães!' Mas este é surpreendido por uma terrível tempestade de neve e precisa refugiar-se na cabana do espírito mau. Segue-se o conhecido tema do diabo enganado. "Criador" significa o pai de Ememcut, mas o pai do criador chama-se o "autocriado" porque se criara a si mesmo. Embora o conto não contenha pas-

---

44. [N. 36: *Die Hunde*].

sagem alguma referindo-se ao fato de que o Velho com seus dois lagos sobre a cabeça tenha atraído o herói e sua mulher para aplacar a sua fome, pode-se conjeturar: 1) que um espírito especial entrou nos cães, levando-os a celebrar uma festa imitando seus donos, a fim de, contrariamente à sua natureza, fugirem; por essa razão Ememcut deve procurá-los; 2) que o herói é surpreendido por uma tempestade de neve a fim de lançar-se nos braços do Velho mau. O fato de o criador, filho do autocriado, colaborar cria um emaranhado de problemas, cuja solução preferimos deixar aos teólogos siberianos.

Num conto dos Bálcãs, o Velho dá à czarina que não tem filhos uma maçã mágica para comer; ela engravida, dá à luz um filho que, a pedido do Velho, deveria ser seu afilhado. O menino, porém, é endiabrado, surrando todas as crianças e abatendo o gado dos pastores. Durante dez anos ele não recebeu nome algum. O Velho aparece, espeta-lhe uma faca na perna e o chama de "príncipe da faca". O menino quer sair de casa em busca de aventuras, o que o pai autoriza após longa hesitação. Uma faca espetada em sua perna é sua condição de vida: se alguém tirá-la, ele morrerá. Se ele mesmo o fizer, viverá. Finalmente, a faca torna-se fatídica, porquanto uma velha bruxa a tira enquanto ele dorme. Em consequência ele morre, mas sua vida é devolvida pelos amigos que conquistara[45]. Neste momento, o Velho o ajuda, porém é também o causador de um destino perigoso, que poderia levar ao mal. Este manifesta-se logo claramente no caráter violento do menino.

Em outro conto dos Bálcãs encontra-se uma variante do nosso tema que merece ser mencionado: um rei procura sua irmã, que fora raptada por um estranho. Em suas andanças, hospeda-se na cabana de uma velha que o aconselha a não continuar essa busca. Uma árvore carregada de frutos recua cada vez que ele dela se aproxima, afastando-o cada vez mais da cabana. Quando finalmente para, um Velho desce da copa da árvore, oferecendo-lhe algo para comer, e o conduz ao castelo, onde vive com sua irmã desaparecida. Ela diz ao irmão que seu marido é um espírito mau que pretende matá-lo. Ao cabo de três dias, de fato, o rei desaparece. Seu irmão mais novo tam-

---

45. Balkanmärchen n. 9: *Die Taten des Zarensohnes und seiner beiden Gefährten*.

bém sai à procura e mata o espírito mau que se mostra sob a forma de um dragão. O feitiço é quebrado e o dragão se transforma num homem belo e jovem que se casa com a irmã. O Velho que apareceu primeiro como um nume da árvore está em relação evidente com a irmã. Ele é um assassino. Num episódio acrescentado a esse conto, ele é acusado de ter encantado uma cidade inteira, tornando-a "de ferro", isto é, imóvel, rígida e trancada[46]. Ele também conserva presa a irmã do rei, sem deixá-la retornar à família. Isto denota que a irmã sofre uma *possessão pelo animus*. O Velho deve, pois, ser considerado como o animus da irmã. No entanto, o modo pelo qual o rei é incluído nessa possessão, bem como a procura da irmã, levam a pensar que ela seja a anima do irmão. O arquétipo fatídico apossou-se então primeiramente da anima do rei; em outras palavras, ele roubou do rei o arquétipo da vida, personificado na anima, forçando-o a sair em busca da graça da vida perdida, do "tesouro difícil de atingir", transformando-o assim no herói mítico, isto é, na personalidade superior que é uma expressão do si-mesmo. Neste ponto, o Velho atua como vilão e deve ser afastado à força, para depois aparecer como o esposo da irmã-anima, ou, mais exatamente, como noivo anímico, o qual celebra o incesto sagrado, enquanto símbolo da união dos opostos e iguais. Esta enantiodromia ousada, que ocorre frequentemente, significa não só um rejuvenescimento e transformação do Velho, mas também permite entrever uma relação interior secreta do bem com o mal e vice-versa.

418   Nesta história vemos o arquétipo do Velho sob a forma do malfeitor envolvido nas peripécias e transformações de um processo de individuação, que termina sugestivamente no *hieros gamos*. No conto russo já citado do rei da floresta, este se revela primeiro como prestativo e benéfico e depois não quer mais restituir a liberdade do menino, de modo que os fatos principais do conto giram em torno das múltiplas tentativas do menino para escapar das garras do feiticeiro. Em lugar da busca há o motivo da fuga, a qual parece ter os mesmos méritos que as aventuras corajosamente escolhidas, pois, afinal, o herói casa-se com a filha do rei. O feiticeiro, porém, deve contentar-se com o papel de diabo enganado.

---

46. N. 35: *Der Schwiegersohn aus der Fremde.*

D. O simbolismo teriomórfico do espírito no conto de fadas

A descrição do nosso arquétipo estaria incompleta se omitíssemos uma forma particular de sua manifestação, isto é, sua forma animal. Esta última pertence de um modo geral ao teriomorfismo dos deuses ou demônios e tem o mesmo significado psicológico. A figura do animal indica que os conteúdos e funções em questão ainda se encontram na esfera extra-humana, isto é, num plano além da consciência humana participando consequentemente, por um lado, do sobre-humano demoníaco e, por outro, do infra-humano animal. É preciso no entanto levar em conta que essa divisão só é válida na esfera da consciência, onde corresponde a uma condição necessária do pensar. A lógica diz *tertium non datur*[47], significando que somos incapazes de imaginar os opostos em sua unicidade. Em outras palavras, a abolição de uma antinomia existente, apesar de tudo, só pode valer como um postulado. As coisas, porém, não são assim para o inconsciente, cujos conteúdos são paradoxais e antinômicos por si mesmos, inclusive a categoria do ser. A pessoa que desconhece a psicologia do inconsciente, se quiser fazer uma ideia desta questão deverá estudar os místicos cristãos e a filosofia indiana, onde encontrará revelações mais claras sobre a antinomia do inconsciente.

Embora o Velho tenha manifestado um aspecto e comportamento quase sempre humano em nossas considerações até aqui, os seus poderes mágicos, inclusive sua superioridade espiritual, sugerem que tanto no bem como no mal ele se encontra no nível extra-humano, sobre-humano e infra-humano. Seu aspecto animal não significa para o primitivo nem para o inconsciente uma desvalorização, pois em certos aspectos o animal é superior ao homem. Ele ainda não entrou na consciência perdendo-se nela, e não contrapõe ainda a vontade própria do eu àquela força da qual vive; pelo contrário, cumpre a vontade que nele impera de um modo quase perfeito. Se o animal fosse consciente, seria mais piedoso que o homem. A lenda do pecado original contém uma profunda doutrina, pois é a expressão de um pressentimento de que a emancipação da consciência do eu representa um ato luciferino. A história universal humana consiste, desde o

---

47. *Ein Drittes gibt es nicht* (Não existe um terceiro).

início, num confronto do sentimento de inferioridade com a arrogância. A sabedoria busca o meio e paga por esta temeridade o preço de uma afinidade dúbia com o demônio e com o animal, sofrendo por isso um falso julgamento moral.

421   No conto de fadas deparamos frequentemente com o motivo dos animais *prestativos*. Estes comportam-se humanamente, falam língua humana e mostram uma sagacidade e um conhecimento superiores aos do homem. Neste caso pode-se dizer com razão que o arquétipo do espírito se exprime através da figura de um animal. Num conto de fadas alemão[48] é relatado como um jovem que busca sua princesa desaparecida encontra um lobo que lhe diz: "Não tenhas medo! Dize-me: para onde vai o teu caminho?" O jovem conta-lhe sua história, após o que o lobo lhe oferece um dom mágico, isto é, alguns de seus pelos, com a ajuda dos quais o jovem poderia ser ajudado a qualquer momento. Este *intermezzo* transcorre exatamente do mesmo modo que o encontro com o Velho solícito. Na mesma história comparece também o outro lado do arquétipo, isto é, seu lado mau. Para esclarecer isto daremos a seguir algumas passagens deste conto.

422   O jovem que guardava seus porcos na floresta descobre uma árvore cujos galhos se perdem nas nuvens. "Como será o mundo se o observares do alto de sua copa?", diz de si para consigo. Sobe então na árvore, o dia inteiro, sem alcançar os galhos. O Sol se põe e ele precisa passar a noite em uma forquilha da árvore. No dia seguinte, continua a subir e ao meio-dia atinge a copa. Só no fim da tarde chega a uma aldeia construída dentro dos galhos. Lá moram camponeses que o alimentam e lhe dão abrigo para a noite. De manhã, continua a escalada. Lá pelo meio-dia chega a um castelo onde mora uma donzela. Descobre então que a árvore termina nesse ponto. Ela é a filha de um rei, mantida presa por um mau feiticeiro. O jovem fica com a princesa e tem autorização para entrar em todos os aposentos do castelo, com exceção de um só, cujo acesso a princesa lhe proibiu. A curiosidade, porém, foi mais forte. Ele abre a porta e encontra no quarto um corvo pregado na parede com três pregos. Um deles atravessa-lhe o pescoço e os outros dois as asas. O corvo queixa-se de sede e

---

48. *Die Prinzessin auf dem Baum* (Deutsche Märchen seit GRIMM).

o jovem, movido pela compaixão, dá-lhe água para beber. A cada gole cai um prego e, no último, o corvo se liberta e sai voando pela janela. Quando a princesa fica sabendo, assusta-se muito e diz: "O corvo era o diabo que me enfeitiçou... Agora não demorará muito para vir buscar-me!" De fato, numa bela manhã ela desapareceu.

 O jovem põe-se à sua procura e, como dissemos acima, encontra o lobo. Do mesmo modo, encontra também um urso e um leão, que também lhe dão alguns pelos. Além disso, o leão diz-lhe que a princesa está presa numa casa de caçadores, nos arredores. O jovem encontra a casa e a princesa, mas é informado de que a fuga é impossível, pois o caçador possui um cavalo branco de três pernas, o qual sabe tudo e avisaria infalivelmente o caçador. Apesar disso, o jovem tenta a fuga, porém em vão. O caçador o alcança, mas como o jovem já havia salvo a sua vida quando era corvo, o caçador resolve deixá-lo partir. Este último regressa com a princesa na garupa. O jovem entra de novo furtivamente na casa, no momento em que o caçador fora para a floresta, e convence a princesa a revelar-lhe o segredo mediante o qual o caçador conseguira aquele cavalo branco e inteligente. Ela o consegue de noite e o jovem que se esconderá debaixo da cama descobre que mais ou menos uma hora distante dali mora uma bruxa que cria cavalos mágicos. Aquele que conseguir guardar os potros durante três dias poderá escolher para si, como recompensa, um cavalo. Outrora ela possuía, além dos cavalos, doze cordeiros, a fim de com eles aplacar a fome dos doze lobos que moravam na floresta em torno do seu quintal e assim impedi-los de se precipitarem sobre alguém. Ela, porém, não lhes dera os cordeiros. Os lobos o teriam perseguido ao voltar montado no cavalo branco e, no momento de atravessar a divisa, teriam conseguido arrancar uma perna do cavalo. Por isso, seu cavalo só tem três pernas.

 Mais que depressa o jovem vai até a casa da bruxa e faz um trato com ela, sob a condição de dar-lhe não apenas o cavalo que ele mesmo escolheria, mas também os doze cordeiros. A bruxa concorda. Ela ordena ao potro que fuja. Para adormecer o jovem, dá-lhe aguardente. Ele bebe, adormece e os potros escapam. No primeiro dia, ele os recupera com a ajuda do lobo. No segundo dia, quem o ajuda é o urso e, no terceiro, o leão. Pode então escolher a sua recompensa. A filhinha da bruxa lhe revela qual é a montaria da mãe. Naturalmente trata-se do melhor cavalo, que também é branco. O jovem o pede para si. Mal sai da estrebaria, a bruxa fura os cascos do cavalo branco, sugando-lhe a medula dos ossos. Com a medula ela assa um bolo, que oferece ao jovem para a viagem. O cavalo enfraquece a ponto de morrer, mas o jovem dá-lhe o bolo para que coma, e com isso o cavalo recobra sua força anterior. O jovem consegue sair incólume da floresta, depois de ter saciado os lobos com os doze cordeiros. Ele vai buscar a princesa e ambos saem montados. O cavalo branco de três pernas chama novamente o caçador que imediatamente persegue os dois, conseguindo alcançá-los rapidamente, porque o cavalo branco de quatro pernas não quer correr. Quando o caçador se aproxima dele, o cavalo branco de quatro pernas brada para o de três pernas: "Irmãzinha, derruba-o!" O feiticeiro é derrubado e pisoteado pelos dois cavalos. O jovem coloca então a princesa no cavalo branco de três pernas e ambos cavalgam para o reino de seu pai, onde celebram seu casamento. O cavalo branco de quatro pernas pede ao jovem que decapite os dois cavalos, porque senão cairia sobre ele uma desgraça. Ao fazê-lo, os cavalos transformam-se em um príncipe imponente e uma princesa maravilhosa que depois de algum tempo se mudam "para seu próprio reino". Eles tinham sido transformados outrora em cavalos pelo caçador.

425   Afora o simbolismo teriomórfico deste conto, o fato de a função do saber e da intuição ser representada por um cavalo é extremamente interessante. Assim se exprime que o espírito também pode ser uma propriedade. O cavalo branco de três pernas é propriedade do caçador demoníaco; o de quatro pernas, porém, pertence inicialmente à bruxa. Aqui o espírito é, parcialmente, uma função, a qual, como qualquer outra coisa (cavalo), pode mudar de proprietário; parcialmente é sujeito autônomo (feiticeiro como proprietário do cavalo). Na medida em que o jovem ganha o cavalo branco de quatro pernas da bruxa, ele liberta um espírito ou um modo especial de pensar do domínio do inconsciente. A feiticeira significa aqui, como em outros lugares, uma *mater natura*, ou seja, o estado originário por assim dizer "matriarcal" do inconsciente, o que indica o estado psíquico no qual apenas uma consciência fraca e dependente se opõe ao inconsciente. O cavalo branco de quatro pernas mostra-se superior ao de três pernas, uma vez que pode comandá-lo. Como a quaternidade é um

símbolo da totalidade e esta desempenha um papel importante no mundo imagístico do inconsciente[49], a vitória do cavalo de quatro pernas sobre o de três pernas não é algo inesperado. O que significa, porém, a oposição entre o três e o quatro ou, em outras palavras, o que significa o três em relação à totalidade? Na alquimia este problema chama-se o *axioma de Maria*, acompanhando esta filosofia por mais de mil anos, para ser retomada no *Fausto* (cena dos cabiros). Sua versão literária mais antiga encontra-se nas palavras introdutórias do *Timeu*[50], lembradas por Goethe. Podemos ver claramente nos alquimistas como à trindade divina corresponde um ternário ctônico (semelhante ao demônio de três cabeças em Dante). O ternário ctônico representa um princípio que revela em seu simbolismo uma afinidade com o mal, embora não se possa afirmar com certeza que ele expresse unicamente o mal. Tudo parece indicar que este último, ou o seu símbolo habitual, pertence à família das figuras que descrevem o obscuro, o noturno, o inferior, o ctônico. Neste simbolismo, o inferior guarda para com o superior uma relação de correspondência[51] dentro da oposição, ou melhor, é concebido como o superior, a modo de uma tríade. O três, sendo um número masculino, tem uma correlação lógica com o mau caçador, o qual pode ser entendido (alquimicamente) como a tríade inferior. O quatro, sendo um número feminino por sua vez, é atribuído à velha. Ambos os cavalos são animais maravilhosos, falantes e sábios, representando portanto o espírito inconsciente que, num caso, é atribuído ao feiticeiro mau e, no outro, à bruxa.

Entre a tríade e o quatérnio há em primeiro lugar a oposição homem-mulher e além disso o quatérnio é um símbolo de totalidade ao passo que a tríade não o é. Esta última denota, segundo a alquimia,

---

49. Tenho que remeter o leitor aos meus trabalhos mais antigos, no que diz respeito à quaternidade, principalmente a *Psicologia e religião* e *Psicologia e alquimia*.

50. A representação do problema mais antigo que conheço é a dos quatro filhos de Hórus: três deles são ocasionalmente representados com cabeça de animal e um com cabeça humana. Cronologicamente segue-se a visão das quatro figuras de Ezequiel, as quais são retomadas depois nos atributos dos quatro evangelistas. Como se sabe, a cabeça de três deles é teriomórfica e um deles, o anjo, tem cabeça humana.

51. Segundo a sentença da *Tabula Smaragdina*: "*Quod est inferius, est sicut quod est superius*" (O que está embaixo é igual ao que está em cima), p. 2.

um estado de oposição, na medida em que uma tríade sempre pressupõe uma outra, tal como o superior pressupõe um inferior, o claro um escuro, o bom um mau. Energeticamente, a oposição significa um potencial, e onde há um potencial, há a possibilidade de um fluxo e de um acontecimento, pois a tensão dos opostos busca o equilíbrio. Quando imaginamos o quatérnio como um quadrado dividido em duas metades por uma diagonal, disso resultam dois triângulos cujos ápices apontam direções opostas. Poder-se-ia dizer metaforicamente: quando dividimos a totalidade simbolizada pelo quatérnio em metades iguais obtemos duas tríades em oposição. Esta simples reflexão mostra que a tríade pode derivar do quatérnio, do mesmo modo que o caçador explica à princesa como o seu cavalo branco, o qual possuía quatro pernas, transformou-se num cavalo de três pernas, uma vez que os doze lobos lhe arrancaram um pé. A tripodidade do cavalo branco deve sua existência a um acidente, o qual ocorreu no momento em que o cavalo estava a ponto de abandonar o reino da mãe obscura. Em linguagem psicológica, isto significaria que quando a totalidade inconsciente se torna manifesta, isto é, abandona o inconsciente para entrar na esfera da consciência, um dos quatro fica para trás, retido pelo *horror vacui* do inconsciente. Assim surge uma tríade à qual corresponde uma tríade em oposição a ela[52], isto é, surge um conflito. Não é a partir do conto, mas da história do simbolismo que chegamos a esta constatação. Aqui também poderíamos perguntar com Sócrates: "Um, dois, três – mas querido Timeu, entre aqueles que ontem eram hóspedes e hoje são anfitriões, onde fica o quatro[53]?" Ele permaneceu no reino da mãe obscura, retido pela ambição lupina do inconsciente que nada quer deixar escapar de seu círculo mágico, a não ser em troca de um sacrifício.

427   O caçador, isto é, o velho feiticeiro e a bruxa correspondem às *imagines negativas* dos pais no mundo mágico do inconsciente. O caçador aparece no conto inicialmente sob a forma de um corvo negro. Este roubara a princesa e a mantinha cativa, a qual o considera o "dia-

---

52. Cf. *Psicologia e alquimia*, fig. 54 [e § 539], mais detalhadamente em O espírito Mercurius.

53. [*Platons Dialoge Timaios und Kritias*, p. 29]. Esta passagem não esclarecida preferimos atribuir a uma provocação lúdica de Platão.

bo". Mas, estranhamente, ele mesmo está preso em um espaço proibido do castelo, pregado na parede com três pregos, o que equivale à *crucifixão*. Está preso como todo carcereiro e proscrito como os que amaldiçoam. A prisão de ambos é um castelo mágico, no cume de uma árvore gigante, certamente a árvore do mundo. A princesa pertence ao mundo superior e luminoso, perto do Sol. Sentada, em cativeiro, na árvore do mundo, ela deve ser um tipo de *anima mundi*, que caiu sob o poder da escuridão. A captura não parece ter-lhe feito bem, uma vez que o raptor foi crucificado com três pregos. A crucifixão significa obviamente um estado de perda de liberdade e suspensão dolorosíssima, castigo da audácia daquele que ousou penetrar na esfera do princípio oposto, como um Prometeu. É isso que fez o corvo idêntico ao caçador, pois roubara uma alma preciosa do mundo superior e luminoso, sendo por isso pregado no mundo superior, numa parede, como punição. O fato de tratar-se aqui de um reflexo invertido da imagem cristã primordial é incontestável. O salvador que libertou a alma da humanidade do domínio do príncipe deste mundo está pregado na cruz no mundo sublunar, embaixo, como o corvo larápio foi pregado na parede no cume celeste da árvore do mundo, devido à sua transgressão. O instrumento do anátema característico de nosso conto é a tríade de pregos. Não é dito no conto quem prendeu o corvo, mas parece que um anátema foi proferido contra ele em nome da trindade.

O jovem herói, que escalou a árvore do mundo e entrou no castelo mágico de onde libertará a princesa, recebe a permissão para entrar em todos os quartos, exceto em um, que é justamente aquele em que se encontra o corvo[54]. Assim como fora proibido de comer o fruto de uma única árvore do paraíso, assim também não deverá ser aberto um único quarto, mas é justamente neste que ele entrará. Nada excita mais a nossa curiosidade do que uma proibição. É seguramente este o caminho mais seguro para provocar uma desobediência. É claro que há uma intenção secreta atuante, não *tanto de libertar a princesa, mas o corvo*. Assim que o herói avista a ave, esta começa a

---

54. No conto de Grimm (I, n. 55: Marienkind), encontra-se no cômodo proibido a "Trindade", o que me parece digno de nota.

gritar de fazer pena e a queixar-se de sede[55]. O rapaz, movido pela compaixão, alivia sua sede, não com o aspersório de vinagre, mas com água fresca; logo depois caem os três pregos e o corvo escapa pela janela aberta. Assim, o espírito mau recobra a liberdade, transformando-se no caçador que rapta a princesa pela segunda vez, trancando-a agora em sua cabana de caça instalada na terra. A intenção secreta desvela-se em parte: a princesa devia ser trazida do mundo superior para o mundo humano, o que era obviamente impossível sem a ajuda do espírito mau e da desobediência humana.

429 Mas como no mundo humano o caçador de almas também domina a princesa, o herói terá que intervir novamente, na medida em que surrupia o cavalo de quatro pernas da bruxa, conforme vimos, quebrando assim o poder de três pernas do feiticeiro. A tríade é que exorciza o corvo e ao mesmo tempo é o poder do espírito mau. São estas as duas tríades que apontam direções opostas.

430 Num domínio completamente diverso, isto é, no da experiência psicológica, sabemos que três das quatro funções da consciência se diferenciam, isto é, podem tornar-se conscientes; uma, porém, permanece ligada ao solo materno, o inconsciente, sendo denominada a função (inferior). Constitui o calcanhar de Aquiles da consciência do herói. Em algum lugar, o forte é fraco, o inteligente tolo, o bom mau etc. E o inverso também é verdadeiro. Segundo o nosso conto, a tríade aparece como um quatérnio aleijado. Se pudéssemos juntar a perna que falta às três existentes, obteríamos a totalidade. O enigmático

---

55. Aeliano (*De natura animalium*, 1,47) relata que Apolo condenou os corvos à sede, porque um corvo enviado para buscar água demorara demais. No folclore alemão diz-se que o corvo teria que sofrer sede no mês improdutivo, ou seja, em agosto. O motivo que se alega é ele ter sido o único a não se entristecer com a morte de Cristo, ou então por não ter voltado quando Noé o enviou (PANZER. *Zeitschrift für deutsche Mythologie* II, p. 171, e KÖHLER. *Kleinere Schriften zur Märchenforschung* I, 3). Quanto ao corvo, como alegoria do mal, cf. a apresentação exaustiva de RAHNER. *Erdgeist und Himmelsgeist in der patristischen Theologie*. Por outro lado, o corvo está numa relação próxima a Apolo, enquanto animal a ele consagrado; do mesmo modo, aparece na Bíblia com significado positivo (Sl 147,9): "que dá alimento aos animais, aos filhotes dos corvos, o que pedem". Jó 38,41: "Quem prepara alimento para o corvo, quando os seus filhotes gritam a Deus e se debatem por falta de comida?" De modo semelhante, eles aparecem como "espíritos solícitos" em Lc 12,24; e 1R 17,50 onde trazem a Elias o pão de cada dia.

Axioma de Maria diz: "do terceiro surge o um 'como' o quarto" (ἐκ τοῦ τρίτου τὸ ἓν τέταρτον)[56], o que deve significar: quando o terceiro produz o quarto, nasce ao mesmo tempo a unidade. A parte que foi perdida, a qual se encontra em poder dos lobos da grande mãe, é apenas um quarto, mas com os outros três forma aquela totalidade que suprime a separação e o conflito.

O que, porém, segundo a simbólica, faz de um quarto uma tríade? Neste ponto o simbolismo da história não nos esclarece e somos obrigados a recorrer aos fatos da psicologia. Como disse acima, três funções podem ser diferenciadas, e apenas uma permanece no exílio do inconsciente. Tal constatação carece de maior precisão. Empiricamente, a diferenciação é apenas bem-sucedida em *uma* função e por isso ela é designada função superior ou principal e juntamente com a extroversão e a introversão constitui o tipo de atitude consciente. A esta função associam-se uma ou duas funções auxiliares mais ou menos diferenciadas, as quais quase nunca alcançam o mesmo grau de diferenciação, isto é, de poderem ser usadas voluntariamente. Por esse motivo essas funções auxiliares possuem uma espontaneidade maior do que a da função principal, a qual é altamente confiável e se adapta à nossa intenção. A quarta função, inferior, por outro lado, é inacessível à nossa vontade. Ora ela aparece como um duende brincalhão que atrapalha, ora como *deus ex machina*. Sempre, porém, esta última função vai e vem *sua sponte* (segundo sua vontade). Podemos deduzir desta exposição que até as funções diferenciadas se libertam só em parte de seu enraizamento no inconsciente; por outro lado, estão atoladas nele, e assim operam sob o seu domínio. Às três funções diferenciadas que estão à disposição do eu correspondem três partes inconscientes, que ainda não se despegaram do inconsciente[57]. Assim como as três funções diferenciadas conscientes se confrontam com uma quarta função indiferenciada, como fator de perturbação mais ou menos desagradável, assim a função superior parece ser o pior dos inimigos em relação ao inconsciente. Não podemos

431

---

56. [Cf. *Psicologia e alquimia*, Índice, verbete Maria Profetisa.]
57. Num conto de fadas nórdico [Noruega, n. 24: *Die drei Prinzessinnen im Weissland*], representadas por três princesas a serem salvas, por estarem enterradas até o pescoço.

deixar de mencionar uma sutileza especial: assim como o diabo gosta de disfarçar-se em anjo de luz, a função inferior influencia de modo secreto, insidioso e preponderante a função superior, tal como esta reprime aquela na mesma medida[58].

432   Tais exposições um tanto abstratas são necessárias para esclarecer um pouco as associações ardilosas e alusivas do nosso conto "simples e infantil". As duas tríades opostas, a primeira que exila o mal e a segunda que representa o seu poder, correspondem por assim dizer exatamente à estrutura funcional da nossa psique consciente e inconsciente. O conto, sendo um produto espontâneo, ingênuo, irrefletido da alma, só pode expressar aquilo que é próprio da alma. Por isso, não é só o nosso conto que representa essas condições psíquicas espirituais, mas inúmeros outros contos de fadas[59] fazem o mesmo.

433   O conto em questão revela com rara clareza, por um lado, todo o caráter antitético do arquétipo do espírito e, por outro, a combinação confusa das antinomias, visando a grande meta de uma consciência mais elevada. O jovem guardador de porcos que, a partir do baixo nível animal, escala a gigantesca árvore do mundo e descobre lá no topo do mundo superior da luz sua anima virgem, a princesa de alta estirpe, simboliza a ascensão da consciência de territórios quase animalescos a um ponto elevado de onde se descortina um vasto panorama e representa de modo apropriado a ampliação do horizonte da consciência[60]. Assim que a consciência masculina alcança estas alturas, sua parte feminina correspondente, a anima, vai ao seu encontro[61]. Esta é uma personificação do inconsciente. O encontro mostra como é inadequado chamar o inconsciente de "subconsciente". O in-

---

58. Quanto à teoria das funções cf. *Tipos psicológicos*.

59. Para o leigo neste assunto, quero acrescentar aqui que a teoria da estrutura da psique não foi derivada de contos de fada e de mitos, mas se baseia em experiências e observações da pesquisa médico-psicológica e que só secundariamente foi feita sua constatação pela investigação comparativa dos símbolos em áreas que o médico num primeiro momento desconhece.

60. Trata-se de uma típica enantiodromia: por este caminho não podemos subir mais, pois devemos também realizar o outro lado do nosso ser, descendo.

61. O rapaz interroga-se ao ver a grande árvore: "Como será o mundo se o olhares do seu cume!"

consciente não está apenas "debaixo da consciência", mas também acima, e de tal modo que o herói deverá subir com o maior esforço até alcançá-lo. Este inconsciente "superior" não é de modo algum uma "supraconsciência", no sentido de que qualquer um que o alcançasse, como o nosso herói, ficaria tão acima do "subconsciente" quanto acima da superfície da Terra. Pelo contrário, ele faz a desagradável descoberta de que sua anima elevada e luminosa, a princesa-alma está enfeitiçada lá no alto e tão carente de liberdade como um pássaro em uma gaiola dourada. O herói pode orgulhar-se de haver progredido a partir dos vales de uma apatia animal; mas sua alma está em poder de um espírito mau, de uma *imago* paterna tenebrosa de tipo infernal, sob a figura de um corvo, conhecida representação teriomórfica do diabo. De que lhe servem a altura e o vasto horizonte, se sua amada alma sofre no cativeiro? Sim, ela até participa do jogo do submundo e pretende aparentemente impedir o jovem de descobrir o segredo do seu cativeiro, ao proibi-lo de entrar num determinado quarto. Secretamente, porém, ela o induz, por causa da proibição, a fazer o que é proibido. É como se o inconsciente tivesse duas mãos, uma das quais sempre faz o contrário da outra. A princesa quer – e não quer – ser libertada. O espírito mau no entanto preparou aparentemente uma armadilha para si mesmo: ele queria raptar uma bela alma do luminoso mundo superior, o que, como ser alado, poderia fazer, mas não havia contado com o fato de que com isso ele também ficaria exilado no mundo superior. Ele é certamente um espírito das trevas, mas sente saudades da luz. Esta é a sua justificativa secreta, tal como o exílio é o castigo da transgressão. Enquanto o espírito mau está preso no mundo superior, a princesa não pode descer até à terra, e o herói desaparece no paraíso. Então, comete o pecado da desobediência, possibilitando assim a fuga do ladrão, o que provoca um segundo rapto da princesa, e assim toda uma série de calamidades. O resultado, porém, é a descida da princesa para a terra e o corvo diabólico assume a forma humana do caçador. Assim, a anima luminosa do mundo superior aproxima-se da esfera humana, tal como o princípio do mal: ambos são trazidos à pequenez humana e desse modo tornam-se acessíveis. O cavalo de três pernas, onisciente, do caçador representa o poder deste último. Corresponde aos componentes inconscientes das funções diferenciáveis[62]. O caçador no entanto personifica a função inferior, a qual também se manifesta no herói sob a forma de curiosidade e iniciativa. No decorrer da história, o herói vai se assemelhando ao caçador: assim como este obtém seu cavalo da bruxa, o herói também o consegue. No entanto, ao contrário deste, o caçador esqueceu de levar os doze cordeiros para alimentar os doze lobos, os quais comeram uma das pernas do cavalo. Ele esqueceu-se de pagar o tributo aos poderes ctônicos, por ser nada mais nada menos do que um ladrão. Devido a esta omissão, o herói aprende que o inconsciente deixa partir suas criaturas somente em troca de um sacrifício[63]. O número doze é provavelmente um símbolo do tempo com o significado secundário de doze trabalhos (ἆθλα)[64], que devem ser realizados como um tributo ao inconsciente antes que possamos libertá-lo[65]. O caçador reaparece como uma tentativa prévia fracassada do herói de entrar em posse de sua alma, através do roubo e da violência. A conquista da alma porém é, na realidade, uma *opus* de paciência, de abnegação e entrega. Na medida em que o herói consegue apropriar-se do cavalo de quatro pernas, ele ocupa o lugar do caçador e obtém a princesa. O quatérnio demonstra em nosso conto o alcance de seu poder, por integrar em sua totalidade aquela parte que ainda lhe faltava.

434   O arquétipo do espírito neste conto – diga-se de passagem – não é de modo algum primitivo, e expresso teriomorficamente representa um sistema de três funções, subordinado a uma unidade, o espírito mau, tal como uma instância anônima que crucificou o corvo medi-

---

62. A onisciência dos componentes inconscientes das funções é naturalmente um exagero. Na realidade esses componentes dispõem de – ou melhor, são influenciados por – percepções e memórias subliminares, assim como pelos conteúdos instintivos, arquetípicos do inconsciente. São estes que passam informações de inesperada precisão às atividades inconscientes.

63. O caçador fez sua conta sem a participação do dono da hospedaria, como em geral acontece. Raramente ou nunca pensamos nos custos, provenientes da atividade do espírito.

64. Cf. o mito de Héracles.

65. Os alquimistas enfatizam a longa duração da obra e falam da "longuíssima via", da "*diuturnitas immensae meditationis*" [caminho muito longo – da poderosa meditação] etc. O número doze poderia estar ligado ao ano eclesiástico, em que transcorre a obra de salvação de Cristo. O sacrifício do cordeiro deve provir da mesma fonte.

ante uma tríade de pregos. A unidade supraordenada corresponde, no primeiro caso, à função inferior, isto é, ao caçador, como adversário inconsciente da função principal; no segundo caso (a unidade) corresponde à função principal, isto é, ao herói. Herói e caçador assimilam-se finalmente de modo que a função do segundo floresce no primeiro. Sim, o próprio herói desde o início está latente no caçador, impelindo-o a realizar o rapto da alma com todos os meios imorais que possui, a fim de jogá-la pouco a pouco nas mãos do primeiro, contra a sua vontade (do caçador). Na superfície reina um combate furioso entre ambos, mas no fundo um e outro se aliam. A solução do nó ocorre quando o herói consegue capturar o quatérnio, o que corresponde, em linguagem psicológica, a acolher a função inferior no sistema ternário. Assim o conflito termina de um golpe e a figura do caçador volatiliza-se no nada. Após essa vitória, o herói, montado no cavalo de quatro pernas, faz a sua princesa montar no cavalo de três pernas e juntos cavalgam para o reino de seu pai. Ela dirige e personifica de agora em diante aquela região do espírito que antes servia ao mau caçador. A anima é e permanece a representante daquela parte do inconsciente que jamais poderá ser integrada em uma totalidade humanamente atingível.

E. Adendo

Só depois de concluir o manuscrito um amigo chamou a minha atenção para uma variante russa do nosso conto. Seu título é: *Maria Morewna*[66]. O herói da história não é um guardador de porcos, mas Ivan Czarevitch. Uma explicação interessante é oferecida no tocante aos três animais auxiliares: eles correspondem às três irmãs de Ivan e seus maridos que, na realidade, são pássaros. As três irmãs representam uma tríade inconsciente de funções relacionadas com o reino animal e espiritual. Os homens-pássaros são um tipo de anjo que ressaltam a natureza auxiliar das funções inconscientes. Na história, estas intervêm, salvíficas, no momento crítico em que o herói (à diferença da variante alemã) cai sob o poder do espírito mau e é por ele

---

66. Filha do mar. [*Russian Fairy Tales*, p. 553s.]

morto e desmembrado (um típico destino do homem-deus!)[67]. O espírito mau é um ancião frequentemente representado nu e se chama Koschei, o imortal[68]. A bruxa que lhe corresponde é a conhecida Baba-Yaga. Os três animais auxiliares da variante alemã são duplicados aqui, primeiro os homens-pássaros, e em seguida o leão, o pássaro estranho e as abelhas. Neste conto, a princesa é a rainha Maria Morewna, uma grande senhora dos exércitos (Maria, a rainha do céu é louvada num hino russo ortodoxo como "Senhora dos Exércitos"!), a qual mantém acorrentado em seu castelo com doze correntes, no quarto proibido, o espírito mau. Quando Ivan mata a sede do Velho, este rapta a rainha. Os cavalos mágicos, no final, não se transformam em seres humanos. O conto russo tem um caráter manifestamente mais primitivo.

F. Anexo

Os comentários seguintes não reclamam interesses mais amplos, uma vez que são essencialmente técnicos. Nesta nova edição eu pretendia excluí-los, mas mudei de ideia e resolvi anexá-los. O leitor que não tiver interesse especial pela psicologia pode omiti-los tranquilamente. No que se segue, tratei do problema aparentemente abstruso da condição das três ou quatro pernas do cavalo e fazendo-o apresentei minhas interpretações de tal modo que o método usado se torna evidente. Este raciocínio psicológico repousa, por um lado, nos dados irracionais da matéria, ou seja, do conto, mito ou sonho e, por outro lado, na conscientização das relações racionais "latentes" que esses dados têm entre si. O fato dessas relações existirem é, de início, uma hipótese, como por exemplo a que afirma terem os sonhos um sentido. A verdade desta suposição não é estabelecida *a priori*. Sua utilidade só se verifica através da aplicação. Por isso temos que esperar para ver se a sua aplicação metódica ao material irracional possibilita uma interpretação razoável. Tal aplicação consiste na aborda-

---

67. O velho coloca o cadáver cortado em pedaços num tonel, que ele atira no mar, o que lembra o destino de Osíris (cabeça e falo!).

68. De *kosth* = osso, e *pakosth*, *kaposth* = nojento, sujo.

gem do material como se este tivesse um significado interno coerente. A maioria dos dados requer uma certa amplificação, isto é, um esclarecimento, uma generalização e uma aproximação de um conceito mais ou menos geral, de acordo com a regra de Cardan. Assim, por exemplo, para o reconhecimento da "tripodidade", ela deve ser separada inicialmente do cavalo e depois aproximada de seu próprio princípio, ou seja, a tríade. A "quadripodidade" mencionada no conto, ao ser elevada ao nível de conceito geral, entra também em relação com a tríade, disso resultando o enigma de *Timeu*, ou seja, o problema de três e de quatro. Tríade e tétrade representam estruturas arquetípicas que desempenham um papel importante no simbolismo em geral, bem como na investigação dos mitos e sonhos. A elevação do dado irracional (isto é, da "tripodidade" e da "quadripodidade") em nível de um conceito geral, faz aparecer o significado universal do tema e encoraja a mente indagadora a estudar seriamente o argumento. Esta tarefa envolve uma série de reflexões e deduções de natureza técnica que não pretendo ocultar ao leitor interessado em psicologia e, em especial, ao profissional, uma vez que este trabalho intelectual representa uma solução típica da questão simbólica, sendo indispensável a compreensão dos produtos do inconsciente. Só deste modo o sentido das conexões inconscientes pode ser elaborado a partir delas mesmas, contrariamente àquelas interpretações dedutivas, derivadas de uma teoria preconcebida, como por exemplo as baseadas na astronomia, na meteorologia mitológica e enfim nas teorias sexuais.

O cavalo trípode e quadrípode constituem na realidade uma questão misteriosa que merece uma investigação mais acurada. O três e o quatro lembram não apenas o dilema da teoria das funções psicológicas, mas também o axioma de Maria Profetisa, que ocupa um lugar importante na alquimia. Por isso, valeria a pena examinar mais de perto o significado dos dois cavalos miraculosos. 437

O que me parece digno de atenção é o fato de o cavalo de três pernas ser destinado, por um lado, à montaria da princesa e, por outro, ser ao mesmo tempo uma égua e uma princesa enfeitiçada. A tríade liga-se aqui inequivocamente à feminilidade, ao passo que, do ponto de vista religioso dominante da consciência, ela é uma questão especialmente masculina, sem considerar o fato de que o três, como número ímpar, é de qualquer modo masculino. Poderíamos 438 traduzir, portanto, a tríade diretamente como "masculinidade", o que é mais significativo ainda na triunidade do Deus-Kamutef[69] – faraó do Antigo Egito.

439   A tripodidade como atributo de um animal significa uma masculinidade inconsciente ligada ao ser feminino. Na mulher verdadeira corresponderia ao animus, o qual, tal como o cavalo mágico, representa o espírito. No caso da anima, no entanto, a tríade não coincide com nenhuma ideia cristã da Trindade, mas sim com o "triângulo inferior", a tríade inferior de funções que constitui a "sombra". A metade inferior da personalidade é, em sua maior parte, inconsciente. Ela não significa todo o inconsciente, mas apenas o segmento pessoal do mesmo. A anima, por sua vez, na medida em que se distingue da sombra, personifica o inconsciente coletivo. O fato de a tríade ser-lhe atribuída como montaria significa que ela "monta" na sombra, isto é, se relaciona com esta última como *mare*[70]. Neste caso, ela é possuidora da sombra. Se, porém, ela mesma for o cavalo, perde sua posição dominante como personificação do inconsciente coletivo, e, como montaria, ela é "montada", isto é, possuída pela princesa A, esposa do herói. Como princesa B, diz acertadamente a lenda, ela foi encantada sob a forma do cavalo trípode. Esta história um tanto confusa pode ser solucionada da seguinte maneira:

440   1. A princesa A é a anima[71] do herói. Ela monta, possui o cavalo trípode, a sombra, isto é, a tríade inferior de funções de seu futuro esposo. Dito de modo mais simples, isto significa que ela apreendeu a metade inferior da personalidade do herói, apanhou-o por seu lado fraco, o que acontece frequentemente na vida comum, pois onde somos fracos precisamos de apoio e complementação. A mulher ocupa seu lugar correto no lado fraco do homem. Teríamos que formular a situação deste modo se considerássemos o herói e a princesa A como duas pessoas comuns. Mas como a história é lendária e se desenrola

---

69. Kamutef significa "Touro de sua mãe". Cf. JACOBSOHN. *Die dogmatische Stellung des Königs in der Theologie der alten Ägypter*, p. 17, 35 e 41s.

70. Cf. *Símbolos da transformação* [§ 370s. e 658s.].

71. O que prova que ela não é uma jovem comum, mas uma pessoa da realeza e, mais ainda, *electa* (eleita) do espírito mau, prova que sua natureza não é humana, mas sim mitológica. Pressuponho que o conceito de anima já seja conhecido.

principalmente no mundo mágico, a interpretação da princesa como anima do herói parece a mais adequada. Neste caso, o herói livrou-se do mundo profano através de seu encontro com a anima, tal como Merlin através de sua fada: como homem comum ele é alguém envolvido num sonho maravilhoso, enxergando o mundo apenas através de uma névoa.

2. A questão aqui se complica consideravelmente pelo fato inesperado de o cavalo de três pernas ser fêmea, isto é, representar um equivalente da princesa A. É a princesa B. Esta corresponderia em sua forma equina à sombra da princesa A (portanto, à sua tríade inferior de funções). A princesa B diferencia-se porém da princesa A, pelo fato de não montar o cavalo como esta última, estando contida e enfeitiçada nele, e assim colocada sob o domínio de uma tríade masculina. Assim sendo, ela é possuída por uma sombra.

3. A questão agora é saber que sombra a possui. Não pode ser a do herói, pois sua anima já se apoderou dele. O conto responde-nos que é o caçador, ou seja, o mágico que a enfeitiçou. Como vimos, o caçador está de certa forma conectado com o herói, uma vez que este último pouco a pouco se coloca no lugar do primeiro. Poderíamos chegar a supor que o caçador, no fundo, nada mais é do que a sombra do herói. Esta concepção é contrariada, porém, pelo fato de o caçador representar um poder significativo, que se estende não só à anima do herói, mas, muito além, ao par régio de irmão-irmã, de cuja existência o herói e sua anima não têm a menor noção; inclusive no conto, este par aparece repentinamente. O poder que vai além do âmbito de um indivíduo tem um caráter supraindividual e por isso não pode ser identificado com a sombra, na medida em que a conhecemos e definimos como a metade escura da personalidade individual. Como fator supraindividual, o nume do caçador é aquela dominante do inconsciente coletivo que, graças às suas características de caçador, feiticeiro, corvo, cavalo mágico, de crucifixão ou suspensão no topo da árvore do mundo[72], tocam a alma germânica de um modo especial. O reflexo no mar do inconsciente, da visão cristã do mun-

---

72. Sei que fiquei suspenso nove noites eternas na frágil árvore, ferido pela espada, consagrado a Wotan: consagrei-me a mim mesmo naquela árvore, que a todos esconde, lá onde crescem as raízes. "Wodans Runenkunde" (Hâvamâl, verso 139) in: *Die Edda*.

do, assume naturalmente os traços de Wotan[73]. Na figura do caçador deparamos com a *imago dei*, uma imagem de Deus, pois Wotan também é um deus do vento e do espírito, razão pela qual os romanos o interpretavam adequadamente como mercúrio.

443   4. O príncipe e sua irmã, a princesa B, foram tomados pelo deus pagão e transformados em cavalos, isto é, regrediram até a esfera animal. Esta corresponde ao inconsciente. Na figura humana que lhes é própria, ambos pertenciam antes ao reino do consciente coletivo. Mas quem são eles?

444   Para responder a essa pergunta devemos partir do fato de que ambos correspondem indubitavelmente ao herói e à princesa A. O príncipe e sua irmã estão conectados com o herói e a princesa A, pelo fato de lhe servirem de montaria, manifestando-se, portanto, como a sua metade animal inferior. O animal, devido à sua quase completa inconsciência, sempre foi o símbolo da esfera psíquica humana, oculta na obscuridade da vida corporal instintiva. O herói monta o garanhão, que é caracterizado pelo número par (quatro = feminino); a princesa A monta a égua que só tem três pernas (portanto, um número masculino). Estes números revelam que com a transformação em animais também ocorreu uma certa modificação de caráter sexual: o garanhão tem um atributo feminino, e a égua um atributo masculino. Este fato é constatado pela psicologia: na mesma medida em que um homem é dominado pelo inconsciente (coletivo), sua esfera do instinto torna-se menos inibida, e também se manifesta um certo caráter feminino, que eu chamei de *anima*. Por outro lado, se uma mulher é subjugada pelo inconsciente, emerge o lado mais escuro de sua natureza feminina, ligado a traços fortemente masculinos. Estes são compreendidos pelo conceito de *animus*[74].

---

73. Cf. a vivência divina descrita por Nietzsche na "Lamentação de Ariane":
– apenas tua caça eu sou,
cruel caçador!
tua mais orgulhosa prisioneira,
ladrão detrás das nuvens...
    Poesia: *Dionysos – Dithyramben* (Obras VIII, p. 423).
74. Cf. JUNG, E. *Ein Beitrag zum Problem des Animus*.

5. Segundo o conto, porém, a forma teriomórfica do par irmão-irmã é imprópria e deve sua existência à atuação mágica do deus-caçador pagão. Se fossem apenas animais, poderíamos contentar-nos com a interpretação acima, mas negligenciaríamos assim a estranha alusão à mudança do caráter sexual, o que não se justifica. O cavalo branco, porém, não é um cavalo comum, mas um animal mágico, de qualidades sobrenaturais. Por isso, a figura humana da qual surgiu o animal, mediante o feitiço, também deve ter em si um caráter de sobrenaturalidade. O conto, porém, não faz qualquer comentário a respeito. Se a nossa suposição for correta, de que a forma teriomórfica dos dois corresponde ao componente subumano do herói e da princesa, disso resulta que a forma humana equivale a um componente sobre-humano da mesma. A qualidade sobre-humana do guardador de porcos originário manifesta-se pelo fato de ele tornar-se um herói, isto é, quase um semideus, na medida em que não fica com a manada, mas sobe pela árvore da vida onde é feito prisioneiro, a modo de um Wotan. Da mesma forma, ele não poderia igualar-se ao caçador se, como vimos, não tivesse alguma semelhança com o mesmo. De modo semelhante, a prisão da princesa no cume da árvore da vida significa uma certa predestinação, na medida em que ela deita na mesma cama que o caçador, conforme relata o conto, e é até a noiva do deus.

Os poderes extraordinários do heroísmo e da predestinação que se aproximam do sobrenatural são os que envolvem dois seres humanos comuns em um destino sobre-humano. No âmbito profano, um guardador de porcos torna-se então um rei e a princesa recebe um marido que lhe agrada. Como no conto não há apenas um mundo profano, mas também um mundo mágico, o destino humano não é a última palavra. Por isso no conto não se omite a alusão ao que ocorre no mundo mágico. Neste, um príncipe e uma princesa caíram igualmente sob o poder de um espírito mau, o qual se encontra em uma situação periclitante, da qual não consegue sair sem ajuda estranha. Assim sendo, o destino humano que cabe ao jovem guardador de porcos e à princesa A é posto em paralelo com o mundo mágico. Na medida em que o caçador se eleva a modo de uma imagem divina pagã acima do mundo dos heróis e dos preferidos dos deuses, o paralelismo ultrapassa o simplesmente mágico, alcançando um domínio divino e espiritual, onde o espírito mau, o diabo, ou, pelo menos, *um* diabo, cai sob o poder de um princípio oposto, tão ou mais forte, indicado pelos três pregos. Esta suprema tensão entre opostos, que dá início a todo o drama, é obviamente o conflito entre a tríade superior e a inferior ou, em termos metafísicos, entre o Deus cristão por um lado e o demônio, que assumiu os traços de Wotan[75].

447   6. Temos que partir, ao que parece, dessa mais alta instância, se quisermos compreender o conto corretamente, pois o fundamento primeiro do drama consiste na transgressão do espírito mau que tudo precedeu. A consequência seguinte é sua crucifixão. Em sua situação de tormento ele necessita a ajuda de outros, a qual, não podendo vir de cima, só pode ser invocada no âmbito inferior. Um jovem guardador de porcos possui um espírito curioso e aventureiro, tão ousado quanto infantil para subir na árvore do mundo. Se tivesse caído e quebrado todos os ossos, as pessoas diriam com certeza: que espírito mau lhe deu essa ideia insana de subir justamente numa árvore gigante como essa? Na realidade não se enganariam completamente, pois era disso que o mau espírito estava precisando. A prisão da princesa A fora uma transgressão no mundo profano, e o enfeitiçamento – como podemos presumir – do par irmão-irmã semidivinos o fora igualmente no mundo mágico. É possível que esse sacrilégio tenha sido anterior ao enfeitiçamento da princesa A. Em todo caso, ambos os episódios indicam uma transgressão do espírito mau, tanto no mundo mágico, quanto no profano.

448   Deve haver seguramente um sentido mais profundo no fato de o libertador ou salvador ser um guardador de porcos, tal como o filho pródigo. Ele provém do nível mais baixo e tem isso em comum com a estranha ideia do redentor segundo os alquimistas. Seu primeiro ato é libertar o espírito mau da punição divina que lhe fora infligida. Deste ato, enquanto primeiro estado da *lysis*, se desencadeia o enredo dramático geral.

449   7. A moral desta história é de fato extremamente singular. O final satisfaz na medida em que o pastor e a princesa A celebram seu casamento, tornando-se um par régio. O príncipe e a princesa B tam-

---

[75]. A respeito da trindade de Wotan, cf. NINCK. *Wodan und germanischer Schicksalsglaube*, p. 142s.

bém celebram suas bodas, mas segundo a prerrogativa arcaica dos reis, como incesto, o que suscita algum escândalo, devendo, no entanto, ser considerado como um costume próprio do círculo dos semideuses[76]. Mas o que acontece, porém, com o mau espírito, cuja libertação do castigo justo põe todo o drama em movimento? O caçador mau é pisado pelos cavalos, o que talvez não lhe cause um dano permanente. Na aparência ele desaparece sem deixar vestígios; mas só na aparência, porque apesar de tudo ele deixa um rastro atrás de si, ou seja, uma felicidade conseguida a duras penas, tanto no mundo profano como no mágico. O quatérnio, representado pelo guardador de porcos e pela princesa A, por um lado, e pelo príncipe e a princesa B, por outro, uniu-se ligando-se pelo menos a meias: agora há dois casais que se defrontam, paralelos, mas separados aliás na medida em que um deles pertence ao mundo profano e o outro ao mundo mágico. Apesar dessa divisão óbvia há relações psicológicas secretas entre ambos, como vimos, que nos permitem derivar um par do outro.

No tocante ao espírito do conto, que inicia seu drama no ponto mais alto, diríamos que o mundo dos semideuses procede do mundo profano e de certa forma o produz a partir de si, tal como o primeiro procede do mundo dos deuses. Assim concebidos, o guardador de porcos e a princesa A significam apenas simulacros do príncipe e da princesa B, os quais por sua vez seriam derivados de protótipos divinos. Não esqueçamos que a bruxa, criadora de cavalos, pertence ao caçador, como sua contraparte feminina, algo como uma antiga Epona (a deusa celta dos cavalos). Infelizmente não é dito como aconteceu o enfeitiçamento (de seres humanos) em cavalos. A mão da bruxa, porém, estava nesse enredo, pois os dois cavalos brancos provêm de seu estábulo, sendo portanto, de certo modo, produções suas. O caçador e a bruxa formam um par, que é o reflexo de um casal divino de pai e mãe na parte ctônica noturna do mundo mágico. O par divino facilmente pode ser reconhecido na ideia central cristã de *sponsus et sponsa*, Cristo e sua noiva, a Igreja.

450

---

76. O fato de tratar-se aqui de um par irmão-irmã é uma suposição que se apoia no fato de o cavalo macho dirigir-se à égua como "irmãzinha". Pode ser um simples modo de falar, mas, por outro lado, "irmãzinha" pode estar se referindo à irmã, independentemente de ela o ser ou não. Além disso, o incesto ocupa um lugar significativo na mitologia bem como na alquimia.

451 Se quiséssemos explicar o conto do ponto de vista pessoal, tal tentativa se frustraria pelo fato de os arquétipos não serem invenções arbitrárias, mas elementos autônomos da psique inconsciente, anteriores a qualquer invenção. Eles representam a estrutura inalterável de um mundo psíquico, o qual mostra que é "real" mediante seus efeitos determinantes sobre a consciência. Assim sendo, é uma realidade psíquica significativa que ao par humano[77] corresponda um outro par no inconsciente, sendo que este último só é aparentemente um reflexo do primeiro. O par régio tem na realidade uma existência *a priori* sempre e em toda parte. Por este motivo, o par humano significa uma concretização individual espaçotemporal da imagem primordial eterna, pelo menos em sua estrutura espiritual impressa no *continuum* biológico.

452 Poderíamos dizer que o guardador de porcos representa este homem animal ao qual se associa uma parceira em algum lugar do mundo superior. Por sua estirpe régia, ela prova sua conexão com o par semidivino existente a priori. Observado deste ponto de vista, este último representa tudo aquilo em que o homem pode transformar-se, caso ele suba o suficiente na árvore do mundo[78]. Na mesma medida em que o jovem guardador de porcos se apropria de sua metade feminina de alta linhagem, ele também se aproxima do par semidivino, elevando-se à esfera da realeza, isto é, da validade universal. Encontramos o mesmo tema naquele entreato do *Chymische Hochzeit* (casamento químico) de Christian Rosencreutz: o filho do rei deve libertar primeiro sua noiva régia do poder de um mouro, ao qual ela se ligara de livre e espontânea vontade como concubina. O mouro representa aqui a nigredo alquímica, na qual está oculta a substância arcana; este pensamento constitui um outro paralelo de nosso mitologema; isto significa, em linguagem psicológica, uma outra variante deste arquétipo.

453 Tal como na alquimia, o nosso conto também descreve aqueles processos inconscientes que compensam a situação da consciência cristã. Ele relata a atuação de um espírito, o qual leva os pensamentos

---

77. Na medida em que a anima é substituída por uma pessoa humana.
78. A grande árvore corresponde à *arbor philosophica* da alquimia. O encontro do homem terrestre com a anima que desce do cume sob a forma de melusina é representado por exemplo na Ripley Scroll. Cf. *Psicologia e alquimia*, fig. 257.

cristãos além dos elementos colocados pela concepção eclesiástica, buscando uma resposta a questões que nem a Idade Média, nem a nossa era foram capazes de responder. Não é difícil ver que na imagem do segundo par régio há uma correspondência à ideia eclesiástica de noivo e noiva, e na imagem do caçador e da bruxa há uma distorção do pensamento cristão rumo a um wotanismo inconsciente atávico. O fato de tratar-se de um conto alemão torna o caso particularmente interessante, na medida em que o mesmo wotanismo foi o padrinho psicológico do nacional-socialismo[79]. Este trouxe claramente aos olhos do mundo a distorção para o ponto mais baixo. Por outro lado, o conto mostra que o homem só pode conseguir a totalidade, num sentido de inteireza, através da inclusão do espírito sombrio, e que este último até mesmo representa uma *causa instrumentalis* da individuação salvífica. Numa completa inversão desta meta do desenvolvimento espiritual a que aspira não só a natureza, mas também prefigura a doutrina cristã, o nacional-socialismo destruiu a autonomia moral do homem e erigiu o absurdo totalitarismo do Estado. O conto no entanto mostra como proceder se quisermos superar o poder do espírito sombrio: devemos utilizar os seus métodos contra ele mesmo; o que naturalmente não pode ocorrer se o submundo mágico do caçador tenebroso permanecer inconsciente e os homens mais eminentes da nação preferirem pregar suas teorias e dogmas, em vez de considerar corajosamente a alma humana.

G. Conclusão

Se considerarmos o espírito em sua forma arquetípica, tal como ele se nos apresenta no conto e nos sonhos, defrontar-nos-emos com uma imagem que difere estranhamente da ideia consciente do espírito, o qual se afigura cindido em tantos significados diferentes. O espírito é originariamente um espírito em forma de pessoa humana ou de animal, um *daimonion* que se defronta com o ser humano. O nosso material, porém, já acusa traços da ampliação da consciência, a qual

---

79. Cf. *Aufsätze zur Zeitgeschichte* [em especial *Wotan* e *Nach der Katastrophe*] de minha autoria.

pouco a pouco começa a ocupar aquele território originalmente inconsciente, transformando parcialmente os *daimonia* em atos voluntários. O ser humano conquista não só a natureza como também o espírito sem dar-se conta do que está fazendo. Para a mente iluminada, parece tratar-se da correção de um equívoco o fato de reconhecer que aquilo que antes era considerado como sendo espíritos, na realidade é o espírito humano, isto é, seu próprio espírito. Todo o sobre-humano, tanto no bem como no mal, que os antigos afirmavam acerca dos *daimonia* a modo de um exagero, é reduzido à sua medida "sensata" e assim tudo parece estar na mais perfeita ordem. Será, no entanto, que as convicções unânimes do passado eram verdadeiramente apenas exageros? Se não o fossem, a integração do espírito humano nada mais significaria do que uma demonização do mesmo, na medida em que forças espirituais sobre-humanas, outrora atadas na natureza, são integradas no ser humano, conferindo-lhe um poder, o qual transpõe os limites do ser humano, do modo mais perigoso, para o indeterminado. Devo formular a seguinte pergunta ao racionalista esclarecido: será que a sua redução sensata conduziu a um domínio benéfico da matéria e do espírito? Orgulhosamente ele apontará os progressos da física e da medicina, a libertação do espírito da estupidez medieval e, como cristão bem-intencionado, a libertação do medo dos demônios. Continuamos, porém, a perguntar: a que levaram as outras conquistas culturais? A resposta terrível está diante de nossos olhos: não nos libertamos de medo algum, um pesadelo sinistro pesa sobre o mundo. A razão até agora fracassou lamentavelmente e justamente aquilo que todos querem evitar acontece numa progressão horripilante. O homem conquistou coisas utilitariamente fabulosas, mas em compensação escancarou o abismo no mundo e como conseguirá parar, se ainda for possível? Depois da última guerra mundial ainda se esperava que a razão predominasse; a espera continua ainda, mas já estamos fascinados pelas possibilidades de fissão do urânio e prometemos a nós mesmos uma era de ouro – a maior garantia de a abominação destruidora crescer ilimitadamente. E quem é o causador de tudo isso? É o espírito humano considerado inofensivo, engenhoso, inventivo e sensato, que infelizmente não tem consciência do demonismo inerente a ele. Sim, este faz tudo para não se defrontar com o próprio rosto, e todos nós o ajudamos na medida do possível. Deus nos livre da psicologia, pois tais digressões poder-nos-iam levar ao autoconhecimento! Preferimos as guerras a isso, pois elas são sempre a culpa do outro; ninguém vê que o mundo inteiro está possesso, pois fazemos aquilo que mais tememos e aquilo do que fugimos.

Para falar com franqueza, parece-me que os tempos passados não exageraram, que o espírito não se livrou de seu demonismo e que os homens, devido ao desenvolvimento técnico-científico, ficaram entregues ao perigo crescente da possessão. O arquétipo do espírito é certamente caracterizado como sendo capaz de efeitos tão bons quanto maus, mas depende da decisão livre, isto é, consciente da criatura humana, que o bem não se deteriore em algo satânico. Seu pior pecado é a inconsciência, mas a ela se entregam com a maior devoção até mesmo aqueles que deveriam ser mestres e modelos para os outros. Quando cessaremos de pressupor que o homem é simplesmente bárbaro, procuraremos seriamente os meios e caminhos para exorcizá-lo e arrancá-lo de sua possessão e inconsciência, transformando esta tarefa no mais importante feito da cultura? Não podemos entender afinal que todas as modificações e melhorias externas nada alteram no que concerne à natureza humana, tudo depende em última análise da forma pela qual o ser humano manipula a ciência e a técnica, tornando-se responsável por seus efeitos? Com certeza, o cristianismo abriu-nos o caminho, porém permaneceu na superfície, não tendo penetrado suficientemente fundo, como os fatos comprovam. Que desespero será necessário ainda até que se abram os olhos dos líderes responsáveis pelo destino da humanidade, a fim de que pelo menos eles mesmos possam resistir à tentação?

455

IX

A psicologia da figura do "trickster"*

456   Não é fácil expressar-me nos estreitos limites de um posfácio a respeito da figura do *"Trickster"*[1] na mitologia indiana. Sempre, desde que há muitos anos li o livro clássico de Adolf F. Bandelier sobre *The Delight-Makers*, fiquei impressionado com a analogia europeia do carnaval na Igreja medieval e sua inversão da ordem hierárquica, a qual se perpetua ainda no carnaval dos grêmios estudantis. Algo desta qualidade paradoxal existe também na designação do diabo como *simia dei* (macaco de Deus) e em sua caracterização folclórica em geral como diabo "logrado" e "bobo", e uma estranha combinação de motivos "tricksterianos" típicos, encontra-se na figura alquímica de Mercúrio; por exemplo, sua tendência às travessuras astutas, em parte divertidas, em parte malignas (veneno!), sua mutabilidade, sua dupla natureza animal-divina, sua vulnerabilidade a todo tipo de tortura e – *last but not least* – sua proximidade da figura de um salvador. Graças a essas propriedades, Mercúrio aparece como um *daemonium* ressuscitado dos tempos primordiais, até mesmo mais antigo do

---

* Originalmente publicado em *Der göttliche Schelm. Ein indianischer Mythenzyklus*, com anotações de Sam Blowsnake e comentários de Paul Radin – o qual também figura como editor – e Karl Kérenyi e também com a presente interpretação psicológica de C.G. Jung. Rhein-Verlag, Zurique, 1954.

1. Em sua edição do ciclo de mitos indianos, *Der göttliche Schelm*, a Rhein-Verlag tomou a liberdade de substituir continuamente a designação *"Trickster"*, de JUNG, por *"Schelm"* (maroto). Essa intervenção irritou de tal forma o autor, que não só transcrevemos o seu comentário a respeito – "permito-me observar que em meu comentário original sempre utilizei a expressão *Narr* (tolo, louco) e *Trickster* em vez de *Schelm*" – como também voltamos a utilizar a versão original.

que o Hermes grego. Os traços "tricksterianos" de Mercúrio têm alguma relação com certas figuras folclóricas sobejamente conhecidas nos contos de fada: Dunga, o João Bobo e o Palhaço que são heróis negativos, conseguindo pela estupidez aquilo que outros não conseguem com a maior habilidade. No conto de Grimm[2] o espírito de Mercúrio é burlado por um jovem campônio, sendo forçado a comprar a sua liberdade com o dom precioso da arte de curar.

Como as figuras míticas correspondem a vivências interiores, tendo sido originariamente produzidas por estas últimas, não é surpreendente que ocorram fenômenos no campo da parapsicologia, apresentando traços do *"trickster"*. São as manifestações do *poltergeist*, que sempre sucederam em todo tempo e lugar. Acontecem particularmente onde há crianças na pré-adolescência. As travessuras engraçadas ou maliciosas deste espírito são tão conhecidas quanto seu baixo nível de inteligência, isto é, a tolice notória de suas "comunicações". A habilidade de transformar-se também parece representar uma característica do *poltergeist* na medida em que numerosos relatos lhe atribuem formas animais. Uma vez que ele mesmo se descreve às vezes como uma alma que se encontra no inferno, o motivo do tormento subjetivo, ao que parece, nunca falta. Sua universalidade coincide, por assim dizer, com a do xamanismo, ao qual pertence, como se sabe, toda fenomenologia espírita. No caráter do xamã e do curandeiro há algo de *"trickster"*, pois eles também pregam peças maldosas aos que a eles recorrem, para depois sucumbirem à vingança dos prejudicados. Sua profissão, portanto, acarreta às vezes perigo de vida. Além disso, as técnicas xamânicas causam frequentemente desgraças e até mesmo tormentos ao curandeiro. Em todo caso, *the making of a medicine-man*[3] significa em muitos lugares do mundo uma tal tortura corporal e anímica que, segundo parece, produz danos psíquicos permanentes. O "aproximar-se do salvador" é, pelo contrário – confirmando a verdade mítica – o fato de que o feridor e ferido cura, e o que padece repara ou remedia o sofrimento.

457

---

2. [*Der Geist im Glas*, n. 167.]

3. (O vir-a-ser de um xamã.)

458   Esses traços mitológicos atingem até as mais elevadas esferas do desenvolvimento espiritual e religioso. Examinando-se mais acuradamente os traços demoníacos de Javé no *Antigo Testamento*, encontraremos alguns sinais da imprevisibilidade, da inútil mania de destruição e do sofrimento *autoinflingido* do "*trickster*", juntamente com o desenvolvimento gradual rumo ao salvador e sua humanização. É esta inversão do sem-sentido para o pleno-sentido que mostra a relação compensatória do "*trickster*" para com o "santo", a qual no início da Idade Média já levava a estranhos costumes eclesiásticos, baseados na memória das *Saturnalia* da Antiguidade. Estas eram celebradas com canto e dança nos dias que se seguiam ao nascimento de Cristo, portanto na época do Ano-Novo. Tratava-se primeiro das *tripudia* (danças) inofensivas dos sacerdotes, do clero inferior, das crianças e subdiáconos na Igreja. Nessa ocasião era escolhido um *episcopus puerorum* (bispo das crianças) no *dies innocentium*[4], paramentado com vestes pontificais. Este fazia uma visita oficial ao palácio do arcebispo, acompanhado de uma grande balbúrdia, e de uma das janelas do palácio distribuía sua bênção episcopal. O mesmo acontecia no *tripudium hypodiaconorum*, bem como nos outros graus sacerdotais. No fim do século XII, o primeiro já havia degenerado numa verdadeira festa de loucos (*festum stultorum*). No ano de 1198, uma notícia propagou-se de que em Notre Dame (Paris), na festa da circuncisão, "perpetravam-se tantos excessos e atos infames, a ponto de dessacralizar o lugar sagrado, não só pelas palavras sujas, como também pelo derramamento de sangue". O Papa Inocêncio III manifestou-se, mas inutilmente, contra as "brincadeiras escarnecedoras da sua loucura" (dos clérigos) e contra "o desabafo desavergonhado do seu espetáculo". Trezentos anos mais tarde (12 de março de 1444) uma carta da Faculdade Teológica de Paris, endereçada a todos os bispos franceses, clama contra essa festa, em que "os próprios sacerdotes e clérigos escolhiam um arcebispo, ou bispo, ou papa (!), designando-o como o papa dos loucos (*fatuorum Papam*)" etc. "No meio da missa, pessoas fantasiadas com máscaras grotescas ou de mulher, de leões ou de atores apresentavam suas danças, cantavam no coro canções indecentes, comiam comidas gordurosas num canto do altar, ao lado

---

4. [Dia dos inocentes = 28 de dezembro.]

do celebrante da missa, jogavam ali mesmo, seu jogo de dados, incensavam com fumaça fedorenta, queimando o couro dos sapatos velhos e corriam e saltitavam por toda a Igreja" etc.[5]

Não espanta que este verdadeiro *sabbat* das bruxas fosse extremamente popular, razão pela qual exigia um esforço enorme no sentido de libertar a Igreja aos poucos dessa herança antiga[6].

Até os sacerdotes, ao que parece, se agarravam em certos lugares à *libertas decembrica*, como era chamada a liberdade dos loucos, embora (ou porque) nessa ocasião o estado de consciência anterior, ou seja, a selvageria, a euforia e a irresponsabilidade pagã e bárbara podia afinal extravasar-se[7]. No início do século XVI essas cerimônias, que mostram o espírito do *"trickster"* ainda em sua forma originária, parecem extintas. Pelo menos, várias decisões conciliares, de 1581-1585, apenas proíbem a *Festum Puerorum* e a eleição de um *episcopus puerorum*.

Finalmente, neste contexto, devemos mencionar também a *Festum asinorum*, que era celebrada principalmente na França. Embora essa festa fosse considerada uma celebração inofensiva em memória da fuga para o Egito, ela era celebrada de um modo algo curioso, que podia ser motivo de equívocos. Em Beauvais, a procissão do burro entrou diretamente na Igreja[8]. Na *missa solemnis* que se seguiu, todas as pessoas relinchavam no final de cada parte da missa (do Introito,

---

5. DU CANGE. *Glossarium mediae et infimae latinitatis*, cf. verbete Kalendae, p. 481. Encontra-se aí também a observação de que a palavra francesa *"soudiacres"* significa literalmente *"saturi diaconi"* ou *"diacres saouls"* (= diáconos embriagados).

6. Parece que o modelo direto dos costumes eclesiásticos está na festa chamada "*Cervula*" ou "*Cervulus*". Esta acontecia nas calendas de janeiro e era uma espécie de festejo de Ano-Novo. Trocavam-se *"strenae"* (*étrennes*, presentes de Ano-Novo), fantasiavam-se de animais e velhas e dançavam pelas ruas, aos gritos, batendo palmas e cantando. Cantavam *cantationes sacrilegae* (DU CANGE. Op. cit., cf. verbete Cervula). Mesmo em Roma essas festas se realizavam nas proximidades da Basílica de São Pedro.

7. Em muitos lugares fazia parte do *"festum fatuorum"* o jogo de bola dos clérigos, para o qual até hoje não temos explicação; e era chefiado pelo bispo, ou arcebispo, conforme o caso – *"ut etiam sese ad lusum pilae demittant"* [a fim de que eles também pudessem dedicar-se ao jogo da pila]. Pila ou pelota é a bola, que os participantes do jogo lançavam um para o outro. Cf. DU CANGE. Op. cit., cf. verbete Kalendae e Pelota.

8. *"Puella, quae cum asino a parte Evangelii prope altare collocabatur"* [Uma menina, que com um burro se colocava perto do altar do lado do Evangelho]. (DU CANGE. Op. cit., cf. verbete *Festum Asinorum*.)

do Kyrie, Glória etc., isto é, y-a, como faz o burro, "*hac modulatione hinham concludebantur*"). "No final da missa o sacerdote relinchará três vezes (*ter Hinhannabit*) em vez do *ite missa est*, e o povo responderá em vez do *Deo gratias*, três vezes y-a (*hinham*)", *segundo se lê em um codex manuscriptus*, supostamente do século XI.

462   Du Cange cita um hino relacionado com esta festa:

> *Orientis partibus,*
> *Adventavit Asinus,*
> *Pulcher et fortissimus,*
> *Sarcinis aptissimus*

> De países do Oriente
> Eis que o asno chegou
> Belo e fortíssimo
> O melhor portador.

Versos desse tipo eram sempre seguidos pelo refrão francês:

> *Hez, Sire Asnes, car chantez,*
> *Belle bouche rechignez,*
> *Vous aurez du foin assez*
> *et de l'avoine à plantez.*

> Hei, Senhor Asno, canta!
> Negas esta iguaria?
> Terás bastante feno
> e aveia em demasia.

O hino consta de dez estrofes, sendo que a última diz:

> *Amen, dicas, Asine (hic genuflectebatur)*
> *Jam satur de gramine,*
> *Amen, amen, itera*
> *Aspemare vetera (?)*

> Dize amém, Senhor Asno (*aqui é feita uma genuflexão*)
> Saciado estás de capim,
> Repete amém, amém
> E despreza o velho, sim (?)[9]

---

9. Em vez de *vetera*, talvez *caetera*?

Du Cange diz: quanto mais ridículo parecia este rito, "com maior entusiasmo era celebrado" (*eo religiosiori cultu observata fuerint*). Em outros lugares colocava-se sobre o asno uma manta dourada, cujas pontas, cônegos eminentes seguravam (*praecipuis canonicis*); "os outros presentes deviam vestir-se festivamente como convinha, tal como no dia de Natal". Pelo fato de haver certa tendência a relacionar simbolicamente o asno com Cristo, e uma vez que desde tempos remotos o Deus dos judeus era concebido vulgarmente como um asno e o próprio Cristo fora atingido por este preconceito, conforme indica o crucifixo escarnecedor rabiscado na parede da Escola Imperial de Cadetes, no Palatino, e Tertuliano o confirma[10]: o perigo do teriomorfismo rondava. Os próprios bispos durante muito tempo nada puderam fazer contra este costume, até finalmente ser suprimido pela *auctoritas supremi Senatus*. A suspeita de blasfêmia torna-se visível no *Festival do Asno* de Nietzsche[11], que é uma paródia deliberadamente blasfema.

Tais costumes medievais demonstram o papel da figura do "*trickster*" *ad oculos*, e quando desapareceram do âmbito eclesiástico, reapareceram no palco profano da Comédia italiana sob a forma de tipos cômicos, frequentemente caracterizados como itifálicos, que divertiam o público impudico com chistes gargantuescos. O cinzel de Jacques Callot preservou essas figuras clássicas para a posteridade: as Pulcinellas, Cucorognas, Chico Sgarras etc.[12]

Em contos picarescos, na alegria desenfreada do carnaval, em rituais de cura e magia, nas angústias e iluminações religiosas, o fantasma do "*trickster*" se imiscui em figuras ora inconfundíveis, ora vagas, na mitologia de todos os tempos e lugares[13], obviamente um "psico-

---

10. *Apologeticus adversus gentes*, XVI [O "Crucifixo do escárnio" encontra-se reproduzido na fig. 83, p. 355 em *Símbolos da transformação*].
11. *Also sprach Zarathustra*, p. 452s.
12. Refiro-me à série "*balli di Sfessania*". Este nome poderia dizer respeito à cidade etrusca de Fescennia, conhecida pelas suas canções picantes. Donde a expressão "*Fescennina licentia*" de Horácio, em que *Fescenninus* = φαλλικός (fálico).
13. Cf. o artigo "*Daily Paper Pantheon*" de A. McGlashan em *The Lancet*, p. 238. O autor aponta para as figuras dos "*comic strips*" dos diários ingleses, marcados por analogias arquetípicas.

logema", isto é, uma estrutura psíquica arquetípica antiquíssima. Esta, em sua manifestação mais visível, é um *reflexo fiel de uma consciência humana indiferenciada em todos os aspectos*, correspondente a uma psique que, por assim dizer, ainda não deixou o nível animal. Considerada sob um ângulo causal e histórico, a origem da figura do *"trickster"* é praticamente incontestável. Tanto na psicologia como na biologia, não podemos negligenciar ou subestimar a resposta à indagação acerca do porquê de uma manifestação, embora em geral ela nada nos ensine sobre seu sentido funcional. Por isso, a biologia não deveria jamais renunciar à indagação do para quê, pois é só através da resposta a ela que o sentido do fenômeno se revela. Até mesmo na patologia, quando se trata de lesões insignificantes, a observação exclusivamente causal mostra-se inadequada, uma vez que inúmeros fenômenos patológicos só revelam seu sentido quando inquirimos quanto a seu propósito. Mas quando se trata de fenômenos normais da vida, a questão do para quê tem prioridade inquestionável.

466   Assim sendo, uma consciência primitiva ou bárbara tem uma autoimagem em um nível anterior de desenvolvimento; continua essa atividade psíquica através de séculos ou milênios, permitindo que as propriedades essenciais dessa atividade se misturem com os produtos mentais diferenciados e até extremamente elevados. Isto pode ser explicado causalmente pelo fato geral de as qualidades arcaicas se comportarem de forma tanto mais conservadora e obstinada, quanto mais antigas forem. Simplesmente não podemos livrar-nos da imagem mnemônica daquilo que era, carregando-a, portanto, como um apêndice absurdo.

467   Tal explicação, tão óbvia, que poderia satisfazer até as exigências racionalistas da nossa época, certamente não seria aceita pelos *winnebagos*, os mais próximos portadores do ciclo do *"trickster"*. Para eles, tal mito não significa um resíduo, pois é demasiado divertido e com certeza um objeto de prazer não compartilhado. O mito "funciona" para eles, se ainda não foram corrompidos pela civilização. Não há motivo, portanto, para problematizar acerca de seu sentido e finalidade, da mesma forma que a árvore de natal não parece problemática para o europeu ingênuo. No entanto, o *"trickster"*, assim como a árvore de natal são motivo suficiente de reflexão para o observador de espírito crítico. Na verdade, o que ele pensa acerca des-

sas coisas depende muito da mentalidade do observador. Considerando o primitivismo cru do ciclo do *"trickster"*, não seria surpreendente se alguém visse neste mito apenas o reflexo de um estágio de consciência anterior e elementar, pois é o que o *"trickster"* parece ser manifestamente[14].

A única questão à qual devemos responder é esta: se no campo da psicologia empírica existem personificações desses reflexos. Na realidade, a resposta é afirmativa e estas experiências, ou seja, as cisões da personalidade (*double personnalité*) constituem uma das primeiras observações em psicopatologia. Tais dissociações têm a peculiaridade de que a personalidade cindida mantém uma relação complementar ou compensatória para com a do eu. Ela é uma personificação de traços de caráter, às vezes piores e às vezes melhores do que os apresentados pelo eu. Uma personificação coletiva como o *"trichster"* é produto de uma soma de casos individuais, podendo ser reconhecida pelos indivíduos isoladamente, o que não ocorreria se se tratasse de um produto individual.

Se o mito fosse simplesmente um resíduo histórico, teríamos que indagar a razão pela qual já não desapareceu há muito tempo no depósito de lixo do passado, continuando a influenciar através de sua presença até os mais altos cumes da civilização; inclusive onde ele não representa o papel de um *delight-maker* (folgazão), devido à sua estupidez e grotesca conversa fiada. Em muitas culturas ele é figurado como um antigo leito de rio, através do qual um resto de água ainda flui. Esta figuração é mais visível pelo fato de o motivo do *"trickster"* não se apresentar apenas sob a forma mítica, aparecendo também ingênua e autenticamente no cidadão desavisado; isto sempre ocorre onde este está à mercê dos acasos, que perturbam seu querer e fazer, aparentemente com uma intenção maléfica. Isto é, atribuindo geralmente à intervenção de *"kobolds"* (duendes) e "à insídia do objeto", tal como o herói no romance de F.Th. Vischer, *Auch Einer*,

468

469

---

14. Os níveis de consciência mais antigos parecem deixar vestígios perceptíveis. Assim sendo, os chacras do sistema tântrico correspondem, grosso modo, a antigas localizações da consciência, como *anahata* = região do peito, *manipura* = região do ventre, *svadhisthana* = região da bexiga, *vishuddha* que corresponde à moderna consciência da linguagem e à laringe (cf. AVALON. *The Serpent Power*).

cuja leitura era obrigatória na cultura alemã antiga. O *"trickster"* é representado no livro por tendências opostas no inconsciente e, neste caso específico, por um tipo de segunda personalidade de caráter pueril, inferior, semelhante àquelas personalidades que se manifestam verbalmente em sessões espíritas, ou causam fenômenos totalmente infantis, característicos do *poltergeist*. Acredito ter designado corretamente estes componentes de caráter, que nunca faltam, por *sombra*[15]. No nosso nível cultural ela é considerada como uma falha pessoal ("gafe, deslize"), sendo atribuída à personalidade consciente como um defeito. Não nos lembramos mais de que, por exemplo, em festas como o carnaval e outras semelhantes, encontram-se ainda remanescentes de uma imagem que corresponde à sombra coletiva; essas festas comprovam que a sombra pessoal é, por assim dizer, descendente de uma figura coletiva numinosa. Esta última decompõe-se pouco a pouco sob a influência da civilização e permanece viva, mas dificilmente reconhecível, em resíduos folclóricos. Sua parte principal porém se personifica, tornando-se objeto de responsabilidade subjetiva.

470   O ciclo do *"trickster"* de Radin conservou a forma mítica originária da sombra, indicando a existência de um estágio de consciência muito mais antigo, anterior ao do mito, quando o índio ainda se encontrava em uma obscuridade mental quase completa. Só quando sua consciência atingiu um nível superior, foi possível destacar-se do estágio anterior como algo diverso de si mesmo e objetivá-lo, isto é, dizer algo a seu respeito. Enquanto sua consciência era igual à do *"trickster"* não podia ocorrer evidentemente um tal confronto. Este só foi possível quando o acesso a um nível mais elevado de consciência possibilitou-lhe olhar para trás, em direção a um nível mais baixo e inferior. Neste retrocesso era inevitável que houvesse uma mistura de escárnio e desprezo, o que em todo caso turvava ainda mais a imagem mnemônica do passado, a qual já não era muito agradável. Este fenômeno deve ter-se repetido muitas vezes no decorrer da história da evolução espiritual. O desprezo soberano com que os novos tempos olhavam o gosto e a compreensão de séculos anteriores é um exemplo clássico; no *Novo Testamento* encontra-se uma alusão ine-

---

15. O mesmo conceito já se encontra no Pai da Igreja Irineu designado por *"umbra"* (*Adversas haereses*, I, 11, 1).

quívoca a este fenômeno. Nos *Atos dos Apóstolos* (17,30), onde se lê que Deus olhou por assim dizer do alto para baixo (ὑπεριδών, *despiciens*) os χρόνοι τῆς ἀγνοιας, os tempos da ignorância (inconsciente).

Esta atitude contrasta estranhamente com a idealização do passado, mais comum e mais impressionante ainda, que é louvado não só como os "bons e velhos tempos", mas como a Idade de Ouro, o próprio Paraíso, e isso não só por pessoas incultas e supersticiosas, mas também por parte daqueles milhões de pessoas contaminadas pela teosofia, as quais acreditam inabalavelmente na existência antiquíssima de uma cultura superior da Atlântida.

Quem pertencer a um círculo cultural que busca o estado perfeito em algum lugar do passado, deverá sentir-se estranhamente tocado pela figura do *"trickster"*, que é um precursor do salvador e, como este, é Deus, homem e animal. Também é tanto subumanamente como sobre-humanamente um ser teriomórfico e divino, cuja característica permanente e mais impressionante é a inconsciência. Por este motivo é abandonado por seus companheiros (evidentemente humanos), o que parece indicar que abdicou do seu estado de consciência humana. Ele é tão inconsciente de si mesmo que não representa uma unidade, a ponto de suas duas mãos poderem brigar uma com a outra. Tira até o próprio ânus e o incumbe de uma tarefa especial. Até mesmo seu sexo é facultativo, apesar de suas qualidades fálicas: pode transformar-se numa mulher e parir crianças. De seu pênis faz plantas úteis. Esta circunstância é uma referência à sua natureza criadora originária: é do corpo de Deus que se cria o mundo.

Sob outros aspectos ele é mais estúpido que os animais, caindo de um ridículo desajeitamento a outro. Embora não seja propriamente mau, comete, devido à sua inconsciência e falta de relacionamento, as maiores atrocidades. Seu cativeiro na inconsciência animal é sugerido por sua prisão no crânio de um alce e a superação deste estado, inversamente, pela inclusão da cabeça do falcão em seu próprio reto. Depois disso, volta ao estado anterior, ou seja, debaixo do gelo, sendo burlado seguidamente por animais, até finalmente conseguir enganar o coiote, o que o faz lembrar-se de sua natureza salvífica. O *"trickster"* é um ser originário "cósmico", de natureza divino-animal, por um lado, superior ao homem, graças à sua qualidade sobre-humana e, por outro, inferior a ele, devido à sua insensatez inconsciente. Nem está à altura do animal devido à sua notável falta de instinto e desajeitamento. Estes defeitos caracterizam sua natureza *humana*, a qual se adapta às condições do ambiente mais dificilmente do que um animal. Em compensação, porém, candidata-se a um desenvolvimento da consciência muito superior, isto é, possui um desejo considerável de aprender, o qual também é devidamente ressaltado pelo mito.

474   A repetição múltipla do mito significa a *anamnese terapêutica* de conteúdos, os quais, por razões de início inevitentes, não podem ser esquecidos por muito tempo. Se estes nada mais fossem do que resíduos de um estado prévio inferior, seria compreensível que a atenção se desviasse, sentindo seu reaparecimento como algo importuno. Não é o caso, porém, como vimos, pois o *"trickster"* continua a ser uma fonte de divertimento que se prolonga através das civilizações, sendo reconhecível nas figuras carnavalescas de um polichinelo e de um palhaço. Este motivo é a razão importante para que continue a manter sua função. Não é, porém, o único, nem a razão particular pela qual este reflexo de um estado de consciência extremamente primitivo configurou-se num personagem mitológico. Meros resíduos de um estado anterior, já em extinção, costumam perder sua energia progressivamente. De outro modo, não desapareceriam. Não poderíamos esperar de forma alguma que tais conteúdos se solidificassem por própria conta, em uma figura mítica com um ciclo particular de lendas, a não ser que recebessem energia de fora; neste caso, diretamente da consciência mais elevada ou da fonte inconsciente que ainda não se tivesse esgotado. Se colocarmos esta questão, o que é possível e permitido, em paralelo com um caso individual correspondente, uma impressionante e paradoxal figura da sombra – posta em confronto com uma consciência pessoal – não comparece pelo fato de existir ainda, mas por repousar num dinamismo, cuja existência só pode ser explicada a partir da situação presente: por exemplo, porque ela é tão antipática à consciência do eu que deve ser recalcada no inconsciente. Tal explicação não serve totalmente para o nosso caso, na medida em que o *"trickster"* representa manifestamente um grau de consciência em vias de extinção, ao qual falta cada vez mais a força para configurar-se e evidenciar-se. Além disso, o recalque impediria

sua extinção, uma vez que o conteúdo reprimido tem justamente as melhores condições de conservar-se, posto que no inconsciente, conforme mostra a experiência, nada é corrigido. Acrescenta-se ainda o fato de que na consciência índia a história do *"trickster"* não é incompatível, nem antipática, mas sim prazerosa, não convidando por isso à repressão. Parece, pelo contrário, que o mito estaria apoiado e cuidado pela consciência. E isto deve ser assim, uma vez que tal fato representa o melhor método e o mais bem-sucedido, de manter consciente a figura da sombra e assim expô-la à crítica da consciência. Apesar desta última não apresentar abertamente um caráter negativo, mas o de uma apreciação positiva, podemos esperar que, com o progressivo desenvolvimento da consciência, os aspectos mais rudes do mito diminuam pouco a pouco[16], ainda que não haja o perigo de um desaparecimento rápido do mesmo, como resultado da colisão com a civilização dos brancos. Vimos frequentemente como certos costumes originariamente cruéis ou obscenos se volatilizaram no decorrer do tempo, tornando-se meros vestígios.

Este processo de tornar os costumes inofensivos, como mostra a história do motivo, leva muito tempo, de tal forma que mesmo em níveis elevados de civilização ainda encontramos seus vestígios. Esta longevidade poderia ser explicada pela força e vitalidade do estado de consciência relatados no mito e ainda presentes, e que produzem uma participação e fascínio secretos da consciência. Independentemente do fato de que as hipóteses meramente causais são pouco satisfatórias na esfera da biologia, é importante considerar no presente caso a circunstância de um estado de consciência superior já ter recoberto um estado inferior, que vai cedendo lugar. Além disso, o *"trickster"* deve a sua permanência principalmente ao interesse que a consciência demonstra por ele. Como vimos, isto se liga ao fenômeno do efeito inevitável da civilização progressiva, isto é, da assimilação da figura primitiva dotada de certa autonomia, enquanto *daemonium* originário de uma capacidade que pode provocar um estado de possessão.

---

16. Os festejos carnavalescos da Igreja já são proibidos pelos papas na Idade Média. A submersão do *"Ueli"* em Basileia na segunda quinzena de janeiro foi proibida pela polícia, se me lembro bem, nos anos 1860, depois que uma vítima morreu de pneumonia.

476   A complementação da abordagem causal por uma abordagem final possibilitou não só interpretações mais consistentes na psicologia médica, no caso de fantasias provocadas pelo inconsciente, mas também no caso de fantasias coletivas, isto é, dos mitos e lendas.

477   Segundo Paul Radin, o processo civilizatório inicia-se com o ciclo do *"trickster"*, o que indica a superação nítida do estado originário. Os sinais da mais profunda inconsciência vão desaparecendo: em lugar de manifestar-se de modo brutal, cruel, bobo e insensato, o *"trickster"* começa a fazer coisas úteis e sensatas ao findar o ciclo. A desvalorização da inconsciência anterior já é aparente dentro do mito. Perguntamo-nos, porém, o que ocorre com os defeitos do *"trickster"*. O observador ingênuo pode imaginar que, quando os aspectos obscuros desaparecem, é porque não existem mais. De acordo com a experiência, porém, não é este o caso. Na realidade o que ocorre é a libertação da consciência do fascínio do mal, não sendo mais obrigada a vivê-lo compulsivamente. O obscuro e o mal não se desfizeram em fumaça, mas recolheram-se no inconsciente devido a uma perda de energia, onde permanecem inconscientes enquanto tudo vai bem na consciência. Quando, porém, a consciência é abalada por situações dúbias ou críticas, percebe-se que a sombra de forma alguma se dissolveu no nada, mas apenas espera por uma oportunidade favorável para reaparecer, pelo menos como uma projeção no outro. Se essa façanha for bem-sucedida, cria-se novamente entre ambos aquele mundo obscuro, no qual tudo o que é característico da figura do *"trickster"* pode acontecer, mesmo nos mais altos graus de civilização. Podemos chamar este acontecimento de "teatro simiesco", em cujo palco nada dá certo e tudo é idiotice, não oferecendo a possibilidade de ocorrer algo inteligente ou, excepcionalmente, só no último momento. A política nos oferece os melhores exemplos.

478   O assim chamado homem culto esqueceu-se do *"trickster"*. Lembra-se dele apenas de modo figurado e metafórico, quando, irritado pelos próprios desacertos, fala das brincadeiras dos *kobolds* ou coisas parecidas. Ele nem suspeita que em sua própria sombra, escondida e aparentemente inofensiva, há propriedades cujo perigo nem de longe imagina. Quando as pessoas se reúnem em massa na qual o indivíduo submerge, essa sombra é mobilizada e – como demonstra a história – pode ser personificada ou encarnada.

A opinião desastrosa de que a alma humana recebe tudo de fora pelo fato de ter nascido *tabula rasa* é responsável pela crença errônea de que em circunstâncias externas normais o indivíduo está em perfeita ordem. Ele espera sua salvação do Estado e responsabiliza a sociedade por sua própria ineficiência. Pensa que o sentido da existência seria atingido se o seu sustento lhe fosse fornecido de graça a domicílio, ou se todos possuíssem um automóvel. Estas puerilidades e outras semelhantes ocupam o lugar da sombra que se tornou inconsciente, mantendo-a nesse estágio. Sob a influência desses preconceitos, o indivíduo sente-se dependente por completo do seu meio, perdendo a capacidade de introspecção. Assim sendo, a sua ética é recalcada pelo conhecimento daquilo que é permitido, proibido ou oferecido. Desse modo, como esperar de um soldado, por exemplo, que submeta uma ordem recebida de cima a uma reflexão ética? Ele nem mesmo descobriu ainda sua possibilidade de ter um impulso moral espontâneo, independentemente de espectadores.

479

A partir disso, seria compreensível a razão pela qual o mito do *"trickster"* se manteve e desenvolveu: a exemplo de tantos mitos possuiria talvez um efeito psicoterapêutico. Ele mantém diante dos olhos do indivíduo altamente desenvolvido o baixo nível intelectual e moral precedente, a fim de que não nos esqueçamos do ontem. Supomos que algo incompreensível seja incapaz de ter um efeito positivo sobre nós. Não é o que sempre acontece. O ser humano raramente compreende apenas com a cabeça, e menos ainda se for um primitivo. O mito, graças à sua numinosidade, tem um efeito direto sobre o inconsciente, quer a consciência o compreenda ou não. O fato de sua contínua repetição não tê-lo tornado obsoleto, há muito tempo, pode ser explicado, acredito, pelo fato de suprir uma necessidade. A explicação é um tanto difícil na medida em que há duas tendências contrárias operando, a saber, por um lado, a de sair do estado precedente e, por outro, a de conservá-lo na memória[17]. Paul Radin, pelo visto, também sentiu essa dificuldade. Ele escreve: "Do ponto de vista psicológico poderíamos afirmar que a história da cultura humana representa em larga medida as tentativas do homem de esquecer a

480

---

17. Não esquecer quer dizer o mesmo que conservar na consciência. Quando o inimigo desaparece do meu campo visual, é possível que ele esteja perigosamente atrás de mim.

sua transformação animal em humana"[18]. Algumas páginas adiante ele escreve (referindo-se à era de ouro): "Esta recusa obstinada a esquecer não é um acaso"[19]. Também não é por acaso que temos de expressar essa oposição quando pretendemos caracterizar a atitude paradoxal frente ao mito. Entre nós até mesmo o mais esclarecido enfeitará uma árvore de natal sem ter a menor ideia do que significa esse costume, estando sempre disposto a sufocar em seu germe qualquer tentativa de interpretação. É surpreendente observar como se dissemina entre nós, tanto na cidade como no campo, a chamada superstição; mas se chamarmos um indivíduo, proponho-lhe a pergunta "Você acredita em espíritos? Em feitiços? Na eficácia de meios mágicos?", ele negaria, indignado. Podemos apostar que ele nunca ouviu falar acerca disso, considerando tais coisas meros disparates. Secretamente, porém, ele está tão envolvido nisso quanto um habitante da selva. O público, no entanto, sabe muito pouco acerca desses assuntos, uma vez que todos estão convencidos que tais superstições já foram erradicadas há muito tempo em nossa sociedade esclarecida; convencionalmente agimos como se jamais tivéssemos ouvido algo a respeito e, muito menos, acreditado em tais coisas.

481   Nada passou, porém, nem mesmo o pacto de sangue com o diabo. Exteriormente esquecemos, mas interiormente, de modo algum. Comportamo-nos como aquele negro na vertente sul do Elgon, com o qual caminhamos um trecho de caminho através da selva. Chegamos em uma bifurcação da trilha, a uma "armadilha de espíritos", nova, muito bem adornada (como uma casa), próxima de uma caverna onde o negro morava com sua família. Perguntei-lhe se fora ele que a fizera. Ele negou, com todos os sinais de agitação, afirmando que as crianças faziam tais "brinquedos" (na África Ocidental esse brinquedo era chamado "ju-ju"). Dizendo isso, deu um chute na cabana e a desmantelou.

482   Esta é exatamente a reação que podemos observar entre nós: exteriormente um homem é culto e, internamente, um primitivo. Algo dele não pensa em abrir mão dos primórdios e outra parte acredita

---

[18]. RADIN. *Gott und Mensch in der primitiven Welt*, p. 11.
[19]. Op. cit., p. 13.

que há muito tempo superou tudo isso. Certa vez tomei consciência desta contradição de modo drástico: estava assistindo a um ritual em que um *"Strudel"* (xamã) procedia a uma quebra de feitiço de um estábulo. Este ficava bem ao lado da ferrovia de São Gotardo, por onde vários expressos internacionais passaram durante a cerimônia mágica. Os passageiros não suspeitavam de modo algum de que a poucos metros deles estava sendo celebrado um ritual primitivo.

A oposição das duas dimensões da consciência é a expressão da estrutura contraditória da psique, a qual depende, enquanto sistema energético, da tensão entre opostos. Por esta razão não há proposições psicológicas gerais que não possam ser invertidas, e justamente por isso elas provam sua validade. É preciso lembrar que em toda discussão psicológica não falamos *sobre* a psique, mas é a psique que se expressa a si mesma. De nada adianta acreditar que podemos colocar-nos acima da psique mediante o "espírito", mesmo que este afirme ser independente dela. Como poderia o espírito prová-lo? Podemos dizer, se quisermos, que uma das nossas afirmações provém da psique, ou melhor, que é única e exclusivamente psíquica; a outra, porém, é espiritual e portanto superior à psíquica. Ambas são e permanecem meras asserções baseadas em postulados de fé.

483

Nessa hierarquia tricotômica antiga e originária dos conteúdos psíquicos (hílica, psíquica e pneumática) a estrutura polarizada da psique, objeto de experiência imediata, é um fato. A unidade da natureza psíquica está no meio, como a unidade viva da cachoeira aparece na conexão dinâmica entre o alto e o baixo. O efeito vivo do mito é vivenciado quando uma consciência superior, que se regozija com sua liberdade e independência, confronta-se com a autonomia de uma figura mitológica, sem poder escapar do seu fascínio, tendo que prestar seu tributo à impressão subjugante. A figura atua porque tem uma correspondência secreta na psique do espectador, aparecendo como um reflexo da mesma, o qual no entanto não é reconhecido como tal. A figura está cindida da consciência subjetiva e se comporta por isso como uma personalidade autônoma. O *"trickster"* é a *figura da sombra coletiva*, uma soma de todos os traços de caráter inferior. Uma vez que a sombra individual é um componente nunca ausente da personalidade, a figura coletiva é gerada sempre de novo a partir dela. Mas nem sempre isso ocorre sob forma mitológica, mas nos tempos mais recentes e devido à repressão crescente dos mitologemas originários, ela é projetada sobre outros grupos sociais e outros povos.

484

485   Estabelecendo um paralelo entre o *"trickster"* e a sombra individual, pode-se colocar a seguinte pergunta: será que a mudança que se observa em direção ao pleno-sentido (*sinnvolle*), conforme o mito do *"trickster"*, também se aplica à sombra pessoal subjetiva? Como esta última é uma forma bem definida que aparece frequentemente na fenomenologia dos sonhos, podemos responder positivamente a essa pergunta: a sombra, embora seja uma figura negativa *per definitionem*, deixa entrever muitas vezes traços ou associações positivas, os quais apontam para um cenário de outro tipo. É como se ela escondesse conteúdos significativos sob um invólucro inferior. A experiência confirma a hipótese; aliás as coisas aparentemente ocultas consistem em geral de figuras cada vez mais numinosas. O arquétipo mais próximo depois da sombra[20] é, em geral, a anima, dotada de considerável fascínio e poder possessivo. Esta figura muitas vezes demasiado juvenil oculta, por sua vez, o tipo superinfluente do "homem velho" (sábio, mago, rei etc.). Esta série poderia continuar, mas não é necessário, posto que podemos compreender psicologicamente só aquilo que já vivenciamos. Os conceitos da nossa psicologia complexa em todos os âmbitos não são formulações intelectuais, mas designações para certos campos de experiência, os quais podemos descrever; incompreensíveis, porém, e desprovidos de vida para quem não os vivenciou. De acordo com minha experiência, podemos representar sem dificuldade o que significa a "sombra", mesmo preferindo substituir este conceito vivo por uma palavra latina ou grega, que soe "cientificamente". A compreensão da anima, no entanto, encontra dificuldades bem maiores. Na realidade ela é facilmente aceita, quando se apresenta no cenário da literatura, ou como estrela cinematográfica. É mal compreendida, porém, ou então totalmente incompreendida, quando deveríamos tomar consciência de seu papel na própria vida, uma vez que representa tudo aquilo com o que o homem não sabe lidar; ela permanece por isso em um estado emocional constante

---

20. Com a figura de linguagem "estar atrás" tento na realidade deixar visível o fato de que, na medida em que a sombra é reconhecida e integrada, apresenta-se o problema da relação, ou seja, da anima. É compreensível que o confronto com a sombra influencie as relações do eu com fatos internos e externos de modo extremamente persistente, pois a integração da sombra acarreta uma mudança de personalidade. Cf. minhas exposições em *Aion* – Estudo sobre o simbolismo do si-mesmo [OC, 9/2 § 13s.].

que não pode ser tocado. O grau de inconsciência que encontramos em relação a ela é, discretamente falando, assombroso. É quase impossível, portanto, deixar claro para o homem, temeroso de sua própria feminilidade, o significado da "anima".

Não é de admirar que seja este o caso, uma vez que o reconhecimento mais elementar da sombra provoca ainda as maiores resistências no homem europeu contemporâneo. À medida que a sombra representa a figura mais próxima da consciência e a menos explosiva, ela constitui também aquele aspecto da personalidade que, na análise do inconsciente, é o primeiro a manifestar-se. Sua figura aparece no início do caminho da individuação, em parte ameaçadora, em parte ridícula, colocando o problema do enigma da esfinge de um modo simplista e portanto suspeito, ou exigindo uma resposta a uma *quaestio crocodilina* de modo inquietante[21]. 486

Quando o salvador se anuncia no final do mito do "*trickster*", este pressentimento ou esperança consoladora significa que uma calamidade ocorreu, ou seja, foi reconhecida conscientemente. Somente no estado de total desamparo e desespero surgirá a nostalgia do "salvador", isto é, o conhecimento e a integração inevitável da sombra criam um estado tal de angústia que, de certa forma, somente um salvador sobrenatural poderá desemaranhar o novelo do destino. No caso individual, o problema suscitado pela sombra será respondido ao nível da anima, ou seja, do relacionamento. No caso histórico-coletivo, tal como no individual, trata-se de um desenvolvimento da consciência, a qual se liberta gradualmente da prisão da ἄγνοια, ou seja, da inconsciência[22], e o salvador é por isso um portador de luz. 487

Tal como na forma coletivo-mitológica, a sombra individual também traz em si o germe da enantiodromia, da conversão, em seu oposto. 488

---

21. O crocodilo roubou de uma mãe seu filho, que lhe pede que lhe devolva a criança; o crocodilo diz que está disposto a fazer a vontade dela, se ela der uma resposta certa à pergunta que ele vai fazer: "Devolverei a criança?" Se disser que sim, não é verdade e a criança não será devolvida; se disser que não, também não é verdade, isto é, a mãe perde a criança de qualquer maneira.

22. NEUMANN. *Ursprungsgeschichte des Bewusstseins*.

X
Consciência, inconsciente e individuação[*]

489   A relação entre a consciência e o inconsciente por um lado, e o processo de individuação por outro, são problemas que surgem quase sempre nas etapas finais de um tratamento analítico. Considero "analítico" todo procedimento que se confronta com a existência do inconsciente. Esta problemática não existe em um procedimento baseado na sugestão. Não seria supérfluo dizer algumas palavras explicativas acerca da individuação.

490   Uso o termo "individuação" no sentido do processo que gera um *"individuum"* psicológico, ou seja, uma unidade indivisível[1], um todo. Presume-se em geral que a *consciência* representa o todo do indivíduo psicológico. A soma das experiências, explicáveis apenas recorrendo à hipótese de processos psíquicos inconscientes, faz-nos duvidar que o eu e seus conteúdos sejam de fato idênticos ao "todo". Se existem processos inconscientes, estes certamente pertencem à totalidade do indivíduo, mesmo que não sejam componentes do eu consciente. Se fossem uma parte do eu, seriam necessariamente conscientes, uma vez que tudo aquilo diretamente relacionado com o eu é consciente. A consciência pode até ser igualada à relação entre o eu e

---

[*] Uma primeira versão deste ensaio foi escrita em língua inglesa e constitui o capítulo introdutório de *The Integration of Personality*, sob o título de "The Meaning of Individuation" (Farrar & Rinehart Inc., Nova York e Toronto, 1939, e Keagan Paul, Trench, Trubner & Co. Ltd., Londres, 1940). A versão alemã foi reelaborada pelo autor e apareceu sob o título atual no *Zentralblatt für Psychotherapie und ihre Grenzgebiete* XI/5 (Leipzig, 1939), p. 257-270.

1. A Física moderna (De Broglie) usa o conceito de "descontinuidade" para defini-lo.

os conteúdos psíquicos. Fenômenos ditos inconscientes têm tão pouca relação com o eu, que muitas vezes não se hesita em negar a sua própria existência. Apesar disso os mesmos manifestam-se na conduta humana. Um observador atento pode detectá-los sem dificuldade, ao passo que o indivíduo observado não tem a consciência de revelar seus pensamentos mais secretos, ou coisas nas quais nunca pensara conscientemente. É um preconceito supor que algo nunca pensado possa não ter existência dentro da psique. Há muitas provas de que a consciência está longe de abranger a totalidade da psique. Muitas coisas acontecem num estado de semiconsciência, e outras tantas sucedem inconscientemente. A investigação cuidadosa dos fenômenos das personalidades duplas e múltiplas, por exemplo, produziu uma quantidade de material comprovante. (Remeto o leitor às obras de Pierre Janet, Théodore Flournoy, Morton Prince e outros.)

Em todo caso a psicologia médica foi profundamente marcada pela importância de tais fenômenos, que provocam todo tipo de sintomas psíquicos e fisiológicos. Nessas circunstâncias tornou-se insustentável supor um eu que expressasse a totalidade psíquica. Pelo contrário, tornou-se evidente que o todo deve necessariamente incluir tanto o campo imprevisível dos acontecimentos inconscientes, como a consciência, o eu só podendo ser o centro da consciência. 491

Perguntar-se-á naturalmente se o inconsciente também possui um centro. Eu não ousaria pensar em um princípio dominante no inconsciente, análogo ao eu. Na realidade tudo sugere o contrário. Se existisse um tal centro, poderíamos quase esperar sinais regulares de sua existência. Casos de dupla personalidade seriam então ocorrências frequentes, em vez de constituírem raras estranhezas. A forma de manifestação de fenômenos inconscientes é em sua maior parte caótica e assistemática. Os sonhos, por exemplo, não denotam nenhuma ordem aparente, nem qualquer tendência à sistematização, o que poderia ser o caso se uma consciência pessoal estivesse à sua base. Os filósofos Carl Gustav Carus e Eduard von Hartmann tratam o inconsciente como um princípio metafísico, um tipo de espírito universal, sem qualquer vestígio de personalidade ou consciência do eu, do mesmo modo que a vontade (*Wille*) de Schopenhauer é desprovida de eu. Os psicólogos modernos consideram o inconsciente também 492 como uma função desprovida de eu, abaixo do limiar da consciência. Contrariamente aos filósofos, eles tendem a derivar as funções subliminais da consciência. Janet pensa em uma certa fragilidade da consciência, a qual é incapaz de manter juntos todos os processos psíquicos. Freud, por seu lado, prefere a ideia de que há fatores conscientes, que recalcam certas tendências. São muitos os argumentos favoráveis às duas teorias, pois há numerosos casos em que o desaparecimento de conteúdos se deve a uma fraqueza da consciência ou então a que conteúdos desagradáveis foram reprimidos. É evidente que observadores tão meticulosos como Janet e Freud não teriam elaborado teorias nas quais o inconsciente fosse derivado principalmente de fontes conscientes, se tivessem descoberto vestígios de uma personalidade independente, ou de uma vontade autônoma nas manifestações do inconsciente.

493   Se o inconsciente fosse constituído realmente apenas de conteúdos casualmente privados de consciência, não se distinguindo em outros aspectos do material consciente, poderíamos identificar de modo aproximado o eu com a totalidade da psique. Na realidade, porém, a situação não é assim tão simples. Ambas as teorias baseiam-se em experiências no campo da neurose. Nenhum desses autores tinha experiência específica no campo da psiquiatria. Se a tivessem, com certeza teriam sido impressionados com o fato de que o inconsciente apresenta conteúdos completamente diversos da consciência, tão estranhos que ninguém os pode compreender, nem o paciente, nem seu médico. O doente é inundado por uma maré de pensamentos tão estranhos para ele como para a pessoa normal. Por isso o primeiro é chamado "louco": não conseguimos entender suas ideias. Só entendemos algo, cujos pressupostos conhecemos. No entanto, no caso em questão, tais pressupostos estão de tal modo afastados de nossa consciência como estavam na mente do paciente antes que enlouquecesse. Se não fosse assim, ele jamais se teria tornado um doente mental.

494   De fato, não há domínio algum que conhecemos, do qual pudéssemos derivar certas ideias patológicas. Não se trata de uma questão de conteúdos mais ou menos normais que tivessem sido ocasionalmente privados da consciência. Pelo contrário, trata-se de produtos cuja natureza é de início completamente desconhecida. Eles diferen-

ciam-se sob todos os aspectos do material neurótico, o qual não pode ser considerado completamente bizarro. O material de uma neurose é humanamente compreensível, o de uma psicose porém não o é[2].

Este material psicótico singular não pode por esse motivo derivar da consciência, porque nela não há pressupostos mediante os quais a estranheza das ideias possa ser explicada. Conteúdos neuróticos podem ser integrados sem prejudicar essencialmente o eu, o que não acontece com as ideias psicóticas. Elas permanecem inacessíveis e a consciência do eu é sufocada por elas. Estas têm até mesmo uma tendência de sorver o eu em seu "sistema".

Tais casos provam que em certas circunstâncias o inconsciente é capaz de assumir o papel do eu. As consequências dessa inversão acarretam insanidade e confusão, pois o inconsciente não é uma segunda personalidade com um funcionamento organizado e centralizado, mas provavelmente uma soma descentralizada de processos psíquicos. Na realidade, nada do que o espírito humano produz está fora do ambiente psíquico. Mesmo a ideia mais louca deve corresponder a algo existente na psique. Não podemos supor que certas mentes contenham elementos que não existam de modo algum em outras. Não podemos também presumir que o inconsciente possua a capacidade de tornar-se autônomo apenas em algumas pessoas, notadamente nas que são predispostas à doença mental. É bem provável que a tendência à autonomia seja uma peculiaridade mais ou menos geral do inconsciente. A perturbação mental é em certo sentido apenas um exemplo que se destaca de uma realidade, a qual no entanto tem um caráter genérico. A tendência à autonomia é denunciada em primeiro lugar por estados afetivos que também ocorrem em pessoas normais. Quando se dá um estado emocional intenso, dizemos ou fazemos coisas que ultrapassam a medida usual. Não é preciso muito: amor e ódio, alegria e tristeza bastam muitas vezes para acarretar uma troca entre o eu e o inconsciente. Até mesmo ideias muito estranhas podem apoderar-se em tais circunstâncias de pessoas normal-

---

2. Refiro-me evidentemente apenas a certos casos de esquizofrenia, como, por exemplo, o famoso caso Schreber (*Denkwürdigkeiten eines Nervenkranken*) ou o caso publicado por Nelken (*Analytische Beobachtungen über Phantasien eines Schizophrenen*).

mente sadias. Grupos, comunidades e até mesmo povos inteiros podem ser tomados por epidemias psíquicas.

497   A autonomia do inconsciente começa onde se originam as emoções. Estas são reações instintivas, involuntárias que perturbam a ordem racional da consciência com suas irrupções elementares. Os afetos não são "feitos" através da vontade, mas acontecem. No afeto aparece às vezes um traço de caráter estranho até mesmo à pessoa que o experimenta, ou conteúdos ocultos irrompem involuntariamente. Quanto mais violento for um afeto, tanto mais ele se aproxima do patológico, isto é, daquele estado em que a consciência do eu é posta de lado por conteúdos autônomos, antes inconscientes. Enquanto o inconsciente se encontra em um estado de dormência, parece que essa região oculta nada contém. Por isso sempre nos surpreendemos de novo que algo anteriormente desconhecido possa aparecer subitamente de um nada aparente. Depois vem o psicólogo e mostra que o ocorrido teria de acontecer desse modo, por esta ou aquela razão. Quem poderia, no entanto, dizê-lo antes?

498   Chamamos o inconsciente de um "nada", e no entanto ele é uma *realidade in potentia*: o pensamento que pensaremos, a ação que realizaremos e mesmo o destino de que amanhã nos lamentaremos já estão inconscientes no hoje. O desconhecido que o afeto descobre, sempre esteve aí e mais cedo ou mais tarde se apresentaria à consciência. Por isso devemos contar constantemente com a existência de algo ainda não descoberto. Podem ser, como dissemos, qualidades desconhecidas de caráter. Podem manifestar-se também possibilidades futuras de desenvolvimento, talvez numa explosão emocional, que transforma radicalmente uma situação. O inconsciente é como o *Janus bifronte*: por um lado, seus conteúdos apontam para trás, em direção a um mundo do instinto pré-consciente e pré-histórico; por outro, antecipa potencialmente um futuro, devido a uma prontidão instintiva dos fatores determinantes do destino. Um conhecimento completo de um traçado de fundo existente desde o início em um indivíduo poderia ser em grande parte a condição de possibilidade da predição do seu destino.

499   Uma vez que as tendências inconscientes, não sem uma certa razão, aparecem nos sonhos – quer sob a forma de imagens retrospectivas, quer sob a forma de antecipações prospectivas – foram entendi-

das através dos milênios que nos precedem mais como antecipações do futuro do que como regressões históricas. Tudo o que será acontece à base daquilo que foi e que ainda é, consciente ou inconscientemente, um traço da memória. Na medida em que nenhum ser humano nasce como uma invenção totalmente nova, mas repete sempre o último degrau de desenvolvimento atingido, contém inconscientemente como um dado apriorístico toda a estrutura psíquica desenvolvida pouco a pouco em um sentido ascendente ou descendente através de sua ancestralidade. Este fato confere ao inconsciente o aspecto "histórico" característico, ao mesmo tempo que constitui a *conditio sine qua non* de uma determinada configuração do futuro. Por esse motivo muitas vezes é difícil decidir se a manifestação autônoma do inconsciente deve ser interpretada como *efeito* (portanto histórica) ou como *finalidade* (portanto teleológica e de antecipação). A consciência pensa em geral sem preocupar-se com as condições prévias ancestrais e sem calcular a influência do fator *a priori* sobre a configuração do destino. Enquanto pensamos em períodos de anos, o inconsciente pensa e vive em períodos de milênios. Assim, se algo acontece que consideramos uma inovação sem precedentes, trata-se em geral de uma história bem antiga. Esquecemos sempre o que aconteceu ontem, tal como as crianças. Vivemos ainda em um maravilhoso mundo novo, em que o ser humano se considera espantosamente novo e "moderno". Tal estado é prova inequívoca da juventude da consciência humana, que ignora seus antecedentes históricos.

O "homem normal", mais do que o doente mental, me convence acerca da autonomia do inconsciente. A teoria psiquiátrica pode escudar-se em perturbações cerebrais, orgânicas reais ou imaginárias, enfraquecendo assim a importância do inconsciente. Essa opinião porém não é aplicável quando se trata do ser humano normal. O que vemos acontecer no mundo não são "vestígios sombrios de atividades outrora conscientes", mas manifestações de uma condição anímica prévia viva, que ainda existe e sempre existirá. Se assim não fosse poderíamos nos surpreender com razão. Mas são justamente aqueles que não reconhecem a autonomia do inconsciente os que mais se surpreendem. Nossa consciência tem – graças à sua juventude e vulnerabilidade – uma tendência compreensível de menosprezar o inconsciente, tal como um jovem que não deve sucumbir à majestade de seus pais, se quiser empreender algo por sua própria conta. Nossa consciência desenvolveu-se tanto histórica como individualmente a partir da escuridão ou estado crepuscular da inconsciência originária. Havia funções e processos psíquicos bem antes de existir uma consciência do eu. O "pensar" existia antes do homem dizer "eu tenho consciência de que penso".

501   Os primitivos "perigos da alma" consistem principalmente no fato de a consciência se expor a perigos. Fascínio, enfeitiçamento, perda da alma, possessão etc., são obviamente fenômenos da dissociação e da repressão da consciência por conteúdos inconscientes. Até mesmo o homem civilizado não está totalmente livre da escuridão dos primeiros tempos. O inconsciente é a mãe da consciência. Onde há uma mãe também há um pai. Este, no entanto, parece ser desconhecido. A consciência, este ser juvenil, pode renegar seu pai, não sua mãe. Isto seria demasiadamente antinatural porque podemos ver em cada criança a consciência desenvolver-se hesitante e vagarosa a partir de uma consciência fragmentária de momentos isolados. Como as ilhas emergem pouco a pouco da escuridão total da mera instintividade.

502   A consciência origina-se de uma psique inconsciente, mais antiga do que a primeira, que continua a funcionar juntamente com a consciência ou apesar dela. Embora haja muitos casos em que conteúdos conscientes se tornam de novo inconscientes (por exemplo, através da repressão), o inconsciente como um todo está longe de representar um resto da consciência. (Será que as funções psíquicas dos animais são restos de consciência?)

503   Como disse acima, há pouca esperança de encontrar uma ordem no inconsciente, equivalente à que se encontra na consciência do eu. É improvável que estejamos em vias de descobrir uma personalidade do eu inconsciente, algo como uma "antiterra" pitagórica. Não podemos porém deixar despercebido o fato de que tal como a consciência surge do inconsciente, o centro do eu também emerge de uma profundidade escura em que esteve contido de alguma forma, enquanto existia *in potentia*. Tal como uma mãe humana só pode gerar uma criança humana, cuja natureza mais profunda está dentro dela durante sua existência potencial, quase nos sentimos obrigados a crer que o inconsciente não pode consistir apenas num amontoado caóti-

co de instintos e imagens. Algo deve manter coesos estes últimos, a fim de dar expressão ao todo. Seu centro, porém, não pode ser o eu, uma vez que este foi gestado dentro da consciência, voltando-se contra o inconsciente ao excluí-lo tanto quanto possível. Ou será que o inconsciente poderia ter perdido seu centro com o nascimento do eu? Se assim fosse, poderíamos esperar que o eu fosse muito superior ao inconsciente em influência e significado. Neste caso, o inconsciente seguiria humildemente as pegadas do consciente. Isto seria precisamente o que desejamos.

Infelizmente os fatos mostram o contrário: a consciência sucumbe facilmente às influências inconscientes e estas são muitas vezes mais verdadeiras e lúcidas do que o pensar consciente. Acontece também que motivos inconscientes muitas vezes triunfam sobre decisões conscientes, especialmente quando se trata das questões principais da vida. O destino individual depende em grande parte de fatores inconscientes. Um exame mais atento mostra como as decisões conscientes dependem do funcionamento imperturbável da memória. Esta, porém, sofre muitas vezes com a interferência perturbadora de conteúdos inconscientes. Além disso, a memória funciona em geral automaticamente. Costuma utilizar as fontes da associação, mas muitas vezes serve-se desta de um modo tão extraordinário, que é preciso refazer um cuidadoso exame de todo o processo de reprodução da memória a fim de descobrir como certas lembranças conseguiram chegar à consciência. Muitas vezes essas fontes não podem ser encontradas. Em tais casos é impossível descartar a hipótese da atividade espontânea do inconsciente. Outro exemplo é a intuição, a qual se baseia principalmente em processos inconscientes de natureza muito complexa. Por esta peculiaridade, defini a intuição como a "percepção via inconsciente".

Normalmente a colaboração do inconsciente com o consciente ocorre sem atritos e perturbações, de modo que a existência do inconsciente nem é percebida. Se o indivíduo ou o grupo social se desvia demasiado do fundamento instintivo, vivenciará todo o impacto das forças inconscientes. A colaboração do inconsciente é sábia e orientada para a meta, e mesmo quando se comporta em oposição à consciência, sua expressão é sempre compensatória de um modo inteligente, como se estivesse tentando recuperar o equilíbrio perdido.

506   Há sonhos e visões tão superiores que certas pessoas se negam a reconhecer uma psique inconsciente como sua origem. Preferem supor que tais fenômenos provêm de uma espécie de "supraconsciência". Elas fazem distinção entre um tipo de inconsciente fisiológico ou instintivo e uma esfera ou nível de consciência "acima" da consciência, chamando-a de "supraconsciência". Na realidade esta psique, denominada pelos filósofos indianos consciência "superior", corresponde ao que no Ocidente se chama "inconsciente". No entanto há uma série de observações que quase sugerem a possibilidade de uma consciência no inconsciente, como, por exemplo, certos sonhos, visões e experiências místicas. Se supusermos, porém, uma consciência no inconsciente, ver-nos-emos de imediato diante do fato de que não pode haver consciência sem um sujeito, isto é, um eu com o qual os conteúdos estejam relacionados. A consciência precisa de um centro, de um eu que tem consciência de algo. Não conhecemos qualquer outro tipo de consciência, nem podemos imaginar uma consciência desprovida de eu. Não pode haver consciência sem alguém que diga: "eu tenho consciência".

507   Não vejo qualquer mérito em especular sobre coisas que não podemos saber. Abstenho-me, portanto, de fazer afirmações que ultrapassem os limites da ciência. Nunca pude descobrir algo assim como uma personalidade no inconsciente, comparável ao nosso eu. Embora um "segundo eu" não possa ser encontrado (exceto em raros casos de dupla personalidade), as manifestações do inconsciente denotam pelo menos *vestígios de personalidades*. Um exemplo simples disso é o sonho em que uma série de pessoas imaginárias ou reais representam um pensamento do sonho. Em quase todas as dissociações importantes as manifestações do inconsciente assumem um forte caráter de personalidade. Mas um exame cuidadoso do comportamento e dos conteúdos espirituais dessas personificações mostram seu caráter fragmentário. Parecem representar complexos cindidos de um todo mais amplo, e podem ser tudo menos o centro pessoal do inconsciente.

508   Sempre me impressionou o caráter de personalidade de fragmentos dissociados. Frequentemente eu indagava a mim mesmo se não seria justo supor – uma vez que tais fragmentos têm personalidade – que o todo do qual se cindiram teria o direito de ser considerado como algo pessoal. A conclusão parece lógica porquanto não depen-

de do fato de os fragmentos serem grandes ou pequenos. Então por que o todo não possuiria uma personalidade? *Personalidade não implica necessidade de consciência. Ela também pode dormir ou sonhar.*

O aspecto geral das manifestações inconscientes é principalmente caótico e irracional, apesar de certos sintomas de inteligência e propósito. O inconsciente gera sonhos, fantasias, visões, emoções, ideias grotescas etc. É exatamente o que se esperaria de um sonhador. É como uma personalidade que nunca esteve desperta, nem consciente de uma vida vivida e de uma continuidade própria. A única questão é saber se a hipótese de uma tal personalidade adormecida e oculta é possível. Pode ser que tudo aquilo que encontramos no inconsciente, e parece ter personalidade, esteja contido nas personificações acima mencionadas. Como isto é possível, todas as minhas conjeturas seriam em vão, a não ser que houvesse provas da existência de personalidades muito menos fragmentárias, isto é, mais completas, embora ocultas. 509

Estou convencido da existência de tais provas. Infelizmente esse material comprobatório pertence às sutilezas da análise psicológica. Por isso não é fácil dar uma ideia disso de forma simples e convincente. 510

Devo começar com uma breve constatação: no inconsciente de cada homem está oculta uma personalidade feminina e há uma personalidade masculina oculta em cada mulher. 511

É fato bem conhecido que o sexo é determinado por uma maioria de genes masculinos ou femininos. A minoria dos genes do outro sexo não desaparece. O homem tem portanto em si um lado de características femininas, isto é, ele mesmo tem uma forma feminina inconsciente, fato do qual, em geral, ele não tem a menor consciência. Presumo que todos já sabem que chamei esta figura de anima. Para não repetir algo conhecido remeto o leitor à literatura correspondente[3]. Essa figura aparece frequentemente em sonhos, onde podemos observar *in vivo* todos os atributos que mencionei em publicações anteriores. 512

---

3. *Tipos psicológicos*, definições cf. verbete "Alma"; *O eu e o inconsciente*, Segunda parte, Cap. 2; *Psicologia e alquimia*, Segunda parte, e *O arquétipo com referência especial ao conceito de anima* [Capítulo III deste volume].

513   Outra figura não menos importante e bem definida é a da sombra, que também aparece como a anima na projeção sobre pessoas adequadas ou muitas vezes personificada em sonhos. A sombra coincide com o inconsciente "pessoal" (que corresponde ao conceito freudiano de inconsciente). Tal como a anima, esta figura foi frequentemente representada pelos poetas. Lembro-me da relação Fausto-Mefistófeles, bem como dos *Elixiere des Teufels*, de Hoffmann, para mencionar duas descrições típicas. A figura da sombra personifica tudo o que o sujeito não reconhece em si e sempre o importuna, direta ou indiretamente, como por exemplo traços inferiores de caráter e outras tendências incompatíveis. Para maiores detalhes remeto novamente o leitor à literatura correspondente[4].

514   O fato de que o inconsciente personifica, mesmo nos sonhos, certos conteúdos de tonalidade afetiva é a razão pela qual minha terminologia, destinada ao uso prático, assumiu a personificação, exprimindo-a sob a forma de nomes.

515   Além das duas figuras mencionadas há outras menos frequentes e dignas de nota, mas que receberam figurações poéticas e mitológicas. Cito, por exemplo, a figura do herói[5] e a do Velho Sábio[6], para de novo mencionar duas das mais conhecidas.

516   Todas essas figuras entram autonomamente na consciência, quando se trata de casos patológicos. No que diz respeito à anima, quero chamar a atenção em especial para o caso de Nelken[7]. É digno de atenção que estes caracteres têm uma relação notável com descrições poéticas, religiosas ou mitológicas, sem que seja possível provar a realidade dessas relações. Isto significa que se trata de formações analógicas e espontâneas. Um caso deste tipo acarretou uma acusação de plágio: o escritor francês Pierre Benoît fez uma descrição da anima e de seu mito clássico em seu livro *Atlantide*, que representa um parale-

---

4. TONI WOLFF. *Einführung in die Grundlagen der Komplexen Psychologie*. JUNG, *Sobre os arquétipos do inconsciente coletivo* [Capítulo I do presente volume; e também *Aion*, cap. 2].
5. Cf. *Símbolos da transformação*, passim.
6. *A fenomenologia do espírito no conto de fadas* [Capítulo VIII deste volume].
7. NELKEN. Op. cit.

lo exato do *She* de Rider Haggard. O processo não foi bem-sucedido, isto é, Benoît não conhecia o livro *She*. (Poderia neste caso tratar-se talvez de uma ilusão criptomnésica dificílima de ser excluída.) Um aspecto pronunciadamente "histórico" da anima, bem como sua condensação na figura da irmã, mãe, mulher e filha, além do motivo do incesto associado, encontra-se tanto em Goethe ("Ah, tu foste em tempos passados minha irmã ou minha mulher"[8]) como também na figura da anima da rainha ou *femina alba* da alquimia. Encontra-se no alquimista inglês Erineu Filaletes que escrevia em torno de 1645 a observação de que a "rainha" era a "irmã, mãe ou esposa" do rei (comentário às *Duodecim Portae* de Sir George Ripley que foi publicado em língua alemã em 1741 e talvez [?] tenha caído nas mãos de Goethe). A mesma ideia também se encontra ricamente elaborada no paciente de Nelken e numa série completa de casos por mim observados, em que eu podia excluir com segurança qualquer influência literária. Além disso, o complexo da anima pertence ao mais antigo acervo da alquimia latina[9].

Quando se estuda atentamente as personalidades arquetípicas e seu comportamento através de sonhos, fantasias e delírios dos pacientes[10], tem-se uma profunda impressão do relacionamento tão vasto como direto com as ideias mitológicas que há muito o leigo esqueceu. Elas constituem uma espécie de entidades bizarras, que gostaríamos de dotar de uma consciência do eu; elas quase parecem capazes disso. No entanto esta ideia não é provada por fato algum. Nada em seu comportamento indica uma consciência, tal como a conhecemos. Pelo contrário as personalidades arquetípicas apresentam todos os sinais de personalidades fragmentárias-dissimuladas, fantasmagóricas, isentas de problemas, carentes de autorreflexão, sem conflitos, sem dúvidas, sem sofrimento; talvez como deuses que não têm qualquer filosofia, algo como os deuses Brahma do *Samyutta-Nikaya*, cujas opiniões errôneas necessitam a correção de Buda. À diferença de outros conteúdos, elas permanecem sempre estranhas no mundo da

---

8. [No poema "Por que pousaste em mim esse olhar profundo?" (Para Frau von Stein).]
9. Cf. a famosa "*Visio Arislei*" (*Artis auriferae* II, p. 246s.) que também existe em tradução para o alemão (RUSKA. *Die Vision des Arisleus*, p. 22s.).
10. Um exemplo do método em *Psicologia e alquimia*, Segunda parte.

consciência. Por isso são intrusas e indesejáveis, uma vez que saturam a atmosfera com premonições sinistras ou com o medo da loucura.

518   Examinando seus conteúdos, isto é, o material de fantasia que constitui sua fenomenologia, encontramos inúmeras conexões arcaicas e históricas, isto é, imagens de natureza arquetípica[11]. Este fato curioso permite que tiremos conclusões referentes à "localização" de animus e anima dentro da estrutura psíquica: ambos vivem e funcionam evidentemente nas camadas mais profundas do inconsciente, em especial naquele substrato filogenético que designei por inconsciente coletivo. Essa localização explica suficientemente a sua estranheza: animus e anima trazem à consciência efêmera uma vida psíquica desconhecida, pertencente a um passado longínquo. É o espírito de nossos ancestrais desconhecidos, seu modo de pensar e sentir, seu modo de vivenciar vida e mundo, deuses e homens. A realidade destas camadas arcaicas é presumivelmente a raiz da crença em reencarnações e em lembranças de "vidas passadas". Tal como o corpo representa uma espécie de museu de sua história filogenética, com o psíquico dá-se o mesmo. Não temos razão alguma para supor que a estrutura peculiar da psique seja a única coisa no mundo que não tem qualquer história além de suas manifestações individuais. É impossível negar que a nossa consciência tenha uma história que abrange cerca de cinco mil anos. A consciência do eu, porém, é a única que tem sempre um novo princípio e um fim prematuro. A psique inconsciente, no entanto, é, não apenas infinitamente velha, mas tem igualmente a possibilidade de evoluir rumo a um futuro igualmente remoto. Ela forma a *species humana* e constitui um componente da mesma, assim como o corpo que é efêmero individualmente, mas de idade incomensurável, coletivamente.

519   Anima e animus vivem num mundo bem diverso do mundo exterior, num mundo em que o pulso do tempo bate infinitamente devagar, em que nascimento e morte de indivíduos contam pouco. Não admira que seu ser seja estranho, tão estranho que sua entrada na consciência significa muitas vezes algo como uma psicose. Animus e

---

11. Em meu livro *Símbolos da transformação* descrevi o caso de uma jovem com uma "história de herói", isto é, uma fantasia do animus, que rendeu uma farta colheita em material mitológico. Rider Haggard, Benoît e Goethe (no *Fausto*) puseram ênfase no caráter histórico da anima.

anima, por exemplo, pertencem indubitavelmente àquele material que aparece na esquizofrenia.

O que eu já disse sobre o inconsciente coletivo pode dar uma ideia mais ou menos adequada daquilo que eu tenho em mente. Voltando agora ao problema da individuação, sentimo-nos diante de uma tarefa invulgar: a psique é constituída de duas metades incongruentes que, juntas, deveriam formar um todo. Tendemos a pensar que a consciência do eu é capaz de assimilar o inconsciente, ou pelo menos temos a esperança de que tal solução seja possível. Infelizmente, na realidade, o inconsciente é inconsciente, isto é, não o conhecemos. E como poderíamos assimilar algo desconhecido? Mesmo que possamos fazer uma imagem bastante completa da anima e de outras figuras, isto não significa que tenhamos penetrado nas profundezas do inconsciente. Esperamos dominar o inconsciente, porém os mestres do domínio, os iogues, alcançam a perfeição no samádi, um estado de êxtase que, segundo sabemos, corresponde a um estado do inconsciente. É indiferente que eles chamem nosso consciente de "consciência universal"; o fato é que no caso dos indianos o inconsciente devorou a consciência do eu. Eles não percebem que uma "consciência universal" é uma *contradictio in adiecto*, porquanto excluir, escolher e diferenciar é a raiz e a essência de tudo aquilo que reivindica o nome de "consciência": "consciência universal", portanto, é logicamente idêntica à inconsciência. Acontece que uma utilização correta dos métodos do *Cânon páli* ou da *ioga-sutra* ocasiona uma ampliação notável da consciência. Com a ampliação crescente, porém, os conteúdos do inconsciente perdem clareza no detalhe. Afinal a consciência torna-se abrangente, mas nebulosa; uma quantidade infinita de coisas desemboca então em um todo indefinido, estado em que sujeito e objeto tornam-se quase completamente idênticos. Tudo isto é belo, mas dificilmente recomendável para regiões situadas ao norte do trópico de Câncer.

Este é o motivo pelo qual temos que buscar uma outra solução. Acreditamos na consciência do eu e naquilo que denominamos realidade. As realidades de um clima nórdico são de certa forma tão convincentes que nos sentimos bem melhor quando não as esquecemos. Para nós tem sentido ocupar-nos com a realidade. A consciência europeia do eu tende a engolir o inconsciente, e, isto não sendo possível, procuramos reprimi-la. Se é que compreendemos algo acerca do inconsciente, sabemos que ele não pode ser engolido. Sabemos também que não se trata simplesmente de reprimi-lo, uma vez que tivemos a experiência de que o inconsciente é vida, a qual se volta contra nós se for reprimida, como ocorre nas neuroses.

522   Consciência e inconsciente não constituem uma totalidade, quando um é reprimido e prejudicado pelo outro. Se eles têm de combater-se, que se trate pelo menos de um combate honesto, com o mesmo direito de ambos os lados. Ambos são aspectos da vida. A consciência deveria defender sua razão e suas possibilidades de autoproteção, e a vida caótica do inconsciente também deveria ter a possibilidade de seguir o seu caminho, na medida em que o suportarmos. Isto significa combate aberto e colaboração aberta ao mesmo tempo. Assim deveria ser evidentemente a vida humana. É o velho jogo do martelo e da bigorna. O ferro que padece entre ambos é forjado num todo indestrutível, isto é, num *individuum*.

523   É aproximadamente a isso que denomino "processo de individuação". Como o nome sugere, trata-se de um processo ou percurso de desenvolvimento produzido pelo conflito de duas realidades anímicas fundamentais. Descrevi a problemática deste conflito em meu livro *O eu e o inconsciente*, pelo menos em seus traços essenciais. Parte muito especial e da maior importância, tanto prática quanto teoricamente, para a compreensão do decorrer do percurso e do embate do consciente e do inconsciente é a simbologia do processo. Minhas últimas investigações ocuparam-se principalmente com este tema. Para surpresa minha constatei que a formação simbólica tem afinidades com representações alquímicas, principalmente no tocante ao "símbolo unificador"[12], as quais produzem os paralelos mais significativos. Naturalmente, trata-se aqui de processos que nada significam nos estágios iniciais do tratamento psíquico. Casos difíceis, por outro lado, como transferências renitentes, desenvolvem estes símbolos. O seu conhecimento é de capital importância no seu tratamento, em especial quando se trata de pacientes cultos.

524   O modo pelo qual se obtém a harmonização de dados conscientes e inconscientes não pode ser indicado sob a forma de uma receita.

---

12. *Tipos psicológicos*, definições, cf. verbete "Símbolo" e Cap. V, 3, 6 [§ 349s.].

Quadro 1

Quadro 2

Quadro 3

Quadro 4

Quadro 5

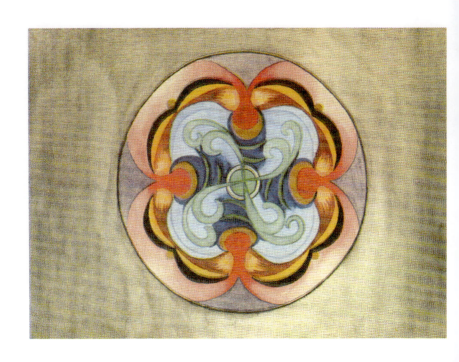

Quadro 6

Quadro 7

Quadro 8

Quadro 9

Quadro 10

Quadro 11

Quadro 12

Quadro 13

Quadro 14

Quadro 15

Quadro 16

Quadro 17

Quadro 18

Quadro 19

Quadro 20

Quadro 21

Quadro 22

Quadro 23

Quadro 24

Trata-se de um processo de vida irracional, que se expressa em determinados símbolos. Pode ser tarefa do médico acompanhar esse processo, ajudando-o da melhor maneira possível. Neste caso o conhecimento dos símbolos é indispensável, pois é nestes que se dá a união de conteúdos conscientes e inconscientes. Da união emergem novas situações ou estados de consciência. Designei por isso a união dos opostos pelo termo "função transcendente"[13]. A meta de uma psicoterapia que não se contenta apenas com a cura dos sintomas é a de conduzir a personalidade em direção à totalidade.

---

13. [*Tipos Psicológicos*, definições, cf. verbete "Função transcendente" e Obra Completa 8, Capítulo II].

XI

Estudo empírico do processo de individuação*

A forma da grande vida segue totalmente o Tao.
O Tao age nas coisas invisível e inapreensivelmente.
Inapreensivelmente, invisivelmente nele estão as imagens!
Inapreensivelmente, invisivelmente nele estão as coisas!
Insondavelmente, obscura, nele está a semente!
Esta semente é a verdade. Nela está a crença.
Desde a origem até hoje não se pode prescindir de seu nome para compreender o nascimento de todas as coisas.
E como posso saber que o nascimento de todas as coisas assim se deu?
Através dele.

LAO-TSÉ, *Tao te king*, c. 21. Tradução de Richard Wilhelm

525 Na década de 1920 conheci nos Estados Unidos uma senhora de formação acadêmica – vamos chamá-la de senhora X – que, durante nove anos, estudara psicologia. Havia lido todas as obras mais recentes nesse campo. Em 1928, aos 55 anos, veio à Europa a fim de continuar seus estudos sob minha direção. Filha de um pai renomado, tinha múltiplos interesses, dispunha de uma cultura considerável e possuía uma mente vivaz. Não era casada, mas vivia com o equivalen-

---

*Ensaio III de *Gestaltungen des Unbewussten* (Psychologische Abhandlungen VII). Rascher, Zurique, 1950, onde o texto é introduzido pela seguinte nota de rodapé: "Esta dissertação é uma reelaboração total, e complementa minha conferência de igual nome publicada pela primeira vez no Eranos-Jahrbuch, 1933".

te inconsciente do parceiro humano, o animus, aquela personificação de todo masculino em uma mulher, naquela ligação característica que encontramos em tantas mulheres formadas academicamente[1]. Como acontece frequentemente, este seu desenvolvimento baseava-se em um complexo paterno positivo, isto é, ela era uma *fille à papa* e por isso não tivera um bom relacionamento com sua mãe. Seu animus não a fazia aferrar-se a nenhuma convicção. Neste ponto sua inteligência natural a protegia, bem como uma notável prontidão de acatar a opinião de outras pessoas. Esta boa qualidade, rara em alguém presa ao animus, junto com uma experiência de vida difícil e inevitável, possibilitou-lhe reconhecer que havia atingido um limite, chegando a um estancamento, o que a fazia encarar a necessidade mais ou menos urgente de sair à procura de caminhos que pudessem levá-la adiante. Este era um dos motivos de sua viagem à Europa. A este acrescentou-se – não por acaso – uma outra razão. Ela era de origem escandinava, pelo lado materno. Uma vez que sua relação com a mãe era insatisfatória – já o dissemos – e ela mesma o reconhecia com clareza, pouco a pouco foi se formando o sentimento de que o seu lado feminino poderia ter tido um outro desenvolvimento se a relação com a mãe o tivesse favorecido. Sua decisão de viajar para a Europa tornou-a consciente de que assim voltava para suas próprias origens, colocando-a em vias de vivificar novamente um fragmento de sua infância ligado à mãe. Antes de chegar a Zurique, foi à Dinamarca, país de sua mãe. Ali, o que mais a impressionou foi a paisagem e, inesperadamente, veio-lhe o desejo de pintar motivos bucólicos. Até então não havia percebido em si tendências artísticas desse tipo, além do que carecia de estudos em matéria de desenho e pintura. Ela começou com aquarela e seus modestos quadros de paisagem a enchiam de um contentamento estranho. A pintura, como me relatou, deu-lhe nova vida. Chegando a Zurique, continuou seus experimentos pictóricos e, no dia anterior à sua primeira vinda ao meu consultório, começou de novo a pintar um tema bucólico, desta vez de memória. Ocupada com este trabalho, uma fantasia interior irrompeu: *viu-se enterrada da cintura para baixo numa rocha. Era uma praia cheia de blocos de pedra. No fundo via-se o mar. Ela sentiu-se presa e desamparada. De repente viu-me nas roupas de um feiticeiro medieval. Ela*

---

[1]. Cf. no comentário ao quadro 10 § 604 o trecho referente ao horóscopo.

gritou, pedindo socorro; aproximei-me e toquei a rocha com a vara mágica. A pedra rompeu-se imediatamente e ela saiu de dentro inteira. Em vez de uma paisagem, ela pintou a imagem da fantasia e a trouxe para mim no dia seguinte.

Quadro 1

526 Como frequentemente acontece com os iniciantes e com os que não sabem desenhar, a representação pictórica causou-lhe muitas dificuldades. Em casos deste tipo, o inconsciente introduz clandestinamente, por assim dizer, no quadro as imagens que jazem sob a consciência. Foi assim que os grandes blocos de pedra não queriam aparecer no papel em sua forma verdadeira, mas assumiam formas inesperadas. As pedras tomavam o aspecto de ovos duros cortados em dois com a gema no meio. Outras eram como pirâmides pontiagudas. Numa destas ela estava encravada. Seu cabelo puxado para trás e o mar agitado ao fundo indicam que soprava um vento forte.

527 O quadro representa antes de mais nada seu estado de cativeiro, mas não ainda o ato da liberação. Era lá que ela se encontrava presa, no país da mãe. Psicologicamente um tal estado significa uma prisão no inconsciente. A relação insatisfatória com a mãe deixara o resíduo de algo obscuro e necessitado de desenvolvimento. Na medida em que ela sucumbe à magia do país materno, buscando expressá-lo através da pintura, torna-se claro que ainda está presa pela metade na terra materna, isto é, que está parcialmente identificada com a mãe, ou melhor, com a região do corpo que contém o segredo da mãe, nunca trazido à tona.

528 Como a senhora X havia descoberto sozinha o método há muito por mim empregado da *imaginação ativa*, pude ligar a problemática em curso justamente no ponto indicado pelo quadro: ela está detida no inconsciente e espera de mim a ajuda mágica de um feiticeiro. Uma vez que seu conhecimento psicológico referente a interpretações possíveis a punha a par das interpretações viáveis, não foi preciso nem mesmo um piscar de olhos compreensivo, para trazer à luz o subentendido da vara mágica salvadora. O simbolismo sexual que tem importância máxima para muitos temperamentos ingênuos não significava para ela nenhuma descoberta. Ela tinha chegado ao ponto de saber que em seu caso uma tal explicação – por mais verdadeira

que fosse em outros casos – não tinha significado algum. Ela não queria saber como uma libertação em geral seria possível, mas sim como e de que modo uma libertação poderia realizar-se em seu caso. Eu o sabia tão pouco quanto ela. Sei apenas que tais soluções só são possíveis por um caminho individual, imprevisível. Não podemos conjecturar acerca dos caminhos nem dos meios de chegar a eles e muito menos sabê-los de antemão. Tal saber é coletivo, baseado na experiência da média e pode ser totalmente inadequado e mesmo incorreto no caso individual. E se além do mais levarmos em conta a sua idade, é melhor desistir de início de soluções pré-fabricadas e de oferecer verdades genéricas que a paciente conhece tão bem quanto o médico. Uma longa experiência ensinou-me a renunciar em tais casos a todo saber por antecipação, a fim de dar passagem ao inconsciente. A vida instintiva já atravessou tantas vezes sem perigo algum a problemática dessa idade, de modo que podemos presumir com segurança que os processos de transformação, os quais possibilitam esta passagem, já estão há muito tempo preparados no inconsciente, apenas esperando o momento para entrar em ação.

No desenvolvimento do caso, até então, eu já havia observado como o inconsciente se utilizara da falta de habilidade pictórica para fazer valer suas próprias insinuações. Não me havia passado despercebido que os blocos de pedra se tinham transformado em ovos sub-repticiamente. O ovo é um germe de vida, dotado de um alto significado simbólico. Não é apenas um símbolo cosmogônico, mas também "filosófico". No primeiro caso, trata-se do ovo órfico, o começo do mundo; no segundo, do *ovum philosophicum* da filosofia medieval da natureza, ou seja, do vaso do qual surge, ao final da *opus alchymicum*, o *homunculus*, isto é, o *anthropos*, o homem espiritual, interior e completo; na alquimia chinesa, o *chên-jen* (literalmente: o homem completo)[2]. 529

A partir dessa insinuação eu já podia ver a solução prevista pelo inconsciente, isto é, a individuação, pois é este processo de transformação que solta o ser humano da prisão no inconsciente. Trata-se de uma solução definitiva, em relação à qual todos os outros caminhos se comportam apenas de modo auxiliar e provisório. Esta conclusão que inicialmente guardei só para mim me aconselhava a ser prudente. 530

---

2. Cf. *Psicologia e alquimia* [§ 138s. e 306]; e também LU CH'IANG WU & TENNEY L. DAVIS, *An Ancient Chinese Treatise on Alchemy entitled Ts'an T'ung Ch'i*, p. 241 e 251.

Recomendei por isso à senhora X que não parasse na mera imagem fantasiosa do ato de libertação, mas que tentasse representá-lo pictoricamente. Não podia imaginar como seria essa representação e era melhor assim, porque de outro modo eu teria posto a senhora X em caminhos falsos por mera solicitude. Ela achou esta tarefa muito difícil por causa de suas inibições no tocante ao desenhar. Aconselhei-a por isso a contentar-se com o possível e a fazer uso de sua fantasia, a fim de contornar as dificuldades técnicas. O objetivo deste conselho era trazer o máximo de sua fantasia para o quadro, pois o inconsciente obtém desse modo a melhor ocasião de revelar seus conteúdos. Sugeri também que não tivesse receio de utilizar cores fortes, uma vez que eu sabia, por experiência, serem as cores intensas as prediletas do inconsciente. A partir disto ela criou um novo quadro.

Quadro 2

531   Novamente os blocos de pedra, as formas redondas e pontiagudas; os primeiros não são mais ovos, mas rotundidades perfeitas, e as últimas têm na ponta uma luz intensa. Uma das formas redondas distingue-se pelo fato de um raio dourado removê-la ao explodir. Não há mais feiticeiro, nem vara mágica. A relação pessoal comigo parece haver desaparecido. O quadro representa agora um processo de natureza impessoal.

532   Enquanto a senhora X pintava esta imagem, fez uma série de descobertas. Antes de mais nada, ela não tinha consciência da imagem que pintaria. Tentou novamente imaginar a situação inicial; a praia cheia de pedras e o mar são provas disso. Os ovos, porém, transformaram-se em esferas ou círculos abstratos e o toque mágico torna-se um raio que atravessa seu estado inconsciente. Com essa alteração, ela reencontrou o sinônimo histórico do "ovo filosófico", isto é, o *rotundum*, o "redondo", a forma originária do *anthropos* (ou στοιχεῖον στρογγύλον, o elemento redondo na designação de Zósimo). Esta ideia é associada, desde os tempos mais remotos, ao *anthropos*[3]. Da mesma forma, de acordo com antiga tradição, a alma tem uma

---

3. Cf. *Psicologia e alquimia* [§ 109].

forma esférica. O monge Cesário de Heisterbach diz que ela não é apenas "semelhante à esfera da Lua, mas também provida de olhos de todos os lados" (*ex omni parte oculata*). Voltaremos adiante ao tema da polioftalmia. Seu relato refere-se provavelmente a certos fenômenos parapsicológicos, as "esferas de luz", isto é, luminosidades globulares consideradas como "almas" nas regiões mais afastadas do mundo, com notável unanimidade[4].

O raio libertador é um símbolo que Paracelso e os alquimistas também utilizam com a mesma finalidade[5]. A vara de Moisés que fende a rocha, fazendo por um lado jorrar a água da vida, transforma-se por outro em uma serpente, o que pode estar no fundo desta imagem[6]. O raio significa uma mudança inesperada e subjugante da condição psíquica[7].

533

---

4. CESÁRIO DE HEISTERBACH. *Dialogus Miraculorum*, IV, XXXIV e I, XXXII: "*Animam suam fuisse tanquam vas vitreum et sphaericum, oculatam retro et ante*" [Sua alma seria como um recipiente de vidro, esférico, provido de olhos atrás e na frente]. Relatos semelhantes foram reunidos in: BOZZANO, *Popoli primitivi e manifestazioni supernormali*. Tradução para o alemão de SCHNEIDER: *Übersinnliche Erscheinungen bei den Naturvölkern*, p. 209s.

5. [JUNG] *Paracelsus als geistige Erscheinung* (Paracelso, um fenômeno espiritual) [§ 190]. É Hermes de Cilene. que chama as almas para cima. O caduceu corresponde ao falo. Cf. HIPÓLITO. *Elenchos*, V, 7, 30, p. 87.

6. A mesma conexão in: *Elenchos*, V, 16, 8, p. 113. Serpente = δύναμις de Moisés.

7. "*Mentis sive animi lapsus in alterum mundum*" [o deslizar do espírito ou da alma para o outro mundo] (RULANDUS. *Lexicon Alchemiae*). Na *Chymische Hochzeit* [Rosencreutz], o relâmpago produz a vivificação do par real. No *Apocalipse de Baruch* (sírio), o Messias aparece como raio (RIESSLER. *Altjüdisches Schrifttum ausserhalb der Bibel*, p. 101). Em Hipólito também se lê (*Elenchos*, VIII, 10, 5, p. 230) que, segundo a visão dos docetistas, o monogenés se contraiu "como o maior relâmpago no menor corpo" ou "como a luz dos olhos sob as pálpebras" porque os eons não puderam suportar o fulgor do pléroma. E nessa forma ele também entrou no mundo através de Maria (10, 6, p. 230). Do mesmo modo Lactâncio (*Divinae institutiones*, VII, 19, 644): "*in orbe toto lumen descendentis dei tamquam fulgur etc.*", baseando-se em Lc 17,24: "...*sicut fulgur coruscans... ita erit Filius hominis in die sua*" ["De fato, como o relâmpago relampeja... assim acontecerá com o Filho do Homem em seu dia"]. Bem como Zc 9,14: "*et Dominus Deus... exibit ut fulgur iaculum eius*" ["O Senhor aparecerá sobre eles, e partirá como relâmpago sua flecha"].

534 Ao "espírito do raio" corresponde a "grande vida onipotente" tal como disse Jacob Böhme[8]. "...pois quando batemos na parte aguda da pedra o espinho amargo da natureza se aguça, irritando-se ao extremo, pois a natureza *rompida* em seu ponto agudo, *faz com que a liberdade apareça como um raio*"[9]. O raio é "*o nascimento da luz*"[10]. Ele tem o poder da transformação. Böhme diz o seguinte: "Se eu pudesse compreender o raio em minha carne, tal como é, vejo e reconheço, poderia transfigurar meu corpo através dele ('do raio vem a luz da majestade'), de modo que meu corpo não se assemelharia mais ao do animal, mas aos anjos de Deus"[11]. Em outra passagem o mesmo autor diz: "Da mesma forma, o raio da vida rebenta em meio à força divina, lá onde todos os espíritos de Deus recebem sua vida e se regozijam etc."[12]. Acerca do "espírito da fonte" de Mercúrio, Böhme comenta que ele surge no "fogo-raio". Mercúrio é o "espírito animal" que sai do corpo de Lúcifer "nos salitres[13] de Deus como uma *serpente ígnea*, saltando de seu buraco", como "se uma belemnite de fogo conduzisse a natureza de Deus ou uma serpente, contorcendo-se, enraivecida pretendesse despedaçar a natureza"[14]. Do mais "íntimo *nascimento da alma*", o corpo animal receberia "apenas um rápido olhar como se relampejasse"[15]. O "*nascimento divino* triunfante" dura "em nós, seres humanos, só o tempo de um relâmpago; por isso, nosso conhecimento é fragmentado; em Deus, porém, o raio é imutável e, portanto, eterno"[16] (cf. tb. fig. 1, quadro 3).

535 Neste contexto quero mencionar algo que Böhme associa ao raio. Trata-se da quaternidade que desempenhará um papel impor-

---

8. *Viertzig Fragen von der Seelen Urstand, Essentz usw.* I, 91.
9. *Vom dreifachen Leben des Menschen*, II, 24.
10. *Aurora, oder Morgenröthe im Aufgang*, 10, 13, p. 133.
11. Op. cit., 10, 24, p. 135.
12. Op. cit., 12, 39, p. 159.
13. Sal nitri = salitre, como sal a *prima materia* (*Drey Principia*, I, 9).
14. *Aurora*, 15, 65, p. 206. Aqui o relâmpago não é de forma alguma uma manifestação da vontade divina, mas uma mudança de estado da natureza satânica. O relâmpago também é um modo de o diabo aparecer (Lc 10,18).
15. *Aurora*, 19, 18, p. 240.
16. Op. cit., 11, 5, p. 143.

Os arquétipos e o inconsciente coletivo   297

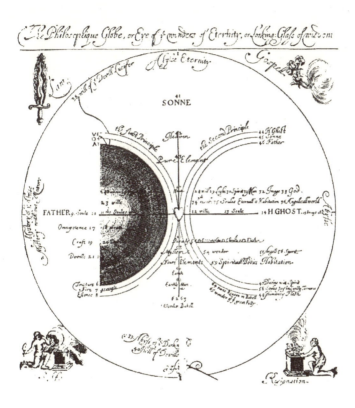

Fig. 1. Mandala que consta na obra de Jacob Böhme, *Viertzig Fragen von der Seele*, de 1620. A figura foi tirada da edição inglesa de 1647. A quaternidade se compõe de *Father* (Deus-pai, o *auctor rerum*), *H. Ghost* (Espírito Santo), *Son* (Filho) e *Earth* (Terra), respectivamente *Earthly Man* (ser humano terreno). É característico que os dois semicírculos estejam voltados um contra o outro, em vez de se fecharem.

tante nas pinturas que se seguem: quando o raio é encerrado e aquietado nas quatro qualidades, ou nos quatro espíritos[17], "o raio ou a luz fica *no centro como um coração*[18]. Quando a mesma luz do meio ilumina os quatro espíritos, as forças deles ascendem na luz e tornam-se vivas, amam a luz, isto é, recebem-na e dela *engravidam*"[19]. "O raio ou a *vara*[20], ou o coração que é gerado nas forças permanece no centro; e isto é o *Filho*... E este é o verdadeiro *Espírito Santo*, que nós, cristãos, honramos e adoramos como terceira pessoa da divindade"[21]. Em outra passagem Böhme diz: "Quando o raio de fogo atinge a essência escura[22], um grande terror se apossa do fogo frio, como se morresse e se tornasse impotente, mergulhando em si mesmo... Mas agora o raio... traça uma ✛ em sua ascensão, abarcando todas as propriedades, pois aqui o Espírito surge na essência[23] e assim se estabelece: ✝ se tu aqui tiveres entendimento não deves perguntar mais nada, trata-se de eternidade e tempo: Deus em amor e ira, e também céu e inferno. A parte inferior ▽ é o primeiro princípio e é a natureza eterna na ira enquanto reino da escuridão habitando em si mesma; e a parte superior (⟰ com essa figura) é o salitre[24], o superior ✛ acima

---

17. As quatro qualidades correspondem, em Böhme, em parte aos quatro elementos, em parte às quatro qualidades como seco, úmido, quente, frio, em parte às qualidades de paladar, como acre, amargo, doce, azedo, em parte às quatro cores.

18. Um coração constitui o centro do mandala nas *Viertzig Fragen*, cf. fig. 1, quadro 3.

19. Aurora, 11, 16, p. 144.

20. "*Stock*" pode significar aqui árvore ou cruz (σταυρός = estaca), ou seja, pé de flor, de árvore, pé de cruz, mas também pode referir-se a uma vara (bengala, batuta). No segundo caso, poderia tratar-se de uma vara mágica, que no desenvolvimento subsequente desses quadros começa a brotar. Cf. mais adiante!

21. *Aurora*, 11, 12, p. 145.

22. A escuridão de baixo corresponde ao mundo elementar, que se caracteriza pelo quatérnio. Cf. com os quatro achurajim mencionados no comentário da sétima imagem.

23. O fundamento disso é que o relâmpago é captado pela quaternidade dos elementos e das qualidades, assim é dividido em quatro.

24. O "*sal petrae*" é a matéria arcana, sinônimo de "*sal saturni*" e de "*sal tartari mundi maioris*" (KHUNRATH. *Von hylealischen Chaos*, p. 263). *Tartarus* tem dois sentidos na alquimia. Significa tártaro, por um lado, e, por outro, a metade do recipiente de cozimento, bem como a substância arcana (ABRAHAM ELEAZAR. *Uraltes Chymisches Werk*, II, p. 91, 32). Nas "*cavitates terrae*" (= *tartarus*) crescem os metais. Segundo Khunrath, sal é o "*centrum terrae physicum*". De acordo com Abraham Eleazar "o céu

do círculo é o reino da glória, o qual no terror do reino da alegria[25], na vontade do gozo livre procede do fogo no brilho da luz, na força da liberdade, e o mesmo espírito-água[26]..., é a corporalidade do gozo livre..., no qual o fulgor faz uma tintura do fogo e da luz, como um verdejar e crescer, e uma manifestação das cores do fogo e da luz"[27].

Eu me detive propositalmente nas considerações de Böhme sobre o raio porque elas são extremamente elucidativas em relação à psicologia dos quadros em exame. Elas antecipam com certeza coisas que só se tornarão claras nos quadros posteriores. Peço portanto ao leitor que se lembre das visões de Böhme ao ler os comentários que se seguem. Os pontos mais importantes são ressaltados em *itálico*. É fácil reconhecer o que significa o raio nas citações de Böhme e qual o seu papel no caso em análise. A última citação merece atenção especial, uma vez que antecipa vários motivos-chave das pinturas subsequentes de minha analisanda, a saber, a cruz, a quaternidade, bem como o mandala dividido, cuja parte inferior corresponde aproximadamente ao inferno e a superior à esfera mais luminosa do salitre. Para Böhme a metade inferior significa a "escuridão eterna", a qual "se estende até o fogo"[28], ao passo que a superior, salitrosa, corresponde ao terceiro princípio, ao "mundo visível dos elementos..., que é uma emanação

536

---

e o tártaro do sábio" transformam todos os metais novamente em mercúrio. *Saturnus* é um *maleficus* sombrio. (O mesmo simbolismo no Ofertório da Missa de Sufrágio pelas almas [*Missale Romanum*]: "*libera animas omnium fidelium defunctorum de poenis inferni et de profundo lacu: libera eas de ore leonis* (atributo do Jaldabaoth = Saturno), *ne absorbeat eas tartarus, ne cadant in obscurum*" ["libertai as almas de todos os fiéis defuntos das penas do inferno e do abismo profundo; libertai-as das fauces do leão, para que as profundezas não as devorem e elas não caiam na escuridão"].) O Saturno determina a escuridão (Böhme. *Vom dreifachen Leben*, 9, 73) e é um aspecto do salitre (*De signatura rerum*, 14, 41, p. 185). O salitre é a "secagem", isto é, a solidificação e incorporação dos sete espíritos da fonte de Deus, todos eles contidos no sétimo, ou seja, no Mercúrio, na "palavra de Deus" (*Aurora*, 11, 47; 15, 38, *De signatura rerum*, 4, 32, p. 35). Aquele é, como este último, mãe e origem de todos os metais e sais (*De signatura rerum*, 14, 41, p. 185, e 3, 19, p. 21). Ele é um "*corpus subtile*", a terra do paraíso e o estado imaculado do eorpo, antes da queda, logo, a mais alta representação da matéria-prima.

25. O feliz Reino de Deus.
26. Refere-se ás "águas superiores" (Gn 1,7).
27. *De signatura rerum*, 14, 28s., p. 182.
28. *Tabulae principiorum*, p. 271, 3.

do primeiro princípio e de outros"[29]. A cruz finalmente corresponde ao segundo princípio, ao "reino da glória", que se revela pelo "fogo mágico", justamente através do raio que ele chama de "revelação do movimento divino"[30]. O "brilho do fogo" provém da "unidade de Deus" e revela a sua vontade. O mandala representa, portanto, o "reino da natureza", a qual "é em si mesma a grande e eterna escuridão". O "Reino de Deus", por outro lado, ou a "glória"[31] (isto é, a cruz) é a luz da qual fala Jo 1,5: "A luz brilha nas trevas e as trevas não a receberam". A vida que "se separa da luz eterna e ricocheteia parecendo entrar na ipseidade das propriedades" é "apenas uma fantasia e tolice, tal como os demônios se tornaram e também as almas condenadas, como se vê [...], no quarto número"[32]. O "fogo da natureza eterna" é chamado por Böhme a quarta forma, com isso significando "um fogo-vida espiritual que se originaria da conjunção permanente [...] da dureza (isto é, do salitre seco solidificado) e do movimento" (ou seja, da vontade divina)[33]. Em total correspondência com *Jo 1,5*, a quaternidade do raio, a cruz, pertence ao reino da glória, ao passo que a natureza, isto é, o mundo visível e o abismo tenebroso, segundo esta visão de Böhme, não são tocados pela luz quádrupla e permanecem, portanto, na escuridão.

537 Para completar, deve ser mencionado que o sinal ☿ é o do cinábrio, o minério mais importante do mercúrio (HgS)[34]. A coincidência dos dois símbolos não deve ser casual, levando-se em conta o significado que Böhme atribui ao mercúrio. Ruland acha algo difícil definir exatamente o que significa o termo "cinábrio"[35]. Só é certo que já na

---

29. Op. cit., p. 5.
30. Op. cit., p. 279, 42
31. Op. cit., p. 280, 45.
32. Op. cit.
33. Op. cit., p. 279, 41.
34. Seu nome oficial é *Hydrargyrum sulphuratum rubrum*. Outra versão de seu sinal é ☿ (LÜDY. *Alchemitische und chemische Zeichen*; GESSMANN. *Die Geheimsymbole der Alchemie, Arzneikunde und Astrologie des Mittelalters*).
35. "*Maximum est dubium apud Medicos quid sit Cinnabaris, quia nomen hoc Cinnabaris multis et diversis tribuitur rebrus ab auctoribus*" [Existe entre os médicos a maior dúvida, sobre o que seja o *Cinnabaris*, uma vez que esta designação, *Cinnabaris*, é utilizada pelos autores para muitas e diversas coisas]. (RULANDUS. *Lexicon alchemiae*, cf. verbete Cinnabaris, p. 149).

alquimia grega existia um κιννάβαρις τῶν φιλοσόφων (cinábrio dos filósofos) o qual representa a rubedo da substância da transformação. Lemos em Zósimo: "[Depois do processo anterior] encontrarás o ouro tinto de vermelho ígneo como o sangue. Este é o cinábrio dos filósofos e o homem de cobre (Χαλκάνθρωπος) (o qual se tornou) ouro"[36]. "O cinábrio também era considerado idêntico ao dragão ou uróboro[37]. Já em Plínio o cinábrio é denominado *sanguis draconis*, nome que persiste durante toda a Idade Média[38]. Devido à vermelhidão, ele foi frequentemente identificado com o *sulphur philosophicus*. Uma dificuldade especial está no fato de os cristais de cinábrio cor de vinho terem sido classificados entre os ἄνθρακες, os carbonos, aos quais pertencem todas as pedras que vão da cor avermelhada ao vermelho, tais como os rubis, granadas, ametistas etc. Todas luzem como carvões em brasa[39]. Os carvões de pedra λιθάνθρακες eram considerados como carvões "extintos". Tais associações explicam a semelhança dos sinais alquímicos para ouro, antimônio e granada. Ouro ☉, a substância filosófica mais importante ao lado do mercúrio, tem um sinal comum com o *regulus antimonii*[40], substância que gozava de um prestígio particular como uma nova substância de transformação[41] e panaceia[42] justamente nas duas décadas que precederam a redação do texto *De signatura rerum* (1622), da qual tiramos a nossa citação. Aproximadamente na primeira década do século XVII foi publicado *O carro do triunfo do antimônio* de Basílio Valentino (pri-

---

36. BERTHELOT. *Collection des anciens alchimistes grecs*, III, XXIX, 24, p. 198/204.
37. Op. cit., I, v, I, p. 22/21. Observar acerca do simbolismo ligado ao círculo (uróboro) que o dragão tem três orelhas e quatro pés. (Axioma de Maria! Cf. *Psicologia e alquimia* [§ 209s.]).
38. *Naturalis historiae libri*, XXXIII, VII.
39. Na medicina *anthrax* = *carbunculus* = abcesso de pele.
40. O antimônio também é indicado por (cf. símbolo no livro). Designa-se por *regulus* um metal obtido por redução de uma liga.
41. Michael Maier diz: "*Verum philosophorum antimonium in mari profundo, ut regius ille filius demersum delitescit*" [O verdadeiro antimônio dos filósofos encontra-se oculto como aquele filho do rei na profundidade do mar]. (*Symbola aureae mensae*, p. 380.)
42. Enaltecido como "Hermes morbicida" [Héracles que destrói a doença] (op. cit., p. 378).

meira edição 1611?)[43], encontrando logo a mais ampla acolhida. Uma ♃ é o sinal da granada. O sinal ⊖ significa sal. A cruz com um pequeno círculo ⊕ significa cobre (de *Kypris* = Vênus ♀). O *spiritus tartari* medicinal (ver *tartarisatus*) é designado por ♆. O *sal tartari* (tártaro) tem o sinal ⊖♃ [44]. O tártaro deposita-se no fundo da vasilha, isto é, na linguagem alquímica: no mundo inferior, no *Tartarus*[45].

Não pretendo dar aqui uma interpretação do símbolo böhmiano, mas apenas ressaltar que, contrariamente a ele, o raio cai na pedra "dura" e da escura massa confusa a explosão faz sair um *rotundum* e acende neste ao mesmo tempo uma luz. Sem dúvida alguma a pedra escura significa aqui o negrume, isto é, o inconsciente, ao passo que o mar e o céu, bem como a metade superior da figura humana, apontam para o reino da consciência. Podemos supor sem grande risco de erro que o símbolo de Böhme também alude a uma situação semelhante. O raio desprende em nosso caso a forma esférica da rocha, portanto algo como uma libertação. No entanto, tal como o mago é substituído pelo raio, a analisanda é substituída pela esfera. O inconsciente provocou-lhe ideias, as quais mostram que sem o acréscimo da consciência, a paciente continuara a pensar, modificando assim essencialmente a situação inicial. Sua inabilidade pictórica motivou novamente este resultado. Antes de encontrar esta solução, ela havia feito duas tentativas de representar o ato da libertação através de figuras humanas, falhando porém. Ela não havia percebido que a situação inicial – a prisão na pedra – já era irracional e simbólica, não podendo por isso ser resolvida de um modo racional. Isto deveria acontecer também através de um processo irracional. Eu a aconselhara, caso a sua intenção de desenhar figuras humanas falhasse, a utilizar qualquer tipo de hieróglifo. Ela disse então que tivera a ideia súbita de que a esfera seria um "símbolo" adequado para o indivíduo humano. O fato de que isso tenha sido uma ideia súbita (*Einfall*) indica que

---

43. O livro é mencionado (pela primeira vez?) em Michael Maier, op. cit.
44. Também (cf. símbolo no livro), uma quaternidade pura.
45. Τάρταρος é compreendido como βόρβορος, βαρβαρος etc., onomatopoeticamente, ou seja, como expressão de horror. Τάργανον significa vinagre, vinho acre. Deriva de ταράσσω, mexer, confundir, assustar (τάραγμα, desassossego, confusão) e τάρβος, medo.

não foi a sua consciência que urdiu essa tipificação, mas sim o inconsciente, pois a ideia súbita irrompe espontaneamente. Note-se que a esfera representa a paciente e não a mim mesmo. Eu sou apenas representado pelo raio, portanto só como função, isto é, significo para ela apenas a causa "deflagradora". Como mago, eu lhe aparecera no papel adequado de Hermes de Cilene, do qual a *Odisseia* (XXIV, 2s.) diz:

> Hermes de Cilene conclamou as almas
> Dos que foram mortos violentamente
> E tomou nas mãos a bela vara de ouro
> Com ela fecha os olhos mortais, segundo sua vontade,
> E desperta de novo os adormecidos.

Hermes é o ψυχῶν αἴτιος, o "originador das almas"[46]. Ele também é o guia dos sonhos (ἡγήτωρ ὀνείρων)[47]. É muito importante atribuir o número quatro a Hermes nas pinturas subsequentes. Marciano Cappella diz: "*Numerus quadratus ipsi Cyllenio deputatur, quod quadratus deus solus habeatur*"[48].

A forma que a pintura adquiriu não foi necessariamente bem-vinda à consciência da paciente. A senhora X descobrira porém, felizmente, enquanto pintava, que dois fatores estavam em jogo: a razão e os olhos, em suas próprias palavras. A razão queria sempre configurar as formas, segundo os seus pressupostos. Os olhos, porém, teriam se mantido fiéis à sua visão, forçando que o quadro saísse de acordo com a realidade, na medida do possível, sem obedecer à expectativa racional. Sua razão – disse ela – tencionava representar uma cena diurna, na qual o calor solar derreteria a pedra, libertando a esfera, mas o olho teria preferido um quadro noturno e um "raio fulminante e perigoso". Esta compreensão ajudou-a a reconhecer o resultado efetivo de seu esforço pictórico, levando-a a admitir que se tratava de um processo objetivo e impessoal e não de um relacionamento pessoal.

Não seria fácil para uma concepção personalista do fato psíquico – como no caso do pressuposto freudiano – ver neste resultado algo diverso de uma repressão elaborada. Se, porém, houvesse aqui alguma

---

46. HIPÓLITO. *Elenchos*, V, 7, 30, p. 86.
47. KERÉNYI. *Hermes der Seelenführer*, p. 29.
48. Op. cit., p. 30.

repressão, não podemos responsabilizar a consciência porque esta teria preferido necessariamente um *imbroglio* pessoal que para ela seria mais interessante. A repressão deve ter sido manobrada pelo próprio inconsciente. Reflitamos sobre o que significa o instinto – a força mais originária do inconsciente – ser reprimido e torcido por um arranjo dele mesmo. Seria desnecessário falar ainda em tal caso de "repressão", uma vez que o inconsciente sempre vai diretamente à sua meta, a qual não consiste só em acasalar dois animais, mas em permitir que um indivíduo se torne completo. Para isso a totalidade – isto é, o esférico – é enfatizada como sendo a essência da personalidade, e eu sou reduzido à fração de segundo da duração de um raio.

541   A associação da analisanda em relação ao raio levou-a a interpretá-lo como sendo a intuição, conjetura que não se aparta muito do caminho, na medida em que a intuição ocorre frequentemente "como um raio". Além disso, havia motivo suficiente para supor que a senhora X era do tipo sensação. Ela própria assim se considerava. A função "inferior" seria nesse caso a intuição. Como tal, caber-lhe-ia a função de solucionar e "redimir". Sabemos pela experiência que a função inferior sempre compensa, complementa e equilibra a função principal[49]. Minha peculiaridade psíquica torna-me, em relação a este caso, um portador adequado de projeção. A função inferior é aquela que menos usamos conscientemente. Esta é a razão de sua qualidade indiferenciada, mas também de seu frescor e vitalidade. Ela não está à disposição da consciência e mesmo depois de um uso prolongado não perde quase nada de sua autonomia e espontaneidade. Seu papel, portanto, é o de um *deus ex machina*. Ela não depende do eu, mas do si-mesmo. Atinge a consciência inesperada e ocasionalmente, com consequências devastadoras como um raio. Ela afasta o eu e abre espaço para um fator superior a ele, isto é, para a totalidade do ser humano, constituída pela consciência e pelo inconsciente, estendendo-se, portanto, muito além do eu. O si-mesmo sempre estivera presente[50], porém adormecido, como uma "imagem na pedra"

---

49. Os pares de funções são pensamento-sentimento, sensação-intuição. Cf. *Tipos psicológicos*, definições.

50. Cf. *Psicologia e alquimia* [§ 329], onde prova a existência apriorística de símbolos do mandala.

(Nietzsche)[51]. Trata-se na realidade do segredo da "pedra", da *lapis philosophorum*, na medida em que esta representa a matéria-prima. Na pedra dorme o espírito de Mercúrio, o "círculo da Lua", o "redondo e quadrilátero"[52], o *homunculus* (ἀπθρωπάριον), o pequeno polegar e o *anthropos* ao mesmo tempo[53], que os alquimistas também simbolizavam com sua famosa *lapis philosophorum*[54].

Todas essas ideias e inferências eram obviamente desconhecidas de minha analisanda, e para mim eram conscientes naquela época só na medida em que eu conseguia reconhecer o círculo como um mandala[55], expressão psicológica da totalidade do si-mesmo. Nessa circunstância era impossível que houvesse uma contaminação, ainda que não intencional, com ideias alquímicas. As pinturas em questão representam criações genuínas do inconsciente em seus aspectos essenciais; em seus aspectos não essenciais (temas de paisagens) elas provêm de conteúdos conscientes.

Apesar de a esfera com seu centro vermelho luminoso e o raio dourado desempenharem o papel principal, não se pode ignorar que além deles são insinuadas diversas esferas ou ovos. Se a esfera significa o si-mesmo da analisanda, devemos necessariamente estender a mesma interpretação às outras esferas. Estas últimas representariam então outras pessoas de seu convívio. Em ambas as pinturas são claramente indicadas duas outras esferas. Devo mencionar portanto que a senhora X tinha duas amigas, as quais participavam intimamente de seus interesses intelectuais, estando unidas por uma amizade permanente. As três amigas estão enraizadas por um laço do destino na mesma "terra" do inconsciente coletivo, o qual é um e o mesmo para todas. Por isso provavelmente a segunda pintura tem um nítido caráter noturno, determinado pelo inconsciente, em oposição à consciência. Mencionemos também que as pirâmides pontiagudas do primeiro quadro reaparecem no segundo. Neste as suas pontas são doura-

542

543

---

51. Para maiores detalhes: *Psicologia e alquimia* [§ 406].
52. PREISENDANZ. *Papyri graecae magicae* II, p. 139.
53. *O espírito de Mercúrio* [§ 267s.].
54. *Psicologia e alquimia*, cap. III, 5.
55. WILHELM & JUNG, *O segredo da flor de ouro*.

das pelo raio, o que as destaca de modo especial. Eu as interpretaria como "algo que é impelido para fora", isto é, conteúdos do inconsciente que se esforçam para chegar à luz da consciência, a modo de muitos conteúdos do inconsciente coletivo[56]. Contrariamente ao primeiro quadro, o segundo foi pintado com cores mais vivas, isto é, vermelho e dourado. O ouro expressa a luz do Sol, valor e até mesmo a divindade. Por isso é um sinônimo preferido para a *lapis philosophorum*, como *aurum philosophicum*, *aurum potabile* ou *aurum vitreum*[57].

544   Como já mencionamos, naquela época eu não me encontrava em condições de revelar à senhora X algo referente a essas ideias, pelo fato de nem eu mesmo conhecê-las. Vejo-me forçado a referir de novo essa circunstância, porque o terceiro quadro apresenta um tema apontando inequivocamente para a alquimia e representou para mim o estímulo definitivo que me levou às obras clássicas dos antigos adeptos.

Quadro 3

545   Este quadro surgiu tão espontaneamente quanto os dois anteriores, destacando-se por suas cores mais claras. No espaço nebuloso flutua uma esfera azul-marinho com bordas vermelho-vinho. Ela é envolvida pelo meio por uma faixa ondulante e prateada, que mantém a esfera em equilíbrio através de "forças iguais e opostas", conforme declarou a analisanda. À direita, em cima, flutua enrolada uma serpente cor de ouro, com a cabeça voltada para a esfera, um óbvio desenvolvimento do raio dourado do quadro 2. No entanto, a serpente foi um acréscimo posterior devido a certas "reflexões". O todo é *a planet in the making*[58]. No centro da faixa prateada lê-se o número 12. A faixa sugere o movimento vibratório e rápido, donde o tema da onda. É como uma faixa vibratória que mantém a esfera flutuando. A senhora X compara-a ao anel de Saturno. No entanto, à diferença deste, que se

---

56. Fala-se frequentemente e com razão da resistência do inconsciente ao processo de conscientização. Por outro lado, devemos também ressaltar que o inconsciente tem uma certa tendência para a ocorrência, isto é, um impulso para a conscientização.

57. Ouro filosófico e potável e pérolas (refere-se a *Apocalipse* 21,21).

58. [Um planeta em formação.]

formou de satélites desintegrados, a faixa da pintura sugere muito mais a origem de futuras luas em formação, tais como as possui Júpiter. As linhas negras na faixa prateada são denominadas "linhas de força" pela paciente e indicam o movimento da faixa. Observei, perguntando: "Então são as vibrações da faixa que mantêm a esfera flutuando?" "Naturalmente", disse ela, "são as vibrações de Mercúrio, o mensageiro dos deuses. A prata é o mercúrio". E continuou: "Mercúrio, isto é, Hermes, é o *nous*, o espírito ou intelecto, isto é, o animus que aqui está fora e não dentro. É como um véu que oculta a verdadeira personalidade"[59]. Deixemos de lado por enquanto esta última observação para voltarmos ao contexto que se seguirá, o qual, diversamente das pinturas anteriores, é muito rico em conteúdo.

Enquanto a senhora X pintava esse quadro, sentiu que dois antigos sonhos se intrometiam nesta visão. Tratava-se dos dois "grandes" sonhos de sua vida. Ela conhecia o atributo "grande" através de meus relatos sobre a vida onírica dos primitivos africanos, que eu havia visitado. Esse atributo se tornara uma espécie de "termo coloquial" para designar sonhos arquetípicos, os quais – como sabemos – possuem uma numinosidade peculiar. É nesse sentido que a sonhadora o utilizou. Vários anos antes ela se submetera a uma cirurgia grave. Durante a anestesia teve as seguintes visões oníricas: *Ela viu uma esfera cinzenta do mundo. Uma faixa prateada circulava na altura do equador da esfera, formando zonas de condensação e de rarefação, alternadamente, de acordo com as fases vibratórias. Nas zonas de condensação apareciam os números 1 a 3; sua tendência, porém, era a de elevar-se até o número 12.* Tais números significavam "pontos nodais" ou "grandes personalidades" que desempenhavam um papel no decorrer do desenvolvimento histórico. "O número 12 significava o ponto nodal ou 'o grande homem' mais importante (ainda por vir), pelo fato de designar o ponto culminante ou da mutação no processo do desenvolvimento" (em suas próprias palavras).

O outro sonho que se imiscuía na visão ocorrera um ano antes do sonho anteriormente citado: *Ela viu uma serpente dourada no céu.*

---

59. A senhora X refere-se aqui às minhas explanações em *O eu e o inconsciente*, que ela conhecia em sua primeira versão em meus *Collected Papers on Analytical Psychology*.

Esta exigia, como sacrifício, um rapaz em meio a uma multidão de pessoas; o rapaz obedeceu à exigência com uma expressão dolorosa. O sonho repetiu-se depois de um curto espaço de tempo: *A serpente escolheu, então, a própria sonhadora. A multidão a olhava com compaixão, mas ela assumiu seu destino "orgulhosamente".*

548   Segundo me havia contado, nascera pouco depois da meia-noite, de tal modo que havia uma dúvida se ela viera à luz do mundo no dia 28 ou 29. Seu pai costumava gracejar acerca disso, dizendo que ela nascera antes do tempo, uma vez que viera ao mundo no início de um novo dia, de tal modo que quase se acreditava que ela tivesse nascido "na décima segunda hora". O número doze significava para ela, como dizia, o ponto culminante da vida, o qual só agora ela atingia. Sentia a "libertação" como o ápice de sua vida. De fato, trata-se de uma hora de nascimento, no entanto não foi a sonhadora, mas o si-mesmo, que nasceu. Esta distinção deve ser mantida.

549   O contexto da terceira pintura aqui apresentada exige uma explicação. Antes de mais nada ressaltemos que a analisanda sente o momento em que pintava este quadro como um "ápice" de sua vida e assim o indica. Além disso dois "grandes" sonhos se condensaram nesta pintura, o que ainda aumenta sua importância. A esfera impelida para fora da rocha, na segunda pintura, subiu ao céu numa clara atmosfera. A escuridão noturna da terra desapareceu. O acréscimo de luz indica uma conscientização: a libertação tornou-se uma realidade integrada à consciência. A analisanda compreendeu que a esfera flutuante representava "a verdadeira personalidade" (*the true personality*). Permanece obscuro no entanto como ela imaginava a relação do eu com a "verdadeira personalidade". O termo por ela escolhido coincide de modo significativo com o *chên-yen* chinês, o "homem verdadeiro" ou "completo". Este, por sua vez, tem a maior afinidade com o *homo quadratus*[60] da alquimia[61]. Como já vimos na análise do segundo quadro, o *rotundum* da alquimia é idêntico a Mercúrio, ou "redondo e

---

60. A expressão "*square*" também é usada neste sentido no inglês moderno.

61. A "quadrata figura" que aparece como símbolo da *lapis* no centro do mandala alquímico, cujo ponto central é Mercúrio, recebe o nome de "mediador (*mediator*), o que promove a paz entre os inimigos" (*Hermetis Trismegisti Tractatus aureus cum scholiis*. In: *Theatrum chemicum*, 1613, IV, p. 691).

quadrado"[62]. Aqui a relação com Mercúrio torna-se estranhamente evidente *in concreto*. Isso, graças à ideia mediadora de Mercúrio alado, o qual participa do quadro por direito próprio, como se vê e não por causa de um desconhecimento dos escritos de Böhme[63].

Para os alquimistas o processo da individuação representado pela *opus* correspondia a uma analogia com a criação do mundo e a própria *opus* era uma analogia com a obra divina da criação. O "homem" é considerado como um microcosmo, correspondendo totalmente ao mundo em escala pequena. No caso em questão, encontramos aquilo que no homem corresponde ao cosmos e o tipo de processo evolutivo equiparável à criação do mundo e à formação dos corpos celestes esféricos: *é o nascimento do si-mesmo*, em que este aparece como um microcosmo[64]. Não é o homem empírico que constitui a *correspondentia* com o mundo, como pensavam na Idade Média, mas sim a totalidade do homem anímico ou espiritual, impossível de ser descrita porque o homem é composto pela consciência e pela extensão indeterminável do inconsciente[65]. A designação de microcosmo prova a existência de uma intuição geral (presente também em minha analisanda) de que o homem "completo" é amplo como o mundo, um *anthropos*. A analogia cósmica já havia surgido no sonho da analisanda durante a anestesia, o qual contém igualmente o problema da personalidade: os pontos nodais das vibrações são "grandes personalidades" de projeção histórica. No ano de 1926 eu já havia observado numa paciente um processo de individuação similar, ilustrado por quatro pinturas. Tratava-se também de uma criação do mundo representada da seguinte maneira (fig. 2):

550

---

62. Lemos isto em uma invocação a Hermes. Cf. PREISENDANZ, op. cit. II, p. 139. Para mais detalhes: *Psicologia e alquimia* [§ 172 e fig. 214] representa uma repetição do *"quadrangulum secretum sapientum"*: Hermetis Trismegisti Tractatus aureus. In: *Bibl. chem. curiosa* I, p. 408b. Cf. tb. [JUNG] *O espírito de Mercúrio* [§ 273s].

63. Outra origem do *mercury* foi impossível de ser localizada apesar de todos os esforços. Evidentemente a hipótese da criptomnésia não está descartada. Diante da precisão da ideia e da espantosa coincidência de seu surgimento (cf. Böhme!) prefiro esta última hipótese, a qual não elimina o arquétipo, mas pelo contrário o pressupõe.

64. Cf. o "mais íntimo nascimento da alma" em Böhme.

65. Este *homo interior* ou *altus* [homem interior ou elevado] foi Mercúrio ou, pelo menos, dele se originou. Cf. *O espírito de Mercúrio* [§ 284s.].

Fig. 2. Esboço de um quadro de 1916. Em cima um Sol cercado de um halo com as cores do arco-íris; à esquerda o processo descendente e à direita o processo ascendente de transformação. O halo tem doze divisões (zodíaco!).

Três gotas isoladas caem de um começo desconhecido e dissolvem-se em quatro linhas[66], isto é, em dois pares de linhas que são móveis e descrevem quatro caminhos que inicialmente se separam para unir-se depois periodicamente em um ponto nodal, representando assim um sistema de vibrações. Os pontos nodais significam "grandes personalidades e fundadores de religiões", como dizia minha antiga paciente. Trata-se obviamente da mesma ideia, que podemos designar como arquetípica, uma vez que existem ideias genéricas sobre os períodos do mundo, transições críticas, deuses e semideuses personificando os eons. O inconsciente não produz suas imagens a partir de reflexões conscientes, mas sim da disposição onipresente do sistema humano para tais representações, como os períodos do mundo dos parses, os yugas e avatares do hinduísmo e os meses platônicos da astrologia, com seus deuses *Taurus* e *Aries* e o "grande" *Pisces*[67] do eon cristão.

551

O fato de os pontos nodais do quadro de nossa paciente significarem ou conterem números aponta para uma mística inconsciente dos números, cujo enigma nem sempre conseguimos solucionar com facilidade. Até onde posso alcançar, há dois estágios nessa fenomenologia aritmética. A primeira vai até o três, a outra, mais tardia, vai até o doze. São dois números, portanto, o três e o doze a serem mencionados expressamente. Doze é quatro vezes três. Suponho que aqui deparamos com o *axioma de Maria*, ou seja, com o dilema peculiar de três e quatro[68], que já discuti diversas vezes[69], porquanto desempenha um papel importante na alquimia. Eu ousaria dizer que se trata de uma tetrameria (como na alquimia grega), de um processo de transformação dividido em quatro fases de três[70], análogas às doze transformações do zodíaco e à sua divisão em quatro. O número doze teria então, como não é raro ocorrer, além de um significado individual (neste caso, o número de nascimento da paciente), um signi-

552

---

66. As linhas acusam as quatro cores clássicas.
67. O peixe "gigantesco" da inscrição-Aberkios (por volta do ano 200) [cf. *Aion*, § 127].
68. Cf. FROBENIUS. *Schicksalskunde*, p. 119s. As interpretações do autor parecem-me, porém, duvidosas sob vários pontos de vista.
69. *Psicologia e alquimia* [§ 204] e *A fenomenologia do espírito no conto de fadas* [§§ 425 e 430 deste volume].
70. *Psicologia e alquimia*, cf. "quadripartição" [índice].

ficado condicionado pelo tempo, na medida em que o eon presente de Peixes se aproxima de seu fim crítico, representando ao mesmo tempo a décima segunda casa do zodíaco. Pense-se aqui em ideias gnósticas similares como, por exemplo, as da gnose de Justino: o "Pai" (Eloim) concebe com Éden, que era metade mulher, metade serpente, doze anjos paternos, e ele dá à luz, além destes, a doze anjos maternos, os quais – em linguagem psicológica – representam as sombras dos doze anjos paternos. Os anjos maternos dividem-se em quatro categorias (μέρη), cada uma delas com três anjos, os quais correspondem aos quatro rios do paraíso. Os anjos movem-se em círculos, dançando (ἐν χόρῳ κυκλικῷ)[71]. Tais coisas aparentemente remotas podem ser relacionadas hipoteticamente umas com as outras, uma vez que surgem de uma raiz comum, isto é, do inconsciente coletivo.

553 Na pintura em questão, Mercúrio forma uma faixa que circunda o mundo, faixa que usualmente é representada pela serpente[72]. Mercúrio é uma *serpens* ou *draco* na alquimia (*serpens mercurialis*). É curioso que este símbolo se encontra a uma certa distância da esfera e

---

[71]. HIPÓLITO. *Elenchos*, V, 26, 1s., p. 126.

[72]. Cf. διήγησις... περὶ ποικίλης καὶ πολυμόρφου σφαίρας [Relato... de uma esfera multicolorida e multiforme] no *Codex Vaticanus* 190 (mencionado por CUMONT. *Textes et monuments figurés relatif aux mystères de Mithra* I, p. 35) onde se lê: ἔπλασεν ὁ πάνσοφος θεὸς δράκοντα πάνυ μέγαν κατὰ μῆκος καὶ πλάτος καὶ βάθος, ζοφοειδῆ ἔχοντα κεφαλὴν, τὸν λεγόμενον ἀναβιβάζοντα, εἰς ἀνατολὴν καὶ τὴν οὐρὰν αὐτοῦ, τὸν λεγόμενον καταβιβάζοντα, εἰς δύσιν. O texto continua referindo-se ao dragão: Τότε ὁ πάνσοφος δημιουργός ἄκρῳ νεύματι ἐκίνησε τὸν μέγαν δράκοντα σὺν τῳ κεκοσμημένῳ στεφάνῳ, λέγω δὴ τὰ ιβζῴδια, βαστάζοντα ἐπὶ τοῦ νώτου αὐτοῦ. (O Deus infinitamente sábio formou um dragão de proporções gigantescas, isto é, de comprimento, largura e profundidade enormes, cuja cabeça é de cor escura, o chamado ascendente [scl. da Lua], voltado para o nascer do Sol e a cauda, o descendente, voltado para o pôr do sol... Naquele tempo o Demiurgo, infinitamente sábio, por seu supremo comando, pôs em movimento o grande dragão, juntamente com a grinalda ornamentada, isto é, os doze signos do zodíaco que trazia em suas costas). Eisler (*Weltenmantel und Himmelzelt*, p. 389) relaciona essa serpente zodiacal eom o Leviatã. Para o dragão como símbolo do ano, cf. *Mythographus Vaticanus* III, p. 162. Uma associação semelhante é encontrada em HORUS APOLLO. *Selecta hieroglyphica*, 2, p. 9: "*Insuper ut serpens quotannis pelle ac senio simul exuitur: sic et annuum spatium, quod mundi circumactu producitur, immutatione facta renovatur, ac veluti reiuvenescit*" (Além disso, tal como a serpente se liberta anualmente de sua pele e de sua idade ao mesmo tempo, a trajetória anual também se renova e rejuvenesce, por assim dizer, trajetória esta gerada pela rotação do cosmos à medida que se transforma).

aponta para a mesma, como se a ameaçasse. A esfera, como se sabe, é mantida em flutuação por forças iguais, mas opostas. Estas são representadas por mercúrio, ou então ligadas a ele. De acordo com uma concepção antiga, o mercúrio é *duplex*, isto é, ele é uma antítese em si mesmo[73]. Mercúrio ou Hermes é um mago e um deus dos magos. Como Hermes Trismegisto, ele é o patriarca da alquimia. Sua vara mágica, o caduceu, é envolvida por duas serpentes. O mesmo atributo caracteriza também Asclépio, o deus dos médicos[74]. O arquétipo de tais ideias fora projetado em mim por minha cliente, ainda antes de iniciarmos sua análise.

A imagem primordial subjacente à esfera cingida por mercúrio deve ser a do ovo órfico do mundo, circundado por uma serpente[75]. No caso em questão o símbolo da serpente de Mercúrio é substituído por uma espécie de ideia pseudofísica, ou seja, por um campo de moléculas vibrantes de mercúrio. Isto parece um disfarce intelectual da situação real de que o si-mesmo ou seu símbolo está envolvido pela *serpens mercurialis*. Conforme a paciente observa, mais ou menos corretamente, a "verdadeira personalidade" é, pois, velada. Esta última seria provavelmente Eva envolvida pela serpente do paraíso. A fim de evitar este aspecto, o mercúrio cindiu-se em suas duas formas diferentes, segundo um modelo há muito tempo comprovado: *mercurius crudus* ou *vulgi* (o mercúrio bruto ou comum) e o *Mercurius philosophorum* (o *spiritus mercurialis*) ou espírito de Mercúrio, ou Hermes-*nous*, o qual por ora ainda flutua inativo no céu como a serpente-raio dourado, ou serpente-*nous*. Na vibração da faixa de mercúrio presumimos um certo alvoroço, do mesmo modo que a suspensão expressa uma expectativa tensa: "suspenso e temeroso na dor que flutua"[76]! O mercúrio significa para o alquimista a manifestação concreta, material do *spiritus Mercurii*, como mostra o mandala acima mencionado nas *Scholias* do *Tractatus aureus*: o ponto central é Mercúrio, e o quadra-

554

---

73. *O espírito de Mercúrio* [§ 267s.].
74. MEIER. *Antike Inkubation und moderne Psychotherapie*.
75. Vishnu é designado por damodara, "aquele que está amarrado com uma corda que lhe envolve o corpo". Não tenho certeza de que tal símbolo entre neste contexto; menciono-o apenas para ser completo.
76. GOETHE. *Egmont*, 3. Ato. Original: "*Langen und Bangen*" e não "*Hangen und Bangen*" como está no texto.

do em volta representa o mercúrio dividido nos quatro "elementos". Ele é a *anima mundi* que está simultaneamente no mais íntimo, mas também envolve o mundo, tal como o Atmã na representação dos *Upanixades*. Tal como o mercúrio é uma materialização de Mercúrio, o ouro também representa a materialização do Sol na Terra[77].

555   Espantosa a circunstância de que a alquimia em todos os tempos e lugares relacionou a ideia de sua *lapis* ou *minera* (mineral) com a *homo altus* ou *maximus*, isto é, com o *anthropos*[78]. Do mesmo modo é espantoso que a representação da pedra redonda escura, expelida pela explosão, seja a de uma ideia tão abstrata como a da totalidade psíquica do ser humano. A terra e principalmente a pedra pesada e fria é a mais alta representação de materialidade, tal como o mercúrio metálico significa o animus (= *mens, nous*) na opinião da paciente. Esperar-se-ia no tocante à ideia do si-mesmo e do animus símbolos mais pneumáticos, portanto imagens do sopro, do ar e do vento. A antiga fórmula λίθος οὐ λίθος (*lapis non lapis*, pedra não pedra) expressa esse dilema: trata-se de uma *complexio oppositorum* semelhante à natureza da luz, a qual se comporta ora como partícula, ora como pura onda, sendo portanto, obviamente, em sua essência ambas ao mesmo tempo. Algo desse tipo deve ser conjeturado no que diz respeito a essas afirmações paradoxais, dificilmente explicáveis do inconsciente. Não se trata de invenções de uma consciência, mas sim de manifestações espontâneas de uma psique não controlada pela consciência que possui toda a liberdade de expressar pontos de vista que não levam em conta de modo algum as intenções da consciência. A duplicidade do mercúrio, sua natureza metálica por um lado e pneumática por outro, é um paralelo da simbolização da ideia extremamente espiritual do *anthropos* por um ser corpóreo e até metálico (*aurum!*). De tais manifestações podemos concluir somente que o inconsciente tem a tendência de considerar espírito e matéria não só como equivalentes, mas como idênticos; isto é, em flagrante oposição às unilateralidades intelectuais da consciência, a qual ora quer espiritualizar a matéria, ora materializar o espírito. O fato de a *lapis*, isto é, no caso em questão, a esfera flutuante possuir um duplo significado é devido à circunstância de ela ser caracterizada por duas cores

---

77. MAIER, *De circulo physico quadrato*, caput I, p. 11s.
78. Na alquimia medieval é o Cristo. Cf. *Psicologia e alquimia*, III, cap. 5.

simbólicas: a vermelha, significando sangue e afetividade, ou seja, a reação fisiológica que liga espírito e corpo, e a azul, significando o processo espiritual (*mens* ou νοῦς). Essa dualidade lembra a dualidade alquímica de *corpus et spiritus* unidos por um terceiro termo, a anima como *ligamentum corporis et spiritus*. Para Böhme, um "azul muito intenso" misturado com verde representa a "liberdade", ou seja, o reino de Deus interior da alma renascida. O vermelho leva à região do fogo e ao "abismo" que forma a periferia do mandala de Böhme.

Quadro 4

A pintura que se segue mostra uma mudança significativa: a esfera separou-se em casca e núcleo. A casca tomou uma coloração de carne. O núcleo, originalmente algo nebuloso na segunda pintura, tem agora um caráter interiormente diferenciado, decididamente ternário. As "linhas de força" que antes pertenciam à faixa de mercúrio atravessam agora todo o corpo do núcleo; isto indica que a explicação já não é mais exclusivamente externa, mas alcançou o mais íntimo. "Uma enorme atividade interior começou com isso" afirma a analisanda. A formação ternária do núcleo é na aparência um dragão feminino, estilizado a modo de um vegetal, no ato da fecundação: o espermatozoide penetra a membrana do núcleo. Seu papel é desempenhado pela *serpens mercurialis*: a serpente é negra, ctônica, um Hermes καταχθόνιος e ἰθυφαλλικός (subterrâneo e itifálico); ela tem no entanto as águas douradas de Mercúrio, possuindo portanto sua natureza pneumática. De acordo com isso, os alquimistas representaram seu Mercúrio dúplex como *serpens alatus* (serpente alada) e *sine alis* (sem asa), sendo que consideravam a primeira serpente feminina e a segunda masculina.

556

A serpente do quadro em questão representa – para ser mais exato – menos o espermatozoide do que o falo. Leão Hebreu[79] denomina em seus *Dialoghi d'amore* o planeta Mercúrio como o membro vi-

557

---

79. A obra do médico e filósofo Leão Hebreu (nascido por volta de 1460, e falecido após 1520) foi muito popular no século XVI e exerceu grande influência sobre os seus contemporâneos, bem como sobre os que lhe sucederam. Trata-se de uma continuação da linha neoplatônica, desenvolvida pelo médico e alquimista Marsílio Ficino (1433-1499) em seu comentário ao *Symposium* de Platão. O verdadeiro nome de LEÃO HEBREU é Dom JUDAH ABRABANEL de Lisboa. (Nos textos consta ora Abrabanel, ora Abarbanel).

ril do céu, isto é, do macrocosmo concebido como "homem máximo"[80]. O espermatozoide parece corresponder à substância dourada, que é injetada pela serpente no ectoderma envaginado do núcleo[81]. As duas pétalas (?) prateadas representam provavelmente o vaso receptivo, a taça da Lua na qual o germe do Sol (ouro) está destinado a repousar[82]. Sob a flor há um círculo violeta, de certo modo dentro do ovário, anunciando por sua cor ser uma "dupla natureza unificada", corpo-espírito (vermelho e azul)[83]. A serpente tem um halo amarelo claro, o que deve expressar sua natureza numinosa.

558 Uma vez que a serpente surgiu do raio, ou seja, representa sua forma transmutada, mencionarei um caso paralelo, em que o raio tem a mesma função iluminadora, vivificante, fecundante, transformadora, isto é, curativa; no nosso caso tal função cabe à serpente. Na figura 3, aqui acrescentada, são representadas duas fases: primeiro, uma esfera negra, significando o estado da mais profunda depressão; e segundo, o raio que penetra nessa esfera. A linguagem utiliza a mesma imagem: algo "penetrou" ou "acendeu". A diferença só reside no fato de que em geral a imagem precede, no paciente, a visão de que algo "penetrou com violência".

559 Em relação ao contexto da quarta pintura, a senhora X ressaltou que a faixa de mercúrio (quadro 3) foi o que mais a perturbou a princípio. Ela sentia que a substância prateada deveria estar "dentro", o que faria com que as linhas pretas de força ficassem para trás e formassem uma serpente negra. Esta cingiria a esfera[84]. Parecia-lhe de

---

80. Utilizo a tradução inglesa dos *Dialoghi*, editados sob o título *The Philosophy of Love by Leone Ebreo* por Friedeberg-Seeley e Jean H. Barnes em 1937. A indicação acima encontra-se às páginas 92 e 94. A fonte desta concepção deve ser procurada na interpretação cabalística do Jesod (*Kabbala denudata*, s.h.v.).

81. Este modo de expressão pseudobiológica corresponde à formação da analisanda em Ciências Naturais.

82. Esta ideia também é alquímica: *synodos Lunae cum Sole*, isto é, o *hierosgamos da coniunctio*. Para mais detalhes cf. *A psicologia da transferência*.

83. Mais pormenores em *Der Geist der Psychologie* [§ 498].

84. Pense-se aqui no oceano que circunda a terra e na serpente do mundo que nele se esconde, ou seja, o Leviatã, o *"draco in mari"*, inspirado na tradição egípcia do Tifão e do mar que lhe pertence, o diabo. *"Diabolus maria undique circumdat et undique pontum"* ("O diabo circunda os mares por toda parte e o oceano de todos os lados"). (JERONIMO, *Epistola*, 2,4; e também RAHNER, *Antena crucis*, II, "O mar do mundo", p. 112).

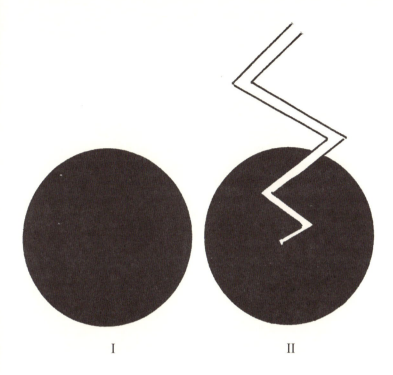

I   II

Fig. 3. Esboço de acordo com o desenho de uma paciente mais jovem com depressão psicógena, no início do tratamento:
  I Estado de negro desespero
  II O começo do efeito terapêutico

Num desenho anterior, a bola estava no fundo do mar. Conforme demonstrado por uma série de desenhos, ela surgiu originalmente do fato de que uma serpente negra havia engolido o Sol. A isto seguiu-se um mandala totalmente preto de oito raios com uma coroa de oito estrelas prateadas. No centro achava-se um *homunculus* negro. Na transformação seguinte a bola preta recebe um centro vermelho do qual partem raios vermelhos ou vasos sanguíneos com oito extremidades em forma de tentáculos. O todo se parece a um caranguejo ou polvo. Como indicam desenhos posteriores, a própria paciente está encerrada na bola.

início que a serpente negra era um "perigo terrível", algo que ameaçava a "integridade da esfera". No lugar em que a serpente penetra a membrana do núcleo, acende-se um fogo (= emoção). Sua consciência (*mind*) interpretava essa chama ardente como uma reação defensiva da esfera e, assim sendo, ela tentou representar o ataque como algo repelido. Esta tentativa, porém, não agradou a seu "olho"; apesar disso, ela me trouxe um esboço a lápis dessa situação. Encontrava-se obviamente num dilema: não podia aceitar a serpente, cujo significado sexual lhe era claro, sem que eu interferisse nessa opinião. Apenas observei o seguinte: "Trata-se de um processo conhecido[85] que a senhora pode aceitar tranquilamente", e mostrei-lhe uma imagem semelhante de minha coleção, feita por um homem, de uma esfera flutuante na qual penetra, *vindo de baixo*, uma forma fálica negra. Mais tarde, ela disse a respeito disso: "De repente compreendi todo o processo de um modo mais impessoal". Era o reconhecimento de uma lei da vida à qual a sexualidade está subordinada. "O 'eu' não era o centro, mas submetida a uma lei universal eu circulava em torno de um Sol". A partir disso ela pôde aceitar a serpente "como uma parte necessária de um processo de crescimento" e completar o desenho rápida e satisfatoriamente; uma coisa apenas continuava a perturbá-la: ela precisou colocar a serpente, tal como dizia, "cem por cento no alto e na linha mediana a fim de satisfazer o 'olho'". É óbvio que o inconsciente só se satisfez com a posição mais importante, no alto e no meio – em contraste flagrante com o quadro do meu paciente que eu havia mostrado previamente à senhora X. Este último, como já dissemos, fora feito por um homem e mostrava o símbolo negro ameaçador, penetrando no mandala pelo lado de baixo. O perigo típico que na mulher vem do inconsciente, *de cima*, isto é, da esfera "espiritual" personificada pelo animus, no caso do homem provém do domínio ctônico da "mulher-mundo", isto é, da anima projetada no mundo.

560   Devemos referir-nos aqui novamente às ideias gnósticas justinianas: o terceiro anjo, o anjo paterno, é Baruch, que também é a árvore da vida no Paraíso. Pelo lado materno, Baruch corresponde a Naas (serpente), que é a árvore do conhecimento (*scientia boni et mali*)[86].

---

85. O mesmo tema encontra-se em dois mandalas, publicados por Esther Harding (*Das Geheimnis der Seele*, p. 434 e 436).

86. Trata-se do *nous* em forma de serpente e da *serpens mercurialis* da alquimia.

Quando Eloim deixou o Éden por ter passado do segundo terço da tríade divina para o primeiro (a tríade consiste do "Bem", do "Pai" e do Éden), o Éden perseguiu o pneuma do Pai que este havia deixado aos homens, permitindo que o pneuma fosse atormentado por Naas ἵνα πάσαις κολάσεσι κολάζῃ τὸ πνεῦμα τοῦ 'Ελωεὶμ τὸ ὄν ἐν τοῖς ἀνθρώποις). Naas desonrou Eva e também fez de Adão um instrumento de prazer. Éden, no entanto, é a alma (ψυχή), e Eloim, o espírito (πνεῦμα). "A alma se opõe ao espírito, e o espírito se volta contra a alma" (κατὰ τῆς ψυχῆς τέτακται)[87]. Esta ideia esclarece a polaridade do vermelho e do azul no mandala em questão e também o ataque da serpente que representa o conhecimento. Por essa razão temermos o conhecimento da verdade e, no caso presente, o da sombra. Por isso Baruch enviou Jesus à humanidade, a fim de que os humanos fossem reconduzidos ao "Bem". Mas este "Bem" é denominado Priapo...[88] Eloim é o cisne, Éden é Leda; ele, ouro, ela, Dânae. Não devemos esquecer que além disso a figura da serpente sempre foi atribuída ao deus da revelação, como por exemplo Agathodaimon. Assim também Éden tem uma natureza dupla, enquanto virgem-serpente (δίγνωμος, δίσωμος) e sua figura torna-se símbolo do Mercúrio andrógino, na alquimia medieval[89].

Lembremo-nos que no quadro 3 o *mercurius vulgi*, ou seja, o mercúrio comum, cinge a esfera: isso significa que a misteriosa esfera é envolvida e oculta por um entendimento cru, "vulgar". A própria paciente considera que o "animus encobre a verdadeira personalidade". Provavelmente não nos enganamos ao supor que uma concepção banal e biológica se apodera do símbolo sexual, concretizando-o segundo um padrão bem conhecido. Um erro perdoável! Uma outra concepção mais correta é tão superior em sutileza que se prefere voltar a algo já conhecido e palpável para a satisfação "racional" que prefere o aplauso de nossos contemporâneos, descobrindo enfim que

---

87. HIPÓLITO. *Elenchos*, V, 26, 21 e 25, p. 129s. Essa história do Adão, Eva e da serpente conservou-se Idade Média adentro.

88. Aparentemente baseado em um jogo de palavras Πρίαπος e ἐπριοποίησε τὰ πάντα (tudo criou). (*Elenchos*, V, 26, 33, p. 132.)

89. Cf. a imagem [da Melusina] na *Pandora* (1588) em Paracelso, um fenômeno espiritual (*Paracelsica*, p. 99 [e *Obra Completa 8*]).

ficamos irremediavelmente atolados; enfim voltamos ao mesmo lugar, de onde tínhamos partido para a grande aventura. Torna-se claro então o que significa a serpente itifálica: de cima vem tudo o que é aéreo, intelectual, espiritual e, de baixo, tudo o que é paixão, corporalidade e escuridão. A serpente, ao contrário do que esperávamos, revela-se como símbolo pneumático[90], como um *Mercurius spiritualis*, portanto, uma intuição, que a paciente formulou do seguinte modo: o eu com sua manipulação arbitrária da sexualidade está sujeito a uma lei universal. A sexualidade não representa problema algum no caso em questão, pois está submetida a um processo de transformação, e está nele contida; não está reprimida de forma alguma, apenas não apresenta interesse.

562   A senhora X sentiu a quarta pintura (posteriormente me disse) como a mais difícil, representando o ponto crítico de mutação de todo o processo. Na minha opinião ela estava certa, pois pôs de lado impiedosamente o eu tão amado e importante; e isto não foi pouca coisa. O "abandonar-se" (*Sich-Lassen*) não é de forma alguma *a conditio sine qua non* de todas as formas de desenvolvimento anímico superior, quer seja chamada meditação, contemplação, ioga ou *exercitium spirituali*. Tal como o presente caso mostra, o abandono do eu não é um ato voluntário e não representa, portanto, nenhum resultado arbitrariamente criado, mas é um acontecer espontâneo cuja lógica interior compulsiva só pode ser camuflada por um autoengano.

563   Neste caso e neste preciso momento o poder abandonar-se tem um significado decisivo. Mas como tudo passa, poderá ocorrer um outro momento em que o eu abandonado deverá ser recolocado em suas funções. O abandonar-se dá ao inconsciente uma oportunidade tão grande quanto necessária. Uma vez que ele é constituído de opostos, dia-noite, claro-escuro, positivo-negativo e até mesmo bom-mau, é portanto ambivalente, pelo fato de repetir-se inevitavelmente o momento em que o homem, a exemplo de Jó, precisará manter-se firme e fielmente nos trilhos, a fim de não descarrilhar catastroficamente; e isso ocorre justamente quando a onda da maré retorna. O segu-

---

90. Concordando com a concepção bem antiga de que a serpente é "o animal mais espiritual" (πνευματικώτατον ζῶον), razão pela qual também era o símbolo do *nous* e do Salvador.

rar-se porém só pode realizar-se por uma vontade consciente, isto é, pelo eu. Este é o grande e insubstituível significado do eu que, no entanto, como aparece claramente no caso em questão, é relativo. Relativa também é a conquista superior da integração do inconsciente. Acrescentamos a nós mesmos algo de luminoso e algo de obscuro, e mais luz significa mais noite[91]. O impulso da consciência em direção a amplos horizontes não pode ser contido. Estes devem ampliar o alcance da personalidade se não a desintegrarem.

Quadro 5

A pintura – disse a senhora X – veio naturalmente em sequência à pintura quatro. A esfera e a serpente separaram-se. A serpente dirige-se para baixo e parece ter perdido seu caráter ameaçador. A esfera porém parece fecundada: não só aumentou de tamanho, como floresce em cores vivas[92]. Em seu núcleo há uma divisão quadripartida, isto é, ocorreu uma segmentação. Não se trata de algo ligado à reflexão consciente, como seria natural num estudioso de biologia, pois a divisão em quatro do processo ou do símbolo central sempre existiu, a começar pelos quatro filhos de Hórus ou pelos quatro serafins de Ezequiel, ou ainda pelo nascimento dos quatro eons da Metra (*uterus*) fecundada pelo pneuma na gnose-Barbelo, ou então pela cruz formada pelo raio (= serpente) em Böhme[93], até a tetrameria da *opus alchymicum* em seus componentes (elementos, qualidades, graus etc.)[94]. A quaternidade sempre constitui uma unidade; neste caso trata-se de um círculo verde no meio dos quatro. Os quatro são indife-

564

---

91. Cf. o que diz João da Cruz acerca da "noite escura". Sua interpretação é não só significativa como psicológica.
92. Daí a comparação alquímica do mandala com o "*rosarium*" (jardim das rosas).
93. No budismo os "grandes reis", os locapala (os guardiães do mundo) constituem a quaternidade. Cf. *Samyutta-Nikaya*, I, p. 367.
94. "...*mystica quasi distillatione, Deus aquam hanc primordialem in quatuor partes ac regiones separavit et distinxit*" [Como numa destilação, Deus separou e dividiu essa água primordial em quatro partes e domínios] (SENDIVOGIUS. *Epistola* XIII in: *Bibli. chem. curiosa* II, p. 496). Em Christianos (BERTHELOT. *Alch. Grecs*, VI, IX, 1, p. 393, e X, 1, p. 394) "ovo", bem como a própria matéria, é constituído por quatro componentes. (O mesmo como citação de XENÓCRATES. Op. cit., VI, XV, 8, p. 414.)

renciados e cada um forma um vórtice aparentemente sinistrogiro (voltado para a esquerda). Acho provável que a direção rumo à esquerda indica em geral um movimento rumo ao inconsciente e para a direita (o do ponteiro do relógio) indica a direção para a consciência[95]. O primeiro é *sinister* e o segundo é "direito", "correto" e "justo". No Tibet a suástica sinistrogira é um sinal da religião Bön, isto é, da magia negra. Por isto as *stupas* e os *chörtens* devem ser sempre circumambulados no sentido do ponteiro do relógio. Os vórtices sinistrogiros espiralam dentro do inconsciente e os dextrogiros libertam-se do caos inconsciente. A suástica dextrogira no Tibet significa, portanto, o budismo[96] (cf. tb. a figura 4).

565 Para a paciente o processo parecia significar em primeiro lugar uma diferenciação da consciência. A partir do tesouro de seu conhecimento psicológico ela interpretou os quatro como as quatro formas de orientação da consciência: pensamento, sentimento, sensação e intuição ("pressentir"). Ela notou, no entanto, que os quatro eram iguais, ao passo que as funções são desiguais. Isto não representou nenhum problema para ela, o que não aconteceu comigo. O que são esses quatro que não correspondem aos quatro aspectos funcionais da consciência? Duvido que esta interpretação dos quatro seja suficiente. Eles parecem ser bem mais do que isso, e esta deve ser a razão pela qual não são diferentes, mas idênticos: não retratam de início quatro funções diversas *per definitionem*. Podem, no entanto, representar a possibilidade apriorística do surgimento das quatro funções. No quadro em questão aparece a quaternidade, o número quatro arquetípico, sujeito a numerosas interpretações, conforme mostra a

---

95. Na filosofia taoista, o movimento destrogiro significa processo "descendente", isto é, o espírito está sob a influência da alma-*po* feminina, a qual incorpora o yin e é de natureza passional. Designá-la por anima (WILHELM & JUNG. *O segredo da flor de ouro*) é correto do nosso ponto de vista psicológico, apesar de abranger apenas um único aspecto. A *po* enreda *hun*, o espírito, no acontecer do mundo e na reprodução. O movimento sinistrogiro ou retrogiro, ao invés, significa o "movimento ascendente" da vida (op. cit., p. 106). Ocorre uma "libertação das coisas exteriores" e assim o espírito conquista o domínio sobre a anima. Esta concepção coincide com as minhas averiguações neste sentido, mas não leva em conta o fato de que uma pessoa tem facilmente o espírito fora, e a anima o tem dentro!

96. Comunicação verbal do Rimpoche de Bhutya Busty (Sikkim).

Os arquétipos e o inconsciente coletivo 323

Fig. 4. Relevo neolítico de Malta. As espirais significam gavinhas de videira.

história e eu mesmo demonstrei em outro texto. Ela representa a conscientização de um conteúdo inconsciente e daí sua frequente ocorrência em mitos cosmogônicos. Não quero especular acerca do significado preciso de os quatro vórtices girarem para a esquerda, uma vez que a divisão em quatro do mandala denota um processo de conscientização. Não dispomos de material suficiente para empreender esta tarefa. A cor azul indica ar = pneuma, e o movimento sinistrogiro, uma intensificação da influência inconsciente. Possivelmente isto deve ser entendido como uma compensação pneumática em relação à cor vermelha muito acentuada, a qual significa afetividade.

566 O próprio mandala é de cor viva, vermelho brilhante; os quatro vórtices, porém, são de uma cor azul-esverdeada basicamente fria que a paciente associa com "água". Isto poderia estar ligado ao movimento sinistrogiro, na medida em que água é um dos símbolos favoritos do inconsciente[97]. O verde no centro tem o significado de vida, num sentido ctônico. Trata-se da *benedicta viriditas* dos alquimistas.

567 O problemático neste quadro é o fato de a serpente negra encontrar-se fora da totalidade do símbolo do círculo. Na realidade, a serpente deveria estar incluída, para que a totalidade fosse realmente estabelecida. Se nos lembrarmos, porém, do significado desfavorável já mencionado da serpente, torna-se compreensível que sua inclusão na totalidade psíquica acarrete certas dificuldades. Se a nossa conjetura sobre o movimento sinistrogiro for correta, revelar-se-ia uma certa tendência à profundidade e ao aspecto sombrio do espírito[98], com os quais a serpente negra poderia ser assimilada. Ela representa, tal como o diabo na teologia cristã, a sombra que neste caso ultrapassaria muito a sombra pessoal, podendo ser comparada por isso com um princípio como o do mal[99]. Trata-se da sombra colossal projetada pelo homem, a qual o nosso tempo teve que experimentar de um

---

[97]. Bem como de uma certa materialidade do espírito, principalmente quando se tornou uma doutrina "fixa". Lembremo-nos aqui da cor azul-esverdeada em Böhme, que significa "liberdade".

[98]. Acerca da dupla natureza do espírito (*Mercurius duplex* dos alquimistas). Cf. *A fenomenologia do espírito no conto de fadas* [no presente volume].

[99]. Cf. a serpente ígnea de Lúcifer em Böhme.

modo chocante. Incluir esta sombra em nosso cosmos não é simples. Voltar as costas para o mal sem mais, a fim de poder assim evitá-lo, pertence ao vasto arsenal de ingenuidades antiquadas. Trata-se de uma política de avestruz, que não afeta de maneira nenhuma a realidade do mal. O mal é o oposto necessário do bem; sem ele não existiria o bem. Nem mesmo podemos prescindir do primeiro. O estar fora da serpente negra exprime a posição crítica do mal em nossa visão tradicional do mundo[100].

O fundo desta pintura é claro e tem uma tonalidade de pergaminho. Menciono especialmente esta circunstância porque as pinturas que se seguem mostram uma alteração característica sob este aspecto.

568

Quadro 6

O fundo desta pintura é de um cinza sombrio. O próprio mandala, porém, é de um vermelho-claro luminoso, verde e azul. Apenas no lugar em que o vermelho-claro do invólucro penetra no núcleo azul e verde, o vermelho torna-se escuro como o sangue e o azul-claro torna-se um azul-marinho. As asas de Mercúrio, ausentes na pintura anterior, reaparecem aqui insinuadas no pescoço das protuberâncias arredondadas (como anteriormente no pescoço da serpente negra, na pintura 4). O que mais chama a atenção é o aparecimento de uma suástica indubitavelmente dextrogira, sendo necessário observar que as pinturas datam de 1928, não tendo portanto nenhuma conexão com fantasias da época, ainda desconhecidas naquele momento do mundo. A suástica sugere graças à sua cor verde algo de vegetal, mas ao mesmo tempo tem um feitio de onda dos quatro vórtices da pintura anterior.

569

Neste mandala é feita a tentativa de uma unificação dos opostos de vermelho e azul e de fora e dentro. Ao mesmo tempo, o movimento para a direita deve produzir uma ascensão à claridade da consciência, provavelmente porque o fundo escureceu de modo evidente. A serpente negra desapareceu, mas começa a partilhar sua escuridão com o fundo. Em compensação surge no mandala um movimento de

570

---

100. Cf. JUNG. *Tentativa de uma interpretação psicológica do dogma da Trindade* [§ 243s.].

certo modo para cima e para o claro, aparentemente numa tentativa de salvar a consciência do escurecimento do mundo em torno. A pintura associa-se a um sonho que ocorrera poucos dias antes. A senhora X sonhou *que estava voltando das férias do campo para a cidade. Com espanto viu que uma árvore crescia no meio do seu estúdio. Ela pensou: "Vejam só, esta árvore, com a sua casca espessa, pode aguentar o calor do apartamento da cidade"*. As ideias referentes à árvore levavam a seu significado materno. A árvore explica o tema vegetal do mandala e o seu crescimento súbito representa a elevação de nível, ou a libertação da consciência induzida pelo movimento dextrogiro. Pelo mesmo motivo a árvore "filosófica" é um símbolo da *opus* alquímica que, como sabemos, também representa um processo de individuação.

571 Na gnose de Justino encontramos ideias semelhantes: o anjo Baruch representa o pneuma de Eloim e o anjo materno Naas, a astúcia do Éden escuro. Ambos, porém, conforme já dissemos, são também árvores: Baruch, a da Vida e Naas, a do Conhecimento. A separação e a polaridade de ambos corresponde ao espírito da época (século II e III d.C.). Tratava-se então de um processo de individuação, como podemos ver em Hipólito[101]. Eloim, como se lê neste último, teria incumbido o "profeta" Héracles de libertar o "Pai" (o pneuma) do poder dos doze anjos maus. Estes seriam seus doze trabalhos. O mito de Héracles tem de fato as características de um processo de individuação, ou seja, as expedições aos quatro pontos cardeais[102], os quatro filhos, a submissão ao feminino (Ônfale), que simboliza o inconsciente, o autossacrifício e renascimento causado pela vestimenta de Dejanira.

572 A "casca espessa" da árvore sugere um motivo de proteção, que aparece no mandala como "formação de cascas" (cf. adiante!). Esta última se expressa pelo tema das asas protetoras e negras do pássaro, as quais formam um escudo protetor para o conteúdo do mandala. Os prolongamentos em forma de protuberâncias arredondadas da substância vermelha periférica são símbolos fálicos que descrevem a penetração da afetividade no espaço pneumático interior. Ela deve

---

101. *Elenchos* V, 26, 27s.
102. A respeito da peregrinação cf. *Psicologia e alquimia* [§ 457].

produzir obviamente uma vivificação e um enriquecimento do espírito que preenche o interior. Este "espírito" nada tem a ver com intelecto, mas sim com algo que deveríamos chamar de substância espiritual (pneuma) ou – para usar uma expressão mais moderna – de "existência espiritual". O pensamento simbólico subjacente deve ser o mesmo que o desenvolvido nas homilias de Clemente Romano de que πνεῦμα e σῶμα (espírito e corpo) são um só em Deus[103]. Apesar de o mandala ser apenas um símbolo do si-mesmo como totalidade psíquica, é ao mesmo tempo uma imagem de Deus, uma ima*go dei*, porquanto o ponto central, o círculo e a quaternidade são símbolos há muito conhecidos de Deus. Da indiferenciação empírica do "si-mesmo" e "Deus" resulta na teosofia indiana a identidade do Purusha-Atmã pessoal e suprapessoal. Na literatura eclesiástica e alquímica cita-se frequentemente a seguinte frase: "*Deus est sphaera infinita (ou circulus) cuius centrum est ubique, circumferentia (vero) nusquam*". (Deus é uma esfera infinita [ou círculo], cujo ponto central [está] em toda parte, [sua] periferia [porém] em parte alguma[104].) Esta ideia já se encontra em Parmênides de um modo completo. Quero citar seus versos, pois aludem aos mesmos temas que estão à base do nosso mandala: "Pois as coroas mais estreitas[105] foram preenchidas com fogo não misturado e as que a estas se seguem, com noite[106], mas entre elas derrama-se uma parte do fogo. No centro das mesmas está a deusa[107], que tudo conduz. Pois ela incita por toda parte nascimento e coito dolorosos, ao enviar a mulher ao homem e, inversamente, o homem à mulher, para o coito"[108].

---

103. *Realencyklopädie für protestantische Theologie und Kirche* IV, 173, 60.
104. Baumgartner (*Die Philosophie des Alanus de Insulis*, p. 118) remete esta frase a um *liber Hermetis* ou *liber Trismegisti*, Cod. Par. 6319 e Cod. Vatic. 3060.
105. Στεφάναι = *coronae*, ou seja, cascas de esferas.
106. Νυκτός = noite.
107. Δαίμων ἣ πάντα κυβέρναι, como demônio feminino.
108. De acordo com a tradução de DIELS. *Die Fragmente der Vorsokratiker* I, p. 161s.

573	O jesuíta erudito Nicolaus Caussinus[109] observa o seguinte a respeito: partindo do que nos transmite Clemente de Alexandria, em certas ocasiões dentro dos templos egípcios havia rodas que giravam; ele comenta que Demócrito (de Abdera) chamava Deus o νοῦν ἐν πυρὶ σφαιροειδεῖ[110] (*mentem in igne orbiculari* = espírito no fogo em forma de círculo): "A opinião de Parmênides coincide com essa visão, pois definia Deus como στεφάνην, *coronam* (coroa), como um círculo que se conectava através do *lume incandescente*[111]. Jâmblico em seu livro sobre os Mistérios constatou claramente que os egípcios representavam Deus, o Senhor do Mundo, sentado sobre o lótus, uma planta aquática cujos frutos e folhas são redondos[112]; com isto estaria indicado o movimento circular do entendimento (*mentis*) que em toda parte retorna a si (mesmo)". Esta é a origem das transformações e circuitos rituais (*circuitiones*), os quais representavam uma imitação do movimento do céu. O céu, porém, era chamado pelos es-

---

109. [*Ad Clementis Alexandrini hieroglyphica observationes.* In: *De symbolica Aegyptiorum sapientia* etc. p. 128s.] *Stromateis*, lib. V, C. VIII, § 45,4s.: "O gramático Dionysios Thrax, no entanto, também diz no escrito "*Über die Bedeutung des Sinnbildes der Rädchen*" (o significado do símbolo das rodinhas) literalmente: "muitos designaram as ações não só por palavras, mas também por símbolos... como, por exemplo, a roda rolante que é puxada pelos egípcios nos bosques dos deuses, e os ramos que eram ofertados aos adoradores". O Orfeu trácio diz:
> As obras dos mortais são ramos sobre a terra,
> não há *um* destino apenas na mente, ele se move em círculo.
> Tudo à volta não se detém num só ponto,
> mas tem o percurso com o qual começou.
> (Baseado na tradução de OVERBECK, 1936.)

110. Cf. DIELS. *Vorsokratiker* II, p. 29, 38: Νοῦν τὸν θεὸν ἐν πυρὶ σραιροειδειῖ (AËT, ?, 7, 16).

111. Esta passagem refere-se a CÍCERO. *De natura deorum*, 1, 12, 28: "(*Parmenides*) *coronae similae efficit* (στεφάνην *appellat*) *continente ardore lucis orbem, qui cingit caelum, quem appelat deum; in quo neque figuram divinam neque sensum quisquam suspicari potest*". ["(Parmênides) inventa algo semelhante a uma coroa (denomina-o *stephane*), num círculo incessante de luz ardente, que cinge o céu, por ele chamado Deus; em que não se pode pressentir nenhuma figura divina, nem qualquer outra sensação."] Com esta observação irônica, Cícero mostra ser ele pertencente a um outro tempo, que já se distanciou muito das imagens primordiais.

112. Há numerosas representações do filho do Sol sentado na flor de lótus (ERMAN. *Die Religion der Ägypter*, p. 62 e *Handbook of the Egyptian Religion*, p. 26). Também se encontra reproduzida em inúmeros camafeus gnósticos. Lótus é o trono habitual dos deuses na Índia.

toicos de "Deus redondo e circulante" (*rotundum et volubilem Deum*). A interpretação "mística" (*mystice* = simbólica) do Sl 11,9 deve referir-se a isto: "*in circuito impii ambulant*" (os ímpios caminham em círculo[113]); os ímpios caminhavam sempre apenas na periferia sem jamais atingirem o centro, que seria Deus[114]. Quero mencionar só de passagem o tema da roda no simbolismo do mandala. Em outro lugar tratei do assunto mais pormenorizadamente[115].

Quadro 7

Nesta pintura já é de noite, uma vez que a folha inteira onde o mandala foi feito é preta. Toda luz concentra-se na esfera. As cores perderam a luminosidade, mas ganharam em intensidade. O que chama especialmente a atenção é o fato de a cor preta ter penetrado no centro e assim algo que era temido aconteceu: o negrume da serpente, do mundo sombrio à volta, é assimilado no mais íntimo do mandala e ao mesmo tempo compensado – como indica a pintura – por uma luz dourada que irradia do centro. Os raios deste último formam uma cruz de braços iguais, a qual substitui a suástica. Esta é representada apenas por quatro ganchos que indicam uma certa rotação dextrogira. Com a obtenção do negrume absoluto e em especial sua presença no centro o movimento para cima, a rotação dextrogira parece ter chegado ao fim. Em compensação as asas de Mercúrio se diferenciaram significativamente, o que talvez quer dizer que a esfera tem poder suficiente para manter-se flutuante, isto é, para não afundar no obscurecimento total. Os raios dourados ligam os quatro braços que formam a cruz[116]. Surge uma ligação e consolidação interiores como uma defesa contra efeitos dissolventes[117], os quais devem

574

---

113. Texto original (Bíblia de Zürich): "Caminham em torno os ateus".
114. CAUSSINUS. Op. cit., p. 129.
115. *Psicologia e alquimia* [§ 214s.].
116. Esta interpretação me foi confirmada pelo meu mentor tibetano, Lingdam Gomtchen, abade de Bhutia Busty: A suástica, como disse literalmente, é aquilo que "não pode ser quebrado, nem dividido, nem deteriorado". Significaria, portanto, algo como uma consolidação interna do mandala.
117. Cf. um tema de consolidação semelhante no mandala de *Amitayur-Dhyana Sutra* [JUNG] *Psicologia da meditação oriental* [§ 917 e 930].

estar conectados com a substância negra que penetrou até o centro. O símbolo da cruz (*crux*) tem sempre para nós a conotação do sofrimento, de modo que não nos devemos enganar, supondo que a atmosfera dessa pintura equivalha a uma suspensão (asas) mais ou menos dolorosa sobre o abismo tenebroso da solidão interior.

575   Já mencionei a representação de Böhme segundo a qual o raio "faz uma cruz", que se relacionaria com os quatro elementos etc. John Dee simboliza de fato os elementos com a cruz de braços iguais[118]. Esta tem um pequeno círculo dentro de si, que é o sinal do cobre, *cuprum*, de *Kypris* = Afrodite, ao passo que Vênus é designada pelo sinal ♀. De modo notável o antigo sinal do farmacêutico ♃, o do *spiritus Tartari* (tartarizatus = ácido tartárico), o qual literalmente traduzido significa "espírito do Tártaro". ⊕ também é o sinal da *lapis haematites*, pedra hematita vermelha (óxido de ferro). Portanto, parece que não existe apenas, como no caso de Böhme e em nosso mandala, uma cruz que vem de cima, mas também uma que vem de baixo, isto é – para ficar com o símbolo de Böhme – o raio também pode vir de baixo, do sangue, de Vênus ou do Tártaro. O salitre neutro de Böhme, como já dissemos, é idêntico ao sal e este é designado entre outros pelo sinal ⊕. Dificilmente poderíamos inventar um sinal melhor para a matéria arcana, como o *sal* era considerado na alquimia dos séculos XVI e XVII. O sal é, no uso que tanto a Igreja como a alquimia dele fazem, o símbolo da *sapientia*, por um lado, e por outro, da personalidade marcante ou eleita, Mt *5,13: "Vos estis sal terrae"* (Vós sois o sal da terra).

576   A surpreendente quantidade de linhas e camadas ondulantes em nosso mandala podem ser interpretadas como uma constituição de invólucros, isto é, como defesa contra o exterior. Trata-se de formações protetoras as quais têm o mesmo objetivo da consolidação interior. Os invólucros devem relacionar-se com o sonho da árvore nascida no estúdio, que possui uma "casca grossa". A constituição de invólucros também ocorre em mandalas de outros casos, significando um endurecimento ou vedação ao exterior, portanto uma verdadeira

---

[118]. *Monas hieroglyphica* em *Theatrum chemicum* (1602) II, p. 220. Dee também associa a cruz ao fogo.

formação de cascas. Não parece impossível que este fenômeno constitua também a base dos "córtices" (cascas) ou "putamina" (cascas) da Cabala. "Assim se chama aquilo que está fora da santidade", como os sete reis destronados e os quatro *achurajim*[119]. A partir destes aparecem os *klippoth* ou córtices. Como na alquimia, trata-se das *scoriae* (escórias), às quais adere o caráter da multiplicidade, bem como da morte. No mandala em questão os invólucros significam delimitações da unidade interior contra o negrume exterior, com suas forças desintegradoras, as quais são personificadas pela serpente[120]. O mesmo tema é expresso tanto através das folhas de flor de lótus, como pelas cascas da cebola. As folhas do invólucro externo secaram, encolheram e enrijeceram, porém protegem assim as camadas internas mais tenras e vivas. É nesse sentido que se deve compreender a postura de lótus do filho de Hórus dos deuses indianos e dos Budas; Hölderlin também utiliza essa mesma metáfora:

> Carentes de destino, como o recém-nascido/
> que dorme, respiram os Celestes;/
> castamente preservados no botão humilde da flor,/
> neles floresce eternamente o espírito...[121]

---

119. As *"septem reges"* referem-se a *"aions"* precedentes, a mundos que "morreram", os quatro *achurajim* são os chamados *"posteriora Dei"*: *"omnia ad Malchuth pertinent; Quae ita vocatur, quia est postrema in Systemate Aziluth... in imis Schechinae existere"* [todos pertencem a Malcut; o qual é assim chamada, porque é a última no Sistema da Azilut..., elas existem nas profundezas da Schechina] (*Kabbala denudata* ?, p. 72). O número quatro dos *achurajim* constitui um quatérnio masculino-feminino: "*Patris nempe et Matris supernorum, nec non Iisraelis Senis et Tebhunae*" (op. cit., p. 675). O *senex* é *Aen-Soph* ou *Kether* (op. cit., p. 635), Tebhunah é Binah, *intelligentia* (op. cit., p. 726). As cascas também significam espíritos impuros.

120. Cf. *Kabbala denudataI*, p. 675s. As "cascas" (*klippoth*) também representam o mal (*O Sohar* 1, 137s., e II, 34b). Segundo uma interpretação cristã do século XVII, Adão Belial é o corpo do Messias, "o corpo total (*totum corpus*) ou o exército das cascas" (Cf. 2Cor 6,15s.). Penetrou no corpo de Adão devido ao pecado original, sendo que as camadas externas foram mais infectadas do que as internas. A *anima Christi* combate e destrói finalmente as cascas, que significam a matéria. O texto remete, no que diz respeito a Adam Belial, a Pr 6,12: *"homo apostata vir inutilis graditur ore perverso"* ["O homem mau, o varão inútil, fala com a boca mentirosa"]. (*Adumbratio Kabbalae christianae*. IX, 2, p. 56.)

121. [Obras Completas II (*Poemas*: "Canto do destino de Hiperion", p. 160)].

577   Na imagística cristã, Maria é a flor, na qual Deus se abriga, ou a rosácea na qual o *rex gloriae* e juiz do mundo domina.

578   Encontramos também em Jacob Böhme, implicitamente, a imagem das cascas, na medida em que a camada externa da esfera de seu mandala imaginado tridimensionalmente[122] é designada como "vontade de Lúcifer" o "eterno abismo, abismo das trevas", "inferno dos demônios" etc.[123] Böhme comenta esta passagem em *Aurora*: "Vede como Lúcifer despertava com seu exército o fogo da ira na natureza de Deus, de tal forma que Deus se irava na natureza, no *Loco Lucifers*; assim o nascimento mais externo recebia uma outra qualidade na natureza, inteiramente colérica, áspera, fria, fogosa, amarga e azeda. O espírito flutuante que anteriormente possuía na natureza uma qualidade sutil e branda tornou-se em seu nascimento mais externo tremendamente arrogante e terrível. Agora ele se chama, no nascimento mais externo, vento ou elemento ar"[124]. Deste modo surgem os quatro elementos e a terra em especial, por um processo de contração e ressecamento.

579   Podemos conjecturar aqui influência cabalística, apesar de Böhme não conhecer a "Cabala" mais do que Paracelso. Este a encarava como uma espécie de magia[125]. Os quatro elementos correspondem aqui aos quatro *achurajim*[126]. Trata-se de um tipo de segunda quaternidade, provinda da quaternidade interior, pneumática, mas que é de

---

122. Böhme diz acerca da visão de conjunto da "vida do espírito e da natureza": "Poderemos compará-la, então, a uma roda esférica redonda que gira para todos os lados. Tal como mostra a roda em Ezequiel" (*Vom irdischen und himmlischen Mysterium*, 5, 2, p. 326).

123. Cap. 17, 6, p. 222. Refiro-me aqui à reprodução do mandala na antiga edição inglesa de *Viertzig Fragen* de 1647 [XL. *Questions concerning the Soul*, fig. p. 32].

124. Cap. XVII, 6, p. 222.

125. *Quaestiones theosophicae* 3, 34, p. 12.

126. *Aurora*, XVII, 7, p. 222, menciona os "7 Espíritos", os quais se acendiam "em seu último nascimento". Eles correspondem aos *"septem Reges"* da Cabala. São espíritos de Deus, "Espíritos-Fonte" da natureza eterna e temporal. Correspondem aos sete planetas e constituem a "roda do centro" (*De signatura rerum*, IX, 8s., p. 88). Os sete espíritos são as sete qualidades acima mencionadas descendentes de uma mãe. Trata-se de uma "fonte dupla, isto é, o bem e o mal cm todas as coisas" (*Aurora*, II, 2, p. 72). Todo movimento origina-se desta posição. Cf. a "deusa" de Parmênides e o Éden bipartido da gnose de Justiniano.

natureza física. A alquimia também se refere aos *achurajim*. Assim diz Mennens[127]: "E apesar de o nome de Deus apresentar o *tetragrammaton* ou as quatro letras, nele se encontram, se olharmos bem, apenas três letras. A letra *hê* encontra-se duas vezes nele, na medida em que (os dois *hê*) são o mesmo (ou seja) ar e água, o que significa o Filho; a terra significa o Pai, mas o fogo é o Espírito Santo. Assim, as quatro letras do nome de Deus designam manifestamente a sacratíssima Trindade e a matéria, que do mesmo modo existe de forma tríplice (*triplex*)[128]... (e) que também é chamada a sombra do mesmo (isto é, Deus), e é denominada por Moisés[129] o lado posterior de Deus (*Dei posteriora*), e o qual (*posteriora*) parece ser criado a partir dela (da matéria)"[130]. Esta afirmação confirma a opinião de Böhme.

Voltando à pintura da paciente: as quatro espirais originárias dissolveram-se completamente no quadrado de ondas (linhas ondulantes!) do interior. Em seu lugar surgem quatro centros dourados, já esboçados na pintura anterior, os quais irradiam as cores do arco-íris. São as cores do olho da pena do pavão, as quais desempenham um papel importante na alquimia, como *cauda pavonis*[131]. O apareci-

580

---

127. Gulielmus Mennens (1525-1608), erudito alquimista flamengo que escreveu um livro "*Aurei velleris, sive sacrae philosophiae, naturae et artis admirabilium libri tres*", impresso em *Theatrum chemicum* (1622) V, p. 272s.

128. "*Ut itaque Deus est trinus et unus, sic etiam materia, ex qua cuncta creavit, triplex est et una*" (op. cit., p. 335). Esta é a correspondência alquímica da tríade de funções conscientes e inconscientes da psicologia [*A fenomenologia do espírito no conto de fadas*, § 425 e 436s., deste volume].

129. Mennens não parece referir-se diretamente à Cabala, mas a um texto atribuído a Moisés, que não consegui localizar. Não há em hipótese alguma relação com o texto grego (*Alch. grecs* IV, XXII) designado por Berthelot "*Chimie de Moïse*". Moisés é mencionado de vez em quando na literatura mais antiga e Lenglet-Dufresnoy (*Histoire de la philosophie hermétique* III, p. 22) cita sob o número 26 um manuscrito da Biblioteca de Viena, intitulado *Moysis prophetae et legislatoris Hebraeorum secretum chimicum* (*ouvrage supposé*).

130. Op. cit., I, 10, p. 334s.

131. A *cauda pavonis* é identificada com Íris, a "*nuncia dei*", segundo Henrique Khunrath. Gerardo Dorneo (*De transmutatione metallorum*. I n: *Theatr. chem.*, 1602, I, p. 599) propõe a seguinte explicação: "*Haec est avis noctu volans absque alis, quam caeli ros primus continuata decoctione, sursum atque deorsum ascensione descensioneque in caput corvi convertit, ac tandem in caudam pavonis, et postea candidissimas et olorinas plumas, ac postremo summam rubedinem acquirit, indicium ignae suae naturae*"

mento dessas cores na *opus* representa um estágio intermediário, que precede o resultado definitivo. Jacob Böhme diz: "...uma ânsia de amor, ou uma beleza das cores". Na ânsia amorosa "originam-se todas as cores"[132]. Em nosso mandala também o colorido surge da camada vermelha que significa a afetividade. Acerca da "vida da natureza" e "do espírito" reunidos da "roda esférica" (cf. acima) diz Böhme: "E assim nos é dado conhecer uma eterna substancialidade da natureza, igual à água e ao fogo, os quais se mantêm, portanto, como que misturados um ao outro, do que resulta uma cor azul luminosa como a da centelha ígnea; então sua forma é a de um rubi[133] misturado com cristais em uma essência, ou como amarelo, branco, vermelho, azul misturados em água escura, como azul no verde, uma vez que cada um tem sua luz e seu brilho e a água apenas resiste a seu fogo, a fim de que não haja nenhuma perda, mas um ser eterno em dois mistérios fundidos um no outro, e mesmo assim permanece a diferença dos dois princípios como dois tipos de vida". O fenômeno colorido deve sua existência "à imaginação dentro do grande mistério, onde uma vida essencial e maravilhosa se gera a si mesma"[134].

[Este é o pássaro que de noite voa sem asas, transformado pelo primeiro orvalho do céu através de uma cocção contínua para cima e para baixo, na subida e na descida em cabeça de corvo, e depois na cauda do pavão e em seguida obtém asas de cisne e finalmente uma extrema vermelhidão, sinal de sua natureza ígnea]. Em Basílides (HIPÓLITO. *Elenchos*, X, 14, 1, p. 274) o ovo do pavão é sinônimo de *sperma mundi*, do κόκκος σινάπεως. O ovo contém τὴν τῶν χρωμάτων πληθύν, a plenitude das cores, ou seja, 365. Dos ovos de pavão seria produzida a cor de ouro, conforme relatam os ciranidas (DELATTE. *Textes latins et vieux français relatifs aux Cyranides*, XCIII, p. 171). A luz de Muhammed tem a forma de um pavão, e do suor deste último foram criados os anjos (Cf. APTOWITZER. *Arabisch-Jüdische Schöpfungstheorien*, p. 209 e 233).

132. *De signatura rerum*, XIV, 10s., p. 176.

133. O *carbunculus* é sinônimo da *lapis*. "*Rex... clarus ut carbunculus*" [O rei... brilhando como um carbúnculo] (Citação de Lilius, antiga fonte no *Rosarium philosophorum*. In: *Art. aurif* II, p. 329). "*Radius... in terris, cui lucet in tenebris instar carbunculi in se collectus*" [Um raio... na terra que brilha na escuridão semelhante a um carbúnculo concentrado]. (Extraído da apresentação da teoria de Tomás de Aquino por MICHAEL MAIER. *Symbola aureae mensae*, VIII, p. 377. "*Inveni quendam lapidem rubeum, clarissimum, diaphanum et lucidum, et in eo conspexi omnes formas elementorum, et etiam eoram contrarietates*" [Encontrei uma certa pedra vermelha, claríssima, transparente e brilhante, e nela vi todas as formas dos elementos e de seus opostos] (Citação de TOMÁS em MYLIUS. *Philosophia reformata*, p. 42).

134. *Von himmlischen und irdischen Mysterium*, V, 4s.

A partir disto vemos com a máxima clareza que Böhme se preocupava com o mesmo fenômeno psíquico da senhora X – e de muitas outras pessoas. A ideia da *cauda pavonis* e da tetrameria, em Böhme, provém da alquimia[135], mas como esta última, ele se fundamenta numa experiência que foi redescoberta pela psicologia moderna. Não só os produtos da imaginação ativa, mas também os sonhos produzem as mesmas sequências, com uma espontaneidade que não sofre qualquer influência. O sonho que se segue é um bom exemplo: uma paciente sonha que *se encontra numa sala onde há uma mesa e três cadeiras. Um desconhecido, de pé, a seu lado convida a sonhadora a sentar-se. Ela vai buscar a uma certa distância uma quarta cadeira e nela se senta. Folheia então um livro que está sobre a mesa, no qual há ilustrações de cubos azuis e vermelhos, tais como os que se usam para jogos de construção. De repente ela se lembra de que ainda tinha a incumbência de fazer algo. Abandona o aposento e se dirige a uma casa amarela. Chove a cântaros, e ela procura abrigar-se sob um loureiro verde.*

A mesa, as três cadeiras, o convite para sentar-se, a cadeira que ela ainda deve buscar a fim de que sejam quatro, os cubos e o jogo de construção, tudo isso sugere tratar-se de uma "composição" que transcorre em etapas. Primeiro é uma combinação de azul e vermelho, seguindo-se o amarelo e enfim o verde. Estas quatro cores simbolizam quatro qualidades, conforme vimos. Estas não só *podem* ser, como *são* de fato interpretadas historicamente dos mais diversos modos. Do ponto de vista psicológico, esta quaternidade deve indicar em primeiro lugar as funções de orientação da consciência, sendo que pelo menos *uma* delas é inconsciente, e, portanto, indisponível para o uso consciente. No caso em questão, seria o verde, isto é, a função da sensação[136], o que é acertado, pois a relação da paciente com a realidade deste mundo é excepcionalmente complicada e difícil. A função que chamamos inferior, porém, graças à sua inconsciência, tem a grande vantagem íntima de estar contaminada pelo incons-

---

135. Os correspondentes químicos da *cauda pavonis* são talvez a pele iridescente de metais liquefeitos, por um lado (por exemplo chumbo!), e, por outro, as cores vivas de certas ligas de mercúrio e chumbo. Estes últimos metais formam eventualmente a matéria inicial, com a qual se trabalhava no laboratório.

136. Pelo menos estatisticamente compete à cor verde a função da sensação.

ciente coletivo, isto é, ela pode tornar-se a ponte que ultrapassa o abismo, separando a consciência do inconsciente e restaurando a conexão vital com este último. Eis a razão profunda pela qual o sonho representa justamente a função inferior mediante a imagem significativa do loureiro. Este corresponde à árvore que, no caso do mandala da senhora X, cresce em seu estúdio, e ambos se relacionam com os processos interiores de crescimento. Trata-se efetivamente da *arbor philosophica* dos alquimistas, da qual tratei pormenorizadamente em meu livro *Psicologia e alquimia*. Além disso, devemos levar em consideração o fato de que, segundo uma antiga concepção, o loureiro não pode ser danificado, nem pelo raio, nem pelo frio – *intacta triumphat* –, significando a Virgem Maria, o modelo de todas as mulheres, tal como Cristo o é dos homens[137]. Baseado na interpretação histórica, o loureiro pode ser visto neste contexto (como a árvore dos alquimistas) como símbolo do si-mesmo[138]. A ingenuidade dos pacientes que têm tais sonhos é sempre impressionante.

583   Voltemos novamente ao mandala. As linhas douradas providas de extremidades protuberantes repetem o antigo tema do espermatozoide, tendo portanto o significado do fecundante que deve sugerir que a quaternidade está sendo novamente gerada de um modo diverso. Na medida em que a quaternidade tem a ver com a consciência, podemos inferir desses sintomas uma intensificação da consciência. A luz dourada que irradia do centro parece referir-se a essa intensificação. Tratar-se-ia de um tipo de iluminação interior.

584   Dois dias antes de fazer essa pintura, a senhora X teve o seguinte sonho: *"Eu estava no quarto do meu pai em nossa casa de campo. Minha mãe havia afastado minha cama da parede, trazendo-a para o meio do cômodo e dormira nela. Eu estava furiosa e empurrei a cama*

---

137. "*Laurus undique virescens, pulchra, et inter complures arbores, fulmine prostrates, media, epigraphen tenet: Intacta triumphat. Mariam Virginem, inter omnes creaturas solam nullius peccati fulmine temeratam, haec imago spectat*". [Entre todas as árvores que foram destroçadas pelo raio, o verdejante e belo loureiro traz a inscrição: "Ela triunfa ilesa". Esta imagem refere-se à Virgem Maria, que entre todas as criaturas, é a única que foi preservada do raio do pecado.] (PICINELLUS. *Mundus symbolicus*, lib. IX, cap. 16, p. 565).

138. *O espírito de Mercúrio* [§ 247s.].

para o seu antigo lugar. No sonho a colcha dela era vermelha; exatamente o mesmo vermelho reproduzido na pintura".

O significado materno do sonho anterior é retomado diretamente pelo inconsciente: agora a mãe dormira no meio do quarto. Isto parece ser uma intrusão desagradável em sua esfera, a qual é representada pelo quarto do pai que significa o seu animus. Sua esfera é espiritual; a mãe usurpou-a como ao quarto do pai. Ela identificou-se, portanto, com o "espírito". Essa esfera foi invadida pela mãe que se instalou no centro, primeiro sob o símbolo da árvore. Ela representa, pois, a *physis* em oposição ao espírito, isto é, o ser natural feminino, que a sonhadora também é, sem querer aceitá-lo, por aparecer-lhe sob a forma de serpente negra. Embora ela tivesse anulado imediatamente a intrusão, o princípio ctônico escuro, isto é, a substância negra avançou até o centro de seu mandala, como indica a sétima pintura. Desse modo, a luz dourada também pode aparecer, porquanto somente *ex tenebris lux* (a luz provém das trevas)! Devemos relacionar com a mãe a ideia da *matrix* em Böhme. A *matrix*, segundo este último, é a *conditio sine qua non* de todas as diferenciações ou concretizações, sem as quais o espírito permanece suspenso, em flutuação, nunca se tornando real. A colisão entre o princípio paterno (espírito) e o materno (natureza) tem o efeito de um choque.

585

Depois dessa pintura, ela sentiu a reiterada penetração do vermelho – ao qual ela associou a ideia do sentimento – como algo perturbador, descobrindo então que o seu "relacionamento" comigo na qualidade de seu analista (= pai) não era natural, nem suficiente. Ela se dava "ares" e posava como aluna inteligente, compreensiva (usurpação da espiritualidade!). Mas tinha que acrescentar o fato de sentir-se tola, além de sê-lo, sem importar-se com a minha opinião. Essa confissão deu-lhe um sentimento de grande libertação porque a ajudou a reconhecer finalmente ser a sexualidade "por um lado, algo além de um mero mecanismo para a produção de filhos e, por outro, mais do que uma simples expressão da paixão amorosa, mas sim também algo de fisiologicamente banal e autoerótico". Este reconhecimento tardio levou-a a um estado de fantasia em que ela tomou consciência de uma série de imagens obscenas. Viu enfim a imagem de um grande pássaro que designou como "pássaro da terra", o qual pousou na terra. O pássaro, como ser aéreo, é um conhecido símbolo do es-

586

pírito. Ele representa a transformação de sua própria imagem "espiritual" em uma versão da mesma mais característica para o ser feminino, isto é, mais terrena. Esta "imagem final" confirma a nossa suposição de que o movimento intensivo e dextrogiro para cima parou. Essa simbolização denota outra diferenciação necessária do que Böhme designa de um modo geral como "desejo de amor"[139]. Através dessa diferenciação a consciência não só se alarga, mas se confronta com a realidade das coisas, de modo que à vivência interior é designado um certo lugar.

587   Nos dias que se seguiram a paciente teve sentimentos de autocomiseração. Tornou-se claro para ela como era lamentável não ter tido filhos. Sentia-se como um animal abandonado ou uma criança perdida. Este desânimo cresceu, tomando as proporções de um verdadeiro tédio da vida e ela se sentia como o *"all compassionate Tathagata"* (Buda)[140]. Só quando se entregou totalmente a esse sentimento, conseguiu pintar outro quadro. Não é o descaso ou a repressão de estados de ânimo desagradáveis que levam à verdadeira libertação, mas só o entregar-se ao padecimento profundo dos mesmos.

Quadro 8

588   Na oitava pintura o que imediatamente chama a atenção é o obscurecimento de todo o interior. O azul esverdeado da água condensou-se numa quaternidade azul-escura, e a luz dourada do centro circula em sentido contrário ao do ponteiro do relógio: o pássaro pousa na terra. Isso significa que o mandala está em busca da profundidade ctônica escura. Mas ele continua flutuando – as asas de Mercúrio o denotam – e já se aproximou bastante do negro. À quaternidade interna e indiferenciada corresponde uma externa, diferenciada, a qual é identificada pela senhora X com as quatro funções da consciência. Atribuiu-lhes as seguintes cores: intuição = amarelo, pensamento = azul-claro, sentimento = cor de carne, sensação = marrom[141]. Cada

---

139. Cf. o material acima mencionado sobre o carbúnculo [§ 580] com a anotação sobre o rubi.

140. [O Buda misericordioso.]

141. A cor atribuída à sensação nos mandalas de outras pessoas é em geral o verde, como acima mencionamos.

uma dessas quartas partes dissolve-se numa trindade, de modo que surge o número doze. A separação e caracterização das duas quaternidades é digna de nota. Deste modo o quatérnio externo aparece como uma concretização diferenciada[142] do quatérnio interno não diferenciado, o qual representa assim o arquétipo propriamente dito. Na Cabala, a esta relação corresponde o quatérnio da *merkabah*[143], por um lado, e o dos achurajim, por outro; em Böhme são os quatro espíritos de Deus[144] e os quatro elementos.

O tema das plantas no interior do mandala, também notado pela cliente, indica para trás, para a árvore (neste caso "árvore da cruz") e a mãe[145]. Com isso alude ao fato de este elemento anteriormente proibido ter sido aceito, ocupando agora o lugar central. Ela tem plena consciência disto, o que representa naturalmente uma grande e essencial diferença em relação à sua atitude anterior.

Ao contrário da pintura anterior, falta aqui a formação do córtice. Isto é lógico, pois o que devia ser excluído já ocupa o centro. A defesa tornou-se desnecessária. Em seu lugar, os "córtices" expandem-se como anéis dourados em ondas concêntricas no espaço escuro. Isto indica uma influência sobre o ambiente, emanando do si-mesmo rigidamente isolado.

Quatro dias antes de pintar este mandala, ela teve o seguinte sonho: *"Eu conduzo um jovem até a janela e com um pincel molhado em óleo branco tiro-lhe uma mancha negra da córnea. Isso torna visível uma pequena lâmpada dourada no ponto central do olho. O jovem sente-se logo aliviado e eu lhe digo que deve voltar para controle. Ao acordar pronuncio as seguintes palavras (Mt 6,22): 'Se teu olho estiver puro, teu corpo inteiro estará cheio de luz'"*.

589

590

591

---

142. Cf. com a quaternidade dos achurajim.

143. Chochmah (= *facies hominis*, face dos homens), Binah (= *aquila*, águia), Gedulah (= *leo*, leão) e Geburah (= *taurus*, touro), isto é, os quatro seres angélicos simbólicos da visão de Ezequiel [1, 1s.].

144. São designados com nomes de planetas e chamados por Böhme os "quatro regentes na mãe, parturiente: Júpiter, Saturno, Marte e Sol. "...nestas quatro formas do nascimento do Espírito / está o verdadeiro espírito, tanto como ser interior como exterior" (*De signatura rerum*, IX, 9s.), p. 90.

145. Tratei com mais detalhes da relação entre a árvore e a mãe, especialmente na tradição cristã, em *Símbolos da transformação* [Segunda parte].

592 Este sonho descreve a transformação. A analisanda já não é mais idêntica ao seu animus. Este tornou-se até seu paciente, pois sofre da vista. O animus, em geral, vê as coisas tortas e muitas vezes imprecisas. Neste caso, uma mancha negra na córnea obscurece a luz dourada que brilha no interior do olho. Ela "viu negro demais". O olho é o protótipo do mandala, o que já é evidente em Jacob Böhme que denomina seu mandala, nas *Quarenta perguntas da alma*, como "o globo filosófico" (esfera!), "espelho da sabedoria", "o olho dos milagres da eternidade". Böhme comenta: "A essência da alma com suas imagens deve ser imaginada na terra, em uma bela flor que dela cresce, e também no fogo e na luz: como se vê, a terra é um centro, mas sem vida; é essencial, porém, e dela cresce uma bela flor, a qual não se parece com ela..., no entanto, a terra é a mãe da flor". A alma é um "olho de fogo e símbolo do primeiro princípio", um *centrum naturae*[146].

593 O mandala é de fato um "olho" cuja estrutura simboliza o centro ordenador do inconsciente. O olho é um corpo oco, preto por dentro, preenchido pelo corpo vítreo semilíquido. Visto de fora vê-se uma superfície redonda colorida, a íris, com um centro escuro, a pupila. Dela irradia uma luz dourada. Böhme o denomina um "olho de fogo", concordando com a velha teoria de que a visão emana do olho. ("Não fosse o olho de natureza solar..."![147]) O olho representa provavelmente a consciência (uma vez que é um órgão da percepção); ele olha para dentro de seu próprio pano de fundo. Sua luz o ilumina e, quando é clara e pura, o corpo inteiro se enche de luz. Em certas circunstâncias, a consciência tem efeito purificador. Esta também deve ser a opinião de Mt 6,22s., que em Lc 11,34s. aparece ainda mais claramente.

594 O olho é, por outro lado, um conhecido símbolo de Deus. Böhme chama, pois, o seu globo filosófico de "olho da eternidade", a essência de todas as essências, o "olho de Deus"[148].

595 Pelo fato de haver aceito o escuro, a analisanda não o transformou em luz, mas acendeu uma luz que ilumina o escuro interior. De

---

146. *Das umbgewandte Auge*, 4s.
147. [GOETHE. *Zahme Xenien*, III.]
148. *Viertzig Fragen von der Seele*: Explicação do mandala.

dia, não se tem necessidade de luz e, se não sabemos que é noite, não se acende luz alguma e ninguém a acenderá, se não tivermos sofrido medo da escuridão. Não se trata de um texto edificante, mas da simples constatação de fatos psicológicos. A evolução da sétima para a oitava pintura dá uma boa ideia prática daquilo que eu designo por "aceitação do princípio escuro". Várias vezes fizeram-me a objeção de que não se pode ter clareza a respeito disso, o que é lamentável, porque se trata de um problema ético de primeira ordem. Estamos aqui diante de um caso de "aceitação" *in praxis*, e deixo para os filósofos o esclarecimento dos aspectos éticos deste processo[149].

Quadro 9

Esta pintura contém pela primeira vez a "flor da alma" azul sobre fundo vermelho, a qual (evidentemente sem o conhecimento de Böhme) é do mesmo modo denominada pela senhora X[150]. No centro encontra-se a luz dourada sob a forma de uma lâmpada, conforme ela mesma constata. A formação de córtices é pronunciada, mas eles são feitos de luz (pelo menos na metade superior) e irradiam para fora[151]. A luz é constituída pelas cores do arco-íris do sol nascente; é

---

149. Não me sinto qualificado para julgar eticamente, o que a *venerabilis mater natura* faz para fazer desabrochar suas preciosas flores. Podemos fazê-lo, e aquele que é impelido por seu temperamento deve tentá-lo se corresponder a uma necessidade que outros também experimentam. Erich Neumann lidou de modo muito interessante com problemas desse tipo (*Tiefenpsychologie und neue Ethik*). Censurarão o meu temor sagrado diante da natureza, como uma atitude pouco ética, e me acusarão de fugir das "decisões". As pessoas que assim pensam distinguem aparentemente com segurança o bem do mal, sabendo qual a decisão a ser tomada. Infelizmente eu não estou tão seguro, mas espero, tanto por meus pacientes como por mim, que tudo isto, luz e escuridão, decisão e dúvida hesitante, possam tender para o "bem"; imagino que isso representa um desenvolvimento, tal como é aqui descrito, um desabrochar que não lesa nem prejudica ninguém, mas garante uma possibilidade de vida.

150. O livro *O segredo da flor de ouro*, que publiquei com Richard Wilhelm, ainda não tinha aparecido. A nona imagem de minha analisanda ligava-se a seus conteúdos.

151. Cf. *Adumbratio Kabbalae Christianae*, IV, § 2, p. 26: "Os seres que irromperam a partir do Deus infinito até o primeiro Adão eram todos espirituais..., isto é, eram simples, atos luminosos, um em si mesmos, seres de participação que podem ser pensados como o ponto central de uma esfera participante da vida representada como uma esfera irradiante".

uma verdadeira *cauda pavonis*. São seis feixes de raios. Isto lembra o sermão de Buda sobre veste, da coleção intermédia do *Cânon páli*: "De ânimo amoroso... misericordioso... cheio de alegria... impassível, ele irradia em uma direção, depois em uma segunda, em uma terceira, em uma quarta, tanto para cima como para baixo: reconhecendo-se em toda parte e em todas as coisas, ele atravessa com seus raios o mundo inteiro com ânimo impassível, amplo, profundo, ilimitado, purificado de toda raiva e rancor... Este, ó monges, é chamado o monge banhado nas águas interiores"[152].

Um paralelo com o Oriente budista não pode ser feito aqui, pois o mandala está dividido em uma metade superior e uma inferior[153]. Em cima, brilham como córtices esféricas as cores do arco-íris, embaixo, os córtices são constituídos de terra marrom. Em cima, flutuam os três pássaros brancos = pneumata significando a Trindade, embaixo aparece o bode acompanhado dos dois corvos (de Wotan)[154] e um rolo de serpentes. Isto não é a imagem do santo budista, mas sim do homem ocidental de cunho cristão, cuja luz projeta uma sombra escura. Além disso, os três pássaros flutuam em um céu totalmente negro, e o bode de tonalidade cinzenta escura encontra-se em um campo de cor laranja clara. Esta curiosamente é a cor da veste do monge budista, o que certamente não corresponde a alguma intenção consciente da pintora. O pensamento é claro: o branco não existe sem o preto, nem o diabo sem a santidade. Os opostos são irmãos dos quais o Oriente procura livrar-se através do seu *nirdvandva* ("livre dos dois") e seu *neti-neti* ("nem isto, nem isto", isto é, nem isto nem aquilo) os quais o taoismo leva em conta de modo numinoso. A relação com o Oriente é ressaltada pela pintora intencionalmente, isto porque ela colocou no mandala quatro hexagramas do *I Ching*.

---

152. NEUMANN, K.E. *Die Reden Gotamo Buddhos*, I, 82s. Esta indicação acerca de Buda não é de modo algum arbitrária, uma vez que a forma do Tathagata em posição de lótus se repete várias vezes na série dos inúmeros mandalas deste caso.

153. Os mandalas tibetanos, porém, não são divididos e, com frequência, postos entre céu e inferno, isto é, entre os deuses benevolentes e os terríveis.

154. Esta é a Trindade correspondente à Tríade inferior, assim como o diabo ocasionalmente representado como três cabeças. Cf. *A fenomenologia do espírito nos contos de fadas* [§ 425 e 436s., deste volume].

O ideograma à esquerda, na parte superior do mandala é o *yü*, o 598
entusiasmo. Significa "trovão irrompendo da terra", isto é, um incitamento que provém do inconsciente representado através da música e da dança. O comentário de Confúcio, representado por Wilhelm diz:

> Firme como uma pedra, para que um dia inteiro?
> O julgamento podemos conhecê-lo.
> O nobre conhece as coisas secretas e as reveladas.
> Ele conhece o frágil e também o forte:
> Por isso miríades olham para ele[155].

O entusiasmo é a fonte do belo, mas também pode ofuscar.

O segundo hexagrama da parte superior é *sun*, o decréscimo. O 599
trigrama superior significa montanha, o inferior é o lago. A montanha eleva-se sobre o lago, ela o "domina". Esta é a pintura cujo significado alude ao autodomínio e à contenção, isto é, a um aparente decréscimo de si mesmo. Isto é significativo, relativamente ao "entusiasmo". Na última linha do hexagrama, a qual diz: "mas não tens mais uma morada específica", há uma referência à "falta de moradia" do monge budista. No nível psicológico, não se trata mais de uma demonstração tão drástica da renúncia e da independência, mas da percepção ineludível da condicionalidade de todas as relações, da relatividade de todos os valores e da transitoriedade de toda existência.

O ideograma da parte inferior direita significa *shong*, o impulso 600
para cima: "No meio da Terra cresce a madeira: imagem do impulso para cima". Lê-se também que se é impelido "para cima numa cidade vazia" e oferecido pelo rei "à montanha *Ki*". Este hexagrama significa, pois, crescimento e desenvolvimento da personalidade da terra para cima, o que é antecipado no mandala pelo tema vegetal. Isso se refere ao importante ensinamento que a senhora X tirou de sua experiência, ou seja, de que não há desenvolvimento se não aceitarmos a sombra.

O último hexagrama embaixo à esquerda é *Ding*, o caldeirão. 601
Trata-se de um tacho de bronze, provido de alças e pés, o qual continha alimentos em ocasiões festivas. O trigrama interior significa "vento" e "madeira", o "fogo" superior. O caldeirão é por assim di-

---

155. *I Ching*, n. 16. [Os hexagramas citados depois são: A diminuição, n. 41; A revolução, n. 46; O caldeirão, n. 50].

zer constituído de madeira e fogo, tal como o "vaso" dos alquimistas é constituído de fogo ou água[156]. O caldeirão contém um alimento precioso ("banha de faisão"), mas não é comido porque o lado externo do caldeirão está deformado e por ter as pernas quebradas, tornando-o impróprio para o uso. Graças a uma abnegação interior e constante, a personalidade se diferencia (o tacho recebe "alças douradas" e até "anéis de jade") e é purificado até adquirir o brilho suave do precioso jade[157].

602 Apesar dos quatro hexagramas terem sido postos intencionalmente no mandala, eles são resultados autênticos da preocupação com o *I Ching*. As fases e os aspectos do desenvolvimento interior da minha paciente são portanto facilmente expressos na linguagem do *I Ching*, porque este último também se fundamenta na psicologia do processo de individuação, o qual constitui uma das preocupações do taoismo e do zen[158]. O interesse pela filosofia oriental, no caso da senhora X, foi devido às profundas impressões que recebeu no decurso de sua existência, bem como ao melhor conhecimento de si mesma, às impressões causadas pelas tremendas contradições da natureza humana. O conflito insolúvel e ameaçador torna os sistemas orientais de cura, que aparentemente atravessam a problemática dos opostos sem conflito, duplamente interessantes. Este conhecimento do Oriente talvez seja parcialmente responsável pelo fato de os opostos, irreconciliáveis na visão cristã, não serem camuflados, mas vistos com toda agudeza: justamente por isso se conciliam na unidade do mandala. Böhme, por exemplo, não conseguiu realizar tal união; pelo contrário, ele compôs o semicírculo claro e o escuro, isto é, os lados convexos, de costas um para o outro. Nele, o lado claro é denominado "Espírito Santo", e o escuro, "Pai", ou seja *auctor rerum*[159], ou "Primeiro Princípio" (enquanto o

---

156. *Psicologia e alquimia* [§ 338].
157. Um conceito semelhante ao da transformação na *lapis philosophorum*, op. cit. [§ 378].
158. Suzuki (*Die grosse Befreiung. Einführung in den Zen-Budhismus*) e *O segredo da flor de ouro* são uma boa ideia do que é dito acima.
159. Cf. a citação acima, extraída *do Aureum vellus* de Mennens, onde "terra" significa o *pater* e a *"umbra Dei"*, a matéria. Esta concepção de Böhme está em perfeita sintonia com o caráter de Javé. Este é, independentemente de seu papel de protetor do direito e da moral, amoral e injusto. Cf. Stade. *Biblische Theologie des Alten Testaments* I, p. 88s.

Espírito Santo representa o "Segundo Princípio"). Esta polaridade é atravessada pelo par de opostos Filho e Homem terreno. Todos os demônios estão do lado do Pai escuro, cujo fogo da ira representam[160], bem como na periferia do mandala.

Böhme partiu da alquimia filosófica e pelo que eu saiba foi o primeiro a tentar a ordenação em um mandala do cosmos cristão em sua realidade total[161]. A tentativa fracassou na medida em que não conseguiu fechar em um círculo as duas metades. O mandala da senhora X, pelo contrário, abrange e contém os opostos, e isso, como podemos supor, graças ao auxílio do ensinamento chinês acerca do yang e yin, os dois princípios metafísicos opostos de cuja cooperação resulta o andamento do mundo. Os hexagramas com as linhas inteiras (yang) e as partidas (yin) ilustram certas fases desse processo. Constituem, portanto, certamente a mediação da oposição entre o superior e o inferior. Lao-Tsé diz: "O alto está sobre o profundo". Esta verdade indiscutível é secretamente sugerida no mandala: os três pássaros brancos encontram-se sobre um campo negro, o bode cinza-escuro, porém, está sobre um fundo laranja-claro. Deste modo insinua-se a verdade oriental, tornando possível – pelo menos numa antecipação simbólica – uma união dos opostos no processo de vida irracional, formulado pelo *I Ching*. O quadro seguinte mostra que se trata de fases opostas de um mesmo processo.

Quadro 10

Na décima pintura, iniciada em Zurique, só completada após o regresso da senhora X à sua terra, encontramos como antes a mesma divisão de superior e inferior. A "flor da alma"[162] do centro é a mesma, mas está cercada de todos os lados por um céu azul noturno escu-

---

160. Böhme. *Viertzig Fragen*.
161. Deixo de lado conscientemente as múltiplas disposições do círculo, por exemplo, o *rex gloriae* com os quatro evangelistas, o paraíso com os quatro rios, as hierarquias celestes de Dionísio Areopagita etc., que deixam de lado a realidade do mal, por considerá-lo uma simples *privatio boni*, diminuindo desse modo sua importância eufemisticamente.
162. Cf. o trabalho significativo de RAHNER, H. *Die seelenheilende Blume*.

ro, em que aparecem as quatro fases da Lua, sendo que a Lua nova coincide com o mundo escuro (inferior). Os três pássaros tornaram-se dois. Suas penas escureceram e em compensação o bode único tornou-se dois seres antropomórfícos chifrudos, de rosto claro; das quatro serpentes restaram duas. Uma inovação digna de nota é aparecerem dois caranguejos no hemisfério inferior corporal (ctônico). O caranguejo tem essencialmente o mesmo significado que o símbolo de Câncer[163]. Infelizmente falta aqui um contexto dado pela própria senhora X. Em tais casos convém investigar como o passado histórico utilizou o objeto em questão. Em tempos remotos ainda anteriores à ciência, fazia-se a distinção entre caranguejo (macrura = de cauda longa) e caranguejo (brachyura = de cauda curta). Como figura zodiacal, o caranguejo tem o significado de ressurreição, uma vez que ele troca de casca[164]. Os antigos tinham em mente principalmente o *Pagurus Bernhardus*, ou Bernardo-eremita. Este se esconde em seu caramujo e é intacável. Significa, portanto, precaução e previsão de eventos futuros[165]. Ele "depende da Lua e se multiplica de acordo com ela"[166]. É notável que o caranguejo apareça justamente no mandala quando pela primeira vez são representadas as fases da Lua. O Câncer é astrologicamente o *domicilium Lunae*. Devido a seu movimento retrógrado característico, ele desempenha na superstição o

---

163. Cf. BOUCHÉ-LECLERCQ. *L'Astrologie grecque*: "O câncer ou caranguejo ou camarão" (p. 136). A constelação foi representada de um modo geral como um caranguejo sem cauda.

164. "*Cancer iuxta temporum vicissitudines mutari solet; pristinisque abiectis crustis, novas ac recentes inducti*" [O Câncer costuma modificar-se na vicissitude dos tempos; depois de livrar-se de suas cascas, ele adquire outras novas e frescas]. Este seria um "emblema" da ressurreição dos mortos, diz Picinellus [*Mundus symbolicus*, libr. VI, 45), e cita Ef 4,23: "*renovamini autem spiritu mentis*" etc. ["...portanto devereis renovar-vos pelo Espirito em vosso ser interior"].

165. Prevendo a enchente do Nilo, os caranguejos (assim como as tartarugas e os crocodilos) levavam seus ovos a lugares mais elevados e seguros: "...*futura multo antequam veniant animo praesagiunt*" [bem antes das coisas futuras acontecerem, eles as pressentem] (CAUSSINUS. *Polyhistor symbolicus*, libr. VIII, 25, p. 383).

166. "*Cancer a luna dependet, ac cum eadem accrescit*". [Câncer depende da Lua e cresce com ela.] MASENIUS. *Speculum imaginum veritatis occultae*, cap. LXVII, 30, p. 768.

papel de um animal portador de má sorte ("andar de caranguejo" = andar para trás). Câncer (καρκίνος) é a designação do tumor maligno das glândulas. Assim também é chamada a figura zodiacal em que o Sol começa a sua retirada. Pseudo-Calístenes relata como caranguejos puxavam os barcos de Alexandre para dentro do mar[167]. Karkinos é o nome do caranguejo que mordeu o pé de Héracles na luta com a Hidra de Lerna, tentando impedi-lo. Hera, em agradecimento, transportou seu aliado para as estrelas[168].

Na astrologia, câncer é um signo feminino e de água[169], no qual ocorre o solstício de verão. Nas *melothesiae*[170] o signo é relacionado com o peito. Ele rege também o mar ocidental. Propertius tem dele uma impressão sinistra: "*Optipedis Cancri terga sinistra time*" ("teme as costas sinistras do caranguejo octópode"[171]). De Gubernatis diz: "O caranguejo provoca [...] ora a morte do herói solar, ora a do monstro[172]". Pañcatantram V, 2 conta como um caranguejo que havia sido entregue ao filho pela mãe como mágica apotropaica[173] salva a vida do menino matando uma serpente negra[174]. Na opinião de De Gubernatis, o caranguejo representa ora o Sol, ora a Lua[175], conforme ele caminha para frente ou para trás.

605

A senhora X nascera nos primeiros graus de Câncer (mais ou menos no 3º). Ela conhecia seu próprio horóscopo e tinha plena consciência do significado do momento do nascimento, isto é, estava ciente de que o grau do zodíaco ascendente condiciona a individuali-

606

---

167. DE GUBERNATIS. *Die Thiere in der indogermanischen Mythologie*, p. 611.

168. ROSCHER. *Lexicon*, cf. verbete Karkinos, 950. O mesmo tema em um sonho (*Psicologia do inconsciente*) [§ 123s.].

169. No Egito, a ascensão heliacal de Câncer indica o início da inundação anual do Nilo, e assim o começo do ano (BOUCHÉ-LECLERCQ, op. cit.).

170. [Cf. *Psicologia e religião*, § 62, nota 7].

171. *Elegiarum, lib.* IV, 1, 150, p. 287.

172. DE GUBERNATIS. op. cit., p. 612.

173. Cf. *Handwörterbuch des deutschen Aberglaubens*, V, p. 448, cf. verbete Krebs (Câncer).

174. *Pañcatantram*, p. 313s.

175. DE GUBERNATIS. Op. cit.

dade do horóscopo. Na medida em que, obviamente, ela pressentia o parentesco interior deste último com o mandala, colocou seu sinal ♋ no desenho, para expressar o si-mesmo[176].

607 A conclusão essencial que podemos tirar dessa décima pintura é que as dualidades ininterruptas equilibram interiormente os seus respectivos princípios, o que determina uma perda de sua agudeza e incompatibilidade tal como diz Multatuli[177]: "Nada é totalmente verdadeiro e mesmo isto não o é". Esta preocupante perda de força, porém, é contrabalançada pela unidade do interior, no qual brilha a lâmpada, irradiando luzes coloridas para as oito regiões do mundo[178].

608 Embora a consecução do equilíbrio interior através de pares simétricos represente provavelmente a intenção principal desse mandala, não devemos esquecer o fato de que a duplicação também ocorre onde conteúdos inconscientes estão aponto de tornar-se conscientes, isto é, diferenciados. Dividem-se então, como acontece frequentemente nos sonhos, em duas metades idênticas ou levemente desiguais, correspondendo ao aspecto já conscientizado e ao que ainda permanece inconsciente, do conteúdo emergente. Este quadro me causa a impressão de representar de fato um tipo de solstício ou clímax em que ocorre uma decisão. As dualidades significam no fundo sim e não, os opostos inconciliáveis que no entanto *devem manter-se* unidos para que o equilíbrio da vida seja mantido. Isto só acontece quando o centro é tenazmente firmado, onde a atividade e a passividade se equilibram. O caminho segue pelo fio da navalha. Tal ponto culminante da vida em que os opostos universais se chocam é ao mesmo tempo um instante em que não raro se abre uma ampla perspectiva sobre o passado e o futuro. Trata-se do momento psicológico, como o *consensus gentium* sempre constatou, em que ocorrem fenômenos sincronísticos, isto é, quando algo distante no tempo se apro-

---

176. O horóscopo apresenta quatro signos terrestres e nenhum signo aéreo. O perigo que ameaça por parte do animus é reproduzido em ☽□♀.
177. [Pseudônimo do poeta holandês Eduard Douwes, aliás Dekker.]
178. Cf. a representação budista das "oito direções do compasso" (Amitâyur-Dhyāna-Sûtra. In: *Sacred Books of the East* XLIX, *part* II, p. 170).

xima: dezesseis anos mais tarde a senhora X contraiu um câncer de mama, que a levou à morte[179].

Quadro 11

Acerca desta pintura mencionarei apenas que os raios coloridos, os quais partiam do centro, rarefazem-se aqui até desaparecerem nas pinturas posteriores. O Sol e a Lua exteriorizaram-se, isto é, não estão mais contidos no microcosmo do mandala. O Sol não é dourado, mas de um amarelo ocre turvo, além de indicar nitidamente um movimento sinistrogiro: ele se inclina em direção ao seu próprio obscurecimento, o que de fato deve acontecer segundo a figura do câncer (solstício). A Lua está no crescente. As formações bulbosas na proximidade do Sol representam provavelmente nuvens cúmulos, mas devido à sua cor cinzento-avermelhada têm um aspecto suspeito, isto é, semelhantes a tumores em forma de bulbo. O interior do mandala contém uma *quincunx* de estrelas, sendo que a cor da estrela central é constituída de prata e ouro. A divisão do mandala em um hemisfério de ar e outro de terra deslocou-se para o mundo exterior e já não é reconhecível no interior. O aro prateado do hemisfério do ar da pintura anterior circunda aqui todo o mandala, relembrando o cinto de mercúrio, o qual enquanto *mercurius vulgaris* "oculta a verdadeira personalidade". Em todo caso é provável que nesta pintura a influência e o significado do mundo exterior se tornem tão prementes que acarretem uma certa perturbação e desvalorização do mandala. Mas este não se dissolve ou explode (o que pode acontecer em circunstâncias parecidas), mas se afasta da influência telúrica através de uma referência simbólica a uma constelação de astros.

609

Quadro 12

Na décima segunda pintura o Sol realmente baixou até a linha do horizonte e a Lua está no começo do quarto crescente. A irradiação do

610

---

179. Não tenho dúvidas de levar seriamente em conta os fenômenos da sincronicidade que servem de base à astrologia. A alquimia tem uma eminente razão de ser psicológica, como provei fartamente, assim também a astrologia. Atualmente já não é de grande interesse saber em que medida essas duas áreas representam extravios, mas trata-se muito mais de examinar quais são as suas bases psicológicas.

mandala cessou por completo. Equivalentes de Sol e Lua foram introduzidos no mandala, e também a Terra. O importante é a repentina animação do interior por duas figuras humanas e várias espécies animais. Desapareceu o caráter de constelação do centro, dando lugar a um tema floral. Não podemos constatar infelizmente qual o significado dessa animação, pois não foi feito nenhum comentário a respeito.

611   Na décima terceira pintura a fonte de irradiação desapareceu completamente do mandala, mas está fora dela sob a forma da Lua cheia, da qual partem ondas circulares concêntricas, luzindo com as cores do arco-íris. O mandala é amarrado por quatro serpentes negras e douradas, três das quais avançam para o centro, enquanto uma vira a cabeça para fora e para cima. Entre as cabeças das serpentes e o centro encontra-se sugerido o tema do espermatozoide. Isto indica talvez uma penetração mais intensa do mundo exterior e também uma proteção mágica. A composição da quaternidade em três mais um corresponde ao arquétipo[180].

612   Na décima quarta pintura o mandala paira sobre o trânsito noturno que vai sendo engolido pela Quinta Avenida de Nova York, para onde a senhora X já havia retornado. Na flor azul do centro é representada a *coniunctio* das figuras "regias", através de um fogo sacrifical aceso entre ambos. O rei e a rainha são assistidos por duas figuras ajoelhadas: uma mulher e um homem. Trata-se de um típico quatérnio de matrimônios, cujo significado psicológico pode ser encontrado em minha obra *Psicologia da transferência*. A união interior deve ser interpretada como um "fortalecimento" frente a influências externas desintegradoras.

613   No décimo quinto mandala a pintura paira entre Manhattan e o mar. Já é dia e o sol acaba de nascer. No centro azul serpentes azuis penetram na substância vermelha do envoltório do mandala: o processo começa a inverter-se depois que a introversão emocional provocada pelo choque de Nova York ultrapassou seu ápice. A cor azul das serpentes indica que as mesmas alcançaram uma natureza pneumática.

---

180. Trata-se do assim chamado *Axioma de Maria*. Exemplos conhecidos são: Hórus com seus quatro, ou seja 3 + 1 filhos, as quatro figuras simbólicas de Ezequiel, os quatro evangelistas e os três sinóticos e João.

A partir da décima sexta pintura a técnica do desenho e da pintura progridem sensivelmente. Os mandalas ganham valor estético. Na décima sétima pintura comparece um tema de olhos, que observei também em quadros de outras pessoas. Parece-me que isso se liga ao tema de polioftalmia, apontando para a natureza particular do inconsciente, a qual pode ser concebida como "consciência múltipla". Eu tratei dessa questão em outro lugar, pormenorizadamente[181] (cf. tb. fig. 5).

614

O processo da inversão atingiu seu ponto culminante um ano mais tarde, depois do quadro da conjunção, na décima nona pintura[182]. Aqui a substância vermelha foi disposta em torno da estrela dourada central de quatro raios, enquanto a substância azul foi impelida para a superfície. Nesta pintura reinicia-se a irradiação do mandala com as cores do arco-íris, perdurando então por mais de dez anos.

615

Não quero reproduzir nem comentar as demais pinturas que – como já disse – se estenderam por mais de dez anos porque tenho a impressão de não compreendê-las suficientemente. Além disso, elas só chegaram há pouco tempo às minhas mãos, após a morte de sua autora, infelizmente sem o contexto e sem comentários. Nesta circunstância, o trabalho do intérprete torna-se um tanto inseguro, razão pela qual eu o omiti. Este quadro deve ser apenas um exemplo de como tais pinturas e as reflexões e observações são necessárias para sua interpretação. Este caso não demonstra, de modo algum, que um percurso inteiro de vida se expressa simbolicamente. O processo de individuação passa por diversas etapas e é capaz de muitas peripécias, como aliás o decurso da *opus alchymicum* demonstra suficientemente.

616

---

181. *Der Geist der Psychologie.*

182. [As ilustrações 18-24, que não foram reproduzidas nas edições anteriores deste trabalho, foram escolhidas pelo Professor Jung entre os quadros pintados pela paciente após o término da análise. As datas da série completa de quadros são: 1-6 de outubro de 1928; 7-9 de novembro de 1928; 10 de janeiro; 11 de fevereiro; 12 de junho; 13 de agosto; 14 de setembro; 15 de outubro; 16, 17 de novembro, todos de 1929; 18 de fevereiro de 1930; 19 de agosto de 1930; 20 de março de 1931; julho de 1933; 22 de agosto de 1933; 23 de (?) de 1935, *"Night-blooming cereus done May 1938, on last trip Jung* (anotação da paciente): na flor de cera que floresce de noite, feita em maio de 1938, por ocasião da última viagem até Jung].

Fig. 5. Mandala desenhado por uma paciente de 58 anos, com dotes artísticos e formação técnica. No centro, um ovo rodeado por uma cobra; na parte externa, asas e olhos apotropaicos. Por exceção, a estrutura do mandala é pentagonal. (Esta paciente produziu também mandalas triádicos. Gostava de brincar com formas, independentemente de sentido, o que era produto de seus dotes artísticos.)

Resumo

A série de pinturas ilustra o momento inicial do caminho da individuação. Seria certamente desejável ter mais dados acerca do acontecido. Como, porém, nem o ouro filosófico, nem a *lapis philosophorum* foram realmente feitos, nunca alguém pôde relatar o caminho inteiro para ouvidos mortais, pois não é o narrador, mas sim a morte que pronuncia o *consummatum est*. Há com certeza coisas que merecem ser conhecidas nos estágios posteriores do processo, mas é importante tanto dialeticamente, como terapeuticamente não encurtar os estágios iniciais. Como estas pinturas representam antecipações intuitivas de desenvolvimentos futuros, convém demorar-se o bastante nelas, a fim de integrar à consciência, mediante a sua ajuda, tantos conteúdos do inconsciente, para que a primeira atinja de fato o estágio previsto. Tais desenvolvimentos psíquicos não costumam de qualquer modo acompanhar o ritmo das evoluções intelectuais. Eles têm até mesmo como objetivo mais próximo reconectar uma consciência que disparou na frente com os fundamentos inconscientes aos quais ela deveria estar ligada. Foi este o problema do caso que aqui tratamos. A senhora X teve que voltar à pátria de sua mãe a fim de reencontrar a sua terra – *vestigia retro*! Esta é uma tarefa atualmente colocada não só às pessoas individualmente, mas a civilizações inteiras. O que significam as terríveis regressões do nosso tempo? O ritmo de desenvolvimento da consciência na ciência e na técnica foi rápido demais, deixando para trás o inconsciente que não acompanhou seu passo, impelindo-o assim a uma posição de defesa, a qual se manifesta em uma vontade generalizada de destruição. Os *ismos* políticos e sociais de nossa época pregam todo tipo de ideais imagináveis, mas por detrás dessa máscara perseguem o objetivo de rebaixar o nível da nossa cultura, na medida em que limitam as possibilidades individuais de desenvolvimento e até as impedem de modo total. Fazem-no em parte criando um caos domado pelo terror, do qual resulta um estado primitivo que apenas oferece uma limitada possibilidade de vida, um estado que excede os piores momentos da "obscura" Idade Média. Resta-nos esperar para ver se da experiência da escravidão indigna resultará um anseio maior por uma liberdade espiritual.

Este problema não pode ser resolvido coletivamente, pois a massa não se modifica se o indivíduo não se modificar. Nem mesmo a melhor das soluções pode ser imposta ao indivíduo, uma vez que ela só será boa se estiver conectada a ele mediante um processo natural de desenvolvimento. Trata-se pois de um empreendimento sem esperança depositar essa expectativa em receitas e medidas coletivas. A melhoria de um mal generalizado começa pelo indivíduo, e isto só quando este se responsabiliza por si mesmo, sem culpar o outro. Naturalmente isto só é possível na liberdade, e não na tirania, seja esta exercida por um homem que se autopromoveu ou criada pela plebe.

619   As pinturas iniciais da nossa série ilustram os processos propriamente psíquicos que começam no momento em que nos lembramos da parte da personalidade que foi deixada para trás e esquecida. Assim que se restabelece a conexão com ela aparecem também os símbolos do si-mesmo, os quais pretendem transmitir uma imagem da personalidade total. Com esta evolução o homem moderno ignorante chega a caminhos há muito tempo trilhados, ou seja, à *via sancta*, cujos marcos e sinais indicadores são as religiões[183]. Ele pensará e sentirá coisas que lhe são estranhas ou irritantes. Apuleio relata que nos mistérios de Ísis ele "pôs o pé no limiar de Prosérpina e viu brilhar o Sol à meia-noite"[184]. Ele viu os deuses inferiores e superiores de perto e venerou-os. Tais experiências também se expressam nos nossos mandalas; por isso, encontramos justamente na literatura religiosa os melhores paralelos dos símbolos e estados de alma referentes a situações descritas dos mandalas. Estas situações significam intensas experiências interiores, as quais – se o indivíduo que as experimenta possui a capacidade moral da πίστις, isto é da confiança leal – constituem um crescimento anímico duradouro no sentido de um amadurecimento e aprofundamento da personalidade. Trata-se daquelas experiências anímicas originárias que estão à base da "fé" e deveriam ser o fundamento inabalável da mesma e não só da fé, mas do conhecimento.

---

183. Is 35,8: "*et erit ibi semita et via et via sancta vocabitur*" ("e lá haverá uma rua pura, que será denominada 'caminho santo'").
184. *Metamorphosen*, XI, 23, p. 240: "*Accessi confinium mortis: et calcato Proserpinae limine, per omnia vectus elementa remeavi*". ["Fui até o limite entre a vida e a morte. Pisei nos limiares de Proserpina, e depois de ter passado por todos os elementos, retornei novamente" (p. 425)].

O caso de que tratamos mostra com rara clareza a espontaneidade do processo anímico e a transformação de uma situação pessoal no problema da individuação, isto é, da totalização do indivíduo, a qual representa a resposta à grande pergunta contemporânea: como pode a consciência mais atual e avançada ligar-se novamente ao mais antigo, o inconsciente deixado para trás? O mais antigo é a base instintiva. Quem ignora os instintos será dominado por eles, a partir de uma emboscada por eles preparada e quem não pode rebaixar-se será rebaixado, e com isso perderá seu dom mais precioso: a liberdade.

Sempre que a ciência tenta representar um processo de vida simples, a coisa se complica e dificulta. Por isso não devemos admirar-nos com o fato de particularidades de um processo de transformação, que se tornaram visíveis através do processo da imaginação ativa, exigirem muito da compreensão intelectual. Sob este aspecto tais particularidades podem ser comparadas a todos os demais processos biológicos. Estes também requerem conhecimentos muito especiais para sua compreensão. Nosso exemplo mostra porém, por outro lado, que este processo pode começar e desenvolver-se sem que um conhecimento especial deva apadrinhá-lo. No entanto, se quisermos entender algo a respeito, isto é, assimilá-lo à consciência, torna-se necessária uma certa dose de conhecimento. Se o processo não for absolutamente compreendido, ele terá que atingir uma intensidade extraordinária, a fim de não perder-se de novo no inconsciente, de modo infrutífero. No entanto, se os seus afetos (*Affekte*) se intensificam atingindo um grau incomum, obrigam a uma certa mudança da sua compreensão das coisas. Dependerá então do acerto da mesma, que suas consequências sejam mais ou menos patológicas. Experiências anímicas, dependendo de sua compreensão correta ou incorreta, exercem efeitos diversos sobre o desenvolvimento posterior do indivíduo. Cabe ao psicoterapeuta adquirir o conhecimento desses elementos que vão capacitá-lo a ajudar o seu paciente a fim de que este chegue a uma compreensão adequada. Tais experiências não são isentas de perigo, porque representam entre outras coisas a matriz da psicose. Interpretações obstinadas e violentas devem ser evitadas a qualquer preço; da mesma forma um paciente não deveria jamais ser impelido a um desenvolvimento que não se apresente espontaneamente. Se ele se apresentar não deve ser desaconselhado por algum pretexto, a não ser que haja uma possibilidade real de psicose. Para decidir essa questão é necessária uma experiência psiquiátrica profunda na qual sempre deve ser levado em conta que a constelação das imagens e fantasias arquetípicas em si mesmas não é de modo algum patológica. O fator mórbido revela-se apenas no modo pelo qual o indivíduo reage, isto é, no modo pelo qual compreende os temas arquetípicos. A característica da reação patológica é em primeiro lugar a *identificação com o arquétipo* que determina um tipo de inflação ou possessão pelos conteúdos emergentes, cuja irresistibilidade é um desafio a qualquer terapia. A identificação pode transcorrer no melhor dos casos como uma inflação mais ou menos inócua. Em todo caso, a identificação com o inconsciente significa uma certa fragilidade da consciência e nisso reside o perigo. A identificação não é "feita" por nós, não "nos identificamos", mas sofremos inconscientemente o tornar-nos idênticos a um arquétipo, isto é, somos por ele possuídos. Em casos graves é mais importante fortificar previamente o eu do que compreender e assimilar os produtos do inconsciente. A decisão depende do diagnóstico e da sutileza do terapeuta.

622   Este trabalho representa uma tentativa de abrir os processos interiores do mandala à compreensão intelectual. Estes representam, por assim dizer, retratos das transformações obscuramente sentidas no íntimo, as quais são percebidas pelo "olho interior" e tornadas visíveis com lápis e pincel, tal como se apresentam, incompreendidas e enigmáticas. As pinturas são uma espécie de ideogramas de conteúdos inconscientes. Utilizei evidentemente tal método comigo mesmo e posso constatar que de fato podemos pintar quadros complexos, cujo verdadeiro conteúdo nos é totalmente desconhecido. Enquanto pintamos, o quadro se desenvolve por si mesmo e muitas vezes até contrariando a intenção consciente. É interessante observar como a execução do quadro atravessa de um modo inesperado as expectativas conscientes. A mesma observação pode ser feita – muitas vezes com maior clareza – ao escrevermos sob o ditado da imaginação ativa[185].

---

185. Representações de natureza casuística encontram-se em MEIER, C.A. *Spontanmanifestationen des kollektiven Unbewussten*; BÄNZIGER. *Persönliches und Archetypisches im Individuationsprozess*; ADLER, G. *Studies in Analytical Psychology*.

O presente trabalho pode preencher uma lacuna que percebo na apresentação em geral dos métodos terapêuticos. Apesar de ter falado bastante sobre a imaginação ativa, pouco escrevi sobre ela. Desde 1916 utilizo este método. Em meu livro *O eu e o inconsciente* esbocei-a pela primeira vez. Mencionei o mandala somente em 1929 em: *O segredo da flor de ouro*[186]. Silenciei os resultados desse método por treze anos, a fim de não provocar qualquer sugestão, pois queria certificar-me de que essas coisas – sobretudo os mandalas – surgem espontaneamente e não sugeridas por minha própria fantasia. Pude convencer-me, através de meu próprio estudo, de que mandalas foram desenhados, pintados, esculpidos na pedra e construídos em todos aos tempos e lugares, muito antes que meus pacientes os descobrissem. Do mesmo modo observei, para minha satisfação, que mandalas foram sonhados e desenhados por pacientes em tratamento com psicoterapeutas que não eram meus alunos. Diante do significado e da importância do símbolo do mandala, precauções especiais me pareciam necessárias, uma vez que este motivo constitui um dos melhores exemplos da eficácia universal de um arquétipo. Mencionei em um *Seminário sobre sonhos infantis* (1939-1940) o sonho de uma menina de dez anos que realmente não poderia de forma alguma ter ouvido falar de uma quaternidade do divino. O sonho foi escrito por ela mesma e enviado por um conhecido: *"Uma vez vi no sonho um animal que tinha muitos chifres. Com eles, espetava e comia outros animaizinhos. O animal se enroscava a modo de uma cobra e é assim que vivia. Aí apareceu uma névoa azul a partir dos quatro cantos, e ele parou de comer. Aí chegou o bom Deus, mas eram quatro bons deuses nos quatro cantos. Aí o animal morreu, e todos os animais comidos apareciam novamente vivos"*.

Este sonho descreve um processo inconsciente de integração. Todos os animais são devorados por aquele único animal. Segue-se a enantiodromia, o dragão transforma-se em pneuma, o qual representa uma quaternidade divina. Segue-se a apocatástase, uma ressurreição dos mortos. Esta fantasia nada infantil só pode ser definida como arquetípica. A senhora X também colocou em sua décima segunda

---

186. A imaginação ativa é mencionada também em [JUNG] *Ziele der Psychotherapie* [§ 101s.]; além de *A função transcendente*. Reproduções de mandalas. In: WILHELM & JUNG. *O segredo da flor de ouro*, no próximo capítulo deste volume e em *Psicologia e alquimia*.

pintura uma coleção de animais dentro do mandala, ou seja, um par de cada um: cobras, tartarugas, peixes, leões, porcos e um único bode e carneiro[187]. A integração reúne o múltiplo em um só. Tanto a criança como a senhora X não conheciam as palavras de Orígenes (falando dos animais de sacrifício): "Procura em ti mesmo esses animais de sacrifício, e os encontrarás no teu íntimo, em tua alma. Compreende que dentro de ti mesmo (*intra temetipsum*) tens rebanhos de bois [...] rebanhos de carneiros e rebanhos de cabras [...] compreende que em ti também estão os pássaros do céu. Não te surpreendas ao dizermos que isso está em ti; compreende que és também um segundo pequeno mundo e que em ti estão Sol, Lua e estrelas"[188].

625   A mesma ideia ressurge em outra passagem, mas agora sob a forma de uma constatação psicológica: "Vê a expressão do rosto daquele que ora está irado, ora triste, e em seguida de novo alegre e outra vez perturbado e de novo tranquilo... Vês que essa pessoa acredita ser *um só* (mas) não é apenas um, pois nele aparecem tantas pessoas quantos são os modos de seu comportamento, porque segundo a Escritura também '*insipiens sicut luna mutatur*'[189], o louco muda como a Lua... Imutável é Deus, e por isso é chamado o Uno, porque não se modifica. Assim, o justo seguidor de Deus (*imitator Dei iustus*), criado segundo a imagem de Deus é chamado um e o mesmo (*unus et ipse*), depois de atingir a completitude, porque depois de estabelecer-se no cume da virtude, não mudará mais, permanecendo um só para sempre. Todo aquele, porém, que se encontra na malícia (*malitia*) está dividido em muitos e disseminado em vários. E enquanto permanecer nos múltiplos modos da malícia, ele não poderá ser chamado de Uno"[190].

626   Aqui os vários animais são substituídos por estados afetivos, aos quais o ser humano se encontra exposto. O processo de individuação, claramente sugerido aqui, subordina o múltiplo ao Uno. O Uno porém é Deus, ao qual, em nós, corresponde a *imago Dei*, a imagem de Deus. Esta porém se expressa no mandala, como já vimos em Jacob Böhme.

---

187. Pensa-se aqui numa Arca de Noé que atravessa as águas da morte e conduz a um tipo de renascimento da vida.
188. *In Leviticum homiliae*, V, 2.
189. Eclo 27,11: "O tolo muda como a Lua".
190. *In librum regnorum homilia*, I, 4.

XII

Simbolismo do mandala*

Tentarei a seguir representar uma categoria especial de simbolismo, a do mandala, através de grande número de imagens. Já me manifestei várias vezes acerca desse tema e finalmente descrevi e comentei minuciosamente essa espécie de símbolo que ocorreu no decorrer de um tratamento individual, no meu livro *Psicologia e alquimia*, 1944. Repeti a tentativa na contribuição precedente deste volume; neste caso os mandalas não provêm de sonhos, mas da imaginação ativa. Na presente exposição publico mandalas das mais variadas proveniências, a fim de fornecer ao leitor, por um lado, uma impressão da espantosa riqueza de formas da fantasia individual e, por outro, possibilitá-lo a fazer uma ideia da ocorrência recorrente dos elementos básicos.

Em relação à interpretação devo remeter o leitor à literatura respectiva. Neste trabalho contentar-me-ei com alusões, pois uma explicação mais aprofundada, como mostra o exemplo do mandala descrito em *Psicologia e religião* ou as descrições das investigações preliminares deste volume, levariam muito longe.

"Mandala", em sânscrito, significa *círculo*. Este termo indiano designa desenhos circulares rituais. No grande templo de Madura

627

628

629

---

* Publicado pela primeira vez em *Gestaltungen des Unbewussten* (Psychologische Abhandlungen VII). Zurique, Rascher: 1950. As imagens foram reunidas originariamente por C.G. Jung para um Seminário realizado em Berlim, em 1930. Nove delas (imagens 1, 6, 9, 25, 26, 28, 36, 37 e 38) foram reproduzidas como "exemplos de mandalas europeus". In: WILHELM, R. e JUNG, C.G. *O segredo da flor de ouro* - Um livro de vida chinês. Munique, Dorn Verlag: 1929.

(sul da Índia) observei sendo feita uma imagem desse tipo. Uma mulher a desenhava no chão do *mandapam* (átrio) com giz colorido. O mandala media três metros de diâmetro. Um pandit que me acompanhava explicou-me que nada podia informar a respeito. Somente as mulheres que traçavam tais imagens o sabiam. A própria desenhista recusou-se a comentar o que fazia. Obviamente não queria ser perturbada em seu trabalho. Mandalas elaborados, executados com argila vermelha, encontram-se também nas paredes externas caiadas de muitas cabanas. Os mandalas melhores e mais significativos são encontrados no âmbito do budismo tibetano[1]. Como exemplo, pode servir o seguinte mandala tibetano[2], cujo conhecimento devo a Richard Wilhelm.

Imagem 1

630   Um mandala deste tipo é um assim chamado *yantra*, de uso ritual, instrumento de contemplação. Ele ajuda a concentração, diminuindo o campo psíquico circular da visão, restringindo-o até o centro. Habitualmente o mandala tem três círculos, pintados de preto ou de azul-escuro, os quais devem excluir o exterior e manter coeso o interior. Quase que regularmente a beirada externa é de fogo, isto é, do fogo da *concupiscentia*, do desejo, do qual provêm os tormentos do inferno. Quase sempre são representados na beirada mais externa os horrores do sepultamento. Em direção ao interior há uma coroa de folhas de lótus, que caracteriza o todo como um *padma*, flor de lótus. Dentro há um tipo de pátio de mosteiro com quatro pórticos. Este significa o sagrado isolamento e concentração. No interior deste pátio encontram-se em geral as quatro cores básicas: vermelho, verde, branco e amarelo, representando os quatro pontos cardeais e ao mesmo tempo as funções psíquicas, conforme mostra o *Bardo Tödol*[3] tibetano. Segue-se o centro, usualmente, mais uma vez separado por um círculo mágico, como objeto essencial ou meta da contemplação.

---

1. Cf. *Psicologia e alquimia* [§ 122s.].
2. Do *China-Institut* em Frankfurt.
3. [Cf. JUNG. Psychologischer Kommentar zum Bardo Tödol. In: *Das tibetanische Tötenbuch*, § 850].

Imagem 1

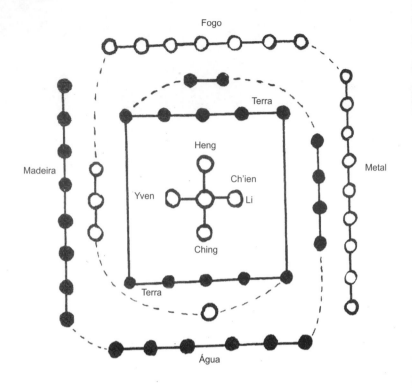

Imagem 2

Imagem 3

Imagem 4

Imagem 5

Imagem 6

Imagem 7

Imagem 8

Imagem 9

Imagem 10

Imagem 11

Imagem 12

Imagem 13

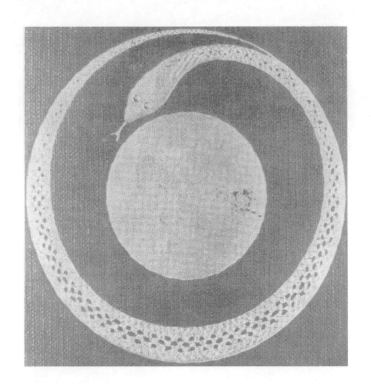

Imagem 14

Imagem 15

Imagem 16

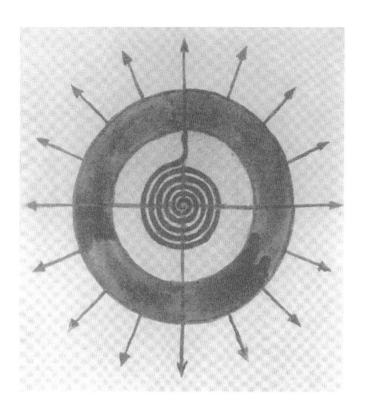

Imagem 17

Imagem 18

Imagem 19

Imagem 20

Imagem 21

Imagem 22

Imagem 23

Imagem 24

Imagem 25

Imagem 26

Imagem 27

Imagem 28

Imagem 29

Imagem 30

Imagem 31

Imagem 32

Imagem 33

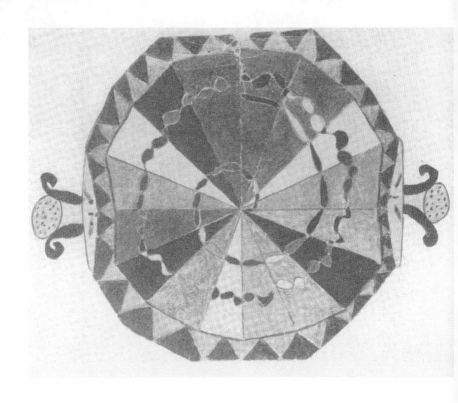

Imagem 34

Imagem 35

Imagem 36

Imagem 37

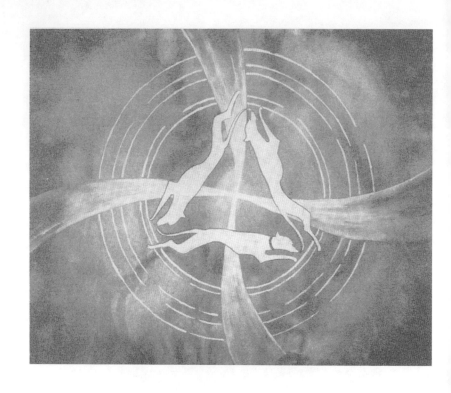

Imagem 38

Imagem 39

Imagem 40

Imagem 41

Imagem 42

Imagem 43

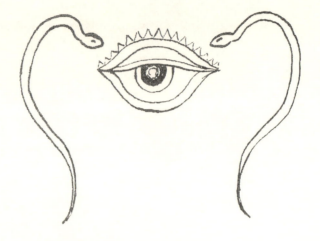

Imagem 44

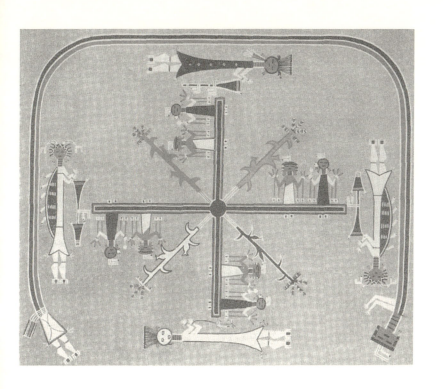

Imagem 45

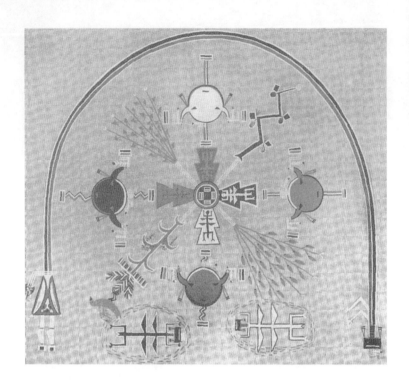

Imagem 46

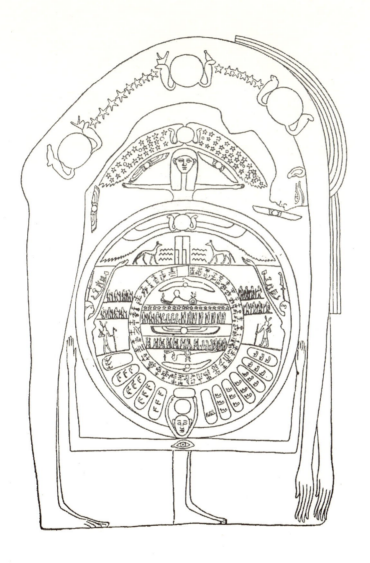

Imagem 47

Imagem 48

Imagem 49

Imagem 50

Imagem 51

Imagem 52

Imagem 53

Imagem 54

Este centro é tratado de diversas maneiras, de acordo com as exigências rituais ou o grau de iniciação do contemplativo ou da orientação da seita. Em geral representa-se Shiva em suas emanações criadoras do mundo. Segundo a doutrina tântrica é o uno existente, o atemporal em seu estado perfeito. A criação começa, pois, com Shiva não expandido, sob a forma de ponto – designado por Shiva-bindu – aparece no externo amplexo de seu lado feminino, isto é, do feminino em geral, da Shakti. Então ele sai do estado do ser-em-si para atingir o estado do ser-para-si, utilizando a linguagem hegeliana. 631

No simbolismo da ioga kundalini, Shakti é representada como serpente que se enrosca três vezes em torno do lingam, isto é, Shiva sob a forma do falo. Esta é a representação da *possibilidade* das manifestações do espaço. De Shakti procede Maya, o material de construção de todas as coisas individuais desdobradas; assim sendo, ela é a geradora do mundo concreto. Este é considerado uma ilusão, um ser não ser. Ela *é* e no entanto permanece guardada em Shiva. A criação começa, pois, com um ato de cisão dos opostos que são unidos na deidade. Da tensão entre eles surge como uma gigantesca explosão de energia, a multiplicidade do mundo. 632

A meta da contemplação dos processos representados no mandala é que o iogue perceba (interiormente) o deus, isto é, pela contemplação ele se reconhece a si mesmo como deus, retornando assim da ilusão da existência individual à totalidade universal do estado divino. 633

Como já foi dito, mandala significa círculo. Há muitas variações do tema aqui representado, mas todas se baseiam na quadratura do círculo. Seu tema básico é o pressentimento de um centro da personalidade, por assim dizer um lugar central no interior da alma, com o qual tudo se relaciona e que ordena todas as coisas, representando ao mesmo tempo uma fonte de energia. A energia do ponto central manifesta-se na compulsão e ímpeto irresistíveis de tornar-se o que se é, tal como todo organismo é compelido a assumir aproximadamente a forma que lhe é essencialmente própria. Este centro não é pensado como sendo o eu, mas se assim se pode dizer, como o si-mesmo. Embora o centro represente, por um lado, um ponto mais interior, a ele pertence também, por outro lado, uma periferia ou área circundante, que contém tudo quanto pertence ao si-mesmo, isto é, os pares de opostos que constituem o todo da personalidade. A isso, em 634 primeiro lugar, pertence a consciência, depois o assim chamado inconsciente pessoal, e finalmente um segmento de tamanho indefinido do consciente coletivo, cujos arquétipos são comuns a toda humanidade. Alguns deles estão incluídos permanente ou temporariamente no âmbito da personalidade e adquirem, através desse contato, uma marca individual, como por exemplo – para mencionar algumas das figuras conhecidas – a sombra, o animus e a anima. O si-mesmo, apesar de ser simples, por um lado, é, por outro, uma montagem extremamente complexa, uma *conglomerate soul*, para usar a expressão indiana.

635   A literatura lamaica dá prescrições muito pormenorizadas sobre como deve ser pintado um círculo desse tipo e como utilizá-lo. Forma e cores são estabelecidas pela tradição, motivo pelo qual as variações se movem dentro de limites relativamente estreitos. Na verdade, o uso ritual do mandala não é budista; em todo caso ele é desconhecido no budismo original do hinayana, aparecendo somente no budismo mahayana.

636   O mandala apresentado aqui (imagem 1) descreve o estado de uma pessoa transportada, a partir da contemplação, a um estado absoluto. É por isso que neste mandala faltam as representações do inferno e dos horrores do lugar do sepultamento. O belemnite (pedra sagitiforme) diamantino, o dorje no centro, manifesta o estado perfeito da união do masculino e do feminino. O mundo das ilusões desapareceu definitivamente. Todas as energias concentraram-se novamente no estado inicial.

637   Os quatro belemnites nos pórticos do pátio interno parecem sugerir que a energia vital flui para dentro; desprendeu-se dos objetos e volta ao centro. Quando é atingida a perfeita união de todas as energias nos quatro aspectos da totalidade, cria-se um estado estático, que não está mais sujeito a qualquer mudança. Na alquimia chinesa, este estado é denominado "corpo de diamante"; ele corresponde ao *corpus incorruptibile* da alquimia medieval que é idêntico ao *corpus glorificationis* na acepção cristã, isto é, ao corpo incorruptível da ressurreição. Este mandala mostra assim a união de todos os opostos, colocada entre yang e yin, entre céu e terra, o estado do eterno equilíbrio e, consequentemente, da duração imutável.

Para os nossos propósitos psicológicos mais modestos, temos que abandonar, porém, essa linguagem metafísica e colorida do Oriente. O que a ioga busca com esse exercício é sem dúvida uma transformação psíquica do adepto. O eu é expressão da existência individual. Neste exercício ritual, o iogue troca seu eu por Shiva ou Buda; produz, portanto, uma transposição muito significativa do centro psicológico do eu pessoal para o não eu impessoal, que agora é experimentado como o verdadeiro "fundo do ser" da personalidade. 638

Nesse contexto, quero mencionar uma concepção chinesa similar, isto é, o sistema no qual se baseia o *I Ching*. 639

Imagem 2

No centro está o ch'ien, o céu do qual procedem as quatro emanações, como forças celestes que se expandem no espaço. 640

ch'ien: energia autogeradora criativa, correspondente a Shiva
heng: força que permeia tudo
yuen: força geradora
li: força benéfica
ching: força inalterável determinante

Em torno deste centro masculino de força estende-se a terra com seus elementos configurados. E a mesma ideia da união Shiva-Shakti na ioga kundalini, mas que é representada como espaço da terra, recebendo em si a força criativa do céu. Da união de ch'ien (céu) com kun, o feminino, surge a *tetraktys* que está à base de todo ser (como em Pitágoras). 641

O "mapa do rio" é um dos fundamentos legendários do *I Ching*, o Livro das Mutações, o qual em sua presente forma data em parte do século XII a.C. Segundo a lenda, um dragão trouxe do fundo de um rio os sinais mágicos do "mapa do rio". Nestes, os sábios descobriram o desenho e dentro dele as leis da ordem do mundo. A representação aqui mostrada se caracteriza, de acordo com a sua longa idade, por cordões com nós, significando números. Tais números têm o caráter primitivo usual de qualidades, principalmente masculinas e femininas. Todos os números ímpares são masculinos; ao passo que os números pares são femininos. 642

643   Infelizmente desconheço se esta concepção primitiva da filosofia chinesa influenciou ou não a formação dos mandalas tântricos, muito mais recentes. Os paralelos, porém, saltam à vista, de modo que o investigador europeu deve interrogar-se que concepção influenciou a outra: a chinesa proveio da indiana, ou esta proveio da chinesa? Um indiano a quem interroguei respondeu-me: "Naturalmente a chinesa surgiu da indiana". Mas não sabia determinar a antiguidade das concepções chinesas. As raízes do *I Ching* remontam ao terceiro milênio antes de Cristo. Meu falecido amigo Richard Wilhelm, eminente conhecedor da filosofia clássica chinesa, era da opinião de que não havia provavelmente qualquer conexão direta entre ambas. Apesar da similaridade fundamental das ideias simbólicas, não é necessário haver uma influência direta, uma vez que as ideias, como a experiência mostra e como acredito ter demonstrado, sempre surgem independentes umas das outras, de modo autóctone, a partir de uma matriz anímica geral.

Imagem 3

644   Em contrapartida ao mandala lamaica, reproduzo a "roda do mundo" tibetana que deve ser estritamente diferenciada da anterior. A roda é uma representação do mundo. No centro, encontram-se os três princípios: galo, serpente e porco, simbolizando a luxúria, a inveja e a inconsciência. Ela tem perto do centro seis raios e mais externamente doze raios. Baseia-se no sistema triádico. A roda é sustentada pelo deus da morte, Yama. (Mais tarde encontraremos outros "sustentadores de escudo": imagens 34 e 47.) É compreensível que o mundo padecente da velhice, da doença e da morte se encontre nas garras do demônio da morte. O estado incompleto do ser é significativamente expresso por um sistema triádico, ao passo que o estado completo (espiritual), o é por um sistema tetrádico. A relação do ser incompleto com o completo corresponde, portanto, a uma *proportio sesquitertia*, isto é, 3:4. Esta relação é conhecida na tradição alquímica ocidental corno Axioma de Maria. No simbolismo onírico também desempenha um papel considerável[4].

---

4. Cf. acima [§ 252 deste volume].

Passemos agora aos mandalas individuais, tais como são produzidos espontaneamente por pacientes e analisandos no decorrer da conscientização do inconsciente. Ao contrário dos que acabamos de comentar, eles não se baseiam em qualquer tradição e modelo, na medida em que parecem representar criações livres da fantasia que no entanto são determinadas por certos pressupostos arquetípicos, desconhecidos por parte de seus autores. Por isso os temas importantes em princípio repetem-se tantas vezes que semelhanças evidentes aparecem em desenhos dos mais diversos autores. Os quadros são feitos em geral por pessoas cultas, que não tinham conhecimento dos paralelos étnicos em questão. Conforme o estágio do processo terapêutico, os quadros apresentam grandes variações. No entanto, certos motivos correspondem a determinadas etapas importantes do processo. Sem entrar em pormenores da terapia, quero apenas dizer que se trata de uma nova ordenação da personalidade, de certo modo de uma nova centralização. Por este motivo os mandalas aparecem de preferência depois de estados de desorientação, pânico ou caos psíquico. Sua meta, pois, é a de transformar a confusão numa ordem, sem que tal intenção seja sempre consciente. Em todo caso, os mandalas expressam ordem, equilíbrio e totalidade. Frequentemente os pacientes ressaltam o efeito benéfico ou tranquilizador de uma tal imagem. Em geral, representações e pensamentos religiosos, isto é, numinosos ou então ideias filosóficas se exprimem através dos mandalas. Eles possuem quase sempre um caráter intuitivo irracional e atuam de novo retroativamente sobre o inconsciente através de seu conteúdo simbólico. Tem, por conseguinte, em sentido figurado, um significado e efeito "mágicos", tal como os ícones eclesiásticos, cuja eficácia jamais é totalmente percebida pelos pacientes. Estes descobrem depois, mediante o efeito de seus próprios quadros, o que os ícones podem significar. Os quadros não têm eficácia porque provêm de sua própria imaginação, mas porque os pacientes ficam impressionados com os motivos e símbolos inesperados os quais são produzidos por sua fantasia subjetiva, de acordo com certas leis, exprimindo uma ideia e situação, as quais sua consciência só apreende com muita dificuldade. Em muitas pessoas surge de um mandala pela primeira vez a realidade do inconsciente coletivo como uma grandeza autônoma. Mas não quero estender-me muito sobre este assunto. Em certos quadros podemos fazer finalmente a leitura da intensidade da impressão ou da emoção.

646   Anteciparei algumas observações acerca dos elementos formais dos símbolos do mandala antes de prosseguir. Trata-se principalmente de:

1. Forma circular, esférica ou oval.

2. A figura circular é elaborada como flor (rosa, lótus, *padma* em sânscrito) ou como roda.

3. Um centro é figurado pelo Sol, estrela, cruz, em geral de quatro, oito ou doze raios.

4. Os círculos, esferas e figuras cruciformes são frequentemente representadas em rotação (suástica).

5. O círculo é representado por uma serpente enrolada circularmente (uróboro) ou espiralada (ovo órfico) em torno do centro.

6. A quadratura do círculo, como círculo dentro de um quadrado ou vice-versa.

7. Castelo, cidade, pátio (*temenos*) quadrado ou circular.

8. Olho (pupila e íris).

9. Ao lado das figuras tetrádicas (ou em múltiplos de quatro) aparecem também, mas muito mais raramente, formas triádicas ou pentagonais. Estas últimas devem ser consideradas como imagens da totalidade "perturbada", como veremos adiante.

Imagem 4

647   O mandala foi feito por uma paciente de meia-idade, que tinha visto este desenho (imagem 4) pela primeira vez em um sonho. A diferença entre este mandala e os orientais salta imediatamente à vista. Ele é essencialmente mais pobre no tocante à forma e à ideia, mas exprime a atitude individual da autora de forma incomparavelmente mais clara do que as imagens orientais, as quais se configuraram segundo uma tradição coletiva. O sonho em questão é o seguinte: "*Eu estava tentando decifrar uma amostra de um bordado difícil. Minha irmã sabe como fazê-lo. Pergunto se ela debruara um lenço. Ela responde: 'Não, mas eu sei como se faz'. Depois vejo o lenço com o dese-*

nho pespontado, mas o trabalho ainda não está feito. Devemos andar muitas vezes em torno (a partir da periferia), até aproximar-nos do quadrado central, onde passamos a caminhar em círculos".

A espiral com as cores típicas: vermelho, verde, amarelo e azul. Pelas indicações da paciente, o quadrado central representa uma pedra que tem as quatro cores básicas em suas facetas. A espiral no segmento interior é a representação da serpente, a qual, como a kundalini, enrosca-se três vezes e meia[5] em torno do centro.

648

A própria sonhadora não tinha a menor ideia do que estava ocorrendo em seu íntimo, isto é, o começo de uma nova orientação; ela nem poderia compreendê-lo conscientemente. Além disto, os paralelos com o simbolismo oriental lhe eram totalmente estranhos, de modo que esta influência devia ser totalmente descartada. A representação simbólica nela surgiu espontaneamente, no instante em que chegou a determinado ponto de seu desenvolvimento.

649

Infelizmente não é possível dizer de modo exato, neste contexto, em que circunstâncias psíquicas os quadros foram criados. Isto nos levaria muito longe. A intenção deste ensaio é apenas a de dar um apanhado geral acerca dos paralelos formais dos mandalas individuais ou coletivos. Assim não podemos interpretar pormenorizadamente e de modo profundo cada imagem particular. Seria necessário para isso uma explanação vasta da situação analítica momentânea da paciente. Sempre que é possível iluminar o surgimento de um quadro através de uma alusão simples, como no caso presente, isso será feito.

650

No que diz respeito à interpretação do quadro, deve ser ressaltado que a serpente primeiro disposta em ângulos e depois circularmente em torno do centro significa a circumambulação em torno do meio e o caminho para ele. A serpente, enquanto ser ctônico e ao mesmo tempo espiritual, representa o inconsciente. ("Um bom homem em seu impulso obscuro está por certo consciente do caminho correto"[6].) A pedra no centro, presumivelmente um cubo, corres-

651

---

5. O tema 3 1/2 (o número apocalíptico dos tempos de calamidade, por exemplo, *Apocalipse* 11,9 e 11) refere-se ao dilema alquímico: 3 ou 4?, ou melhor, à *proportio sesquitertia* (3:4). Sesquitertius é 3 + 1/3.

6. [*Fausto*, Primeira parte, Prólogo no céu].

ponde à forma quaternária da *lapis philosophorum*. As quatro cores pertencem também a este âmbito[7]. Vê-se por aí que a pedra representa neste caso o novo centro da personalidade, isto é, o si-mesmo. Não raro, este também é representado pelo vaso (alquímico).

Imagem 5

652   A autora é uma mulher de meia-idade com predisposição para a esquizofrenia. Muitas vezes pintou mandalas espontaneamente, pois estes sempre tinham um efeito ordenador sobre os seus estados psíquicos caóticos. A imagem representa uma rosa que equivale no Ocidente à flor de lótus. Na Índia a flor de lótus (*padma*) é o colo feminino segundo a interpretação tântrica. Conhecemos este símbolo pelas inúmeras representações de Buda (e de outros deuses indianos) na flor de lótus[8]. Esta representação corresponde à "flor de ouro" dos chineses, à rosa dos rosa-cruzes e à rosa mística no *Paradiso* de Dante. A rosa e a flor de lótus são em geral dispostas em quatro raios, o que indica a quadratura do círculo, isto é, a união dos opostos. O significado da rosa ou da flor como seio materno também não foi estranho aos místicos ocidentais; uma prece inspirada na *Ladainha Lauretana* diz:

> Ó coroa de rosas, teu florescer derrama nos homens o pranto da alegria.
> Ó Sol de rosas, despertas o amor no humano coração.
> Ó filho do Sol,
> Ó filho da Rosa,
> Ó Sol radioso.
> Flor da cruz, acima de todo florescer e ardor,
> desabrochas na pureza do seio da Rosa consagrada,
> Maria[9].

---

7. Há um paralelo indiano muito interessante a esse mandala: uma serpente branca, que se enroscou em torno de um centro dividido em cruz e de quatro cores. NEWCOM & REICHARD. *Sandpaintings of the Navajo Shooting Chant*, quadro XIII, p. 13 e 87. A obra contém um grande número de mandalas interessantes executados em cores.

8. O filho de Hórus egípcio também é representado sentado sobre a flor de lótus.

9. [Não pude localizar esta fonte.]

Ao mesmo tempo, o tema do vaso (alquímico) é um modo de expressar o conteúdo, à semelhança de Shakti que representa a realização de Shiva. Como revela a alquimia, o si-mesmo é um andrógino, constituído de um princípio masculino e um feminino. Conrado de Würzburg fala de Maria, a flor no mar, que Cristo encerra em si. Em um antigo hino da Igreja lemos:

> Sob todos os céus ergue-se uma rosa
> sempre em plena floração,
> sua luz brilha na Trindade,
> e Deus com ela se reveste[10].

Imagem 6

A rosa no centro é representada como um rubi, cuja circunferência foi concebida como uma roda ou um muro circundante com pórticos (a fim de que o que está dentro não saia e nada de fora possa entrar). O mandala é um produto espontâneo da análise de um homem. Baseia-se num sonho: *O sonhador encontra-se em Liverpool com três companheiros de viagem mais jovens*[11]. *É noite e chove. O ar está enfumaçado e cheio de fuligem. Eles sobem do porto para a "cidade alta".O sonhador diz: "Está terrivelmente escuro e desagradável, mal se pode suportar. Falamos sobre isso, e um dos meus companheiros conta que um de seus amigos, por estranho que pareça, resolveu estabelecer-se aqui, o que nos espanta. Conversando, chegamos a um tipo de 'jardim público' que fica no centro da cidade. O parque é quadrado e em seu centro há um lago, ou melhor, uma grande lagoa; acabamos de chegar a ela. Algumas lanternas de rua mal iluminam a escuridão de breu. Vejo, porém, na lagoa uma ilhota. Há uma única árvore no lugar, uma magnólia de flores avermelhadas, que miraculosamente se encontra sob uma eterna luz solar. Verifico que meus companheiros não veem esse milagre; começo então a compreender o homem que se estabeleceu neste lugar".*

O sonhador diz: "Tentei pintar este sonho, mas, como de costume, saiu algo bem diferente. A magnólia tornou-se um tipo de rosa de

---

10. [Não pude localizar esta fonte.]
11. Observe-se a insinuação deste nome: *Liverpool* = *Leber-Teich* (lagoa do fígado). Fígado é a sede da vida.

vidro e sua cor era de um rubi claro. Ela brilha como uma estrela de quatro raios. O quadrado representa o muro que cerca o parque e ao mesmo tempo uma rua que circunda o parque quadrado. Neste começam quatro ruas principais e de cada uma saem oito ruas secundárias, as quais se encontram num ponto central de brilho avermelhado, à semelhança da *Étoile* de Paris. O conhecido mencionado no sonho mora em uma casa de esquina, numa dessas *Étoiles*". O mandala reúne, pois, os temas clássicos: flor, estrela, círculo, praça cercada (*temenos*), planta de bairro de uma cidade com uma cidadela. "O todo me parece uma janela que se abre para a eternidade", escreve o sonhador.

Imagem 7

656   Tema floral com uma cruz no centro. O quadrado também está disposto a modo de uma flor. Os quatro rostos nos cantos representam os quatro pontos cardeais, os quais historicamente são muitas vezes representados como quatro deuses. Aqui eles têm um caráter demoníaco. Isto pode ligar-se ao fato de a paciente ter nascido nas Índias Holandesas, onde mamou com o leite da ama nativa a demonologia da região. Seus inúmeros desenhos tinham um caráter nitidamente oriental e assim a ajudaram a assimilar influências que a princípio não se conciliavam com a mentalidade ocidental.

657   Na imagem seguinte, da mesma autora, rostos semelhantes aparecem nas oito direções. O caráter floral do conjunto oculta ao observador superficial o demoníaco que deve ser conjurado pelo mandala. A paciente sentia que o efeito demoníaco provinha da influência europeia, com seu moralismo e racionalismo. Criada na Índia até os seis anos, conviveu mais tarde com europeus convencionais, o que teve um efeito devastador sobre a delicadeza de flor de seu espírito oriental, causando-lhe um trauma psíquico persistente. No tratamento, seu mundo originário emergiu novamente com esses desenhos e isso determinou sua cura anímica.

Imagem 8

658   O tema floral vai se desdobrando e se impõe ao tomar o espaço das caretas.

Imagem 9

Esta ilustração exprime um estado mais tardio. O cuidado minucioso do desenho compete com a riqueza de cor e forma. Reconhece-se através deles não só a extraordinária concentração da desenhista como também a vitória do "ornamento floral" do Oriente sobre o intelectualismo, racionalismo e moralismo demoníacos do Ocidente. Ao mesmo tempo torna-se visível o novo centramento da personalidade.

659

Imagem 10

Neste desenho de outra paciente jovem vemos nos quatro pontos cardeais cabeças bizarras, representando um pássaro, um carneiro, uma serpente e uma cabeça antropomórfica de leão. Juntamente com as quatro cores com que são pintadas as quatro regiões, são corporificados quatro princípios. O interior é vazio. Ele abriga o nada, expresso através de uma quaternidade. Isto concorda com a multiplicidade preponderante dos mandalas individuais: em regra geral encontra-se no centro o tema do "*rotundum*", do redondo, que conhecemos na alquimia, ou a emanação quádrupla, ou a quadratura do círculo ou, mais raramente, a própria forma humana em seu sentido geral, isto é, como *Anthropos*. Encontramos esse tema também na alquimia[12]. Os quatro animais lembram os querubins da visão de Ezequiel, bem como os símbolos dos quatro evangelistas e os quatro filhos de Hórus, os quais também podem ser representados de forma semelhante, isto é, três com cabeças de animais e um com cabeça humana. Os animais significam em geral as forças instintivas do inconsciente que se concentram numa unidade no mandala. Essa integração dos instintos constitui uma condição prévia da individuação.

660

Imagem 11

Neste mandala de uma paciente mais idosa vê-se a flor não embaixo, mas no alto. A forma circular foi preservada dentro do quadrado através das linhas diretrizes do desenho, de modo que este

661

---

12. Cf. minhas explanações em *Psicologia e religião*.

deve ser visto como mandala apesar de sua singularidade. A planta representa o crescimento, isto é, o desenvolvimento, à semelhança do broto verde no chacra do diafragma do sistema kundalini tântrico, o qual significa Shiva. Ele representa o centro e o masculino, ao passo que o cálice da flor representa o feminino, local da germinação e do nascimento[13]. Assim Buda é representado como o deus em germinação, porquanto está sentado na flor de lótus. Ele é o deus nascente, o mesmo símbolo de Rá como falcão, a fênix que se eleva do ninho, Mitra na copa da árvore, ou o filho de Hórus dentro da flor de lótus. Todos eles são representações *do status nascendi* no lugar germinativo do solo materno. Nos hinos medievais, Maria também é louvada como cálice de flor, sobre o qual desce Cristo como pássaro, nele repousando em aconchego. Psicologicamente, Cristo significa a unidade, a qual se revela através do corpo da Mãe de Deus, ou do corpo místico da Igreja, como que envolto em pétalas de flor, manifestando-se assim na realidade. Cristo, como ideia, é um símbolo do si-mesmo[14]. Tal como a planta representa o crescimento, a flor manifesta o desabrochar a partir de um centro.

Imagem 12

662   Aqui os quatro raios que emanam do centro atravessam o quadro inteiro. Isto confere ao centro um caráter dinâmico. A estrutura de flor é um múltiplo de quatro. O quadro é característico da personalidade marcante da autora que possui um certo talento artístico. (A imagem 5 foi criada pela mesma pessoa.) Além disso, ela é especialmente dotada de um sentido místico cristão que representa um grande papel em sua vida. Para ela era muito importante vivenciar o cenário arquetípico dos símbolos cristãos.

Imagem 13

663   Fotografia de um tapete feito por uma mulher de meia-idade, em um período de grande aflição interna e externa, à maneira do tecido

---

13. Cf. WILHELM & JUNG. *O segredo da flor de ouro*.
14. Cf. *Aion*, cap. 5.

de Penélope. Trata-se de uma médica que, num trabalho diligente, diário, que durou meses, teceu este círculo mágico como contrapeso às dificuldades de sua vida. Não era paciente minha, sendo, portanto, impossível ter sofrido a minha influência. O tapete contém uma flor de oito pétalas. Sua peculiaridade é ter verdadeiramente um "em cima" e um "embaixo". Em cima há luz, embaixo um relativo escuro. Dentro deste encontra-se uma espécie de escaravelho, representando um conteúdo inconsciente, comparável à situação do Sol nascente como Khepri. Não raro, o "em cima" e o "embaixo" encontram-se fora do círculo protetor e não dentro dele. Em casos semelhantes o mandala oferece proteção contra os opostos extremos, isto é, toda a agudeza do conflito ainda não é reconhecida ou sentida como insuportável. O círculo protetor guarda contra um possível rompimento através da tensão entre os opostos.

Imagem 14

O desenho seguinte é uma representação indiana do ponto-Shiva (*Shiva-bindu*). Ele mostra a força divina antes da criação, nos opostos ainda unidos. Deus repousa no ponto. A serpente em torno significa a expansão, a mãe do vir-a-ser, a configuração do mundo das formas. Na Índia, este ponto também é designado por *Hiranyagarbha*, o germe de ouro ou ovo dourado. Lemos no *Sanatsugâtîya*: "A grande luz pura que é radiante; a magnificência que os deuses verdadeiramente veneram, que faz o Sol brilhar mais intensamente – este ser eterno e divino é percebido pelo fiel. Ela é vista por um homem que fez votos supremos"[15].

Imagem 15

Este quadro, feito por uma mulher de meia-idade, representa a quadratura do círculo. As plantas indicam novamente o que germina e cresce. No centro há um sol. Como mostra a serpente e o tema da árvore, trata-se de uma representação do paraíso. Um paralelo deste

---

15. *Sacred Books of the East* VIII, p. 186.

é a ideia do Éden com os quatro rios do paraíso na gnose *naassena*. Para entender o significado funcional da serpente em relação ao mandala, veja os comentários anteriores neste volume[16].

Imagem 16

666   A autora deste quadro é uma mulher neurótica relativamente jovem. A representação da serpente é algo incomum, na medida em que se encontra no próprio centro, e sua cabeça com ele coincide. Normalmente ela se encontra fora do círculo interior, ou pelo menos enrolada em torno do ponto central. Há uma suspeita fundada de que no interior escuro não se esconda a unidade buscada, o si-mesmo, mas a natureza (velada) ctônica feminina da paciente. Em um quadro posterior da mesma paciente, o mandala explode e a serpente vem para fora.

Imagem 17

667   O quadro foi feito por uma jovem. Este mandala é "legítimo" na medida em que a serpente está enrolada em torno do ponto central de quatro raios. Ela move-se para fora: trata-se do despertar da kundalini, isto é, a natureza ctônica torna-se ativa, o que também é indicado pelas flechas que apontam para fora. Praticamente, isto significa uma conscientização da natureza instintiva. A serpente personifica há muito tempo os gânglios da coluna e da medula. Pontas dirigidas para fora podem significar o contrário em outros casos, isto é, a defesa externa do interior em perigo.

Imagem 18

668   O quadro é de uma paciente mais idosa. Contrariamente ao anterior, este é "introvertido". A serpente enrola-se em torno do centro de quatro raios com a cabeça colocada no ponto central branco (= Shiva-bindu), de modo a parecer um halo. É como se se tratasse de

---

16. [Comentário às imagens 3, 4 e 5].

uma incubação do ponto central, isto é, do tema da serpente guardiã do tesouro. O centro é frequentemente caracterizado como o "tesouro difícil de alcançar"[17].

Imagem 19

Mulher de meia-idade. Os círculos concêntricos exprimem "concentração". Isto ainda é sublinhado pelos peixes que circumambulam em relação ao centro. O número quatro tem o significado de concentração "total". A direção para a esquerda mostra presumivelmente o movimento em direção ao inconsciente, portanto, a "imersão" no mesmo.

Imagem 20

É um paralelo à imagem 19, constituindo uma representação do tema do peixe que pude ver no teto da luxuosa tenda do Marajá, em Benares (um esboço).

Imagem 21

O peixe ocupa aqui o lugar da serpente (peixe e serpente são ao mesmo tempo atributos simbólicos de Cristo e do demônio!). No mar do inconsciente ele gera um redemoinho em cujo centro deve surgir a pérola. O movimento é também sinistrogiro. Um hino do *Rigveda* diz:

> Coberto de trevas estava o mundo,
> Um oceano sem luz – perdido na noite;
> Então o que na casca se ocultava
> Nasceu: o Uno mediante força e tormento de paixão.
>
> Dele surgiu no início o Amor:
> Germe – semente do saber...[18]

A serpente personifica em geral o inconsciente, ao passo que o peixe representa um conteúdo do mesmo. Tais diferenças, embora sutis,

---

17. Cf. *Símbolos da transformação*. Segunda parte, cap. 7.
18. DEUSSEN. *Die Geheimlehre des Veda*, p. 3.

devem ser levadas em conta na interpretação de um mandala, pois os dois símbolos correspondem provavelmente a duas etapas diversas do desenvolvimento: a serpente representaria um estado mais primitivo e instintivo do que o peixe, ao qual corresponde também historicamente uma autoridade superior à da serpente (símbolo ictílico!).

Imagem 22

673   Neste quadro de uma jovem, o peixe produziu um centro diferenciado, no qual aparecem mãe e filho diante de uma árvore estilizada da vida e do nascimento (paraíso). O peixe aqui se assemelha a um dragão; é pois um monstro da espécie de um Leviatã, o qual originariamente era uma serpente como indicam os textos de *Ras Shamra*. O movimento aqui é também sinistrogiro.

Imagem 23

674   A bola de ouro corresponde ao germe de ouro (*hiranyagarbha*). Ela está em rotação e a kundalini que enrosca em torno duplica-se. Isto indica a conscientização na medida em que um conteúdo, ao emergir do inconsciente, em dado momento se decompõe em duas metades idênticas, uma das quais é consciente e a outra, inconsciente. A duplicação não é operada pela consciência, mas surge espontaneamente nos produtos do inconsciente. Outro indício da conscientização é o movimento dextrogiro da rotação, expresso através de asas (tema da suástica). As estrelas caracterizam o ponto central da estrutura cósmica. O mandala que tem quatro raios comporta-se como um corpo celeste. O *Shathapatha – Brâhmana* diz: "Ele olha para cima, em direção ao sol, pois esta é a meta final, o refúgio seguro. Assim, pois, ele vai rumo à meta final, a esse refúgio: por este motivo ele olha para cima, em direção ao Sol. (16.) Ele olha para cima, com as palavras: 'Tu és autoexistente, o melhor raio de luz!' O sol é realmente o melhor raio de luz, e por isso diz: 'Tu és autoexistente, o melhor raio de luz. És doador de luz: dá-me luz!', assim falo eu, disse *Yâgñavalkya*, 'pois é para essa meta que o brâmane deve tender, para ser iluminado por Brahma'. (17.) Então ele se volta da esquerda para a direita com as palavras 'Eu me movo, seguindo o percurso do Sol',

tendo alcançado essa meta final, esse refúgio seguro, ele se move agora, seguindo o percurso daquele (Sol)"[19].

Deste sol são mencionados sete raios. Um comentarista observa que quatro apontam para os quatro pontos cardeais; um para cima, outro para baixo; e o sétimo, "o melhor" deles aponta para dentro. É ao mesmo tempo o disco do sol, chamado *hiranyagarbha*[20]. *Hiranyagarbha* é, segundo o comentário de Ramanuja aos *Vedanta Sûtras* (II, 4,17), o Eu Supremo, o "agregado coletivo de todas as almas individuais". Ele é o corpo do Brahma supremo e representa a alma coletiva. Em relação à ideia do si-mesmo como um composto de muitos, compare-se "cada um de nós não é um, mas muitos", e "todos os justos são um, aquele que obteve a palma" em Orígenes[21].

A autora é uma mulher de setenta anos, com dons artísticos. O processo de individuação desencadeado pelo tratamento, que esteve bloqueado por muito tempo, mobilizou sua atividade criativa (o quadro 21 é da mesma fonte), dando oportunidade ao surgimento de uma série de quadros bem-sucedidos e de cores alegres, os quais exprimem eloquentemente a intensidade da vivência.

675

676

Imagem 24

Trata-se da mesma autora. A contemplação, isto é, a concentração rumo ao centro, é praticada por ela mesma. *Ela* tomou o lugar do peixe e da serpente. Uma imagem ideal dela mesma dispôs-se em torno do ovo precioso. As pernas são flexíveis (sereia!). A psicologia de

677

---

19. [1, 9, 3, 15s. (*Sacred Books of the East* XII, p. 271s.): "He then looks up to the sun, for that is the final goal, that the safe resort. To that final goal, to that resort he thereby goes: for this reason he looks up to the sun (16). He looks up, with the text... 'Self-existent art thou, the best ray of light'! The sun is indeed the best ray of light, and therefore he says, 'Self-existent art thou, the best ray of light'. 'Light-bestowing art thou: give me light (varkas)'!' so say I', said Yâgñavalkya, 'for at this indeed the Brahmana should strive, that he be brahmavarkasin' (iluminado por Brahma)... (17). He then turns (from left to right), with the text... 'I move along the course of the sun', having reached that final goal, that safe resort, he now moves along the course of that (sun)".]
20. Op. cit.
21. ["Unusquisque nostrum non est unus, sed est multi", e "Omnes justi unus est qui accipit palmam" (*In libros regnorum homiliae*, 1, 47)].

uma imagem como esta não é estranha à tradição da Igreja. O que no Oriente é Shiva e Shakti, no Ocidente corresponde a *vir a femina circumdatus*, isto é, ao Cristo e sua noiva Igreja; compare-se também o *Maîtrâyana – Brâhmana – Upanixade*: "Ele (o si-mesmo) também é o que aquece, o Sol, oculto pelo ovo dourado dos mil olhos, como um fogo por outro. Devemos meditar nele, procurá-lo. Depois de despedir-se de todos os seres vivos, depois de ir para a floresta, renunciando a todos os objetos sensuais, o homem poderá perceber o si-mesmo em seu próprio corpo"[22].

678 Aqui também é sugerida uma radiação provinda do meio, que ultrapassa o círculo protetor e atinge o distante. Isto expressa a ideia de um efeito à distância do estado introvertido da consciência. Poder-se-ia entendê-lo também como uma conexão inconsciente com o mundo.

Imagem 25

679 De outra paciente de meia-idade é esta imagem. Ela representa várias fases do princípio de individuação. Embaixo, encontra-se enroscada num emaranhado ctônico de raízes (= *mulādhāra* na ioga kundalini). No centro, ela estuda um livro, cultiva sua inteligência multiplicando saber e consciência. Em cima, ela recebe como *"renata"* a iluminação sob a forma de uma esfera celeste, que amplia e liberta a personalidade e cuja forma redonda representa de novo o mandala, em seu aspecto "Reino de Deus"; o mandala de baixo, em forma de roda, é de natureza ctônica. Trata-se de um confronto da totalidade natural e espiritual. O mandala é incomum devido à sua estrutura de seis raios (seis picos de montanhas, seis pássaros, três figuras humanas). Além disso, ele se encontra nitidamente entre um alto e um baixo, que se repetem no próprio mandala. A esfera superior é clara e desce para uma estrutura senária (de seis unidades), ou seja, ternária, sendo que já transpôs o cimo da roda. Segundo uma antiga tradição, o número seis significa criação e devir, uma vez que

---

22. [Homem cercado pela mulher. – He (the Self) is also he who warms, the Sun, hidden by the thousand-eyed golden egg, as one fire by another. He is to be thought after, he is to be sought after. Having said farewell to all living beings, having gone to the forest, and having renounced all sensuous objects, let man perceive the Self from his own body.

representa uma *coniunctio* de dois e três (2 X 3), (par e ímpar = feminino e masculino). Filo Judeu chama o *senarius* (6) de *"numerus generationi aptissimus"* (o número mais apropriado para a geração"[23]). Segundo uma concepção antiga[24] o número três representa a superfície, o quatro, a altura, isto é, a profundidade. O *"quaternarius solidi naturam ostendit"* (mostra a natureza do sólido), ao passo que os três primeiros caracterizam ou produzem a *intelligibilia* incorpórea. O número quatro aparece como pirâmide de três lados. O senário (hexa) mostra que o mandala é constituído de duas tríades, sendo que a superior se completa na quaternidade, no estado da *aequabilitas* e *iustitia*, como diz Filo. Embaixo nuvens escuras, ainda não integradas, ameaçam. Este quadro demonstra o fato frequente de que a personalidade é carente de ampliação, tanto para cima como para baixo.

Imagens 26 e 27

Estes mandalas são em parte atípicos. Ambos foram feitos pela mesma pessoa, uma mulher ainda jovem. No centro, encontra-se, como no caso anterior, uma figura feminina, igualmente encerrada em uma esfera de vidro ou numa bolha transparente. Parece que um *homunculus* está em vias de surgir. (Compare-se com o *homunculus* na retorta, de *Fausto*, segunda parte.) Em ambos os mandalas, além do número quatro ou oito, há um centro de cinco raios. Existe, portanto, um dilema entre o quatro e o cinco. Cinco é o número do homem natural, na medida em que ele consiste de um tronco e cinco adendos. Por outro lado, o quatro significa uma totalidade *refletida* que descreve o homem ideal ("espiritual") e o formula como uma totalidade em oposição ao pentagonal que descreve o homem corpóreo. É significativo que a suástica simboliza o homem "pensante"[25], ao passo que a estrela de cinco pontas simboliza o homem material

680

---

23. *De opificio mundi*, p. 2.
24. Op. cit., p. 79.
25. Neste caso é preciso levar em conta que a suástica é destrogira ou sinistrogira. A sinistrogira representaria no Tibet, Bön, a religião da magia negra, em oposição ao budismo.

corpóreo[26]. O dilema de quatro e cinco corresponde ao dilema do homem cultural e natural. Era este o problema da paciente. O quadro 26 aponta para o dilema nos quatro grupos de estrelas: dois deles contêm quatro estrelas e dois, cinco. Na orla mais externa dos dois mandalas é representado "o fogo do desejo". Na imagem 26 a orla externa é constituída por algo que parece um tecido (pegando fogo). Em contraste característico com o mandala "radiante", estes dois (em especial a imagem 27) "ardem". Trata-se do desejo flamejante, comparável à saudade do homúnculo encerrado na retorta, em *Fausto*, Segunda parte, cuja cápsula de vidro se despedaça no trono de Galateia. Trata-se realmente de um desejo erótico, mas ao mesmo tempo de um *amor fati*, que arde a partir do mais íntimo do si-mesmo, que quer dar forma ao destino e assim ajudar o si-mesmo a realizar-se. Tal como o *homunculus* em *Fausto*, a figura encerrada no interior quer "vir a ser".

681   A própria paciente sentiu o conflito, pois contou-me que não conseguia tranquilizar-se depois de pintar o quadro. Tinha chegado à metade de sua vida, isto é, aos trinta e cinco anos, e estava em dúvida se devia ter mais um filho. Decidiu tê-lo. O destino, porém, não o permitiu, porque o desenvolvimento de sua personalidade tendia para outro fim, isto é, para uma meta não biológica, mas cultural. O conflito resolveu-se nesse sentido.

Imagem 28

682   Trata-se do quadro de um homem de meia-idade. No centro há uma estrela. O céu é azul com nuvens douradas. Nos quatro pontos cardeais vemos figuras humanas: em cima, um velho em atitude contemplativa e embaixo Loki ou Hefesto, com cabelo ruivo chamejante, segurando um templo na mão. À direita e à esquerda há duas figuras femininas, uma escura e outra clara. São indicados desse modo quatro aspectos da personalidade, isto é, quatro figuras arquetípicas que pertencem por assim dizer à periferia do si-mesmo. As duas figu-

---

26. O símbolo da estrela é preferido tanto pela Rússia como pela América. A primeira é vermelha, a outra, branca. Sobre o significado destas cores cf. *Psicologia e alquimia* [índice, cf. verbete "cores"].

ras femininas podem ser logo reconhecidas como os dois aspectos da anima. O velho corresponde ao arquétipo do sentido, ou seja, do espírito, e a figura ctônica escura no plano inferior, ao oposto do sábio, isto é, ao elemento luciferino, mágico (e às vezes destrutivo). Na alquimia trata-se de Hermes Trismegisto *versus* Mercúrio como o *trickster* evasivo[27]. O primeiro círculo que cerca o céu contém estruturas vivas semelhantes a protozoários. As dezesseis esferas de quatro cores no círculo contíguo provêm de um tema originário de olhos e representam, portanto, a consciência observadora e diferenciadora. Assim também os ornamentos que se abrem para dentro do círculo seguinte significam aparentemente receptáculos, cujo conteúdo é despejado em direção ao centro[28]. Os ornamentos no círculo mais externo abrem-se inversamente para fora, a fim de receber algo do exterior. No processo de individuação as projeções originárias refluem para dentro, isto é, são novamente integradas na personalidade. Em contraste com a imagem 25, o "em cima" e o "embaixo", bem como o "masculino" e o "feminino" aqui estão integrados, como no *hermaphroditus* alquímico.

Imagem 29

Aqui o centro também é simbolizado por uma estrela. Esta representação muito frequente corresponde às figuras precedentes nas quais o sol está no centro. O sol também é uma estrela, um germe radioso no oceano do céu. O quadro mostra o aparecimento do si-mesmo como estrela a partir do caos. A estrutura de quatro raios é ressaltada pelas quatro cores. O significativo desta imagem é que a estrutura do si-mesmo é colocada como uma ordem frente ao caos[29]. O autor é o mesmo do quadro 28 (reprodução em preto e branco).

---

27. [Cf. capítulos 8 e 9 deste volume, bem como *O espírito de Mercúrio*.]
28. Uma ideia semelhante encontra-se na alquimia, isto é, na assim chamada *Ripley-Scrowle* e suas variantes (cf. *Psicologia e alquimia*, p. 524 fig. 257). Nela os deuses planetários misturam suas qualidades ao banho do renascimento.
29. "Sobre a psicologia da meditação oriental" [§ 942].

Imagem 30

684 Este mandala de uma paciente mais idosa está novamente cindido em um "em cima" e um "embaixo"; em cima o céu, embaixo o mar, como é indicado pelas linhas ondulantes douradas sobre um fundo azul. Quatro asas circundam o centro para a esquerda, que é apenas marcado por uma cor vermelho-alaranjada. Os opostos também são integrados neste caso e são talvez a causa da rotação do centro.

Imagem 31

685 Um mandala atípico baseado no número dois (díade). Uma lua dourada e outra prateada orlam o mandala em cima e embaixo. O interior é na parte superior um céu azul e na inferior, algo parecido com um muro negro com ameias. Sobre ele, do lado direito e externo, pousa um pavão com a cauda em leque e do lado esquerdo há um ovo, talvez de pavão. Em vista do papel significativo desempenhado pelo pavão e seu ovo, tanto na alquimia quanto no gnosticismo, podemos esperar o milagre da *cauda pavonis*, isto é, o aparecimento de "todas as cores", o desdobramento e conscientização do todo, no momento em que tiver ruído o muro divisório e sombrio. (Compare-se com a imagem 32.) A paciente presumia que o ovo poderia romper-se, dele saindo algo de novo, talvez uma serpente. Na alquimia, o pavão é sinônimo da fênix. Uma variante da lenda da Fênix diz que o pássaro Semenda queima-se a si mesmo, um verme se forma de suas cinzas e dele surge de novo o pássaro.

Imagem 32

686 Esta imagem é uma reprodução do *Codex Alchemicus Rhenovacensis* da Biblioteca Central de Zurique. O pavão substitui aqui o pássaro Fênix, o renascido das cinzas. Uma representação semelhante pode ser encontrada num manuscrito do Museu Britânico, mas neste o pavão está encerrado num alambique de vidro, no *vas hermeticum*, como o *homunculus*. O pavão é um antigo símbolo do renascimento e da ressurreição, que encontramos com frequência também nos sarcófagos cristãos. No vaso próximo ao do pavão aparecem as cores da *cauda pavonis* como sinal de que o processo de

transformação se aproxima da meta. No processo alquímico a *serpens mercurialis*, o dragão, transformar-se-á na águia, no pavão, no ganso de Hermes ou na Fênix[30].

Imagem 33

Esta imagem foi desenhada por um menino de sete anos cujos pais eram problemáticos. Ele havia feito uma série de desenhos de círculos cercando com eles sua cama. Ele os chamava seus "amados" e não dormia sem eles em torno. Isto indica que as imagens "mágicas" tinham para ele ainda o significado originário e funcionavam como círculos encantados protetores.

687

Imagem 34

Uma menina de onze anos, cujos pais estavam se divorciando, sofreu, por algum tempo, grandes dificuldades e reviravoltas e desenhou muitas imagens que revelam claramente a estrutura do mandala. Aqui também trata-se de círculos mágicos cuja função seria a de deter as dificuldades e adversidades do mundo exterior, impedindo-as de penetrar em seu espaço psíquico. Eles representam uma espécie de autoproteção.

688

Talvez de um modo semelhante ao *kilkhor*, a roda do mundo tibetana (fig. 3), encontram-se de ambos os lados desta imagem algo parecido com chifres que, como sabemos, pertencem ao diabo ou a um de seus símbolos teriomórficos. A ele também pertencem os dois traços oblíquos dos olhos, nariz e boca. Isto significa que atrás deste mandala o diabo está escondido. Quer sejam os "demônios" uma imagem da força mágica escondida e, portanto, eliminada – o que parece ser o propósito do mandala – quer no caso de tratar-se da roda tibetana do mundo, este último está aprisionado nas garras do demônio da morte. Nesta imagem os demônios apenas espreitam pelas margens. O significado disto só se revelou a mim em um outro caso: uma paciente com dotes artísticos realizou um típico mandala tetrádico, que colou num pedaço de papel grosso. Nas costas do papel fez

689

---

30. Cf. depois *Psicologia e alquimia* [§ 334 e 407].

um círculo cheio de desenhos de perversões sexuais. Este aspecto de sombra do mandala representava as tendências desordenadas e em desagregação, o "caos" que se esconde atrás do si-mesmo e pode manifestar-se de modo perigoso, quando o processo de individuação se detém, ou quando o si-mesmo não se realiza, permanecendo inconsciente. Este aspecto da psicologia foi representado pelos alquimistas através do seu *mercurius duplex*, o qual por um lado é o Hermes mistagogo e psicopompo, e por outro lado o dragão venenoso, o espírito do mal e o *trickster* (trapaceiro).

Imagem 35

690   Desenho da mesma menina. Em torno do sol há um círculo com o tema dos olhos e o uróboro. O motivo da polioftalmia ocorre muitas vezes em mandalas individuais. (Cf. por exemplo, os quadros 17 e 5 no capítulo XI deste volume.) No *Maitrâyana-Brâhmana-Upanixade*[31] o ovo (*hiranyagarbha* = germe de ouro) é descrito como se possuísse "milhares de olhos". Os olhos no mandala significam, por um lado, indubitavelmente, a consciência observadora e, por outro, podem ser atribuídos, em texto e imagens, à figura mítica de um *anthropos* do qual procede o ver. Isto me parece indicar o fascínio que através de um olhar mágico chama a atenção da consciência (cf. figuras 38 e 39).

Imagem 36

691   Representação de uma cidade medieval, com muralhas e fossos de água, ornamentos e igrejas numa disposição de quatro raios. A cidade interna também é cercada de muros e fossos, semelhante à cidade imperial em Pequim. Toda a construção abre-se aqui em direção ao centro, representado por um castelo com teto de ouro. Este é cercado também por um fosso de água. O chão em torno do castelo é coberto de ladrilhos pretos e brancos. Eles representam os opostos que assim se reúnem. Este mandala foi feito por um homem de idade madura (cf. imagens 28 e 29). Tal imagem não é estranha na simbologia cristã. A Jerusalém celeste do *Apocalipse* de São João é conhecida por

---

31. [*Sacred Books*, XV, VI, 8, p. 311].

todos. No mundo das ideias indianas encontramos a cidade de Brahma no Monte Meru, montanha do mundo. Podemos ler na *Flor de ouro*[32]: "O livro do Castelo amarelo diz: 'No campo de uma polegada quadrada da casa de um pé quadrado podemos ordenar a vida'. A casa de um pé quadrado é a face. Na face o campo da polegada quadrada o que poderia ser senão o coração celeste? No meio da polegada quadrada mora a glória. Na sala púrpura da cidade de jade mora o deus do vazio supremo e da vida". Os taoistas chamam este centro de "terra dos antepassados ou Castelo amarelo".

Imagem 37

A imagem é da mesma desenhista das imagens 11 e 30. Aqui o lugar do germe é representado como um recém-nascido envolvido numa esfera em rotação. As quatro "asas" têm as quatro cores básicas. A criança corresponde ao *hiranyagarbha* e ao *homunculus* dos alquimistas. O mitologema desta "criança divina" baseia-se em ideias deste tipo[33].

692

Imagem 38

Mandala em rotação, cuja autora é a mesma paciente das imagens 21 e 23. É notável a estrutura quaternária das asas de ouro em confronto com a tríade dos cães, correndo em torno do centro. Eles voltam a parte traseira para este, indicando com isso que o centro para eles se encontra no inconsciente. O mandala contém – de modo incomum – um motivo triádico sinistrogiro, enquanto as asas se movem para a direita. Isto não é de modo algum ocasional. Os cães representam a consciência perseguindo o inconsciente mediante o faro e a intuição; as asas mostram o movimento do inconsciente em direção à consciência, de acordo com a situação da paciente naquele tempo. Era como se os cães estivessem fascinados pelo centro que não podiam ver. Eles parecem representar a fascinação da mente consciente. A imagem incorpora a proporção *sesquitertia* (3:4).

693

---

32. Segunda edição, p. 102.
33. Capítulo VI deste volume.

Imagem 39

694   O mesmo motivo anterior, mas representado por lebres. Trata-se de uma janela gótica na catedral de Paderborn. Não há um centro reconhecível, se bem que a rotação pressupõe sua existência.

Imagem 40

695   Quadro de uma paciente mais jovem. Ele representa igualmente a proporção *sesquitertia*, e por isso aquele dilema com o qual começa o *Timeu* de Platão e o qual, como eu já disse, desempenha um papel considerável na alquimia: *o axioma de Maria*. Remeto o leitor a respeito disto à *"Simbologia do espírito"* e especialmente ao meu comentário, quando falo do "Timeu", em *Tentativa de uma interpretação psicológica do dogma da Trindade*[34] (cf. também com o texto da imagem 3).

Imagem 41

696   Esta imagem é de uma paciente jovem com predisposição esquizoide. O momento patológico manifesta-se quando as "linhas quebradas" aparentemente cindem o centro. As formas agudas, pontudas destas linhas quebradas significam impulsos maus, agressivos e destrutivos que poderiam impedir a desejada síntese da personalidade. Parece, porém, que a estrutura regular que cerca o mandala estaria apta a restringir a aparente tendência perigosa para a dissociação interna. Este foi o caso, no decurso do tratamento e no desenvolvimento posterior da paciente.

Imagem 42

697   Mandala neuroticamente perturbado. Foi desenhado por uma jovem paciente solteira num período de extrema perturbação: achava-se num dilema entre dois homens. A margem mais externa mostra quatro cores diferentes. O centro é duplicado de um modo estranho; o sol aparece à direita cercado de veias sanguíneas móveis, enquanto

---

34. [§ 184].

ao fundo, num campo escuro, irrompe fogo atrás de uma estrela azul. Esta tem cinco raios e lembra o pentagrama simbolizando o homem: braços, pernas e cabeça com o mesmo valor. A estrela de cinco pontas significa, como já vimos, o homem natural, terreno e inconsciente (cf. imagens 26 e 27). A cor da estrela é azul e, portanto, fria. O sol que irrompe é amarelo e vermelho, portanto cores quentes. O próprio sol (que aqui se assemelha a uma gema de ovo podre) significa em geral consciência ou iluminação e compreensão. A respeito do mandala poderíamos dizer que pouco a pouco uma luz está despontando na paciente; ela estaria despertando de um estado até então inconsciente que correspondia a uma existência meramente biológica e racional. (O racionalismo não garante de forma alguma uma consciência superior, mas tão só unilateral!) O novo estado se caracteriza pelo vermelho do sentimento e pelo amarelo (ouro) da intuição. Trata-se, por conseguinte, de um deslocamento do centro da personalidade para a região mais quente do coração e do sentimento, e pela inclusão da intuição surge a modo de um pressentimento uma apreensão irracional da totalidade.

Imagem 43

Este quadro é de uma mulher de meia-idade, a qual, sem ser neurótica, trabalhava no sentido de seu desenvolvimento espiritual, utilizando a "imaginação ativa" para este fim. Destas tentativas surgiu a representação do nascimento de uma nova visão, ou consciência (olho) das profundezas do inconsciente (mar). O olho tem aqui o significado do si-mesmo. 698

Imagem 44

Esta é uma representação que se encontra num mosaico de piso romano, em Mokhnin (Tunísia), onde a fotografei. Trata-se de um expediente apotropaico contra o mau olhado. 699

Imagem 45

Mandala dos índios navajos. Eles confeccionam tais mandalas com areia colorida, num trabalho demorado e difícil, para fins curati- 700 vos. Trata-se de uma parte do ritual do chamado Canto da Montanha (*Mountain Chant*), o qual é entoado para o doente. Em torno do centro estende-se num amplo arco o corpo da deusa do arco-íris. A cabeça quadrada caracteriza a divindade feminina, e a redonda, a masculina. A disposição dos quatro pares de deuses nos braços da cruz sugere uma suástica dextrogira. A este movimento correspondem também as quatro divindades masculinas que fecham a suástica.

Imagem 46

701   Esta imagem representa outra pintura em areia dos navajos. Ela pertence à cerimônia do *Male Shooting Chant*[35]. Os quatro pontos cardeais são representados por quatro cabeças com chifres, nas quatro cores correspondentes aos pontos cardeais.

Imagem 47

702   Ofereço aqui, a título de comparação, uma representação da mãe do céu dos egípcios, que, tal como a deusa do arco-íris, inclina-se sobre a "terra" com o horizonte circular. Por trás do mandala encontra-se (presumivelmente) o deus do ar, parecido com o demônio (imagens 3 e 34). Embaixo, os braços em adoração do *Ka* com o tema do olho, seguram o mandala que poderia significar a totalidade da "terra"[36].

Imagem 48

703   Esta imagem provém de um manuscrito de Hildegard von Bingen. Representa a terra cercada pelo oceano, pelo reino do ar e pelo céu estrelado. No centro, a esfera terrestre propriamente dita é dividida em quatro partes[37].

---

35. [Canto de caça dos homens]. Agradeço os dois desenhos a Mrs. Margaret Schevill. A imagem 45 é uma variante da pintura em areia publicada em *Psicologia e alquimia* [fig. 110, p. 234].
36. O desenho veio às minhas mãos do British Museum, Londres. O relevo do mesmo parece encontrar-se em Nova York.
37. Lucca, *Biblioteca governativa*. Cod. 1942, fol. 37.

Jacob Böhme apresentou um mandala em seu livro *Viertzig Fragen von der Seele* (quadro 3 no capítulo precedente deste volume). O círculo contém um semicírculo claro e outro escuro que se dão as costas. Representam opostos não unificados. Por este motivo o coração que se encontra entre ambos deve unificá-los. Esta representação é incomum, mas expressa adequadamente o conflito moral insolúvel na visão cristã. "A alma é um olho / no abismo eterno: uma metáfora da eternidade: uma figura perfeita e retrato do primeiro Princípio, e como Deus Pai de acordo com sua pessoa (se assemelha) à eterna Natureza. Sua essência e substância (onde está puro em si mesmo) é em primeiro lugar a roda da natureza – com as quatro primeiras formas". Em outro texto do mesmo tratado, Böhme diz: "A natureza das almas com sua imagem / está na terra / em uma bela flor". Ou: a alma é "um olho de fogo", "que provém do eterno centro da natureza", uma "metáfora do primeiro Princípio". Como olho ela "recebe a luz / do mesmo modo que a Lua a (recebe) do brilho do Sol,... pois a vida da alma origina-se no fogo". Em outra passagem: "A alma assemelha-se a uma esfera de fogo / ou a um olho de fogo"[38].

Imagens 49 e 50

A imagem 49 é particularmente interessante, na medida em que nela se reconhece com nitidez em que relação se encontra com seu autor. A desenhista (a mesma da imagem 42) tem um problema com a sombra. A figura feminina no quadro representa sua sombra, seu lado escuro ctônico. Encontra-se diante de uma roda de quatro raios, formando com a mesma um mandala de oito raios. De sua cabeça saem quatro serpentes[39], as quais expressam a natureza tetrádica da consciência; fazem-no, porém – concordando com o caráter demoníaco do quadro –, num sentido mau e nefasto, na medida em que representam pensamentos maus e destrutivos. A figura inteira está envolta em chamas, que emitem uma luz ofuscante. Ela é uma espécie de demônio do fogo, *la salamandre*, a ideia medieval de um elfo do

---

38. [(*Das umbgewandte Auge*), O olho voltado para trás, p. 161s.].

39. Cf. as quatro serpentes na metade ctônica (sombria) do mandala na imagem 9 no artigo que precedeu este volume.

fogo. O fogo expressa um intenso processo de transformação. Por isso a matéria-prima a ser transformada na alquimia é representada por uma salamandra no fogo, tal como mostra a imagem 50[40]. A ponta da espada ou da flecha exprime "direção" em sentido figurado. Ela aponta para cima, a partir do meio da cabeça. Tudo o que o fogo consome ascende ao trono dos deuses. O dragão arde no fogo, é volatilizado. Do tormento do fogo gera-se a iluminação. O quadro deixa entrever algo do desenrolar no pano de fundo do processo de transformação. Descreve obviamente um estado de tormento, o qual lembra por um lado a Crucifixão e, por outro, Ixíon preso na roda. Vê-se então com clareza que a individuação, isto é, a realização da totalidade não é nem *summum bonum*, nem *summum desideratum*, mas o processo doloroso da unificação dos opostos. Este é o significado da cruz no círculo. Por este motivo, a cruz tem um efeito apotropaico, pois quando apresentada ao maléfico, mostra-lhe que já está incluída e por isso perdeu seu efeito destrutivo.

Imagem 51

706   A partir de uma problemática semelhante uma paciente de dezesseis anos fez este quadro: um demônio de fogo subiu através da noite até uma estrela, onde atado a uma situação caótica passou para um estado firme e ordenado. A estrela sugere a totalidade transcendente. O demônio corresponde ao animus o qual, como a anima, estabelece uma relação entre o consciente e o inconsciente. A imagem evoca um simbolismo antigo, por exemplo, o de Plutarco[41]: para este a alma está só parcialmente no corpo, por outra parte, paira sobre o humano como uma estrela, que simboliza seu *genius*. Encontramos a mesma concepção entre os alquimistas.

Imagem 52

707   Esta imagem é da mesma paciente que fez a imagem 51. Ela representa chamas através das quais uma alma sobe, flutuando. O mes-

---

40. Fig. X extraída das figuras de Lambsprinck de 1677 no *Musaeum hermeticum* [p. 361].
41. *De genio Socratis*, cap. XXII [*Über den Dämon des Sokrates*, p. 195].

mo motivo – e com o mesmo significado – se encontra no *Codex Alchemicus Rhenovacensis* (século XV) na Biblioteca Central de Zurique (imagem 54). As almas da matéria-prima calcinada no fogo escapam (como vapores) sob a forma de crianças (*homunculi*). No fogo encontra-se o dragão ao transformar-se, sob a forma ctônica da anima *mundi*.

Imagens 53 e 54

Devo observar neste ponto que nem a paciente tinha qualquer conhecimento da alquimia, e nem eu mesmo conhecia nessa época o material imagístico alquímico. A semelhança entre estas duas imagens, por notáveis que sejam, nada tem de extraordinário, uma vez que o grande problema no que concerne à alquimia filosófica é o mesmo que subjaz à psicologia do inconsciente, isto é, o da individuação, a integração do si-mesmo. Causas semelhantes têm efeitos semelhantes, e as situações psicológicas semelhantes servem-se do mesmo simbolismo, o qual por sua vez está a seu lado nos fundamentos arquetípicos, como já indiquei no caso da alquimia. 708

Conclusão

Espero ter conseguido dar ao leitor alguma ideia do simbolismo do mandala, através destas imagens. Naturalmente não pretendia dar com essas explicações mais do que uma orientação acerca do material empírico, que está à base destas investigações. Apresentei alguns paralelos que podem indicar o caminho para outras comparações histórico-étnicas, mas renunciei a uma exposição mais completa e pormenorizada neste contexto porque isso me levaria longe demais. 709

O significado funcional dos mandalas dispensa muitas palavras. Já tratei várias vezes desse tema. Além disso é possível intuir com um pouco de sensibilidade o sentido mais profundo que o autor tenta expressar através dessas imagens, muitas vezes pintadas com o maior amor, embora com mãos desajeitadas. Trata-se de *yantras* no sentido indiano, isto é, de instrumentos de meditação para mergulhar em si mesmo, de concentração e realização da experiência interior, tal como expus no Comentário à *Flor de ouro*. Ao mesmo tempo, as *yan-* 710 *tras* servem ao estabelecimento da ordem interior, encontrando-se por isso frequentemente em séries de imagens; aparecem logo depois de estados caóticos, desordenados, conflitivos ligados ao medo. Expressam por conseguinte a ideia do refúgio seguro, da reconciliação interior e da totalidade.

711 Poderia mostrar um número muito maior de imagens, das mais diversas regiões do mundo e o que surpreenderia seria ver como esses símbolos partem do mesmo fundamento básico já observado nos mandalas individuais. Em vista do fato de que em todos os casos aqui demonstrados há novos fenômenos independentes de qualquer influência, somos obrigados a constatar que, além da consciência, deve existir uma disposição inconsciente universalmente disseminada, uma disposição capaz de produzir em todos os tempos e lugares os mesmos símbolos, ou pelo menos, muito semelhantes entre si. Uma vez que essa disposição é em geral inconsciente para o indivíduo, eu a designei *inconsciente coletivo*, postulando como o fundamento dos produtos simbólicos do mesmo a existência de imagens originárias: os *arquétipos*. Não é necessário acrescentar que a identidade dos conteúdos inconscientes individuais se expressa através dos conteúdos dos paralelos étnicos, não só na configuração imagística, como também no sentido.

712 O conhecimento da origem comum do simbolismo inconscientemente pré-formado se havia perdido por completo para nós. Para trazê-lo de volta à luz do dia devemos ler antigos textos e investigar culturas arcaicas, a fim de poder compreender aquilo que os nossos pacientes nos trazem hoje para o esclarecimento de sua evolução psíquica. Penetrando mais profundamente nas camadas interiores da alma, deparamos com estratos históricos que não constituem letra morta, mas continuam vivos e atuantes em todo ser humano; ultrapassam nossa possibilidade de apreensão, no estado atual de nossos conhecimentos.

Mandalas*

A palavra sânscrita mandala significa "círculo" no sentido habitual da palavra. No âmbito dos costumes religiosos e na psicologia, designa imagens circulares que são desenhadas, pintadas, configuradas plasticamente ou dançadas. Configurações plásticas deste tipo são encontradas, por exemplo, no budismo tibetano e, enquanto figuras circulares de dança, ocorrem nos mosteiros dos derviches. Como fenômeno psicológico aparecem espontaneamente em sonhos, em certos estados conflitivos e na esquizofrenia. Frequentemente contêm uma quaternidade ou múltiplo de quatro, sob a forma de cruz ou estrela, ou ainda de um quadrado, octógono etc. Na alquimia este motivo se encontra sob a forma da *quadratura circuli*.

No budismo tibetano o significado de um instrumento de culto (*yantra*) é atribuído à figura, devendo a mesma favorecer a meditação e a concentração. Algo semelhante aparece na alquimia, onde representa a síntese dos quatro elementos, cuja tendência é afastar-se uns dos outros. Sua ocorrência espontânea em indivíduos de hoje permite à investigação psicológica um estudo mais aprofundado de seu sentido funcional. Em geral, o mandala aparece em estados de dissociação psíquica ou de desorientação. Assim, por exemplo, em crianças entre oito e onze anos, cujos pais estão em vias de separação, ou em adultos que, confrontados com a problemática dos opostos da natureza humana, se desorientam e se submetem ao tratamento de sua neurose; podem aparecer também em esquizofrênicos, cuja visão

---

* Escrito para *Du. Schweizerische Monatsschrift*, XV/4 (Zurique, abril 1955) p. 16 e 21, datada de "janeiro de 1955". Este número da revista foi dedicado às Eranos-Tagungen, em Ascona e à obra de C.G. Jung. O artigo era ilustrado com reproduções de mandalas.

de mundo se tornou caótica devido à irrupção de conteúdos incompreensíveis do inconsciente. Em tais casos vemos nitidamente como a ordem rigorosa de tal imagem circular compensa a desordem e perturbação do estado psíquico, e isso através de um ponto central em relação ao qual tudo é ordenado; ou então é construída uma ordenação concêntrica da multiplicidade desordenada dos elementos contraditórios e irreconciliáveis. Trata-se evidentemente de uma *tentativa de autocura da natureza*, que não surge de uma reflexão consciente, mas de um impulso instintivo. Para tanto é utilizado, conforme mostra o estudo comparativo, um esquema fundamental, um arquétipo, que por assim dizer ocorre em toda parte e não deve sua existência só à tradição, da mesma forma que os instintos não dependem de uma transmissão deste tipo. Eles já são dados a cada indivíduo recém-nascido e pertencem ao acervo inalienável das qualidades que caracterizam uma espécie. O que a psicologia designa por arquétipo é um certo aspecto formal frequente do instinto e, como este, dado *a priori*. Consequentemente encontramos nos mandalas uma conformidade fundamental, apesar de todas as diferenças externas, independentemente de sua origem temporal e espacial.

715   A "quadratura do círculo" é um dos numerosos temas arquetípicos que estão à base da configuração de nossos sonhos e fantasias. Distingue-se, porém, de todos os outros pelo fato de ser um dos mais importantes, do ponto de vista funcional. Podemos designá-lo como o *arquétipo da totalidade*. Devido a esse significado "a quaternidade é uma unidade", o esquema das imagens divinas, como mostram as visões de *Ezequiel, Daniel* e *Enoch*[1], e também a ideia de Hórus com seus quatro filhos. Estes últimos sugerem uma diferenciação interessante, na medida em que existem representações que mostram três filhos com cabeças teriomórficas e só um com cabeça humana; a isso correspondem as visões do Antigo Testamento, bem como os emblemas dos serafins, transferidos aos evangelistas e – *last not least* – a própria natureza dos evangelhos: três sinóticos e um gnóstico. Finalizando, observo que desde a pergunta do *Timeu* de Platão ("Um, dois,

---

1. [Ez 1,5s.; Dn 7,1s.; *Livro de Enoc* 22,2s. (KAUTZSCH. *Apokryphen und Pseudoepigraphen des Alten Testaments*, p. 251s.), 87,2s. (p. 290)].

três; mas onde está o quarto... meu querido Timeu?")[2] o motivo dos quatro como três e um até os cabiros do *Fausto*, Segunda parte, sempre constituiu a preocupação reiterada da alquimia.

O significado profundo da quaternidade, com seu processo de diferenciação característico através dos séculos, o qual se revela também no simbolismo cristão mais recente[3], pode explicar por que o *"Tu"* elegeu justamente o arquétipo da totalidade como exemplo da formação do símbolo. Do mesmo modo que este símbolo reclama um lugar central nos documentos históricos, tem também um significado transcendente em nível individual. Mandalas individuais são, como é de se esperar, de uma grande multiplicidade. Em sua grande maioria, são caracterizados pelo círculo e pela quaternidade. Há porém, ocasionalmente, mandalas baseados no três e no cinco, para o que sempre há razões especiais.

Enquanto os mandalas cultuais sempre apresentam um estilo especial e um número reduzido de temas típicos quanto ao conteúdo, os mandalas individuais utilizam uma quantidade ilimitada de temas e de alusões simbólicas, que denotam facilmente serem uma tentativa de expressar, quer a totalidade do indivíduo em sua mundividência interior ou exterior, quer o ponto de referência essencial interno do mesmo. Seu objeto é o *si-mesmo* em oposição ao *Eu*, que é apenas o ponto de referência da consciência, enquanto o si-mesmo inclui a totalidade da psique de um modo geral, ou seja, o consciente *e* o inconsciente. Não raro o mandala individual mostra uma certa divisão numa metade clara e outra escura, com seus símbolos típicos. Um evento histórico deste tipo é o mandala de Jacob Böhme, o qual se encontra em seu tratado *Viertzig Fragen von der Seele*. Ao mesmo tempo, é uma imagem de Deus e como tal é designada. Isto não é casual, na medida em que a filosofia indiana, a qual desenvolveu sobremaneira a ideia do si-mesmo, do atmã, ou purusha, não diferencia em princípio a essência humana da divina. De modo correspondente, a *scintilla*, a centelha da alma, a mais íntima essência divina do ser hu-

---

2. [*Timeu*, p. 2].
3. [Proclamação do dogma da Assunção corporal de Maria ao céu, em novembro de 1950. Cf. *Psicologia e religião*, § 119s.; *Interpretação psicológica do Dogma da Trindade*, § 251s.; *Resposta a Jó*, § 248s.].

mano também é caracterizada por símbolos no mandala ocidental, símbolos que podem também designar uma imagem de Deus, isto é, a imagem da divindade que se desdobra no mundo, na natureza e no ser humano.

718 Que tais imagens, em certas circunstâncias, têm um efeito terapêutico considerável sobre seus autores é empiricamente comprovado além de ser compreensível, posto que representam não raro tentativas muito ousadas de ver e reunir opostos aparentemente irreconciliáveis e de vencer divisões que pareciam intransponíveis. A simples tentativa nessa direção costuma ter efeito curativo, no entanto só quando ocorre espontaneamente. Nada se deve esperar de uma repetição artificial ou de uma imitação proposital de tais imagens. (Uma série de mandalas individuais encontra-se em meu volume *Gestaltungen des Unbewusste*[4].)

---

4. [Capítulos XI e XII deste volume.]

Referências

A. Coletâneas de trabalhos alquímicos de diversos autores

ARS CHEMICA, quod si licita excercentibus, probationes doctissimorum iurisconsultorum. Estrasburgo 1566.

I Septem tractatus seu capitula Hermetis Trismegisti, aurei (p. 7-31): *Tractatus aureus*.

ARTIS AURIFERAE, quam chemiam vocant etc. 2 vols. Basileia 1593.

Vol. I

I Allegoriae super librum Turbae (p. 139-145)

II *Aurora consurgens*: quae dicitur aurea hora (p. 185-246, somente a parte II)

III Rosinus ad Sarratantam episcopum (p. 277-319)

IV Liber secretorum alchemiae compositus per Calid filium Iazichi (p. 325-351)

V Tractatus Aristotelis de practica lapidis philosophici (p. 361-373)

VI Rachaidibi, Veradiani, Rhodiani, et Kanidis philosophorum regis Persarum: De materia philosophici lapidis, acutissime colloquentium fragmentum (p. 397-404)

VII Liber de arte chimica incerti authoris (p. 575-631)

Vol. II

VIII *Rosarium philosophorum* (p. 204-384; contém uma segunda versão de *Visio Arislei*, p. 246s. Outra edição de *Artis auriferae*, às vezes citada neste volume, apareceu na Basileia em 1572 e contém o *Tractatus aureus*, p. 641s.).

BIBLIOTHECA CHEMICA CURIOSA seu rerum ad alchemiam pertinentium thesaurus instructissimus. Org. por Johannes Jacobus Mangetus, 2 vols. Genebra, 1702.

Vol. I

I Hermes Trismegisto: *Tractatus aureus* de lapidis physici secreto (p. 400-445)

II Morienus: Liber de compositione alchemiae (p. 509-519)

Vol. II

III Sendivogius: Epistola XIII (p. 496)

MUSAEUM HERMETICUM reformatum et amplificatum. Frankfurt 1678.

I Lambsprinck: De lapide philosophico (p. 337-372)

THEATRUM CHEMICUM, praecipuos selectorum auctorum tractatus... continens. Vols. I-III, Ursel 1602; vol. IV, Estrasburgo, 1613; vol. V, 1622; vol. VI, 1661.

Vol. I

I Dorneus: *Speculativa philosophia*, gradus septem vel decem continens (p. 255-310)

II Dorneus: De tenebris contra naturam et vita brevi (p. 518-535)

III Dorneus: De transmutatione metallorum (p. 563-646)

Vol. II

IV Dee: Monas hieroglyphica (p. 218-243)

Vol. IV

V Hermetis Trismegisti Tractatus vere aureus de lapidis philosophici secreto (p. 672-797): *Tractatus aureus*

VI David Lagneus: Harmonia seu Consensus philosophorum chemicorum (p. 813-903): *Harmonia chemica*

Vol. V

VII Mennens: De aureo vellere... libri tres (p. 267-470)

Vol. VI

VIII Vigenerus (Blaise de Vigenère): Tractatus de igne et sale (p. 1-139)

B. Bibliografia geral

ABRAHAM ELEAZAR (Abraão o judeu): Uraltes chymisches Werk etc. 2. ed. Leipzig, 1760.

ABRAHAM, KARL. Traum und Mythus. Eine Studie zur Völkerpsychologie (Escritos de psicoterapia aplicada IV/4). Leipzig e Viena, 1909.

Adumbratio Kabbalae Christianae, id est, Syncatabasis Hebraizans, sive brevis applicatio doctrinae Hebraeorum cabbalisticae ad dogmata novi Foederis etc. Frankfurt no Meno, 1634.

AELIANO (Claudius Aelianus). De natura animalium libri XVII. 2 vols. Leipzig 1864/1866.

AGOSTINHO (S. Aurelius Augustinus). Opera omnia. Opera et studio monachorum ordinis S. Benedicti e congregatione S. Mauri. 11 vols. Paris, 1836-1838.

_____. Confessionum libri tredecim. Tomo I (col. 132-410).

_____. De diversis quaestionibus LXXXIII liber unus. Tomo VI (col. 49; texto todo col. 25-138).

AGRlCOLA, Gregor. De animantibus subterraneis. Basileia, 1549.

ALDROVANDUS, Ulysses (Ulisse Aldrovandi). Dendrologiae naturalis scilicet arborum historiae libri. Frankfurt, 1671.

Allegoriae sapientum supra librum Turbae. Cf. (A) ARTIS AUR1FERAE, I.

Amitayur-dhyana-Sutra in: Buddhist Mahayana-Sutras, parte II. Traduzido por Max Müller e Jungjiro Takakusu (Sacred Books of the East 49). Oxford, 1894.

Apokryphen, Neutestamentliche. Org. por Edgar Hennecke e outros, 2. ed. Tübingen, 1924.

APTOWITZER,Victor. Arabisch-jüdische Schöpfungstheorien. In: *Hebrew Union College Anual* VI (Cincinnati, 1929), p. 205-246.

(APULEIO:) Lucii Apulei Madaurensis Platonici philosophi opera. Vol. I: Metamorphoseos sive De asino aureo. Altenburg, 1778. [Edição alemã: Die Metamorphosen oder Der goldene Esel. Tradução de August Rode e Hanns Floerke. Munique e Leipzig, 1909].

ARISLEUS: cf. *Visio Arislei*. (A) ARTIS AURIFERAE, VIII. Aurea hora: cf. Aurora consurgens.

Aurora consurgens: cf. (A) ARTIS AURIFERAE, II.

AVALON, Arthur (Org. pseudônimo de Sir John Woodroffe): The Serpent Power... Two works on Tantrik Yoga, traduzido do sânscrito. Londres, 1919.

_____. Cf. Tb. Woodroffe.

BACON, Josephine Daskam. In the Border Country. Nova York, 1919.

BANDELIER, Adolph Francis Alphonse. The Delight Makers. Nova York, 1890; 2. ed. 1912.

BARLACH, Ernst. Der tote Tag. Drama em cinco atos. Berlim, 1912. Baruch-Apokalypse: cf. RIESSLER.

BAUMGARTNER, Matthias. Die Philosophie des Alanus de Insulis. Im Zusammenhange mit den Aschauungen des 12. Jahrhunderts dargestellt (Beiträge zur Philosophie des Mittelalters. Texte und Untersuchungen, II/4). Münster, 1896.

BAYNES, Herbert G. Mythology of the Soul. Londres, 1940. BENOÎT, Pierre. L'Atlantide (romance). Paris, 1919.

BERNOULLI, Rudolf. Zur Symbolik geometrischer Figuren und Zahlen. In: *Eranos-Jahrbuch*, 1934 (Zurique, 1935), p. 369-415.

BERTHELOT, Marcellin. La Chimie au moyen âge. 3 vols. (Histoire des Sciences). Paris, 1893.

―――. Collection des anciens alchimistes grecs. Paris, 1887/1888.

BIN GORION, Micha Joseph (pseudônimo de Micha Joseph BERDYCZEWSKI): ver Born Judas.

BLANKE, Fritz: Bruder Klaus von Flüe. Seine innere Geschichte (Zwingli Bücherei 55). Zurique, 1948.

BLOCK, Raymond de. Euhémère, son livre et sa doctrine (Dissertation Universität Lüttich). Mons, 1876.

BÖHME, Jacob. Des gottseligen, hocherleuchteten J'B' Teutonici Philosophi alle Theosophischen Schriften. 3 vols. Amsterdã, 1682.

―――. De signatura rerum. Das ist: Von der Geburt und Bezeichnung aller Wesen.

―――. (Drey Principia). Beschreibung der drey Principien göttliches Wesens.

―――. Hohe und tiefe Gründe von dem dreyfachen Leben des Menschen.

―――. Tabulae principiorum.

―――. (Quaestiones theosophicae). Theosophische Fragen in Betrachtung göttlicher Offenbarung.

―――. Viertzig Fragen von der Seelen Verstand, Essentz, Wesen, Natur und Eigenschafft, was sie von Ewigkeit in Ewigkeit sey. Verfasset von Dr. Balthasar Walter, Liebhaber der grossen Geheimnüssen, und beantwortet durch J' B'.

―――. Das umbgewandte Auge (Apêndice vol. II).

_____. Vom himmlischen und irdischen Mysterium.

Aurora, oder Morgenröthe im Aufgang. Sämtliche Werke Neuauflage Stuttgart 1835, vol. I.

Born Judas, Der. Legenden, Märchen und Erzählungen. Coletânea feita por M.J. bin Gorion. 6 vols. 2. ed. Leipzig, 1916-1923. Vol. III (1919): Mären und Lehren.

BOUCHÉ-LECLERCQ, Auguste. L'Astrologie grecque. Paris, 1899.

BOSSUET, Wilhelm. Hauptprobleme der Gnosis (Forschungen zur Religion und Literatur des Alten und Neuen Testaments X). Göttingen, 1907.

BOZZANO, Ernesto. Populi primitivi e manifestazioni supernornali. Verona, 1941.

BUDGE, E.A. Wallis. The Gods of the Egyptians or Studies in Egyptian Mythology. 2 vols. Londres, 1911.

BULTMANN, Rudolf. Cf. BURI.

BURI, F. Theologie und Philosophie. In: *Theologische Zeitschrift* VIII (Basileia, 1952), p. 116-134.

CESÁRIO DE HEISTERBACH. Dialogus miraculorum. Colônia, Bonn e Bruxelas, 1851. [Org. por Josephus Strange.]

Calidis liber secretorum: cf. (A) ARTIS AURIFERAE, IV.

CAUSSINUS, Nicolaus. De symbolica Aegyptiorum sapientia. Colônia, 1623. Vinculado a:

_____. Polyhistor symbolicus. Colônia, 1623.

CELLINI, Benvenuto. Leben des B'C', Florentinischen Goldschmieds und Bildhauers, von ihm selbst geschrieben, übersetzt und mit einem Anhange herausgegeben von Goethe. Parte I e II, Tübingen, 1803.

CHANTEPIE DE LA SAUSSAYE. Cf. Lehrbuch der Religionsgeschichte.

CHARLES, Robert Henry (org.): The Apocrypha and Pseudepigrapha of the Old Testament in English. 2 vols. Oxford, 1913.

CÍCERO (Marcus Tullius). De natura deorum: Academica. With an English text by H. Rackham (Loeb Classical Library). Londres e Nova York 1933.

(CLEMENTE DE ALEXANDRIA). Des C' von Alexandreia Teppiche wissenschaftlicher Darlegungen entsprechend der wahren Philosophie (Stromateis), Livro V (Obras IV). Traduzido do grego por Otto Stählin (Biblioteca dos Padres da Igreja, segunda série, XIX). Munique, 1937.

Codex Alchemicus Rhenovacensis (século XV). Biblioteca Central de Zurique.

Corão, O. Fielmente traduzido do árabe e com notas explicativas de L. Ullmann. 4. ed. Bielefeld, 1857.

CRAWLEY, Alfred Emest. The Idea of the Soul. Londres, 1909.

CUMONT, Franz. Textes et monuments figurés relatifs aux mystères de Mithra. 2 vols. Bruxelas, 1896/1869.

CUSTANCE, John. Wisdom, Madness and Folly. The Philosophy of a Lunatic. Pellegrini and Cudahy, Nova York 1952. Em alemão: Weisheit und Wahn. Com uma introdução de C.G. Jung. Zurique, Rascher: 1954.

Çvetâçvatara Upanishad. Cf. DEUSSEN, Paul. Sechzig Upanishad's des Veda.

DAUDET, Léon. L'Hérédo. Essai sur le drame intérieur. Paris, 1916.

DEE, John. Cf. (A) THEATRUM CHEMICUM, IV.

DE GUBERNATIS, Angelo. Cf. GUBERNATIS.

DE JONG, K.H.E. Das antike Mysterienwesen in religionsgeschichtlicher, ethnologischer und psychologischer Beleuchtung. Leiden, 1909.

DELACOTTE, Joseph. Guillaume de Digulleville (poète normand): Trois romans-poèmes du XIVe siècle. Les pelerinages et la divine comédie. 2 vols. Leipzig, 1906/1915.

DELATTE, Louis. Textes latins et vieux français relatifs aux Cyranides (Biblioteca da Faculdade de Filosofia e Letras da Universidade de Liège CXIII). Lion, 1942.

DEUSSEN, Paul. Sechzig Upanishad's des Veda. Aus dem Sanskrit übersetzt und mit Einleitungen und Anmerkungen versehen. 3. ed. Leipzig, 1938.

_____. Cf. Geheimlehre, Die, des Veda.

DIELS, Hermann. Die Fragmente der Vorsokratiker griechisch und deutsch. 2 vols. 3. ed. Berlim, 1912.

DIETERICH, Albrecht. Eine Mithrasliturgie. 2. ed. Leipzig e Viena, 1910.

DIONÍSIO AREOPAGITA. De coelesti hierarchia. In: Migne, Patrologia Greco-Latina III, col. 119-320.

_____. De divinis nominibus. In: Migne, Patrologia G.-L., col. 595.

DORN, Gerardus. Cf. (A) THEATRUM CHEMICUM, I-III.

DU CANGE, Charles. Glossarium ad scriptores mediae et infimae latinitatis. 6 vols. Paris, 1733-1736.

DUCHESNE, Louis. Origines du culte chrétien. Étude sur la liturgie latine avant Charlemagne. 5. ed. Paris, 1925.

ECKHART, Meister. Cf. Mystiker, Deutsche.

EDDA, Die. Götterlieder und Heldenlieder. Aus dem Altnordischen von Hans von Wolzogen. Leipzig, [s.d.].

EISLER, Robert. Weltenmantel und Himmelszelt. Religionsgeschichtliche Untersuchungen zur Urgeschichte des antiken Weltbildes. 2 vols. Munique, 1910.

ELEAZAR, Abraham. Cf. ABRAHAM ELEAZAR.

ELIADE, Mircea. Le Chamanisme et les techniques archaïques de l'extase (Bibliothèque scientifique). Paris, Payot: 1951.

ERMAN, Adolf. A Handbook of Egyptian Religion. Londres, 1907.

_____. Die Religion der Ägypter. Ihr Werden und Vergehen in vier Jahrtausenden. Berlim e Leipzig, 1934.

ERSKINE, John. The Private Life of Helen of Troy. 7. ed. Londres, 1926.

EWANS-WENTZ, E.Y. Cf. Tibetanische Totenbuch, Das.

FECHNER, Gustav Theodor. Elemente der Psychophysik. 2ª reimpressão, 2 vols. Leipzig, 1889.

FENDT, Leonhard. Gnostische Mysterien. Munique, 1922.

Festschrift Albert Oeri pelo dia 21 de setembro de 1945 (Título: Umkreis und Weite. Contém a contribuição de C.G. Jung, Das Rätsel von Bologna, p. 265-279). Basler Berichtshaus, Basileia, 1945.

FICINO, Marsílio. Auctores Platonici. Veneza, 1497.

FIERZ-DAVID, Linda. Der Liebestraum des Poliphilo. Ein Beitrag zur Psychologie der Renaissance und der Moderne. Zurique, Rhein-Verlag: 1947.

FILALETES, Irineu. Erklärung der Hermetisch poetischen Werke Herrn Georgii Riplaei. Tradução. Hamburgo, 1741.

(FILO JUDEU). Philonis Iudaei, summi philosophi... opera. 2 vols. Lião 1561 (De mundi opificio: vol. I, p. 1-35).

FLAMMEL, Nicholas. Cf. ORANDO.

FLOURNOY, Théodore. Des Indes à la planète Mars. Étude sur un cas de somnambulisme avec glossolalie. 3. ed. Paris e Genebra, 1900.

_____. Nouvelles observations sur un cas de somnambulisme avec glossolalie. In: *Archives de Psychologie* I (Genebra, 1902), p. 101-255.

FOUCART, Paul. Les Mystères d'Éleusis. Paris, 1914.

FREUD, Sigmund. Eine Kindheitserinnerung des Leonardo da Vinci (Schriften zur angewandten Seelenkunde VII). Leipzig e Viena, 1910.

_____. Psychoanalytische Bemerkungen über einen autobiographisch beschriebenen Fall von Paranoia (Dementia paranoides). In: *Jahrbuch für psychoanalytische und psychopathologische Forschungen* III (Leipzig e Viena, 1911), 9-68. (Posfácio: "P. Schreber: Denkwürdigkeiten eines Nervenkranken", p. 588-590 do mesmo volume).

_____. Die Traumdeutung. Leipzig e Viena, 1900.

FROBENIUS, Leo. Schiksalskunde (Schriften zur Schicksalskunde V). Weimar, 1938.

GARBE, Richard. Die Sâmkhya-Philosophie. Eine Darstellung des indischen Rationalismus. 2ª reimpressão, Leipzig, 1917.

Geheimlehre, Die, des Veda. Ausgewählte Texte der Upanishad's. Aus dem Sanskrit übersetzt von Paul Deussen. 3. ed. Leipzig, 1909.

GESSMANN, Gustav Wilhelm. Die Geheimsymbole der Alchymie, Arzneikunge und Astrologie des Mittelalters. Eine Susammenstellung der von den Mystikern und Alchemisten gebrauchten geheimen Zeichenschrift, nebst einem kurzgefassten geheimwissenschaftlichen Lexikon. 2. ed. Berlim, 1922.

GLAUBER, Johann Rudolf. Tractatus de natura salium oder Ausfürliche Beschreibung deren bekannten Salien usw. Amsterdã, 1658.

GOETHE, Johann Wolfgang von. Werke. Faust. Gesamtausgabe Insel, Leipzig 1942.

_____. Vollständige Ausgabe letzter Hand. 31 vols. Stuttgart, Cotta: 1827-1834.

_____. Cf. CELLINI.

GOETZ, Bruno. Das Reich ohne Raum. Potsdam 1919. Nova edição inalterada, Constança, 1925.

GRIMM, Irmãos. Cf. Märchen.

GUBERNATIS, Angelo de. Die Thiere in der indogermanischen Mythologie. [Tradução – Duas partes. Leipzig, 1874].

GUILLAUME DE DIGULLEVILLE. Cf. DELACOTTE.

HAGGARD, Henry Rider. Wisdom's Daughter. Londres, 1923.

_____. Ayesha: The Return of Shi. Londres, 1905.

_____. She. A History of Adventure. Londres, 1887 (e reedições).

Handwörterbuch des deutschen Aberglaubens. Org. por Hanns Bächtold-Stäubli entre outros. 10 vols. Berlim, 1927-1942.

HARDING, Esther. Das Geheimnis der Seele. Ursprung und Ziel der psychischen Energie. Zurique, Rhein-Verlag: 1948. [Tradução. Prefácio de C.G. Jung.]

HENNECKE, Edgar. Cf. Apokryphen, Neutestamentliche.

HERMAS, Pastor de. Cf. REITZENSTEIN.

HERMES TRISMEGISTO. Cf. (A) THEATRUM CHEMICUM, IV/V. Hermetica. The ancient Greek and Latin writings which contain religious or philosophic teachings ascribed to Hermes Trismegistus. [Org. por Walter Scott, 4 vols. Oxford, 1934-1936.]

HILDEGARD VON BINGEN. Liber divinorum operum. Codex 1942, Biblioteca govemativa, Lucca.

HIPÓLITO. Elenchos (= Refutatio omnium haeresium). Org. por Paul Wendland (Die griechischen christlichen Schriftsteller der ersten drei Jahrhunderte). Leipzig, 1906.

HOFFMANN, E.T.A. Die Elixiere des Teufels. Nachgelassene Papiere des Bruders Medardus, eines Kapuziners. Berlim: Leipzig, 1908.

HÖLDERLIN, Friedrich. Samtliche Werke. Leipzig, Insel (s.d.)

_____ : Gesammelte Werke. 3 vols. Jena, 1909 (vol. II: poesias).

HOLLANDUS, Ioannis Isaacus. Opera mineralia, sive de lapide philosophico, omnia, duobus libris comprehensa. Middelburg, 1600.

(HOMERO). Homer's Werke von Johann Heinrich Voss. Vol. I: Ilias, vol. II: Odyssee. Stuttgart e Tübingen, 1842.

HONÓRIO DE AUTUN. Expositio in Cantica canticorum. In: Migne, Patrologia Latina CLXXII, col. 347-496.

HORNEFFER, Ernst. Nietzsches Lehre von der Ewigen Wiederkunft und deren bisherige Veröffentlichung. Leipzig, 1900.

HORUS APOLLO. Selecta hieroglyphica, sive sacrae notae Aegyptiorum, et insculptae imagines. Roma, 1597.

HUBERT, Henri & MAUSS, Marcel. Mélanges d'histoire des religions (Travaux de l'année sociologique). Paris, 1909.

I Ching. Das Buch der Wandlungen, hg. von Richard Wilhelm. Jena, 1924.

INGRAM, John H. The Haunted Homes and Family Traditions of Great Britain. Londres, 1897.

IRINEU (de Lião). S. Irenaei episcopi Lugdunensis contra omnes haereses libri quinque. Oxford/Londres, 1702 (Dentro do livro é empregado o título usual "Adversus omnes haereses"). Em alemão: Des heiligen I' fünf Bücher gegen die Häresien (Bibliothek der Kirchenväter), Buch I-III, Kempten e Munique, 1912.

Isis. International Review devoted to the History of Science and Civilisation XVIII (Bruges, 1932). [Wei Po-Yang, p. 210-289].

IZQUIERDO, Sebastiano (Alcarazense Societatis Iesu): Praxis exercitiorum spiritualium P.N.S. Ignatii. Roma, 1695.

JACOBSOHN, Helmut. Die dogmatische Stellung des Königs in der Theologie der alten Ägypter (Ägyptologische Forschungen VIII). Glückstadt 1939.

JAMES, Montagne Rhodes. The Apokryphal New Testament, being the Apokryphal Gospels, Acts, Epistles and Apocalypses with other Narrations and Fragments newly translated by M'Rh'J'. Oxford, 1924.

JAMES, William. The Varieties of Religious Experience. Londres, 1902.

JANET, Pierre. Les Névroses (Bibliothèque de philosophie scientifique). Paris, 1919 (pela primeira vez em 1909).

_____. Névroses et idées fixes. 2 vols. Paris, 1898.

_____. L'Etat mental des Hystériques. Paris, 1893.

_____. L' Automatisme psychologique. Paris, 1889.

JAFFÉ, Aniela. Bilder und Symbole aus E.T.A. Hoffmanns Märchen "Der Goldne Topf". In: JUNG, Gestaltungen des Unbewussten. Cf. lá.

JERÔNIMO (Santo): Epistola II ad Theodosium et caeteros anachoretas. In: Opera I/1, Epistolarum pars I. Org. por Isidor Hilberg (Corpus Scriptorum Ecclesiasticorum Latinorum LIV). Viena /Leipzig, 1910.

JUNG, Carl Gustav. Aion. Untersuchungen zur Symbolgeschichte (Psychologische Abhandlungen VIII). Zurique, Rascher: 1951 (Em port., Ed. Vozes: Aion – Estudos sobre o simbolismo do si-mesmo, vol. 9/2).

_____. Analytische Psychologie und Erziehung. Kampmann, Heidelberg 1926. Nova edição Zurique, Rascher: 1936. Reelaborado e com acréscimo de mais dois ensaios como: Psychologie und Erziehung. Zurique, Rascher: 1946 (Em port., Ed. Vozes, no vol. 4: Freud e a psicanálise).

_____. Antwort auf Hiob. Zurique, Rascher: 1952. Novas edições em 1953, 1961 e 1967 (Em port., Ed. Vozes, no vol. 11: Psicologia da religião ocidental e oriental).

_____. Aufsätze zur Zeitgeschichte. Zurique, Rascher: 1946 (Em port., Ed.Vozes, no vol. 10: Psicologia em transição).

_____. Die Beziehungen zwischen dem Ich und dem Unbewussten. Darmstadt, Reichl: 1928. Novas edições Zurique, Rascher: 1933, 1935, 1939, 1945, 1950, 1960 e 1966 (Em port., Ed. Vozes: O eu e o inconsciente, vol. 7/2).

_____. Bruder Klaus. In: *Neue Schweizer Rundschau* 1/4 (Zurique, 1933), p. 223-229 (Em port., Ed. Vozes, no vol. 11: Psicologia da religião ocidental e oriental).

_____. Einige Bemerkungen zu den Visionen des Zosimos. In: *Eranos Jahrbuch* 1937. Zurique, Rhein-Verlag: 1938. Reedição ampliada em: Von den Wurzeln des Bewusstseins. Cf. lá.

_____. Geist und Leben. In: *Form und Sinn* II/2 (Augsburgo, 1926). Mais tarde em: Seelenprobleme der Gegenwart (Psychologische Abhandlungen III). Zurique, Rascher: 1931. Novas edições em 1933, 1939, 1946, 1950 e 1969 (Em port., Ed. Vozes, no vol. 8: A dinâmica do inconsciente).

_____. Der Geist Mercurius. In: *Eranos-Jahrbuch* 1942. Zurique, Rhein-Verlag: 1943. Nova edição ampliada em: Symbolik des Geistes. Cf. lá.

_____. Der Geist der Psychologie. In: *Eranos-Jahrbuch* 1942. Rhein-Verlag, Zurique 1943. Reedição ampliada, em Symbolik des Geistes. Cf. lá.

_____. Gestaltungen des Unbewussten (Psychologische Abhandlungen VII). Zurique, Rascher: 1950 (Contribuições de Jung neste volume, bem como em OC 15, 1971).

_____. Instinkt und Unbewusstes. In: Über die Energetik der Seele. Cf. lá (OC 8, 1967).

_____. Paracelsica. Zwei Vorlesungen über den Arzt und Philosophen Teophrastus. Zurique, Rascher: 1942 ("Paracelsus als geistige Erscheinung", OC, 13, "Paracelsus als Arzt", OC, 15, 1971).

– Psychologie und Alchemie (Psychologische Abhandlungen V). Zurique: Rascher, 1944. Nova edição revista 1952 (Em port., Ed. Vozes: Psicologia e alquimia, vol. 12).

– Psychologie und Religion. Die Terry-Lectures, dadas na Universidade de Yale. Zurique: Rascher, 1940. Novas edições em 1942, 1947 e 1962. StA Walter, Olten 1971 (Em port., Ed. Vozes, no volume 11/1 Psicologia e religião).

– Die Psychologie der Übertragung. Erläutert an Hand einer alchemistischen Bildserie, für Ärte und praktische Psychologen. Zurique: Rascher, 1946 (Em port., Ed. Vozes, no vol. 16: "Psicologia da transferência").

_____. Psychologische Typen. Zurique: Rascher, 1921. Novas edições em 1925, 1930, 1937, 1940, 1942, 1947 e 1950 (Em port., Ed. Vozes: Tipos psicológicos, vol. 6).

_____. Das Rätsel von Bologna. In: Festschrift Albert Oeri. Cf. lá (Em port., Ed. Vozes, no vol. 14/l: "O enigma bolognese").

_____. Die Struktur der Seele. In: *Europäische Revue* IV /l (Berlim, abril 1928), p. 26-37 e IV/2 (maio 1928), p. 125-135. Ampliado em: Seelenprobleme der Gegenwart. Cf. acima em: Geist und Leben (Em port., Ed. Vozes, no volume 8: Espírito e vida).

_____. Symbole der Wandlung. Analyse des Vorspiels zu einer Schizophrenie. Zurique: Rascher, 1952. Quarta edição reformulada de: Wandlungen und Symbole der Libido (1912). (Em port., Ed. Vozes: Símbolos da transformação, vol. 5).

_____. Symbolik des Geistes. Studien über psychische Phänomenologie, mit einem Beitrag von Dr. phil. Riwkah Schärf (Psychologische Abhandlungen VI). Zurique: Rascher, 1953 (Contribuições de Jung neste volume bem como em OC 11, 1963 e 1973, e vol. 13).

_____. Synchronizität als ein Prinzip akausaler Zusammenhänge. In: JUNG, C.G. e PAULI, W. Naturerklärung und Psyche (Studien aus dem C.G. Jung-Institut IV). Zurique: Rascher, 1952 (Em port., Ed. Vozes, no vol. 8: Sincronicidade: um princípio de conexões acausais).

_____. Theoretische Überlegungen zum Wesen des Psychischen. Inicialmente como "Der Geist der Psychologie", em *Eranos-Jahrbuch*, 1946. Zurique: Rhein-Verlag, 1947. Reelaborado em: Von den Wurzeln des Bewusstseins. Cf. lá. (Em port., Ed. Vozes, no vol. 8: Considerações teóricas sobre a natureza do psíquico).

_____. Über das Selbst. *Eranos-Jahrbuch* 1948. Zurique: Rhein-Verlag, 1949. Como "Das Selbst", cap. IV de: Aion. Cf. lá (Em port., Ed. Vozes, no vol. IX/2: O si-mesmo).

_____. Über die Psychologie des Unbewussten. Zurique: Rascher, 1943. Novas edições em 1948, 1960 e 1966 (Em port., Ed. Vozes, no vol. 7/1: Psicologia do inconsciente).

_____. Versuch einer psychologischen Deutung des Trinitätsdogmas. In: Symbolik des Geistes. Cf. lá (Em port., Ed. Vozes, no vol. 11: Tentativa de uma interpretação psicológica do Dogma da Trindade).

_____. Die Visionen des Zosimos. Cf. Einige Bemerkungen zu den Visionen des Zosimos.

_____. Das Wandlungssymbol in der Messe. In: *Eranos-Jahrbuch* 1940/1941. Zurique: Rhein-Verlag, 1942. Ampliado em: Von den Wurzeln des Bewusstseins. Cf. lá (Em port., Ed. Vozes, no vol. 11/3: O símbolo da transformação na missa).

_____. Von den Wurzeln des Bewusstseins. Studien über den Archetypus (Psychologische Abhandlungen IX). Zurique: Rascher, 1954 (Três ensaios neste volume e os demais em OC, 11 e 13).

_____. Wotan. In: Aufsätze zur Zeitgeschichte. Cf. lá.

_____. Zur Psychologie östlicher Meditation. In: *Mitteilungen der Schweizerischen Gesellschaft der Freunde Ostasiastischer Kultur* V (Berna 1943), p. 33-53. Mais tarde em: Symbolik des Geistes. Cf. lá. Depois em: Bewusstes und Unbewusstes. Beiträge zur Psychologie (Bücher des Wissens Tb). Fischer, Frankfurt no Meno e Hamburgo, 1957 (Em port., Ed. Vozes, no vol. 11: Considerações em torno da psicologia da meditação oriental).

_____. Zur Psychologie und Pathologie sogenannter occulter Phänomene. Eine psychiatrische Studie. Dissertação. Oswald Mutze, Leipzig, 1902 (Em port. Ed. Vozes, no vol. 1: Sobre a psicologia e patologia dos fenômenos chamados ocultos).

JUNG, C.G. e KERÉNYI, K. Einführung in das Wesen der Mythologie. Das göttliche Kind / Das göttliche Mädchen. Rhein-Verlag, Zurique 1951 (As contribuições de Jung neste volume).

JUNG, Carl Gustav e PAULI, W. Naturerklärung und Psyche (Studien aus dem C.G. Jung-Institut IV). Rascher, Zurique 1952 (A contribuição de Jung está nas OC, 8).

_____. Cf. Tibetanische Totenbuch, Das.

_____. Cf. WILHELM.

JUNG, Emma. Ein Beitrag zum Problem des Animus. In: JUNG, C.G. Wirklichkeit der Seele. Anwendungen und Fortschritte der neueren Psychologie (Psychologische Abhandlungen IV). Rascher, Zurique 1934. Novas edições em 1939 e 1947. Este ensaio, juntamente com outro, intitulado "Die Anima als Naturwesen", foi publicado em brochura por Rascher, Zurique 1967, com o título *Animus und Anima*.

Kabbala denudata. Cf. KNORR VON ROSENROTH.

KANT, Immanuel. Kritk der reinen Vernunft. Werke, org. por Karl Kehrbach. 2. ed. Reclam, Leipzig, s.d.

KERÉNYI, Karl. Hermes der Seelenführer. Das Mythologem vom männlichen Lebensursprung. In: *Eranos-Jahrbuch*, 1942. Zurique: 1943. Depois: Albae Vigiliae, Neue Folge, Heft 1. Zurique: Rheiun-Verlag, 1944.

KERNER, Justinus. Die Seherin von Prevorst. 2 vols. Stuttgart/Tübingen 1829.

KEYSERLING, Graf Hermann. Südamerikanische Meditationen. Stuttgart, 1932.

KHUNRATH, Henrique. Von hylealischen, das ist, primaterialischen catholischen oder algemeinem nalürlichen Chaos. Magdeburgo, 1597.

KIRCHER, Athanasius. Mundus subterraneus, in XII libros digestus. Amsterdã, 1678.

KNORR VON ROSENROTH, Christian (org.): Kabbala denudata seu Doctrina Hebraeorum. 2 vols. Sulzbach/Frankfurt 1677/1684.

KOEPGEN, Georg. Die Gnosis des Christentums. Salzburgo, 1939.

KÖHLER, Reinhold. Kleinere Schriften zur Märchenforschung. Weimar, 1898.

LAVAUD, M.-Benoît. Vie profonde de Nicolas de Flue. Friburgo, 1942.

LACTÂNCIO FIRMIANO. Opera onmia. Org. por Samuel Brandt e Georg Laubmann (Corpus scriptorum ecclesiasticorum latinorum). 3 vols. Viena, 1890-1897.

LAGNEUS, David. Cf. (A) THEATRUM CHEMICUM, VI.

LAMBSPRINCK. Cf. (A) MUSAEUM HERMETICUM.

LA ROCHEFOUCAULD, François, Duc de: Oeuvres complètes. 3 vols. ("Maximes" no vol. I). Paris, 1868.

LEÃO HEBREU (Leo Hebraeus ou Jehuda Abravanel). Dialoghi di Amare. Veneza, 1552. Cf. tb. Philosophy, The.

LE BON, Gustave. Psychologie der Massen. Tradução (Philosophisch-soziologische Bücherei II). 2. ed. melhorada. Leipzig, 1902.

Lehrbuch der Religionsgeschichte. Begründet von Chantepie de la Saussaye. Org. por Alfred Bertholet e Eduard Lehmann. 2 vols. 4. ed. Tübingen, 1925.

LEISEGANG, Hans. Die Gnosis. Leipzig, 1924.

LÉVY-BRUHL, Lucien. La Mythologie primitive. Le monde mythique des Australiens et des Papous (Travaux de l'année sociologique). 2. ed. Paris, 1935.

Lexikon, Ausführliches, der griechischen und römischen Mythologie. 11vols. Leipzig 1884-1890. [Org. por W.H. Roscher entre outros].

(Liber mutus) Mutus liber, in quo tamen tota philosophia Hermetica figuris hieroglyphicis depingitur. La Rochelle, 1677.

LU-CH'IANG-WU & DAVIS, Tenney L. An ancient Chinese treatise on alchemy entitled Ts'an T'ung Ch'i. In: *Isis*. Cf. lá.

LÜDY, F. Alchemistische und chemische Zeichen. Stuttgart, 1928.

MACRÓBIO, Ambrósio Aurélio Teodósio. In somnium Scipionis. Lião, 1556.

MAEDER, Alphonse. Essai d'interprétation de quelques rêves. In: *Archives de psychologie* VI (Genebra, 1907), p. 354-375.

_____. Die Symbolik in den Legenden, Märchen, Gebräuchen und Träumen. In: *Psychologisch-neurologische Wochenschrift* X (Halle, 1908/1909), p. 45-55.

MAIER, Michael(is). De circulo physico, quadrato, hoc est auro etc. Oppenheim, 1616.

_____. Symbola aureae mensae duodecim nationum. Frankfurt no Meno, 1617.

MAITLAND, Edward: Anna Kingsford, her Life, Letters, Diary, and Work. 2 vols. Londres, 1896.

Maitrâyana-Brâhmana-Upanishad. Parte II. Traduzido por F. Max Müller (Sacred Books of the East XV). Oxford, 1900.

MANGETUS, Jacobus Johannes. Cf. (A) BIBLIOTHECA CHEMICA CURIOSA.

Märchen, Die, der Weltliteratur, org. por Friedrich von der Leyen e Paul Zaunert. Eugen Diederichs, Jena. Volumes citados:

_____. Balkanmärchen aus Albanien, Bulgarien, Serbien und Kroatien. Org. por A. Laskien, 1915.

_____. Chinesische Volksmärchen. Org. por Richard Wilhelm, 1913.

_____. Deutsche Märchen seit Grimm. Org. por Paul Zaunert, 1912.

_____. Finnische und Estnische Volksmärchen. Org. por August von Löwis of Menar, 1922.

_____. Indianermärchen aus Nordamerika. Org. por Walter Krickberg, 1924.

_____. Indianermärchen aus Südamerika. Org. por Th. Koch-Grünberg, 1920.

_____. Märchen aus Iran. Org. por Arthur Christensen, 1939.

_____. Kaukasische Märchen. Org. por A. Dirr, 1919.

– Kinder- und Hausmärchen. Gesammelt durch die Brüder Grimm. 2 vols. 1922.

– Märchen aus Sibirien. Org. por H. Künike, 1940.

– Russische Volksmärchen. Org. por August von Löwis of Menar, 1914.

– Spanische und Portugiesische Märchen. Org. por Harri Meier, 1940.

Ainda: AFANAS'EV, E.N. Russian Fairy Tales. Translated by Norbert Guterman. Nova York, 1946.

MASENIUS, Jacobus. Speculum imaginum veritatis occultae etc. Editio tertia. Colônia, 1681.

MATTHEWS, Washington: The Mountain Chant.In: *Fifth Annual Report of the U.S. Bureau of American Ethnology* (Washington, 1887), p. 379-467.

McGLASHAN, Alan. "Daily Paper Pantheon". In: The Lancet, vol. 264 (i). (Londres, 1953), p. 238/239.

(MECTILDE DE MAGDEBURGO). Das fliessende Licht der Gottheit der M' von M'. Ins Neudeutsche übertragen und erläutert von Mela Escherich. Berlim, 1909.

MEIER, C.A. Antike inkubation und moderne Psychotherapie (Studien aus dem C.G. Jung-Institut I). Zurique, 1949.

_____. Spontanmanifestationen des kollektiven Unbewussten. In: *Zentralblatt fiir Psychotherapie und ihre Grenzgebiete* XI/5 (Leipzig, 1939), p. 284-303.

MENNENS, Gulielmus. Cf. (A) THEATRUM CHEMICUM, VII.

MEYRINK, Gustav. Der weisse Dominikaner. Viena, 1921.

MORIENUS ROMANUS. Cf. (A) BIBLIOTHECA CHEMICA CURIOSA, II.

MYLIUS, Johann Daniel. Phisolophia reformata continens libros binos. Frankfurt, 1622.

Mystiker, Deutsche, des 14. Jahrhunderts. Org. por Franz Pfeiffer. 2 vols. Leipzig, 1845/1857.

Mythographus Vaticanus III. In: Classicorum auctarum e Vaticanis codicibus editorum VI. Org. por Angelo Mai. Roma, 1831.

NELKEN, Jan. Analytische Beobachtungen über Phantasien eines Schizophrenen. In: *Jahrbuch für psychoanalytische und psychopalhologische Forschungen* IV (Leipzig e Viena, 1912), p. 504-562.

NEUMANN, Erich. Tiefenpsychologie und neue Ethik. Rascher, Zurique 1949. – Ursprungsgeschichte des Bewusstseins. Mit einem Vorwort von C.G. JUNG. Zurique: Rascher, 1949.

NEUMANN, Karl Eugen. Cf. Reden, Die, des Gotamo Buddho's.

NEWCOMB, Frank Johnson e REICHARD, Gladys A. : Sandpaintings of the Navajo Shooting Chant. Nova York, 1938.

NIETZSCHE, Friedrich. Werke, 16 vols. Leipzig, 1899-1911.

_____. Also sprach Zarathustra. Ein Buch für Alle und Keinen. In: vol. VI.

_____. Dichtungen. In: vol. VIII.

_____. Jenseits von Gut und Böse. In: vol. V.

NINCK, Martin. Wodan und germanischer Schicksalsglaube. Jena, 1935.

OERI, Albert. Cf. Festschrift.

ORANDO, Irineu. Nicholas Flammel, His Exposition of the Hieroglyphicall Figures etc. Londres, 1624.

ORÍGENES. In Jeremiam homiliae. In: Migne, Patralogia Graeco-Latina XIII, col. 255-544.

_____. In Leviticum homiliae. In: Migne, P.G.-L. XII, col. 405-574.

_____. In libros Regnorum homiliae. In: Migne, P.G.-L. XII.

Pancatantram, Das. (Textus ornatior) Eine altindische Märchensammlung. Zum ersten Male übersetzt von Richard Schmidt. Leipzig, s.d.

Pandora, das ist die edelst Gab Gottes usw. Org. por H. Reusner. Basileia (1588).

Papyri Graecae magicae. Die griechischen Zauberpapyri, org. e traduzido por Karl Preisendanz entre outros. 2 vols. Berlim, 1928/1931.

PARACELSO (Theophrastus Bombastus von Hohenheim). Sämtliche Werke. Org. por Karl Sudhoff e Wilhelm Matthiesen. 15 vols. Munique e Berlim, 1922-1935.

_____. De vita longa. vol. III, p. 247s. (Edição avulsa por Adam von Bodenstein, Basileia, 1562 [?]).

(Philosophy, The, of Love (Dialoghi d'Amore) by Leone Ebreo. Translated into English by F. Friedeberg-Seeley and Jean H. Barnes. Londres, 1937. Cf. tb. LEÃO HEBREU.

PICINELLUS (Picinello), Philipus. Mundus symbolicus. Colônia, 1683.

PLATÃO. Gastmahl. Ins Deutsche übertragen von Rudolf Kassner. 2. ed. Jena, 1906.

_____. Dialoge Timaios und Kritias. Übersetzt und erläutert von Olto Appelt (Philosophische Bibliothek 179). 2. ed. Leipzig, 1922.

_____. Timaios, Kritias, Gesetze X. Ins Deutsche übertragen von Otto Kiefer. Jena, 1909.

PLÍNIO, Segundo C. Naturalis historiae libri XXXVII. Rec. Car. Mayhoff. 6 vols. Leipzig, 1775-1906. Em alemão: Die Naturgeschichte des P'S'C'. Ed. por G.C. Wittstein. 6 vols. Leipzig, 1881-1882.

PLUTARCO. De geni Socratis. Em alemão: Über den Dämon des Sokrates. In: Vermischte Schriften. Mit Anmerkungen nach der Übersetzung von Kaltwasser vollständig hg. (Klassiker des Altertums, primeira série/II), Munique e Leipzig, 1911.

Poimandres. Cf. REITZENSTEIN.

PREISENDANZ, Karl. Cf. Papyri Graecae magicae.

PROPÉRCIO. Catullus, Tibullus, Propertius, cum Galli fragmentis et pervigilio veneris... etc. Studiis Societatis Bipontinae. Biponti, 1783.

PRUDÊNCIO. Cf. RAHNER, Hugo, Die seelenheilende Blume.

RACHAIDIBUS. Cf. (A) ARTIS AURIFERAE, VI.

RADIN, Paul. Gott und Mensch in der primitiven Welt. Tradução. Zurique: Rhein-Verlag, 1953.

RAHNER, Hugo. Erdgeist und Himmelsgeist in der patristischen Theologie. In: *Eranos-Jahrbuch* 1945. Zurique: Rhein-Verlag, 1946.

_____. Die seelenheilende Blume. Moly und Mandragore in antiker und christlicher Symbolik. In: *Eranos-Jahrbuch* 1944. Zurique: Rhein-Verlag, 1945. Festgabe pelo septuagésimo aniversário de C.G. Jung.

_____. Antenna Crucis, II: Das Meer der Welt. In: Zeitschrift für katholische Theologie LXVI. Würzburg, 1942, p. 89-118.

RANK, Otto. Der Mythus von der Geburt des Helden. Versuch einer psychologischen Mythendeutung (Schriften zur angewandten Seelenkunde V). Leipzig e Viena, 1909.

READ, John. Prelude to Chemistry. Londres, 1939.

Realencyklopädie für protestantische Theologie und Kirche. 3. ed. 24 vols. Leipzig 1896-1913. [Org. por Albert Hauck.]

Reden, Die, des Gotamo Buddho's aus der Sammlung der Bruchstücke Suttanipato des Pali-Kanons. Traduzido por Karl Neumann. Leipzig, 1905.

REITZENSTEIN, Richard. Poimandres. Studien zur griechisch-ägyptischen und frühchristlichen Literatur. Leipzig, 1904.

REUSNER, Hieronymus. Cf. Pandora.

RHINE, J.B. New Frontiers of the Mind. Londres, 1937.

RICARDO DE SÃO VÍTOR. Benjamin minor. In: Migne, Patrologia Latina CXCVI, col. 1-64.

RIESSLER, Paul (org.) Jüdisches Schrifttum ausserhalb der Bibel. Augsburgo, 1928. [Traduzido e explicado por P'R'].

Rigveda, cf. DEUSSEN: Geheimlehre, Die.

RIKLlN, Franz. Über Gefängnispsychosen. In: *Psychologisch-neurologische Wochenschrift* IX (Halle 1907), p. 269-273.

_____. Wunscherfüllung und Symbolik im Märchen. Leipzig e Viena, 1908.

RIPLAEUS, Georgius (Sir George Ripley). Verses Belonging to an Emblematicall Scrowle: Supposed to be invented by G'R'. In: THEATRUM CHEMICUM BRITANNICUM. Londres, 1652.

_____. Cantilena. In: Opera omnia chemica. Kassel, 1649.

ROSCHER, Wilhelm Heinrich. Cf. Lexicon, Ausführliches.

ROSENCREUTZ, Christian. Chymische Hochzeit. Estrasburgo, 1616.

ROSINUS. Cf. (A) ARTIS AURIFERAE, III.

ROUSSELLE, Erwin. Seelische Führung im lebenden Taoismus. In: *Eranos-Jahrbuch* 1933. Rhein-Verlag, Zurique 1934.

RULAND(US), Martin(us): Lexicon alchemiae sive dictionarium alchemisticum. Frankfurt, 1612.

RUSKA, Julius. Die Vision des Arisleus. In: Historische Studien und Skizzen zu Natur- und Heilwissenschaft. Festgabe a Georg Sticker... pelo septuagésimo aniversário. [Org. por Karl Sudhoff. Berlim, 1930].

_____. Tabula Smaragdina. Ein Beitrag zur Geschichte der hermetischen Literatur. Heidelberg, 1926.

SALOMON, Richard. Opicinus de Canistris. Weltbild und Bekenntnisse eines avignonensischen Klerikers des 14. Jahrhunderts. 2 vols. (texto e ilustrações). (Studies of the Warburg Institute I A/B). Londres, 1936.

Samyutta-Nikaya. Die in Gruppen geordnete Sammlung aus dem Pali-Kanon der Buddhisten, zum ersten Mal ins Deutsche übertragen von Wilhelm Geiger. Vol. I. Munique: Neubiberg 1930.

Sanatsugâtîya. In: The Bhagavadgîtâ, with the Sanatsugâtîya and the Anugûtâ. Translated by Kâshinâth Trimbak Telang (Sacred Books of the East VIII). 2. ed. Oxford, 1908.

SAND, George. Oeuvres autobiographiques. 2 vols. NRF, Paris, 1970/1971. ("Entretiens journaliers" em: vol. II, p. 972-1.018).

SCHILLER, Friedrich. Die Piccolomini. Segunda parte de: Wallenstein. Ein dramatisches Gedicht. Sämtliche Werke VI. Stuttgart e Tübingen, 1823.

SCHMALTZ, Gustav. Östliche Weisheit und westliche Psychotherapie (Schriftenreihe zur Theorie und Praxis der Psychologie). Hippokrates-Verlag Marquardt & Cie. Stuttgart, 1951.

SCHMIDT, Richard. Cf. Pancatantram.

SCHMITZ, Oscar A.H. Märchen aus dem Unbewussten. Mit einem Vorwort von C.G. JUNG und zwölf Zeichnungen von Alfred Kubin. Munique, 1932.

SCHOPENHAUER, Arthur. Aphorismen zur Lebensweisheit. In: Parerga und Paralipomena. Kleine philosophische Schriften. [Org. por R. von Koeber]. 2 vols. (num só). Berlim, 1891.

SCHREBER, Daniel Paul: Denkwürdigkeiten eines Nervenkranken, nebst Nachträgen und einem Anhang. Leipzig, 1903.

SCHUBERT, Gotthilf Heinrich von. Altes und Neues aus dem Gebiet der ineren Seelenkunde. 5 vols. Leipzig e Erlangen, 1825-1844.

SCHULTZ, Wolfgang. Dokumente deer Gnosis. Jena, 1910.

SCOTT, Walter. Cf. Hermetica.

SENDIVOGIUS, Michael. Epistola XIII. Cf. (A) BIBLIOTHECA CHEMICA CURIOSA, III.

Septem tractatus seu capitula Hermetis Trismegisti. Cf. (A) ARS CHEMICA.
Shatapatha-Brahmana. Translated by Julius Eggeling (Sacred Books of the East XII). Oxford, 1882.

SILBERER, Herbert. Probleme der Mystik und ihrer Symbolik. Viena e Leipzig 1914.

SLOANE, William M. To Walk the Night. Nova York, 1937.

SPAMER, Adolf (org.). Cf. Texte aus der deutschen Mystik.

SPENCER, Baldwin & GILLEN, F.J. The Northern Tribes of Central Australia. Londres, 1904.

SPITTELER, Carl: Prometheus und Epimetheus. Ein Gleichnis. Jena, 1923.

_____. Imago. Jena 1919.

STADE, Bernard. Biblische Theologie des Alten Testaments. Vol. I (não foram publicados outros). Tübingen, 1905.

STEVENSON, Jamcs. Ceremonial of Hasjelti Dailjis and Mythical Sand Painting of thc Navaho Indians. In: *Eighth Annual Report of the U.S. Bureau of American Ethnology* 1886-1887 (Washington, 1891), p. 229-285.

STÖCKLI, Alban. Die Visionen des seligen Bruder Klaus. Einsiedeln, 1933.

SUZUKI, Daiselz Teitaro. Die grosse Befreiung. Einführung in den Zen-Buddhismus. Mit einem Geleitwort von C.G. JUNG. Leipzig, 1939.

Tabula Smaragdina. Cf. RUSKA.

TERTULIANO. Apologeticus adversus gentes. In: Migne, Patrologia Latina I, col. 257-536.

Texte aus der deutschen Mystik des 14. und 15. Jahrhunderts. Org. por Adolf Spamer. Jena, 1912.

Textes latins et vieux français relatifs aux Cyranides. Cf. DELATTE. Thomas-Aktcn: cf. Apokryphen, Neutestamentliche.

Tibetanische Totenbuch, Das. Aus der englischen Fassung des Lama Kazi Dawa Samdup. Org. por W.Y. Evans-Wentz, übersetzt und eingeleitet von Louise Göpfert-March. Mit einem psychologischen Kommentar von C.G. JUNG. Zurique e Leipzig, 1936.

TONQUÉDEC, Joseph de. Les Maladies nerveuses ou mentales et les manifestations diaboliques. Précédé d'une lettre de S.E. le Vardinal Verdier. 3. ed. Paris, 1938.

Tractatulus Aristotelis. Cf. (A) ARTIS AURIFERAE, V.

Tractatus aureus. Cf. (A) ARTIS AURIFERAE, VIII; BIBLIOTHECA CHEMICA CURIOSA, I, e ARS CHEMICA, I.

Upanishaden. Cf. DEUSSEN.

USENER, Hermann. Das Weihnachtsfest (Religionsgeschichtliche Untersuchungen). 2. ed. Bonn, 1911.

Vedanta-Sutras, with the Commentary of Ramanuga (Ramanuja). Translated by George Thibaut. Parte III (Sacred Books of the East XLVIII). Oxford, 1904.

VIGENERUS (Blaise de Vigenère). Cf. (A)THEATRUM CHEMICUM, VIII.
VISCHER, Friedrich Theodor, Auch Einer. 2 vols. Stuttgart e Leipzig, 1884.

Visio Arislei. Cf. (A) ARTIS AURIFERAE, VIII, e (B) RUSKA.

VITUS, Richardus Basinstochius (Richard White of Basingstoke). Aelia Laelia Crispis epitaphium quod in agro Bononensi adhuc videtur. Pádua, 1568 e Dortrecht, 1618.

VOLLERS, Karl. Chidher. In: *Archiv für Religionswissenschaft* XII (Leipzig, 1909), p. 234-284.

WARNECK, Johannes. Die Religion der Batak. Ein Paradigma für die animistischen Religionen des Indischen Archipels (Religions-Urkunden der Völker IV/I). Leipzig, 1909.

WECKERLING, Adolf. Das Glück des Lebens. Medizinisches Drama von Ânandarâyamakhî. Zum ersten Male aus dem Sanskrit ins Deutsche übersetzt (Arbeiten der deutsch-nordischen Gesellschaft für Geschichte der Medizin, der Zahnheilkunde und der Naturwissenschafte 13). Greifswald, 1937.

WELLS, Herbert George. The War of the Worlds. Londres, 1898.

(WEY PO-YANG): An Ancient Chinese Treatise on Alchemy entitled Ts'an T'ung Ch'i, written by Wei Po-Yang about 142 A.D. Translated by Lu-ch'iang Wu and Tenney L. Davis. In: *Isis* XVIII (Bruges, 1932), p. 210-289.

WILHELM, Richard & JUNG, C.G.: Das Geheimnis der Goldenen Blüte. Ein chinesisches Lebensbuch. Mit einem europäischen Kommentar von C.G. Jung. Dornverlag, Munique, 1929. Nova edição Rascher 1938. Reedições em 1939, 1944 e 1957 (A colaboração de Jung no vol. 13 das OC). (Em port., Ed. Vozes: *O segredo da flor de ouro*).

_____. Cf. I Ging.

WINTHUIS, Josef. Das Zweigeschlechterwesen bei den Zentralaustraliern und andern Völkern. Lösungsversuch der ethnologischen Hauptprobleme auf Grund primitiven Denkens (Forschung zur Völkerpsychologie und Soziologie V). Leipzig, 1928.

WOLFF, Toni. Einführung in die Grundlagen der Komplexen Psychologie. In: Die kulturelle Bedeutung der Komplexen Psychologie. Festschrift pelo sexagésimo aniversário de C.G. Jung. Berlim, 1935.

WOODROFFE, Sir John. Shakti and Shakta. Essays and addresses on the Shâkta Tantra Shâstra. 2. ed. Madras e Londres, 1920.

_____. Cf. tb. AVALON.

WUNDT, Wilhelm. Grandzüge der physiologischen Psychologie. 5. ed. 4 vols. Leipzig, 1902/1903.

_____. Völkerpsychologie. 10 vols. Leipzig, 1911-1920.

WYLIE, Philip. Generation of Vipers. Nova York/Toronto, 1942.

Índice onomástico

Abravanel, cf. Leão Hebreu
Abraham, K. 259[3]
Adler, A. 91
Adler, G. 622[185]
Aeliano 428[55]
Agostinho, S. 5, 38[23]
Agricola, G. 268[10]
Aldrovandus, U. 53[30], 223[17]
Alexandre M. 252s., 604
Ângelo Silésio. 19
Aptowitzer, V. 580[131]
Apuleio 66, 84, 107, 194, 229, 619
Aristóteles 149s.
Astério, bispo 297[41]
Avalon, A. 142[31], 312[5], 467[14]

Bacon, J.D. 312[5]
Bandelier, A. 456
Bänziger, H. 622[185]
Bardesanes 38
Barlach, E. 396
Basílides 580[131]
Bastian, A. 89, 153, 259
Baumgartner, M. 572[104]
Baynes, H.G. 319[9]
Benoît, P. 60, 60[34], 64, 145, 356, 516, 518[11]
Bernoulli, R. 81
Berthelot, M. 234[24], 238[36], 246[53], 268[9], 537[36], 564[94], 579[129]

Bin Gorion, M.J. 253[59]
Blanke, F. 13[13], 14[14], 16, 131[21]
Block, R.121[18]
Blowsnake, Sam cap. IX, página de abertura
Böhme, J. 18, 534s., 549, 564, 566[97],567[99], 575s., 585s., 602, 626, 704, 717
Bouché-Leclercq, A. 604[163], 605169
Bousset, W. 242[43]
Bovillus, K. 14
Bozzano, E. 532[4]
Broglie, L. 490[1]
Bruder Klaus, cf. Nicolau de Flüe
Budge, E.A.W. 242[42]
Bultmann, R. 190[24]
Buri, F. 190[24]

Callot, J. 464
Carus, C.G. 1, 259, 492
Cesário de Heisterbach 532
Cassiano 295
Caussinus, N. 573
Cellini, B. 94, 311[3]
Chantepie de la Saussaye, P.D. 119[10]
Cícero 573[111]
Clemente de Alexandria 295, 573
Clemente, Pseudo- 295
Clemente Romano 572

Cleópatra 372
Colonna, F. 313[6]
Comário 372 (v. nome)
Confúcio 598
Conrado de Würzburg 653
Crawley, A.E. 116[8]
Cumont, F. 240[38], 553[72]
Cusa, N.18
Custance, J. 82[54]

Dante Alighieri 132[24], 425, 652
Daudet, L. 224
De Jong, K.H.E. 205[2]
Décio, imperador 242[42]
Dee, J. 575
Delacotte, J. 132[24]
Delatte, L. 580[131]
Demócrito de Abdera
(pré-socrático) 116s., 573
Demócrito (alquimista) 234
Deussen, P. 218[11], 671[18]
Diels, H. 572[108], 573[110]
Dieterich, A. 105
Dionísio Thrax 573[109]
Dionísio Areopagita 5, 603[161]
Dorneo, G. 335, 338, 580[131]
Douwes, E. (Dekker) 607[177]
Du Cange, C. 458[5], 462s.
Dürkheim, E. 153

Eckhart, Mestre 268, 396[8]
Eisler, R. 553[72]
Eleazar, A. 535[24]
Eliade, M. 115[6]
Errnan, A. 573[112]
Erskine, J. 60, 372
Evêmero 121
Eustáquio, I. 268

Fechner, G.T. 111
Fendt, L. 295[36]
Ficino, M. 557[79]
Fierz-David, L. 60[34], 223[17], 313[6]
Filaletes, I. 289[30], 516
Filo Judeu 5, 106, 679
Flammel, N. 246[53]
Flournoy, T. 113, 263[6], 490
Foucart, P.F. 297[41]
Franz, M.-L. 401[15]
Freud, S. (cf. tb. Psicanálise) 2, 61.
91, 101, 112s., 140[29], 159, 259[3],
492, 513, 540
- *Eine Kindheitserinnertung des
Leonardo da Vinci* 93, 95
Frobenius, L. 552[68]

Garbe, R. 158[4]
Gessmann, G.W. 537[34]
Goethe, J.W. 52, 141, 187, 311[3],
387, 516, 554[76], 593[147]
- *Fausto* 60, 141, 180s., 190, 204,
254, 268, 298, 311, 400, 408,
425, 518[11], 651, 680, 715
Goetz, B. 269, 396[9]
Grimm, Irmãos 407[30], 428[54], 456
Gubernatis, Â. 605
Guillaume de Digulleville 132

Haggard, H.R. 60, 60[34], 64, 145,
356, 516, 518[11]
Harding, E. 559[85]
Hartmann, E. 1, 259, 492
Hegel, G.W.F. 631
Heráclito 32, 55, 68
Hildegard, B. 703
Hiparco de Alexandria 7
Hipólito 282[27], 297[41], 533[5-7],
538[46], 552[71], 560[87,88], 571, 580[131]
Hoffmann, E.T.A. 513

Hölderlin, F. 576
Hollandus, I.I. 246[53]
Homero 205[2], 538
Honório, A. 403[17]
Horapollo 95, 100, 553[72]
Horácio 464[12]
Horneffer, E. 210[5]
Hubert, H. e Mauss, M. 89, 136[26], 153

Inácio de Loyola 236
Ingram, J.D. 268[14]
Inocêncio III, Papa 458
Irineu 5, 120[14], 131[22], 142[32], 469[15]
Izquierdo, S. 236[27]

Jaffé, A. 60
Jâmblico 573
James, M.R. 74[44]
James, W. 113, 388
Janet, P. 113, 213, 264, 490
Jerônimo, S. 559[84]
Jesus (cf. tb. Cristo) 216
João da Cruz 563[91]
Jung, C.G.
- Aion 86[57], 246[48], 247[54], 278[24], 485[20], 513[4], 551[67], 661[14]
- Psicologia analítica e educação 398[13]
- Resposta a Jó 716[3]
- Ensaios sobre a história contemporânea 453[79]
- O eu e o inconsciente 147[34], 270[18], 274[21], 278[24], 294[34], 297[42], 304[43], 398[13], 512[3], 523, 545[59], 623
- Bruder Klaus 12[12], 131[23]
- Algumas observações sobre as visões de Zósimo 240[39], 408[32]
- Espírito e vida 387[3]
- O espírito de Mercúrio 238[33], 426[52], 541[53], 549[62], 550[65], 553[73], 582[138], 682[27]
- Configurações do inconsciente, prefácio dos editores, notas aos capítulos XI e XII, 718
- Instinto e inconsciente 152[2]
- Paracelso como fenômeno espiritual 241[41], 533[5], 560[89]
- Prática da psicoterapia 53[30]
- Psicologia e alquimia 72[43], 86[58], 110[6], 132[24], 142[33], 235[25], 238[33], 242[42], 270[17], 278[23,25], 289[30], 311[3], 315[7], 324[10], 396[7], 408[35], 425[49], 426[52], 430[56], 452[78], 512[3], 517[10], 529[2], 532[3], 537[37], 541[50,51,54], 549[62], 552[69,70], 555[78], 571[102], 573[115], 582, 601[156,157], 623[186], 627, 680[26], 682[28], 686[30], 701[35]
- Psicologia e educação 70[42]
- Psicologia e religião 242[42], 278[23], 425[49], 605[170], 628, 660[12], 716[3]
- Psicologia da transferência 61[36], 147[34], 246[52], 557[82], 612
- Comentário psicológico sobre o Bardo Tödol 630[3]
- Tipos psicológicos 222[16], 274[21], 278[22], 285[28], 289[31], 294[34], 431[58], 512[3], 523[12], 524[13], 541[49]
- O enigma bolognese 53[30]
- Seminário sobre sonhos de crianças 623
- Estrutura da alma 104[4], 259[2], 261[5]
- Símbolos da transformação (cf. tb. Transformações e símbolos da libido) 85[56], 104[4], 158, 253[60], 270[19], 318[8], 319[9], 463[10], 515[5], 518[11], 589[145], 668[17]

- *Simbolismo do espírito*, nota ao cap. VIII, 695
- *Sincronicidade: um princípio de conexões acausais* 197[28]
- *Considerações teóricas sobre a natureza o psíquico* 6[8]
- *A função transcendente* 623[186]
- *Sobre a psicologia do inconsciente* 164[7], 604[168]
- *Tentativa de uma interpretação psicológica do dogma da Trindade* 218[10], 567[100], 695, 716[3]
- *Transformações e símbolos da libido* (cf. tb. *Símbolos da transformação*) 248[55], 259[3]
- *O símbolo da transformação na missa* 209[3]
- *Sobre as raízes da consciência*, notas aos capítulos III e IV, 248[56]
- *Zentralblatt für Psychotherapie*, nota ao cap. X
- *O objetivo da psicoterapia* 623[186]
- *Sobre a psicologia da meditação oriental* 232[223], 683[29]
- *Sobre a psicologia e psicopatologia dos fenômenos chamados ocultos*, prefácio dos editores, 219[13]
Jung, C.G. – Kerényi, Karl
- *Einführung in das Wesen der Mythologie* 8[10], 147[34], nota aos capítulos VI e VII
Jung, C.G. – Kerényi, K. – Radin, P.
- *Das göttliche Schelm* 456[1]
Jung, C.G. – Wilhelm, Richard
- *O segredo da flor de ouro* 119[10], 542[55], 564[95], 596[150], 602[158], 623, 661[13], 691, 710
Jung, E. 223[18], 444[74]
Justino gnóstico 552, 560, 571, 579[126]

Kant, I. 120[11], 136[26], 150, 160, 259
Kerényi, K. (cf. tb. Jung – K.) nota ao cap. VI, 259, 291, nota ao cap. VII, 326, 538[47,48]
Kerner, J. 111
Keyserling, G.H. 213[7]
Khunrath, H. 535[24], 580[131]
Kierkegaard, S. 11
Kingsford, A. 133
Kircher, A. 268[10]
Klages, L. 32, 391
Klaus, B., v. Nicolau de Flüe
Köhler, R. 428[55]
Koepgen, G. 292[32]

La Rochefoucauld, F. 563[2]
Lactâncio 533[7]
Lagneus, D. 246[53]
Lambsprincksche Figuren, v. *Musaeum hermeticum*
Lao-Tsé, título do cap. XI, 603
Lavaud, M.-B. 15[16]
Leão Hebreu 557
Le Bon, G. 225[20]
Leibniz, G.W. 259
Leisegang, H. 282[27]
Lenglet-Dufresnoy, P.N. 579[129]
Leonardo da Vinci 93s., 100, 140[29]
Leucipo 116
Lévy-Bruhl, L. 5, 89, 224[19], 226[21]
Lilius 580[133]
Lingdam Gomtchen 574[116]
Lu-Ch'iang Wu, v. Wu
Lüdy, F. 537[34]

Macróbio 119
Maeder 259[3]
Maier, M. 120[16], 537[41,43], 554[77], 580[133]
Maitland, E. 133

Mangetus, J.J., v. *Bibliotheca chemica curiosa*
Maomé 253, 258, 580[131]
Martianus, C. 538
Masenius, J. 604[166]
Matthews, W. 240[40]
McGlashan, A. 465[13]
Mectilde de Magdeburgo 295 (v. nome)
Meier, C.A. 553[74], 622[185]
Mennens, G. 579, 602[159]
Meyrink, G. 405[22]
Miller, F. (pseudônimo) 319
Multatuli (pseudônimo), v. Douwes, Eduard
Mylius, J.D. 246[53], 268[11], 580[133]
Nelken, J. 82, 318[8], 494[2], 516
Neumann, E. 487[22], 595[149]
Neumann, K.E. 596[152]
Newcomb, F.J. e Reichard, G.A. 651[7]
Nietzsche, F. 61, 77s., 190, 216s., 254, 442[73], 541
- *Assim falou Zaratustra* 36, 78, 190, 210, 217, 463
Nicolau de Flüe, Sto. / Bruder Klaus 12s., 131, 133

Opicinus de Canistris 295 (v. nome)
Orando, I. 246[53] (v. nome)
Orígenes 288[29], 624, 675

Panzer 428[55]
Paracelso, T. 52[28], 241, 533, 579
Parmênides 572s., 579[126]
Paulo, S. 216s.
Pestalozzi, J.H. 387
Picinellus, P. 582[137], 604[164]
Platão 5, 68, 138, 149, 326

- *Simpósio* 138[28], 164, 557[79]
- *Timeu* 425s., 436, 695, 715
Plínio 537
Plutarco 706
Polifilo 60, 313
Preisedanz, K. 541[52], 549[62]
Preuschen, E. 288[29]
Prince, M. 490
Propércio 605
Prudêncio 413[43]
Pseudo-Aristóteles 238[30]
Pseudo-Calístenes 604
Pitágoras (cf. tb. pitagorismo) 641

Radin, P. (cf. tb. Jung – Kerényi – R.) 470, 477, 480
Rahner, H. 413[43], 428[55], 559[84], 604[162]
Ramanuja 675
Rank, O. 259[3]
Reitzenstein, R. 794[6], 238[34]
Rhine, J.B. 197, 249[57]
Ricardo de São Vítor 403[17]
Richardus, V. 53[30]
Riklin, F. 259[3]
Ripley, Sir George / Riplaeus (cf. tb. *Ripley-Scroll*) 412, 516
Roscher, W.H. 604[168]
Rosencreutz, C. 452, 533[7]
Rousselle, E. 81[50]
Rulandus, M. 85[55], 236[26], 533[7], 537
Ruska, J. 516[9]

Salomon, R. 295[40]
Sand, G. 237
Scheler, M. 32
Schelling, F.W.J. 259
Schevill, M. 701[35]
Schiller, F. 9, 293, 387

Schmaltz, G. 64[40]
Schmitz, O.A.H. 51
Schopenhauer, A. 221[15], 492
Schreber, D.P. 82, 270, 494[2]
Schubert, G.H. 111[3]
Schultz, W. 142[32]
Sendivogius, M. v. *Bibliotheca Chemica Curiosa*
Seuse, H. 15[16]
Simão, o mago 64, 372
Sinésio 178
Sloane, W.M. 356
Sócrates 426
Spencer, W.R. e Gillen F.J. 116[8], 226[21]
Spinoza, B. 385, 390
Spitteler, C. 145
Stade, B. 602[159]
Stevenson, J. 240[40]
Stöckli, A. 13[13], 14[15], 16[17], 131[21]
Suzuki, D.T. 602[158]
Swedenborg, E. 5[7]

Tertuliano 463
Teodósio II, imperador 242[42]
Tomás de Aquino 580[133]
Tonquédec, J. 220[14]

Usener, H. 153

Valentino, B. 537
Vigenerus, B. 5[7]
Vischer, F.Th. 469
Vollers, K. 244[46], 245[47], 246[49-51], 247[54], 250, 253

Warneck, J. 188[20]
Wells, H.G. 227[22]
Wilhelm, R. (cf. tb. Jung – W.) 598, 629, 643
Winthuis, J. 120[13]
Woelflin, H. 13
Wolff, T. 513[4]
Wolfram, E. 248[55]
Woodroffe, J. 142[31]
Wu, L.-C. e Davies T.L. 52[92]
Wundt, W. 111, 386
Wylie, P. 159[5]

Xenócrates 564[94]

Ziegler, L. 267
Zósimo, P. 240[39], 372, 408, 532, 537

Índice analítico

Abaissement du niveau mental 213, 244, 264
Abelha, 312[5] 352, 435
Abutre 95 100
Achurajim 535[22], 576, 588[142]
Adão 56, 560, 576[120], 596[151]
- Belial 576[120]
- segundo 238[36], 247
Adormecidos (sete) 240s., 243s., 246[53]
Adotivos, v. pais
Adumbratio Kabbalae Christianae 596[151]
Aen-Soph 576[119]
Aequabilitas 679
Afeto (cf. tb. emoção, sentimento) 144, 214, 282[26], 496s., 555, 565, 572, 580
África 177, 481
Afrodite (cf. tb. Vênus) 575
Agathodaimon 560
Agouro 47
Água 35s., 45, 50s., 93, 156, 244, 266, 325, 336[12], 344, 352, 403, 405, 556, 566, 579, 588, 601, 605, 691
- da morte 624[187]
- da vida 245, 253[59], 533
Águia 588[143], 686
αἰόλος 55, 391[4]
Alá 243[44], 247, 253s.

Albedo 246[59]
Alcheringa, período a., aljira 84, 224, 226[21], 260
Alegoria 7, 80, 195, 261, 291, 428[55]
Além o 188, 276, 372
Alemanha 93, 227
Altjirangamitijna, v. alcheringa
Alma, anímico (cf. tb. psique) 7s., 17, 20, 31, 54s., 60, 74, 85, 107, 113s., 136, 160, 213, 217, 229s., 238[36], 249, 254, 259s., 271, 302, 313, 343, 385s., 393, 397, 400, 432s., 442, 479, 532, 533[7], 534, 536, 550[64], 560, 592, 604, 619, 624, 634, 675, 704, 712
- alma-gui 119, 392
- coletiva 262, 273, 277, 675
- e corpo 706
- e espírito, cf. lá
- faíscas da 717
- migração da, v. metempsicose
- perda da 213, 244, 284, 501
- perigos da, v. *perils of the soul*
Alquimia, alquimistas 5[7], 20, 68, 72[43], 74, 81, 85s., 198, 236s., 240s., 246, 268, 289, 386s., 391[4], 396, 408, 426, 433[65], 437, 448, 453, 456, 516, 523, 529, 533, 537, 542s., 549s., 557[82], 560, 564, 566, 570, 572, 575, 579s., 601,

608[179], 616, 637, 648[5], 653, 660,
682s., 692, 705, 708, 714s.
Altar, v. Igreja
Alucinação 319, 395[6]
Ama de leite 156
Amado, amante 156, 193
Amarelo, v. cores
América 680[26]
Ametista 537
Amizade, amigos 164, 235, 253s.,
256, 258, 543
Amnésia 213
Amor (cf. tb. eros) 12, 167[9], 210,
586
- de Deus 535
- desejo de 586
- dos pais 172
Amplexo 631
Amplificação 436
Ana, Sant' 93, 95, 140[29]
Anahata 467[14]
Análise, analista (cf. tb. psicanálise,
psicologia), 486, 510, 525-626,
644-698, 705-712
Analogia cósmica 550
Anamnese 262, 319, 402, 474
Anão, anões 267, 273[20], 279, 310,
396, 407, 412
Ancião (cf. tb. homem velho,
Velho Sábio), 396, 435
Andrógino (cf. tb. hermafrodita,
masculino-feminino) 138, 292,
560, 653
Anéis 590
Anima (dos alquimistas), 391[4]
- cristã, 55
- mundi. 427, 554, 707
Anima, v. arquétipo
Animal 41s., 60, 74, 151s., 156s.,
159s., 224s., 244, 267, 273[20], 276,
281, 286, 311s., 315, 340s., 358,
396s., 405, 419, 444, 457, 459[6],
472s., 502, 534, 540, 561[90], 587,
624, 660, 715
- alma do 225
- e ser humano, cf. lá
Animalesco, o (cf. tb. animal) 195,
315, 341, 444
Animus, v. arquétipo
- possessão do 417
Anjo 35, 251, 394, 425[50], 431,
435, 534, 552, 560, 571, 580[131],
588[143]
Ano-novo, festa de 459[6]
Antepassados 84, 224, 227, 244,
260, 316, 499, 518
Anthroparion/ἀνθρωπάριον 268,
408
Anthropos 529, 532, 541, 550,
555, 660, 690
ἄνθρωπος πνευματικος 55
- ψυχικος 55
Anticristo 247
Antigo Testamento, v. Bíblia
Antiguidade, mundo antigo (cf. tb.
Grécia) 11, 61, 107, 121, 189,
268, 313, 408, 484
Antropomorfismo 136, 408, 604
Ânus 472
Apercepção 136
Apocalipse de Baruc, v. Bíblia –
Apócrifos
Apocalipse. v. *Bíblia*
Apócrifos, v. *Bíblia*
Apokatastasis 316, 624
Apolo 428[55]
Apotropaísmo (cf. tb. feitiço), 699
Aqua permanens 246
Ar 555, 561, 565, 579, 586,
606[176], 609, 702

Aranha 315
Arbor philosophorum 452[78], 582
Arca de Noé, 624[187]
Arcaico 291, 293, 302, 466, 518
ἀρχαί 80
Arco-íris 580, 596s., 611s.
- deusa do 700
Áries, carneiro (cf. tb. zodíaco), 7, 410, 624
- deus Áries 551
Arqueologia 105
Arquétipo 1-7, 88s., 98s., 110, 111-147, 148-156, 160s., 173s., 187, 189, 193, 206, 260, 264s., 271-278, 300s., 316s., 338, 396, 400, 404, 406, 409, 413, 419, 433[62], 436, 451s., 465, 517, 546, 549[63], 553, 565, 588, 611, 621s., 634, 645, 662, 711, 714
- da anima 53, 57, 72, 77s., 82, 86, 111-147, 158, 162, 168, 175, 182, 222s., 294, 297, 306, 311[3], 355s., 417, 433s., 439s., 451[77], 452[78], 485s., 513s., 559, 564[95], 634
- da criança divina 259-305, 692
- da mãe 148-198, 273[20]
- da menina 306-383
- da sombra (cf. tb. sombra), 80, 634
- da terra, cf. lá
- da totalidade, cf. lá
- da transformação 81, 254
- da vida 66, 417
- de Core, cf. a. da menina
- definição de 6s., 155, 714
- do animus 53[30], 63, 175, 223, 297, 326, 350, 396, 417, 439, 444, 518s., 525, 545, 555, 559s., 585, 592, 606[176], 634
- do casal 131

- do espírito 74, 398, 413, 433s., 454s., 682
- do herói 289
- do pai 273[20]
- do renascimento, prefácio dos editores
- do significado 66, 79, 682
- do si-mesmo, cf. lá
- do velho, do Velho Sábio (cf. tb. a. do significado, do homem velho), 79, 110, 193, 409, 418
- dos pais, cf. lá
Ars chemica 238[31]
Ártemis 339
Artis auriferae etc., 238[30, 31,36], 246[48,52], 248[55], 268[12], 293[33], 516[9], 580[133]
Árvore de Natal 22, 467, 480
Árvore 36, 156, 267, 406, 417, 427, 535[20], 570s., 576, 582, 585, 589, 654, 661, 665, 673
- da vida 73, 445, 560
- do conhecimento 73, 560
- do mundo 198, 427s., 433, 442, 447, 452
Asa, alado 413, 433, 556, 569s., 574, 580[131], 588, 674, 693
Asclépio 553
Ásia 26
Assim falou Zaratustra cf. Nietzsche
Assimilação 475
Associação 101, 107, 123, 127, 236, 485
- livre (cf. tb. Freud) 101
Astral 356
Astrologia 7, 9, 551, 605, 608[179]
Ateísmo 125
Atená, Pallas A., 95, 368
Athla/ᾶθλα 289, 433
Átis 162

Atlântida 471
Atmã, 248, 289, 408, 554, 572
Átomo 116, 143, 384, 408
Atos de Tomé, v. *Bíblia* – Apócrifos do Novo Testamento
Atos dos Apóstolos, v. *Bíblia*
Aurora consurgens, v. *Artis auriferae*
Aurum philosophicum 543
Aurum potabile 543
Aurum vitreum 543
Austrália 84, 116, 224, 226[21], 260
Avatar 551
Avó 156, 188s.
Avô 188, 398
Ayik 288
Aziluth 576[119]
Azul, cf. cores

Baba-Yaga 435
Baldur 283
Bárbaro 466
Barbelo-gnose, cf. gnose
Bardo Tödol (o livro tibetano dos mortos), 630
Baruc 560, 571
Basileia 474[16]
Basílica de São Pedro em Roma 459[6]
Bastão, vara 413, 533s., 553
Batak, os 188
Batismo 93, 140[29], 231
- pia batismal 156
- padrinhos de 93, 140, 172
Baubo 312s.
Belo, o 60
Bem, o 59, 560
- e mal 44, 189s., 197, 397, 399, 404, 417, 420, 567, 595[149]
Benares 670

Bes 193, 396
Besouro, escaravelho 315, 663
Betesda 35, 40
Bhutya Busti, mosteiro de 564[96], 574[116]
Bíblia (livros canônicos na ordem tradicional)
- Antigo Testamento 295, 394, 409, 458
- *Gênesis* 535[26]
- *Reis* 428[55]
- *Jó*, 428[55]
- *Salmos* 428[55], 573
- *Provérbios* 576[120]
- *Eclesiástico (Sirácida)*, 625[189]
- *Isaías* 248
- *Ezequiel* 425[50], 588[143], 660, 715
- *Daniel* 715
- *Oseias* 29535,
- *Zacarias* 246[56], 5337
- Novo Testamento
- *Evangelhos* 14, 248,715
- *Mateus* 575, 591, 593
- *Lucas* 428[55], 533[7], 534[14], 593
- *João* 397, 536
- *Atos dos Apóstolos* 470
- *Epístolas paulinas* 243[44]
- *2Coríntios* 576[120]
- *Efésios* 217[8], 604[164]
- *Apocalipse* 14s., 73, 106, 255s., 543[57], 648[5], 691
- Apócrifos não canônicos do AT
- *Apocalipse de Baruc* 533[7]
- *O livro de Henoc* 715
- Apócrifos do NT 55[31], 237[29]
- *Epístola de Clemente* 295
- *O pastor de Hermas* 7946
- *Atos de Tomé*, 37[22]
Bibliotheca chemica curiosa 238[31,32,35], 268[15], 293[33]

Binah 576[119], 588[143]
Biologia, biológico 6[8], 58, 63, 91, 465, 475, 561, 564
Blasfêmia 459[6]
Bode 597, 603s., 624
Boi 624
Bola, jogo de bola 323s., 329, 460[7], 674
Bomba de hidrogênio 195
Bön, religião 564, 680[25]
Borboleta 315
Brâhamana(s)
- *Satapatha* 674
Brahma, deuses B., 517, 674s., 691
Branco, cf. cores
Bronze 601
Brownies escoceses 408
Bruxa, bruxaria 47, 54, 61s., 157, 159s., 188, 270, 349, 356, 405, 416, 423s., 427s., 433, 435, 450s., 459, 482, 501
- sabbat das 459
Buda 200, 234, 248, 269, 517, 576, 587, 596, 638, 652, 661
Budismo 11, 200, 564[93], 564, 597, 599, 607[178], 629, 635, 680[25]
- hinayana 635
- mahayna 635
- tibetano, v. Tibet
- zen, cf. lá
Bugari, 260
Burro, procissão do 461s.
Bythos, 33

Cabala 557[80], 576, 579, 588
Cabiros 408, 715
Cabra, v. bode
Caça, caçador 423s., 433s., 442s.
Cachorro, cão 242[42], 254, 404[20], 415s., 693

Caduceu 533[5], 553
Calor 68, 178, 197
Campo, cf. terra
Canibalismo 159
Cânon-páli 200[1], 520, 596
Caos 64, 564, 645, 652, 683, 689, 706
Caramujo 604
Caranguejo 315, 604s.
Carbúnculo 580[133], 586[139]
Carma 200
Carnaval 456, 465, 469, 474, 474[16]
Carne (cf. tb. corpo), 588
Carneiro 329, 355, 624, 660
Carvão 537
Casamento 61, 168s., 176, 184
Casca 572, 576
Castelo 346, 646, 691
Castração, auto 138, 162, 297[41]
Cauda pavonis, cf. pavão
Cavalo 71s., 327, 398, 423s., 426s., 433s., 436s., 439s., 449s.
Celta, 450
Centro, meio 240, 244, 246, 248, 256, 503, 543, 549[61], 559, 566, 572s., 580, 583, 588s., 596, 604, 608s., 630s., 644s., 665s., 680s., 691s., 714
Cérebro 500
Cervula, festa 459[6]
Céu 321, 340, 352, 537, 597, 637, 682s.
- Assunção corporal ao 195s., 204, 716[3]
- astronômico, físico 50, 121, 547, 604, 682, 702
- como lugar supracelestial 68
- corpos celestes 550
- cósmico 557, 573, 679
- e terra, cf. lá
- empíreo/metafísico 50, 195, 603[161], 691

- enquanto paraíso 71s., 128, 156, 404[20], 535, 597[153]
- na alquimia 535[24]
- Rainha do 60, 132, 190, 435, 702
Ch'ien (sinais I Ching), 640s.
Chacra
- do diafragma 661
- sistema do 81, 467[14]
Chadir 238, 240, 246s., 250s., 253s., 255s., 258
Chama, v. fogo
Chave 398
Chên-jen 529, 549
Chico Sgarra 464
Chifre, chifrudo 14, 253, 346, 604, 623, 689, 701
China, chinês 11, 81, 270, 392, 529, 549, 603, 637, 639, 643, 652
Chochma 588[143]
Choque 214
Chörten(s), 564
Chumbo 408
Chymische Hochzeit, cf. rosacruz
Cibele 156, 162, 339
Ciclo anual 7, 553[72]
Cidade celeste (cf. tb. Jerusalém), 73s., 600, 646, 654s., 691
Ciência 120
Ciência experimental 111
Cinza, v. cores
Circuitiones, v. circumambulação
Círculo (cf. tb. redondo) 16, 233s., 248, 278, 315, 342, 532, 537, 541s., 557, 564, 572s., 603, 629s., 634s., 646, 661, 663, 682, 687s., 690, 704s., 713, 716
- caminhar em 573
- quadratura do 634, 646, 652, 660, 665, 713, 715

Circumambulação 564, 573, 651, 669, 673
Circuncisão, festa da 458
Cisne 560
Cisterciense, v. monge
Ciúme 168, 170
Claro e escuro 82, 188, 197, 426, 563, 602, 679, 704, 717
Cobre 537, 575
Codex Alchemicus Rhenovacensis 686, 707
Coelho, lebre 156, 694
Coiote 473
Coito 572
Coletividade (cf. tb. massa), 256, 469, 618
Colo, útero 178, 184, 327s., 652
Comédia 464
Comic strips 465[13]
Complexio oppositorum (cf. tb. opostos) 18, 257, 555
Complexo 138, 507
- de Édipo, cf. lá
- de mãe, cf. lá
- de pai, cf. lá
- de tonalidade emocional 4
Comunismo 125, 228
- entre os primitivos 228
Concentração 630, 659, 669, 677, 710, 714
Concepção 95, 156, 170
Concílio, decisões 460
Concupiscentia (cf. tb. desejo flamejante), 630
Confirmação 30
Confissão 125
Confucianismo, v. I Ching; Confúcio
Coniunctio (cf. tb. opostos, união dos) 138, 246, 295, 326, 612, 679

Consciência, consciente 6s., 24, 28s., 40s., 42, 46s., 48s., 88s., 91, 101, 111, 118, 121, 129, 135s., 140, 174, 177s., 185s., 188s., 213, 222, 225, 235s., 241s., 243[44], 247s., 254, 256, 260s., 263s., 267, 270s., 275s., 282s., 285, 288, 314s., 319s., 346, 371, 392s., 419s., 426s., 430s., 460, 465s., 470, 473s., 483s., 487, 489-524, 526, 532, 538s., 541 s., 549s., 555, 559s., 563s., 570, 579[128], 582, 586s., 593, 614, 617, 620s., 634, 644s., 674, 678, 682, 690, 693, 705s., 711, 717
- centro da 491, 506
- coletiva 2[1], 443
- conteúdos da 4, 7[9], 88, 90, 118, 130[20], 276, 292, 492, 506, 517, 524, 542
- dos primitivos 226, 466
- e inconsciente 278, 294, 296s., 433
- funções da 259, 430, 588
- supra 433, 506
- tomada de 84, 91, 162, 179, 284, 402, 543[56]
- universal 520
Conscientização 46, 91, 122, 124, 276, 296, 549, 565, 608, 645, 667, 674, 685
Contemplação 562, 630
Conteúdo hílico 484
Conto de fadas, lenda 79, 159, 232, 260, 263, 310, 384-455, 456, 476
- alemão 404[20], 405[22], 410, 421s., 435
- balcânico 404[19,20], 405[22,27], 406[28], 413, 416
- caucasiano 409
- chinês 404[20]
- espanhol 404[19], 405[24]
- estoniano 401, 404[20], 405[21], 410, 414
- indiano 409[36,37]
- iraniano 404[19], 405[23]
- nórdico 404[19,20], 405[26], 431[57]
- norte-americano 409
- português 404[19]
- russo 404[19], 406, 418s., 435
- siberiano 408[33], 413s.
- suíço 407
- sul-americano 409[36]
Coração 42, 535[18], 697
Corão
- Sura 18, Introd. do cap. V 219[12], 240-258
Cordeiro 14, 423s., 433, 433[65]
Core (cf. tb. arquétipo-menina) 156, 306-383
Cores 535[17], 551[66], 564, 574, 580, 588, 596, 607s., 635, 651[7], 660, 676, 685s., 692, 701
- amarelo 557, 580s., 588, 609, 630, 648s., 697s.
- azul 321s., 368, 545, 555s., 560, 565s., 569, 580, 588s., 596, 604, 630, 648s., 682, 685, 697
- branco 71, 246[53], 250, 312, 321s., 327, 333, 352, 359, 398, 405, 408[33], 580, 591, 597s., 603, 630, 651[7], 668, 680[26], 691
- cinábrio 537
- cinza 569, 603
- dourado, v. ouro
- laranja 597, 603, 684
- marrom 588, 597
- preto 71s., 73s., 312, 363, 398, 407, 413, 538, 556s., 567s., 574s., 585, 588s., 597, 603s., 605, 611, 630, 683, 685, 691

- púrpura 691
- verde 246[52], 406, 555, 564, 566s., 582s., 588, 630, 648s., 662, 684
- vermelho 289[30], 312, 331, 342, 354, 537, 543s., 555s., 560, 565s., 580s., 596s., 613s., 629s., 648, 654, 680[26], 697
- violeta 557

Coribante 311
Cornucópia 156
Coroa 37, 572s., 630
Corpo 195s., 200s., 289[30], 290, 534s., 535[24], 561, 675
- e espírito, cf. lá
- místico 661
- sutil, v. "*subtle body*"

Corpus glorificationis 202, 289, 637
Corpus hermeticum 5, 105, 149
"*Corpus incorruptibile*", 637
Corvo 422s., 427s., 433s., 442, 597
Cosmogonia 120, 292, 529, 565
Cosmos, cósmico 21, 64, 289s., 390, 550, 553[72], 567, 603, 674
Credo 21
Criação 550, 631s., 664, 679
Criança, infância 93s., 135s., 151, 159s., 167, 170, 172s., 185, 188, 224, 265, 268s., 273s., 281s., 299, 309, 316, 323s., 355, 469, 501, 525, 587, 692, 714
- divina, v. arquétipo

Criativo, criador 150s., 641, 676
Criptomnésia 92
Cristianismo, cristão 11, 17, 20s., 25s., 28, 60, 73, 76, 93s., 119, 189s., 195, 202, 210, 229s., 247[54], 267, 270, 276, 380, 389s., 394, 419, 427, 439, 442, 446, 450, 453s., 455, 551, 577, 597, 602s., 637, 662, 686, 691, 704, 716
- perseguição aos 242[42]

Cristo 14s., 22, 93, 106s., 158, 195, 204, 209, 216, 218, 229, 237, 249, 288[29], 403[17], 433[65], 450, 463, 583, 643, 653, 661, 671, 677
- androginia de 292
- *anima Christi* 576[120]
- batismo de 93
- como salvador cf. lá
- enquanto pão 248
- enquanto pássaro 661
- enquanto peixe 38
- menino 108, 229, 268, 287
- morte de 428[55]
- nascimento de 458
- transfiguração de 204
- transformação de 204

Cristóvão, São, 268
Crocodilo 270, 311, 486[21], 604[165]
Crucifixão 311, 427, 434, 442, 447, 705
Cruz 98, 158, 342, 354, 535[20], 536s., 564, 574s., 589, 646, 651[7], 656, 700, 705, 713
Ctônico (cf. tb. terra), 41, 119, 193, 413, 425, 433, 450, 556, 559, 566, 585, 588, 604, 651, 666s., 679, 705, 707
Cubo 581s., 651
Cucorogna 464
Cucullatus 298
Culto, cultual 25, 224, 227s., 248, 629, 714, 717
- herói do 229s.

Cultura 288, 386, 391, 455, 617
- romana e religião 25, 98, 442

Dáctilos 298, 408
Damasco 216
Damodara 554[75]

Dânae 560
Dança, dançarino 158, 311, 312[5], 325s., 352, 360, 404[20], 458, 552, 598, 713
Daniel, v. Bíblia
Dea artio 341
Dejanira 221, 571
Delírios 83, 263
Deméter 156, 167, 169, 306, 310, 312s., 316s., 339, 382s.
Demoníaco 60, 62, 223, 270, 309, 350, 357, 413, 419, 425, 454, 458, 656s., 659, 705
Demônio/*daemonium* 387, 475
Demonologia 656
Depressão 558
Dervixes, mosteiro dos 713
Descontínuo, o 490[1]
Desejo flamejante (cf. tb. *concupiscentia*), 680
Despedaçamento 208, 247, 256, 435
Destino 7, 49, 60s., 157, 170, 183, 208, 230, 247, 313, 316, 382, 404s., 446, 487, 498s., 680
"*Deus absconditus*", 20
- "*terrenus*", 289
Deus, deuses, divindade, divino 5, 7, 11s., 15s., 20s., 26, 35, 50, 59, 77, 105s., 124, 131, 133, 149, 189s., 195, 204, 242, 254s., 273[20], 281, 289, 289[30], 315, 356, 385, 390, 394, 412, 438, 442, 445s., 472, 534s., 551, 572s., 576s., 597[153], 619, 623s., 633, 661s., 691, 700s.
- adoção filial 131, 243[44]
- casamento (divino), 295
- como criador 472
- como quaternidade 623
- como si-mesmo 572
- como Trindade, cf. lá
- e natureza 717
- e pessoa humana 11, 30s., 76, 135, 190, 205, 717
- espírito de 579[126], 588
- experiência de 11, 18
- filho de, v. Cristo
- homem-, 435
- identificação com 208, 229
- imagem de 442, 446, 572, 625, 716s.
- na visão 133
- nome de 579
- olho de, cf. lá
- par (divino), 137s., 172
- reino de, cf. lá
- semi- (cf. tb. herói), 281, 449s., 551
- teriomorfismo dos 419
Deusa 61, 156, 189, 315, 332, 341, 356, 572
- razão 173
Dextrogiro, v. sinistrogiro
Dia 563, 613
- e equinócio 7
- e noite 563
Diabo 189s., 195, 242[42], 254, 394, 412, 415, 418, 422, 427, 431, 433, 446, 456, 481, 534[14], 536, 559[84], 567, 578, 597, 597[154], 602, 671, 689
Díade, 685
Diamante, corpo de 637
Diana, 341
Dies innocentium 458
Dinamismo 187
Ding (sinais I Ching), 601
Dioniso, dionisíaco 77, 128, 195, 210, 248, 324

- Zagreu 210
Dioscuros 218, 235, 253, 256[62]
Dissociação/separação 83s., 244, 274, 279, 302, 468, 501, 507, 696
Ditador, tirania 228, 618
Divisão em quatro 552, 564. 703
Doença (cf. tb. análise, doente mental, neurose), 214, 231, 238, 493, 517, 523s., 644
Doente mental 83, 103, 109, 237, 493, 496, 500
Dogma 15, 17s., 21, 47, 55s., 57, 119, 130[20]
- da Assunção de Maria 195s., 197, 716[3]
- da Trindade 17
Doktor Marianus, v. Goethe – *Fausto*
Don Juan 162, 165
Dorje 636
Dragão 37, 40, 157, 267, 270, 283, 315, 349, 351, 362, 417, 537, 553[72], 556, 642, 673, 686, 689, 705, 707
Dromenon 230
Dualidade 555, 607
Dualismo 20, 133, 189, 556
Duende 408
Duplicação 674

Ecclesia spiritualis (cf. tb. Igreja), 164
Eclesiástico, v. *Bíblia*
Edda 50[26], 442[72]
Éden (cf. tb. paraíso), 552, 560, 571, 579[126], 665
Édipo 259[3]
Éfeso 242[42]
Egito, egípcio 25, 37, 60, 93, 193, 229, 239, 242[42], 438, 559[84], 573, 605[169], 652[8], 702

Égua, v. cavalo
εἶδος (cf. tb. ideia), 5, 68
Elefante 315
Elementos 535[17], 554, 564, 575, 578s., 580[133], 588
Elêusis, mistérios de 25, 205, 208
Elfo, élfico 268, 371
Elgon, monte, elgonyi 35, 288, 481
Elias 247, 253, 428[55]
Eloim 552, 560, 571
Emoção (cf. tb. sentimento), 122, 125, 127, 134, 144, 179, 225, 496, 498, 559
Empíreo, v. céu
Empiria, v. experiência
Empírico 149
Empirismo 150, 155
Empusa 157
Enantiodromia/processo de inversão 82, 397, 417, 433[60], 488, 624
Encarnação (cf. tb. reencarnação), 253
Energia 68, 174
Enfeitiçado, v. bruxa
Enkidu 253
Ensinamentos secretos 6, 10
Enteléquia 278
Entusiasmo 228, 598
Eon/período mundial 131[22], 533[7], 551s., 564, 576[119]
Epifania 289, 304
Epilepsia 151
Episcopus puerorum 458, 460
Epístola aos Coríntios, v. *Bíblia*
Epístolas de Paulo, v. *Bíblia*
Epona 450
Eremita 405
Eros, erótico 164, 167s., 170, 176s., 680

- auto, 586
- religioso 258
Escada 342, 346
Escatologia. 257
Escocês 408
Escuridão, obscuro (cf. tb. claro-escuro), 36, 74, 82, 158, 178, 189, 241, 246. 253, 256, 284, 288, 290s., 356, 427, 444, 477, 535s., 549, 561, 570, 595, 663
Esfera 270, 278, 315, 404[20], 532, 538s., 543s., 553s., 558s., 572, 574, 578, 580, 592, 597, 646, 679, 682, 692, 703s.
Espaço 640s.
- e tempo, cf. lá
Espada 705
Espelho 19, 43
Espermatozoide 556s., 583, 611
Espiral 646
Espiritismo (cf. tb. parapsicologia), 457, 469
Espírito Santo, v. espírito
espírito 11, 32, 34, 40, 50, 80, 95, 178, 195s., 384-455, 483, 534, 545, 555, 560s., 564[95], 567, 572, 575s., 585s., 588[144], 596[151], 604[164], 651
- e alma 32, 385, 391
- e corpo 204, 555s., 572
- e matéria 195s., 385, 391s., 454, 555
- e natureza 385, 389, 454, 580, 585
- enquanto arquétipo, cf. lá
- enquanto fantasma 47, 159, 387s., 480
- enquanto pneuma, cf. lá
- mau (cf. tb. diabo), 689

- Santo 93, 108, 131. 288[29], 535, 579, 602
- totem, cf. lá
- universal, 492
Esquizofrenia 105, 136, 279, 320, 494[2], 519, 652, 714
Estado 393, 453, 479
- ditadura de, cf. lá
Estoicos 573
Estrela, estelar 7, 246[53], 270, 312[5], 343, 604[163], 609s., 624, 646, 655, 674, 680[26], 682s., 697, 703, 706, 713
Eternidade 655, 704
Etiologia 159, 290
Etnologia 259, 260[4]
Etruscos 464[12]
Eu o 41, 46, 58, 188, 201, 236, 248, 279, 304, 315, 420, 431, 485[20], 490s., 503s., 541s., 549, 561, 563, 621, 634s., 717
- centro do 503
- consciência do 69, 188, 222, 237, 247, 254, 319, 414, 420, 474, 492, 497, 500, 503, 517s.
- não eu 58, 248, 638
- personalidade do 220, 468
- relação eu-tu 11
Europa, europeu (cf. tb. Oriente e Ocidente), 11, 24
- (mitológica), 324
Eva 56, 554, 560
Evangelhos, v. *Bíblia*
Evangelistas (cf. tb. *Bíblia*), 425[50], 603[161], 611[180], 660, 715
Exercitia spiritualia 232, 236s., 562
Existencialismo 125

Experiência/empiria 11, 18, 92, 111, 114, 119, 142, 159, 167[8],525-626, 709
Exposição 282
Êxtase 106, 520
Extroversão 431
Ezequiel 564, 576[120], 611[180]
Ezequiel, v. Bíblia

Fada (cf. tb. elfo), 356
Falcão 473, 661
Falo, fálico 298, 435[67], 472, 533[5], 559, 572, 632
Família 170, 279
Fantasia 11, 53s., 80, 83, 92s., 101s., 122s., 135s., 142s., 153, 260s., 270, 290s., 295, 303, 309, 311[4], 312[5], 314, 319, 386, 476, 509, 517s., 525, 530, 623, 645s., 715
- coletiva 476
- criativa 153
- de incesto, cf. lá
- erótica 54, 586
- infantil 94, 159
- isolada 321-327, 525
- obscena 586
- psicótica 260
Fantasma (cf. tb. espírito), 267, 290
Faraó, 93, 229, 438
Fascínio 501
Fausto 204, 255, 310, 513
Fausto, v. Goethe
Fé, crença 50, 73, 128, 149, 384, 483, 619
- objeto de 11
Fecundação 107s., 297, 556, 558, 564, 583
Femina alba 516

Feminino, feminilidade 58, 86, 119, 131, 142, 158, 164s., 170, 176, 183s., 242[42], 246, 316, 357, 383, 485, 564[95], 571, 585s., 631, 666, 680, 705
Fenício 324
Fênix 661, 685
Fenômeno gana 213[7]
Fenomenologia 111s., 119, 126, 143, 272, 285-300, 308, 318, 384-455
Ferro 407, 413
Fertilidade, magia da 297
Fescennia, 464[12]
Festa de ano-novo 459[6]
Festum asinorum 461
- *fatuorum* 460[7]
- *puerorum* 460
- *stultorum* 458
Fígado 654[11]
Filho (cf. tb. mãe e filho; pai e filho), 602
- de Deus 243[44]
- do Sol 573[112]
- pródigo 448
Filia mystica 372
Filius philosophorum 246
- *regius* 396
- *sapientiae* 193, 268, 289
Filosofia 11, 66s., 111, 120, 149s., 167, 189, 529, 594, 645
- alquímica 142, 326, 425, 537, 543[57], 603, 708
- chinesa 76, 119, 197, 643
- hermética 79, 120[16], 295
- indiana, hindu 76, 158, 419, 517, 717
- natural, da natureza 94, 116, 149, 193, 292, 297, 529
- oriental 602

Finlândia 259
Física, físico 68, 116s., 195, 490[1]
Fisiologia 63, 113, 272, 291, 391, 491, 555, 586
Flauta 404[20]
Flecha 667, 705
Flor (cf. tb. lótus, rosa), 156, 270, 311, 315, 323s., 327, 557, 576s., 592, 612, 630, 646, 652, 655s., 661s., 704
- de ouro 652
Floresta, bosque 156, 342
- rei da 406, 418
Fo, v. Goetz, Bruno
Fobias 159
Fogo 32, 55, 68, 106, 179, 221, 237s., 252, 266, 288, 374, 407, 409, 534s., 559, 567[99], 572s., 575[118], 579s., 601, 630, 677, 680, 697, 704s.
Folclore 268, 400, 456
Fonte 156, 244, 312[5], 336[12], 396, 405, 534
força 640s., 660, 664
Forma 187,635
Forno 156
Fuga 418, 423
- para o Egito 461
Função(ções), 150, 430, 433s., 437, 541, 565, 579[128], 582, 588
- inferior 222, 304, 430s., 434, 439s.

Galateia 680
Galo 644
Ganso 686
Gato 311
Geburah 588[143]
Gedulah 588[143]
Genes, os 58, 512

Gênesis, v. Bíblia
Genitais, v. órgãos genitais
Gerar, conceber, procriar 156, 167, 273[20], 282, 289, 583, 640
germânico (cf. tb. Alemanha), 25, 254, 268, 386, 442
Gigante 273[20], 480
Gilgamesch 253
Gnomo 396
Gnose, gnóstico 20, 37, 55, 93, 131, 295, 324, 552, 560, 573[112]
- Barbelo 564
- naassena 665
- valentiniana 120[14]
Gnosticismo 120, 142, 292, 295, 297, 685
Gog e Magog 252, 255
Goldfather, goldmother, v. batismo, padrinhos de
Golfinho 298, 327
Górgona 319
Graal 40, 51, 248[55]
Graças 53
Granada 537
Gravidez 170, 416, 564
Grécia, cultura grega 26, 60, 93
Greia,157
Grupo (cf. tb. massa), 225-228, 496, 505
Gruta, caverna 156, 233, 240, 247s., 253[59], 481
Guerra 454
Guru 238, 398

Hades, descida ao 311
Hal Satlieni 312
Halo 557, 668
Hécate 186, 306, 312s.
Hélade, v. Grécia

Helena (de Simão, o mago), 64, 372
- de Troia 60
Hélio 84, 229
Heng (sinais I Ching), 640
Henoc, v. *Bíblia* – Apócrifos
Hera 93, 604
Héracles 93, 221, 283, 289, 433[64], 571, 604
Hereditariedade 136, 151, 262
Heresia 17, 131
Hermafrodita (cf. tb. andrógino), 138s., 146, 159, 268, 292-297, 326, 682
Hermes 193, 238, 298, 413, 538, 545, 549[62], 553, 686s.
- Catatônio 556
- de Cilene 533[5], 538
- Psicopompo 238, 689
- Trismegisto (cf. tb. *Theatrum chemicum*), 5[7], 79, 553, 572[104], 682
Herói (cf. tb. arquétipo do), 7, 140[29], 208, 226, 229, 248, 281s., 289, 303s., 309, 350, 356, 446, 515, 605
Heroísmo 165
Hexagrama, v. I Ching
Hieros gamos 197, 295, 418, 557[82]
Hilozoísmo 385
Hinayana, v. budismo
Hinduísmo 76, 551
Hipnose 402
Hiranyagarbha 248, 664, 674s., 690s.
Histeria 213, 402
Homem velho (cf. tb. arquétipo do velho), 74, 234, 309, 396, 401s., 409s., 425, 435, 485, 682

Homem, próprio do homem (cf. tb. masculino-feminino), 61, 197, 357, 382s., 438, 485, 525
- e mulher (cf. tb. arquétipo da anima), 120, 175, 182s., 192s., 223, 294, 297, 309, 355, 396, 439s., 511s., 525, 559, 572, 612, 677[22]
Homem-mulher (cf. tb. andrógino), 120, 138, 426, 576[119], 653
Homenzinho de capuz, v. *cucullatus*
"*Homo maximus*", 5[7], 555
"*Homo philosophicus*", 238[36]
"*Homo quadratus*", 549
Homoousia 11
Homossexualidade 146, 162, 356
Homunculus 270, 279, 408, 529, 541, 680, 686, 692, 707
Horóscopo (cf. tb. astrologia), 7, 525[1], 606
Hórus 195, 564, 576, 611[180], 652[8]
- filhos de 425[50], 660, 715
Hun, 564[95]

I Ching 82, 120[15], 403[17], 597, 639
Ícone 645
Ictílico (cf. tb. peixe), 672
Id 2[1]
Idade Média, medieval 464, 474[16], 661
Ideia 68, 125s., 149, 154, 509
Identificação 84, 224s., 254, 621
Idiossincrasia 220
Igreja (como instituição), 11, 19, 21s., 29, 48, 61, 131, 156, 230, 295, 450, 456, 458s., 653, 661, 677
- (como casa de Deus), 368s., 405, 691
- católica 21, 230, 292

- protestante, v. protestantismo
Ilha 246, 256, 344, 654
Iluminação 583, 674, 679, 697
Iluminismo 173, 267
Imaginação 89, 580
- ativa 101, 120, 263[6], 270, 319, 334, 398, 528, 581, 621s., 627, 698
Imago 122, 135, 173
- Dei 5, 442, 572, 626
Imortalidade 93, 204s., 208, 217s., 229, 234s., 238s., 246s., 316, 435
Impotência 162
Incesto 122s., 130, 135, 140[29], 168, 417, 449, 516
Inconsciência 163, 167s., 176s., 288, 444, 472s., 477, 485, 487, 500, 582, 644
Inconsciente 1, 8s., 21, 40s., 57s., 70, 80s., 92, 100s., 118, 121s., 134s., 136[26], 141, 151s., 159, 162, 167s., 173s., 182, 185s., 190s., 197, 216, 222s., 226s., 236, 241s., 245, 248s., 259s., 261s., 265s., 268s., 275, 278s., 290, 293s., 309, 311s., 319, 350s., 371s., 388, 397, 406s., 419, 425s., 430s., 436s., 442s., 451s., 469, 472s., 480, 486, 489-524, 526s., 535s., 550s., 555, 559, 563s., 571, 579[128], 582s., 593, 598, 614, 620s., 634, 645, 651, 660, 671s., 678, 689, 693, 698, 706, 711, 717
- centro do 492, 503, 507
- coletivo 1-86, 87-110, 262, 281, 408, 439, 442, 518, 520, 543, 552, 582, 645, 711
- conteúdos do 1s., 79, 64[39], 84, 88, 121, 131s., 241, 248, 263, 277, 287, 320, 406, 433[62], 493,
498, 501, 504, 530, 543, 565, 608, 617, 622, 663, 674, 711, 714
- e consciência, cf. lá
- fisiológico 506
- instintivo 506
- pessoal 3s., 44, 88s., 634
- processos no 260
Incubação 240
Índia, indiano, hindu 11, 76, 158, 193, 218, 259, 270, 289, 398, 573[112], 576, 629, 643, 652, 656s., 664, 710
Índio, indiano 25, 31[14], 456[1], 470, 474
- navajo 240, 651[7], 700s.
- pueblo de Taos 48, 84
- *winnebago* 467
Individuação 73, 83, 86, 194, 235, 254s., 270, 278s., 289, 355, 418, 453, 486, 489-524, 525-626, 660, 676, 679, 682, 689, 705, 708
indivíduo 2[1], 204, 220, 225s., 490, 498, 504s., 522, 620, 711, 714s.
- e massa 225s.
"*Infans noster*", 268
Infantilismo 303
Inferioridade, sentimento de 138, 169
Inferno 252, 258, 457, 535s., 578, 597[153], 630, 636
Inflação (psic.), 254, 304, 393, 621
Iniciação 25, 106, 131, 382, 631
Inscrição Aberkios 551[67]
Instinto, instintivo 91s., 97, 101, 112, 129, 136, 140s., 151s., 154s., 158, 161s., 167s., 170s., 176, 182, 186, 195, 213, 227, 244, 254, 275s., 282s., 293, 433[62], 444, 473, 497s., 501s., 528, 540, 620, 660, 667, 672, 714
- fisiologia do 112

- psique 2[1]
Integração 83,485[20], 563, 624
Intelecto 31, 116[7], 167, 386, 391, 545, 572
Intelectualismo 125, 659
Introversão, introvertido 223, 431, 613, 668
Intuição 245, 398, 504, 541, 693, 697
- como função, v. sensação-intuição
Inveja 644
Io 195
Ioga 232, 403[18], 562, 638
- chinesa 81
- kundalini, v. lá
- tântrica 312[5]
Iogue 234, 520, 633s.
Ira, irado 14, 15[16], 42, 535, 578, 597[153], 602
Íris 580[131]
Irmã, v. irmão-irmã
Irmão, irmão-irmã, 404[20], 405, 412, 417, 435, 442s., 445, 447, 516
Isaías, v. *Bíblia*
Ísis, mistérios de 84, 107, 175, 195, 619
Islã, 219, 240, 258
Itifálico 193, 464, 556, 561
Iustitia 679
Ixíon 705

Jade 601, 691
Jadschudsch e Madschudsch, v. Gog e Magog
Jardim 156
φάρμακον 414
Javé, 18, 189,394,458,602[159]
Jerusalém celeste 56, 156, 256, 691

Jesod 557[80]
Jó, 563
Jó, v. *Bíblia*
João 242[42], 611[180]
João, v. *Bíblia*
Joia, tesouro (cf. tb. pedra), 240, 256
Jordão,93
Josué ben Nun, v. Corão
Jovem, rapaz 146, 270, 326, 396, 547, 591
Judeus, judaísmo 189, 252s., 324, 463
- perseguição aos 98
Juízo Final 217
Júpiter, v. planetas
Juventude 242

Ka 702
Kabbala denudata 557[80], 576[119,120]
Kali 158, 186, 189
Kamutef 438
Karkinos 604
Kassapa-Samyutta, Sutta, v. Cânon-páli
Katha-Upanishad, v. Upanixades
Kheperâ, 663
Kilkhor, v. mundo, roda do
Klippoth 576, 576[120]
Kobold,469
Kun (sinais I Ching), 641
Kundalini
- ioga 142, 632, 641, 679
- serpente 648, 667, 674
Kypris 537, 575

Ladainha Lauretana 652
Lago 34, 40, 415s., 599, 654
Lamaísmo, v. budismo tibetano

Lâmia 53
Lapis, v. pedra
- philosophorum 117, 541, 601[157], 617, 651
Laranja, v. cores
Leão 246[52], 267, 315, 405, 423s., 435, 535[24], 588[143], 624, 660
Leda 560
Lei 243
Leopardo 352
Lema (hidra), serpente de 604
Leviatã, 553[72], 559[84], 673
Li (sinais I Ching), 640
Liber mutus 53[30]
Liberalismo 125
Liberdade 243[44], 566[97]
Libertação 528s., 533, 538s., 548s.
Libido 245
Lilith 157
Lingam 193, 632
Língua 467[14]
livqoV ou* livqoV 555
Lírio 352, 405
Literatura, história da 115
Liturgia 93
Lobisomem 405
Lobo 421s., 424s., 430
Locapala 564[93]
Logos 178
Lótus 156, 234, 315, 573, 576, 596[152], 630, 652, 661
Loureiro 581s.
Lua 156, 240, 266, 311s., 343, 532, 541, 545, 557, 604s., 625, 685, 704
- cheia 611
- deusa 344s.
- fases da 7
- nova 604
Lucas, v. *Bíblia*

Lúcifer 79, 179, 420, 534, 567[99], 578, 682
Luna, lunar 6, 295, 342s., 356, 557[82], 604
Luxúria 644
Luz 77, 133, 149, 246, 250, 257, 433, 531s., 538, 543, 549, 563, 573s., 580, 583, 588s., 607, 663, 674[19], 697, 704

M'tu-ya-kitâbu 250
Maçã, macieira 410, 417
Macaco 270, 312
Macrocosmos (cf. tb. cosmos), 557
Madeira 600
Madonna, v. Maria
Madura, templo de 629
Mãe 93, 95, 122, 133s., 138, 148s., 167, 176, 183s., 187, 190s., 266, 286, 306s., 315s., 322s., 339, 356, 426, 486[21], 503, 516, 527, 560, 570, 589, 664
- adotiva, madrasta 156
- complexo de 95s., 138, 141, 161-186, 192, 311[4]
- ctônica 312[5], 332
- de Deus, v. Maria
- deusa 148, 297[41], 341, 396
- duas 93s.
- e criança 673
- e filha 156, 162s., 167-171, 192[25], 270, 315s., 383, 525s., 584s.
- e filho 61, 74, 162-166, 193, 270, 315, 374, 416, 605
- grande 148, 189, 191s., 311[4], 430
- natureza 286, 595[149]
- pessoal 159s., 188, 356, 617

- terra 156, 193, 311s., 332, 346, 527, 592, 617, 661
- terrível 158
Magia, mágico 47, 53s., 59, 68, 203, 231, 233, 260, 271, 297, 352, 402, 405, 410, 420s., 426s., 435, 436s., 439s., 442, 445s., 465, 482, 525s., 531s., 536, 553, 564, 579, 630, 642, 645, 663, 682, 687s., 690
- apotropaica 605
- círculo 156
- meio 404, 480
- negra 564
- vara 535[20]
"*Magnus homo*", 5[7]
Mago 71s., 352, 360, 398
Mahayana, v. budismo
Maîtrâyana-brâhmana-upanishad, v. Upanixades
Mal, o (cf. tb. bem e mal), 155, 178, 181,189s., 197, 397, 399, 404, 415s., 420, 425, 428[55], 433s., 455, 477, 567, 576[120], 603[161], 689
Malcut 576[119]
Mana 26, 68
Mandala 12, 16, 20, 73, 156, 234, 270, 536, 542, 549[61], 554s., 559, 564[92], 565s., 580, 582s., 594[148], 597s., 604s., 619s., 627-712, 713-718
Manipura 467[14]
Maniqueísmo 189
Mar 156, 243s., 298, 331, 525s., 532, 538, 559[84], 653, 671, 684, 698
Maria, Virgem, Mãe de Deus 93[5], 140[29], 158, 189, 195, 238[36], 312[5], 340s., 362s., 435, 533[7], 577, 582, 653, 661
- Assunção de 204, 716[3]

- "Axioma de", 425, 430, 437, 537[37], 552, 611[180], 644, 695
- egipcíaca 190
Marrom, v. cores
Masculino-feminino 58, 120, 133, 141s., 158, 162s., 169, 185s., 195, 223, 246, 295s., 310s., 355s., 381, 433, 440, 444, 512, 556, 636, 642, 661, 679, 682, 700
Massa (cf. tb. grupo), 225s., 293, 393, 478, 618
- e indivíduo, cf. lá
- psicologia da, cf. lá
"*Mater Dei*" (cf. tb. Maria), 242[42]
Matéria 118, 156, 195s., 564[94], 576[120], 579s., 680
- e espírito, v. lá
Materialismo 1, 111s., 117, 120[11], 125, 196, 393
Matéria-prima 535[24], 541, 705
Mateus, v. *Bíblia*
Matriarcado 176, 383, 425
Matrix 585
Mauí, 283
Mau-olhado 699
Maya 632
Médico 398
- Deus dos 553
Meditação 85, 130[20], 233, 398, 562, 710,714
Medo 288, 710
Megalomania, loucura, delírio 103, 136, 237, 254, 309,517
Meia-noite 548
Melothesiae 605
Melusina 53, 452[78], 560[89]
Membrum virile, v. órgãos genitais
Memória 386, 504
Mênada,311

Menina, jovem (cf. tb. arquétipo; Core), 306, 311, 326, 350s., 405
Menino 270, 357, 396
Menstruação 170, 311
Mephisto, Mefistófeles 242[42], 254, 310, 513
Mercúrio (na alquimia e no hermetismo), 246[52], 268, 289[30], 391[4], 396, 456, 534, 535[24], 537, 541, 545, 549[61]
- duplex 689
- *philosophorum* 554
Mercúrio (cf. tb. Hermes), 238, 442, 545, 549, 554s., 569, 574, 588, 682
- planeta, cf. lá
Mercúrio 537, 546, 553s., 561s., 581[135], 609
Merkabah 588
Merlin 415, 440
Meru, 691
Meses platônicos 551
Messias 576[120]
Metafísica 59, 119, 149, 187, 259, 297, 492
Metal 268, 288, 407, 535[24], 537[40], 555, 581[135]
Metempsicose 200
Meteorologia 7
Metra 564
Microcosmos 315, 550, 609
Mignon, v. Goethe
Milagre 289
Milho 248, 288
Mimir 413
Minerais 238[36], 555
Misoginia 141
Missa solemnis, v. missa
Missa 205, 209, 458, 535[24]
- negra 324
Missal Romano 93

Mistagogo 238, 689
Mistério, *mysterium* 210, 297, 316
- *iniquitatis* 295
Mistérios, antigos 21, 93, 140[29], 205s., 230, 249, 573, 580, 619
- drama de 208s.
- relato, narrativa de 242, 247s., 254s.
Mística 94, 98, 106s., 211, 240, 246, 258, 268, 292, 295, 372s., 419, 506, 564[94], 573, 652, 662
Mito, mítico 6, 93, 95s., 103, 137, 245, 259s., 271, 275, 278, 289, 302s., 310, 316, 318s., 334, 383, 393, 400, 417, 432[59], 436, 457, 467s., 474s., 484s., 565, 690
- estudo do 7
Mitologia, mitologema 2, 85, 89, 92s., 103s., 110, 114s., 136s., 147[34], 159, 166, 187s., 191, 259s., 263s., 268, 273[20], 287s., 297, 303, 318, 328, 334, 356, 456s., 465, 474, 484, 488, 515, 692
Mitra, religião mitraica 105, 128, 235, 240, 661
Moisés 219, 243-258, 533, 579
Mondamin 248
Monge 132, 532, 599
Monogenés 533[7]
Monoteísmo 189
Monstro (cf. tb. dragão), 311, 673
Montanha 40, 334, 340s., 346, 403, 408, 599, 679s.
- canto, ritual da 700
- Ki 600
- do mundo 691
- *Sermão da* 15[16]
Moral 41, 53, 56, 59s., 76, 84, 135, 177, 189, 243, 394, 399, 410, 657, 704

Mortalidade 204s., 213, 235, 238
Morte 72, 157, 162, 178, 204s.,
208, 231, 234, 253s., 276, 298,
355, 519, 576, 605, 616
- demônio da 644, 689
- deus da 644
Morto(s)
- espíritos de 363
- ressuscitar um 413
- sacrifício pelos 188
Mudar, transformar-se (cf. tb.
transformação), 211, 444, 457,
472, 586, 601[157]
Mulādhāra 679
Mulher 156, 184s., 309, 312, 316,
323, 326, 340s., 516
- e homem, cf. lá
- mundo 559
- velha 312[5], 417
Mundo 112s., 177, 289s., 472,
550, 559, 644, 678
- alma do, v. *anima mundi*
- criação do 550
- multiplicidade do 632
- ovo do 554
- roda do 644, 689
- visão do 112, 174
Musaeum hermeticum 705[40]
Música 311[3], 598

Naas 560s., 571
Nação 279
Nacional-socialismo 453
Nada, o 660
Nascimento, gerar 93, 140, 156,
167, 178, 234, 248, 256, 267,
281s., 285s., 290, 311[4], 472, 519,
534, 564, 572, 578, 579[126], 580,
588[144], 606, 661, 698
- duplo 140

- prematuro 170
Natureza 7s., 36, 50, 167, 172,
174, 210, 234, 286, 371, 393,
529, 535, 578s., 704, 714s.
- ciência da 1, 111, 113, 195s., 259
- e espírito, cf. lá
- força da 268
- mãe, cf. lá
Navajo, v. índio
Negros 25, 481
Nekyia, v. Hades, descida ao
Neófito, iniciado 205, 208s., 229,
247, 382
Neofobia 276
Neoplatonismo 557[79]
Nesso 221
Neurose 11, 83s., 96, 112s., 136,
139, 142, 159s., 190, 244, 259,
266s., 270, 299, 302, 319, 493s.,
521, 666, 698
Nigredo 246, 452
Nilo, 604[165]
Ninfa 53, 311
Nirdvandva 76
Noé 428[55]
Noite, noturno 425, 563, 572[106],
574
- dia e, cf. lá
Noiva 328
Nome 217, 224, 231
Nominalismo 149
Norna, 157
Notre-Dame (Paris), 458
Nous/νοῦς 193, 393, 545, 555,
560[86], 561[90]
Nova York 612s.
Novelo 404[20]
Novo Testamento, v. *Bíblia*
Nudez, nu 324, 396[8], 435
Números, simbolismo dos 642, 679s.

- "1" (cf. tb. unidade), 546, 612, 660s.
- "2" (cf. tb. dualismo), 546, 552s., 604, 612, 679, 685
- "3" (cf. tb. tríade, trindade), 76, 242[42], 422s., 433s., 444s., 537[37], 552, 579, 581s., 597s., 603s., 611, 630, 644, 648[5], 660, 679, 715s.
- "3", 632, 648
- "4" (cf. tb. quaternidade, *tetraktys*, quadrado), 73, 242[42], 424s., 429s., 433s., 436s., 444, 535, 535[23], 537[37], 538, 552, 564s., 571, 574s., 578s., 588, 603[161], 604, 606[176], 611, 623, 630, 637, 644s., 679s., 691s., 713s.
- "5" (cf. tb. quincunx), 242[42], 646, 680, 697, 716
- "6", 242[42], 644, 679
- "7", 14, 76, 240s., 246[53], 403, 535[24], 576, 579[126], 675
- "8", 242[42], 607, 646, 657, 680, 705
- "9", 242[42], 442[72]
- "12", 423s., 426, 433s., 545s., 552, 571, 588, 644s.
- "16", 682
- "365", 580[131]
- mística dos 552
Numinoso 59, 82, 159, 242, 285, 469, 480, 546, 557, 645
Nun 243s.
Nuvem 682

Oceano, v. mar
Octógono 713
Octópode 346
Ofídico, 74
Óleo, 591
Olho (cf. tb. polioftalmia), 245, 405, 413, 532, 538s., 559, 591s., 614, 622, 646, 682, 689s., 698s.
- de peixe, cf. lá
- divino 246[53], 594
Ondina 53
Ônfale 571
Opostos, união dos (cf. tb. *complexio oppositorum*), 18, 20, 73, 141s., 174, 178, 189, 194, 196, 257, 277s., 285, 287, 292s., 294s., 389, 417, 426s., 446, 456, 483, 524, 560s., 567s., 597s., 607s., 632, 634s., 652, 663, 684, 691, 704s., 714, 718
Opus alchymicum, v. alquimia
Oração 44
Oráculo 343
Ordem 66, 642, 645, 683, 710
Órfão 401, 414
Orfeu 79, 573[109]
Órfico 529, 554, 646
Órgãos genitais 138, 557s.
Orgia 311
Oriente, Leste 11, 24, 76, 130[20], 403, 597, 602, 638, 647, 656s.
- e Ocidente 11, 25, 189, 193s., 232, 677
Origem 287
Oseias 295
Oseias, v. Bíblia
Osíris 208, 229, 247, 413, 435[67]
Ouro, dourado 267, 270s., 325s., 537, 543s., 547, 554, 556s., 575, 580, 583s., 590, 617, 674, 684s., 691s.
- era de 480
- germe de, cf. tb. *hiranyagarbha* 664, 674, 690
Ovo 270, 290, 526, 529, 532, 554, 564[94], 677, 685, 690
- dourado 664
Ovum philosophicum 529

Paciente, v. análise
Paderbom, catedral de 694
Padma, v. lótus
Paganismo, pagão 205, 324, 443s.
Pagurus Bernhardus 604
Pai 69, 74, 122, 126, 131s., 168, 186s., 188, 266, 396, 560, 579, 584, 602
- arquétipo do, cf. lá
- complexo de 162[6], 168[12], 396, 525
- e filha 20
- e filho 360
- originário 126
Pai-nosso (cf. tb. oração), 394
Pais 93s., 121, 126, 130, 135, 151, 172, 427, 500
- adotivos 94
Paixão 56, 72, 158, 195, 561, 564[95]
Palatino 463
Palavra, v. logos
Pallas Athene, v. Atená
Pan 35, 210
Panaceia 537
Pancatantra 605
Panteísmo 288
Papa 458, 474[16]
Par (cf. tb. arquétipo do; dioscuros; amizade; opostos), 121, 131, 137s., 218, 253s., 447s., 533[7], 551, 608
Paráclito 247
Paraíso 56, 59, 73s., 128, 156, 258, 398, 428, 471, 535[24], 552, 554, 560, 603[161], 665, 673
Paranoia 107, 138, 220, 304
Parapsicologia 457, 532
Parcas 157
Parse 551
Participação 188
Participation mystique 41, 226

Páscoa 22, 312[5]
Pássaro 53[30], 100, 283, 321, 358s., 405, 433, 435, 572, 580[131], 586s., 597, 603s., 660, 679, 686
Pastor de Hermas, v. Bíblia – Apócrifos
Pastor 35, 416, 449
Patologia, patológico 61, 83, 115, 124, 146, 295, 320, 465, 494, 621
Patriarca 403[17]
"*Pattern of behaviour*", 6[8]
Pavão, olho de 352, 580, 596, 685
Paz 549[61]
Pecado original 420, 576[120]
Pedra (cf. tb. rocha), 248[55], 267, 555, 648
- da alquimia/*lapis* 238, 238[36], 246, 248[55], 289, 293[33], 541, 555
- dos filósofos, v. *lapis philosophorum*
- hematita 575
- idade da 224, 226
- neolítico 21
- preciosa (cf. tb. joia), 270, 537s., 580
Peixe 38, 52, 157, 243s., 245s., 247s., 254, 311, 624, 671s.
- era de 551s.
- mês mundial de 7
- olhos de 246
Penélope 663
Pênis 105, 472
Pensar 150, 260, 386, 402, 419, 425, 500
- sentimento (funções), 541[49], 565, 588
penta, pentagrama 646, 680, 697
Pentecostes, milagre de 95, 388, 409
Pequeno Polegar, v. anão
Pequim 691
Percepção 7, 136, 393
Peregrinação 571[102]

"Perils of the soul", 47, 254, 266, 501
Pérolas 37, 270, 352, 363, 671
Perséfone 169, 194, 313, 619
Perseu 319
Persona 43, 221, 274
Personalidade 44, 150, 190, 200s., 212s., 220s., 235s., 241, 244, 250, 270, 277s., 293, 304, 314s., 351s., 394, 403s., 417, 439s., 468s., 484s., 490s., 503, 507s., 545s., 554, 561, 563, 575, 600, 609, 619s., 634, 651, 659, 662, 679s., 696
- cisão da 468, 507s.
- superordenada 306, 309s., 313s., 341s., 356
Perturbações psicógenas 290
Perversão 146, 689
Phlogiston 68
Physis/φύσις (cf. tb. natureza), 295s., 392
Pintor 349s.
Pirâmide 526, 543, 679
Pisces, v. peixe, mês mundial de
πίστις 619
Pitagorismo 503
Planetas 242[43], 246[53], 545, 579[126], 588[144]
- deuses 682[28]
- Júpiter 545
- Mercúrio 557
- Saturno 545
Planta, vegetal 329, 556, 573, 589, 600, 661, 665
Pleroma 47, 533[7]
Plutão 169
Pneuma, pneumático 35, 95, 107, 197, 484, 556s., 560s., 565s., 571, 579, 597, 613, 624
Pneumatikos 243[44], 244
Po (chin.), 119, 564[95]

Pobreza 28, 30
Poço 37, 45, 156, 210, 246[52], 252, 410
Poeta 216
Poimandres 79
Poimandres, 79[46], 133[25]
Poimen de Hermas, v. Pastor de Hermas
Polioftalmia 14, 532, 614, 690
Politeísmo 121
Política 567
Poltergeist 457, 469
Pomba 93, 108
Ponto (Shiva), 664
Ponto vernal 7
Pontos cardeais 571, 630, 675, 701
Porco 325, 413, 422, 433, 445s., 624, 644
Posídon 328
Positivismo 267
Possessão 220, 387, 475, 501, 621
Prakrti 158
Prata 405, 545s., 557, 609, 685
Prazer, instrumento de 560
Pré-puberdade 135
Preto, v. cores
Priapo 560
Primitiva, horda 126
Primitivo, o 5s., 47, 53s., 69, 84, 89, 115, 187, 213, 244, 260s., 264s., 276, 284, 288, 290, 300, 350, 393, 414, 420, 466s., 482, 546
- religião do 260
Primordiais, imagens 68, 117, 136[26], 141, 149s., 174, 193, 260, 396, 427
- pensamentos 89
Profeta 124, 216, 253, 360, 403[17]
Projeção 7, 53s., 61, 120s., 142, 145, 159s., 168s., 182, 186s., 249,

284, 287s., 294s., 311³, 315, 350,
355s., 382, 477, 513, 541, 550, 682
Prometeu 427
Propiciação,47
Proportio sesquitertia 644, 648⁵,
695
Prosérpina, v. Perséfone
Prostituta 356
Protestantismo 18s., 29s., 77, 190,
230
Provérbios, v. Bíblia
Psicanálise (cf. tb. Freud), 138, 159
Psicologema 465
Psicologia, psicológico 1s., 16, 21,
40, 50, 61s., 91, 99, 111s., 120,
126, 131, 140²⁹, 141s., 148-198,
206s., 212, 225s., 253s., 259-305,
306-383, 384s., 430s., 436, 452s.,
456-488, 525, 527s., 536, 542,
581s., 595, 599, 608, 625, 638,
661, 677, 689, 708, 713
- americana 159⁵
- científica 120
- complexa 84, 485
- da criança, infantil 259³
- da família 126
- das neuroses 113
- de grupos 225-228
- de massas (cf. tb. de grupos), 227
- do inconsciente 63, 296, 306,
356, 419,708
- do processo de individuação, cf. lá
- empírica 150, 468
- médica 1, 64, 91, 113, 167⁸, 259,
290, 432⁵⁹, 476, 491
- patológica (v. tb. psicopatologia),
259
- primitiva 213
Psicopatologia 136²⁶, 164, 189,
212, 244, 259, 270, 290, 468

Psicopompo (cf. tb. Hermes), 60, 77
Psicose 113, 142, 259s., 266, 494,
519, 621
Psicotécnica 111
Psicoterapia 84, 91, 119, 134, 137,
284, 290, 318, 404, 474, 480,
524, 621,623
Psicótico 82s.
Psique 3, 33, 41, 54, 88s., 100,
151s., 160, 187, 190, 195, 206,
259s., 262s., 271, 285, 289s., 294,
296, 314, 316, 355, 384, 388, 396,
432, 451, 465, 483s., 490, 493s.,
502, 506, 518, 520, 555, 717
- da criança 159, 501s.
- pré-consciente 151
Psiquiatria 318, 493, 500, 621
Psíquico 3s., 6, 49s., 53s., 57s., 86,
90, 111s., 143, 150s., 190, 194,
206s., 236, 248, 254, 260, 267,
282s., 285, 300, 308s., 316, 385,
388s., 402, 432, 444, 451, 465s.,
483, 490s., 499, 518, 523, 540, 572,
581, 617s., 630, 638, 645, 657s., 714
- conteúdos 54, 120, 484, 490
- físico 116, 188, 214, 295, 392, 491
- epidemias 227, 267, 496
- funções 386, 391, 502, 630
- processos 490, 492, 496
"Puer aetemus", 193
Pulcinella 464, 474
πῦρ ἀεὶ ζῶον 68
Purificação 47
Púrpura, v. cores
Purusha 158, 248, 572, 717

Quadrado 315, 426, 541, 549,
646, 655, 713
Quadrilátero (cf. tb. quadrado),
233, 541, 549, 646s.,661, 700

Qualidades 535, 535²³, 564, 579¹²⁶, 582
Quaternidade 270, 278, 315, 343, 425, 425⁴⁹, 535, 535²³, 537⁴⁴, 564⁹³, 564, 576¹¹⁹, 579, 582, 588, 623, 660, 679, 714, 716
quatérnio 426, 430, 433s., 449, 535²³, 536, 588, 612, 713
- de matrimônios 612
Quênia 35, 250
Querubim 660
Quest, busca 244, 410, 418
Quiliasmo 276
Química, químico 117s., 238
Quincunx 609
Quissuahíli 250⁵⁸
Quito 227²²

Rá, 661
Rachaidibi fragmentum, v. *Artis auriferae*
Racionalismo 657, 659, 697
Rainha 315, 516, 612
Raio 531s., 533-545, 558, 564, 575, 582
Ras Sharnra, textos de 673
Razão 22, 150, 158, 173s., 247, 386, 390s., 454, 539
Rebis 292
Recém-nascido 136, 151, 172, 239, 692
Recipiente, vaso 156, 301, 651s., 682
Redondo, forma redonda 246, 248, 278, 342, 532, 541s., 549, 573, 576¹²⁰, 660, 679, 700s.
Reencarnação (cf. tb. renascimento), 201, 224, 518
Reforma 22, 189
Regina Coeli 194
Regressão 227

Rei 27s., 132, 267, 270, 315, 398, 405s., 412, 417s., 422, 446, 452, 485, 516, 576, 600, 612
reino de Deus 156, 679
Reis, v. *Bíblia*
Religião, religioso 10s., 17, 30, 48, 57, 70, 89, 93, 106s., 123s., 140²⁹, 141, 160, 164, 190, 251, 259, 261, 268, 271, 275, 287s., 295, 392s., 399, 516, 551, 619, 645, 713
- Bön, cf. lá
- do mundo 10
- fundador de 124
- história da 89, 115, 125, 148, 259, 318
- mágica 680²⁵
Renascimento 95s., 140²⁹, 150, 199-258, 571, 624¹⁸⁷, 682²⁸, 686
Renovatio 203
"*Représentations collectives*", 5s., 47, 85, 89, 93, 98, 125
Repressão 2, 88, 122, 130, 135s., 262, 431, 474, 492, 501s., 540, 561, 587
Ressurreição 202, 208, 210, 238³⁶, 604, 624, 686,
- corporal 637
Resurrectio, v. ressurreição
Revelação 10s., 164, 217, 261, 534¹⁴
- Deus da 193, 560
Riacho (cf. tb. rio), 327, 337
Rigveda 671
Rio (cf. tb. riacho), 327
Ripley Scroll 452⁷⁸, 682²⁸
"*Rites d'entrée et de sortie*", 260, 277
Rito, ritual 21, 47, 93, 106s., 205, 208s., 224, 227, 230s., 275, 295, 311, 324, 463, 482, 573, 629s., 635, 700

Roca de fiar 410
Rocha 36, 156, 525s., 529s., 533, 538, 549
Roda 16, 573s., 576[120], 579[126], 580, 644, 654, 689, 704
Rosa 156, 315, 646, 652, 654
- mística 652
Rosacruz 652
Rosarium philosophorum, v. *Artis auriferae*
"*Rosarium*", 564[92]
Rosinus ad Sarratantam, v. *Artis auriferae*
Rotação 574, 588, 646, 674, 684, 692
Rotundum (cf. tb. redondo), 532, 538, 549, 573, 660
Rubedo 537
Rubi 537, 654
Rússia 680[26]

Sábado de Aleluia 93
Sabedoria 93, 158, 188, 243, 247, 289[30], 336[12], 337, 592
Saber (função), 425
Sacerdote 398, 458, 460[7]
Sachseln, igreja de 12, 16
Sacrifício 188, 209, 240, 311s., 324s., 355, 380, 547
- animais do 624
- cordeiro do 433[65]
- fogo do 612
- totem, cf. lá
Sacrilegae, cantationes, v. blasfêmia
Sal 537, 575
Salamandra 311, 705
Salitre 534s., 536, 575
Salmos, v. *Bíblia*
Salvação 156, 190, 266, 278, 287, 433[65], 448, 454

Salvador, curador 38, 74, 124, 267, 278, 374, 427, 456s., 472, 487, 561[90]
Samádi 520
Samkhya, filosofia 158
Samotrácia 25
Samyutta-nikaya (cf. tb. Cânon-páli), 200[1], 517, 564[14]
Sanatsugâtîya 664
Sangue 238[36], 311s., 329, 331, 537, 555, 569, 575
- pacto de 481
Sankaracharya 398[12]
Santo, santidade 17, 356, 458, 576
Sapientia 93, 575
Sarcófago 157, 398, 686
Sarkikos 243[44], 244
Satanás (cf. tb. Lúcifer, diabo), 394, 455, 534[14]
Satapatha-Brâhmana, v. *Brâhmana(s)*
Satumalia 458
Saturno (cf. tb. planetas), 535[24]
Schechina 576[119]
Seco-úmido 197
Segredo, mistério 198, 205, 208, 230, 316, 398
Seitas 631
Sêmele 195
Semenda, o pássaro 685
Senex 576[119]
Sensação 541, 565
- intuição (funções), 541[49], 565, 588
Sentido, significado (cf. tb. arquétipo do), 64s., 77, 116[7], 400
Sentimento/emoção 587, 616, 697
Septem tractatus seu capitula Hermetis Trismegisti, aurei, v. *Ars chemica*

Ser humano, pessoa 56, 152, 189, 204, 217, 281, 294, 300, 393, 480, 541, 550, 602, 680, 697
- e animal 626
- e Deus, cf. lá
- figura do (cf. tb. antropomorfismo), 588[143], 714s.
- o completo, verdadeiro 529, 549
- primitivo, cf. lá
Ser o 386, 641, 644
Serafim 564, 715
Sereia 53s., 311, 406, 677
Serpens mercurialis 553s., 556, 560[86], 686
Serpente, cobra 59, 74, 103, 157, 270, 283, 288, 311, 315, 330s., 358, 362s., 533s., 545, 547, 552s., 556s., 564, 567, 574, 576, 585, 597, 604s., 611s., 623, 632, 644s.,660, 664s., 685, 705
Serviçal, figura do 289
Servus rubeus 289
Sesquitertia, v. *proportio s.*
Seth 413
Sexo, sexuais 142, 472, 512
- oposto 223
Sexualidade, sexual 61, 91, 124, 142, 162, 170, 266, 311, 444, 528, 559s., 689
Shakti 312[5], 631s., 641, 653, 677
Shatchakra Nirupana 312[5]
Shiva 631s., 653, 661, 677
- bindu 631, 664, 668
σημεῖα 80
Shong (sinais I Ching), 600
Shri-Chakra-Sambhara Tantra, v. tantras
Siegfried 283
Símbolo, simbólico 5s., 33, 38s., 48s., 72, 80s., 85s., 95s., 103, 110, 148, 166, 193s., 218, 227, 235, 240-258, 273[20], 278, 283, 287, 289s., 293, 298, 303, 315, 425, 433, 444, 523, 529s., 537s., 549[61], 553s., 561s., 572, 574s., 594, 604s., 617s., 627-712, 717
- história do 143, 198, 273[20], 432[59], 717
Si-mesmo 46, 73, 246s., 253s., 278s., 289s., 294, 303s., 396, 403[17], 417, 541s., 548s., 554s., 572, 582, 590, 606, 619, 634, 653, 661, 666, 675s., 680s.
- queima de 685
- tornar-se, v. individuação
Simpósio, v. Platão (índice de pessoas)
Sincronicidade 197, 608
Sinistrogiro – dextrogiro 564s., 569s., 574, 609, 671s., 673s., 674[19], 680[25], 693, 700
Sizígia (cf. tb. par), 115, 120, 130s., 134, 138, 142, 194, 326, 372
Social, o, fenômenos sociais 98, 114, 617
Socialismo 125
Sociedade, ordem social 170, 174, 228, 383, 479
Sofia 33, 93, 131, 156, 193, 336
Sogra 156, 169[14], 169
Sohar 576[120]
Sol 7, 48, 105, 240, 246[52], 253, 266s., 346s., 409, 543, 554, 557s., 593, 604s., 609, 619, 624, 646, 654, 663s., 675s., 683, 690, 697
- barca do 238s.
- carro do 235
- deus do 106, 235
- herói solar 605
Sol, solar 7, 235, 295, 356, 557[82]

Solilóquio 236s.
Solstício 608s.
- de verão 605
Somália 250s.
Sombra 44, 49, 61s., 80, 86, 169, 222, 244, 309, 396, 439s., 469s., 474, 477s., 485s., 513, 552, 560, 567, 579, 597, 600, 634, 705
- coletiva 469, 484
Sonho 6, 34s., 44, 68s., 80s., 100s., 110, 136, 136[26], 211, 222, 235, 259s., 262s., 268s., 274s., 299, 309, 311[2], 318s., 356, 396-399, 407s., 436, 454, 485, 492, 499, 506s., 538, 546, 550, 576, 582s., 604[168], 608, 627, 713s.
- acordado 263
- interpretação do 34s., 51, 71s., 335s., 370s., 572s., 582s., 625, 655
- isolado 34, 39, 71s., 250, 340-354, 359s., 398, 546, 570, 581, 591, 623, 647, 654
Sono 242
Soror mystica 53[30]
Soter (cf. tb. salvador), 74
Sperma mundi 580[131]
Spiritus
- *Mercurii* 554
- *vegetativus* 386
Sponsus et sponsa 450
"*Strudel*" (cf. tb. mago), 482
Stupas 564
Suástica 98, 564, 569, 574, 646, 674, 680, 700
Subconsciente 40, 433
Substância arcana 387, 452, 535[24], 575
Subterrâneo 156, 195, 246[53], 311, 360, 367, 382, 413, 433, 537, 556
"*Subtle body*", 202, 392ª, 535[24]
Súcubo 54

Sufismo 250
Sulphur 537
Sun (sinais I Ching), 599
Super-homem 190
Superstição 149
Sutras
- *Amitayur-Dhyana* 574[117], 607[178]
- *Ioga* 520
- *Vedanta* 675
Svadhisthana, 467[14]
σῶμα 572

Tabu 59
Tabula Smaragdina 193, 451[51]
Tantra 81, 392ª, 467[14], 631, 643, 652, 661
- shri-chakra-sambhara 142[31]
Tao, taoista 11, 40, 76, 564[95], 597, 691
Tarô, 81
Tártaro 535[24], 537, 575
Tartaruga 604[165], 624
Tathagata 587, 596[152]
Tebhunah 576[119]
Técnica 195
Teísmo 128
Telepatia 249
Temenos 646, 655
Templo 323, 342
Tempo, época 209
- e espaço 249, 316
- espírito da 386
Teosebeia 372
Teosofia 28, 471, 572
Terapia (cf. tb. psicoterapia), 146, 167[8], 303, 558, 617, 621s., 645, 700, 718
- sistema de 602
Teriomorfismo (cf. tb. animal), 315, 376, 382, 419-434, 463, 689

Terra
- campo, chão 176, 597, 603
- como arquétipo 543
- ctônica 193
- deusa 195
- e céu/terreno-celeste 128, 195, 198, 549, 554, 586, 637, 641
- elemento 579, 606[176], 609, 641
- enquanto matéria 555, 602[159]
- enquanto mundo 197
- enquanto planeta 610, 703
- mãe, cf. lá
Tesouro escondido 160, 248, 267, 668
Tetrádico (cf. tb. quaternidade, quatérnio), 644, 646, 689, 705
Tetragrammaton 579
Tetraktys 641
Tetrameria 552, 564, 581
Theatrum chemicum 5[7], 53[30], 246[53], 335[11], 549[61], 554, 575[118]
Thot, 79
Tibet, budismo libetano 564, 597[153], 629s., 644, 680[25], 689, 713
Tifão 559[84]
Tigre 358
Timeu, v. Platão (índice onomástico)
Totalidade 248, 278s., 281s., 285, 293, 299s., 314, 326, 356, 425s., 430, 433s., 453, 490s., 522s., 540s., 550, 555, 567, 572, 603, 633s., 645s., 679s., 697, 702, 705s., 710, 715
Totem 229
Touro 323, 588[143]
- deus Taurus 551
Tractatus Aristotelis, v. *Artis auriferae*
Tractatus aureus, v. *Theatrum chemicum*

Tradição 259, 262. 277
Transcendência 68, 120, 208-211
Transe, estado de 103
Transferência 122s., 523
Transformação 80s., 85, 199s., 205s., 212-239, 240-258, 400, 417s., 528, 530, 534, 537s., 552, 561, 592, 621, 686, 705
Transmutação 202
Tratado do Peregrino 16
Trauma 97, 159, 657
Trevas, escuridão 247, 427, 433, 535s., 538, 572, 574, 578, 595, 654
Tríade 11, 425s., 429s., 431s., 434, 436, 438s., 446, 560, 597[154], 644, 646, 679, 693
Triângulo 426, 439
Trickster 456-488, 682, 689
Trigo 288, 321, 328
Trindade 11s., 16s., 22, 30, 131, 425, 428[54], 439, 579
Tripudia 458
Tríscele (três pernas), 429s., 433s., 438, 441, 444
Trono 132, 246
Trovão. Deus do 598
Túmulo, sepultura 157, 239s., 352, 412
Tunísia 699

Umbra (cf. tb. sombra), 469[15], 602[159]
União dos opostos, v. opostos
Unidade, o uno 430, 434, 536, 564, 576, 602, 607, 660s., 666, 679, 715
Universais, disputa dos 149
Universo, v. cosmos
Upanixades 554
- Çvetâçvatara 218[11]

- *Katha* 289[31]
- *Maîtrâyana-Brâhmana* 677, 690
Urânia 193
Uróboro 537, 646, 690
Ursana 342
Urso 311, 315, 341, 351, 423
- o grande 340
Útero 156
Uterus 170

Vaca 156, 231, 346, 401, 410, 414
Vas hermeticum 686
Vedanta-Sutra, v. *Sutra(s)*
Vegetação 7, 315
Velho Sábio (cf. tb. arquétipo do Velho, do significado), 77, 86, 398, 485, 515, 682
Veneno 414
Vento 35, 95s., 105s., 387s., 526, 555, 578, 601
Vênus (cf. tb. Afrodite), 60, 194, 313, 537, 575
- de Brassempouy 312
- de Willendorf 312
Verde, v. cores
Verme 315
Vermelho, v. cores
Vida, força vital 172s., 185, 200s., 207s., 226, 238[36], 244, 267, 385s., 389, 521s., 529, 548, 564[95], 566, 580, 595[149], 603, 608, 616, 654[11], 691
- água da, cf. lá
- fonte de, cf. lá
- depois da morte (cf. tb. imortalidade), 202
Vidro, vítreo 532[4], 593, 655, 680, 866
Vilões, os 413
Vinho, videira 210, 248

Violeta, v. cores
Virgem, donzela 71, 74, 93, 156, 270, 312, 351, 398, 422, 433
- Maria, cf. lá
- nascimento virginal 11, 22, 282
Visão 6, 12s., 68, 106s., 130[20], 132s., 210, 217, 263, 268, 275, 309, 311[3], 318, 398, 408, 506, 509, 536, 546, 715
- coletiva 408
Vishnu 554[75]
Vishuddha 467[14]
Visio Arislei, v. *Rosarium Philosophorum*
Vontade 260, 276, 386, 404, 492, 497, 563

Weimar 386
Wotan 50, 413, 442, 445s., 454, 597

Xamã, 77, 213, 409, 414, 457, 482
Xamanismo 115[6], 457

Yama 644
Yantra 630, 710, 714
Yin e yang 40, 120, 183, 197, 564[95], 603, 637
Yoni 156
Yü (sinais I Ching), 598
ψυχη, ψυχος 55, 387, 560
Yugas 551

Zacarias, v. *Bíblia*
Zagreu, v. Dioniso
Zaratustra (cf. tb. Nietzsche). 77s., 216, 254
Zen 602
Zodíaco 7, 552s., 606s.

REFLEXÕES JUNGUIANAS

Corpo e individuação
Elisabeth Zimmermann (org.)

As emoções no processo psicoterapêutico
Rafael López-Pedraza

O feminino nos contos de fadas
Marie-Louise von Franz

Introdução à psicologia de C.G. Jung
Wolfgang Roth

O irmão – Psicologia do arquétipo fraterno
Gustavo Barcellos

A mitopoese da psique – Mito e individuação
Walter Boechat

Paranoia
James Hillmann

Puer-senex – Dinâmicas relacionais
Dulcinéa da Mata Ribeiro Monteiro (org.)

Re-vendo a psicologia
James Hillmann

Suicídio e alma
James Hillmann

Sobre eros e psique
Rafael López-Pedraza

Sonhos – A linguagem enigmática do inconsciente
Verena Kast

Viver a vida não vivida
Robert A. Johnson, Jerry M. Ruhl

Conecte-se conosco:

f facebook.com/editoravozes

◉ @editoravozes

✕ @editora_vozes

▶ youtube.com/editoravozes

◉ +55 24 2233-9033

www.vozes.com.br

Conheça nossas lojas:

www.livrariavozes.com.br

Belo Horizonte – Brasília – Campinas – Cuiabá – Curitiba
Fortaleza – Juiz de Fora – Petrópolis – Recife – São Paulo

  Vozes de Bolso

EDITORA VOZES LTDA.
Rua Frei Luís, 100 – Centro – Cep 25689-900 – Petrópolis, RJ
Tel.: (24) 2233-9000 – E-mail: vendas@vozes.com.br